Meinen Lesern

Heinz G. Konsalik

Buch

Sibirien. Ein Land, in dem die Winter schneidend kalt und die Sommer tropisch heiß sind. Dort ist JAZ 541/1, ein Lager, in dem die verschiedensten Menschen miteinander leben und arbeiten müssen: Verbitterte, die sich in die Einsamkeit zurückgezogen haben, junge Leute, die schnell Geld verdienen wollen, und solche, die ihren Machthunger stillen und ihren sadistischen Neigungen freien Lauf lassen können – und Menschen, die hier nicht freiwillig arbeiten, Häftlinge, Verbannte. Die Pipeline, die Sibirien den großen wirtschaftlichen Aufschwung und dem Westen Erdgas bringen soll, muß schnellstens fertiggestellt werden.

In dieses Lager, in dem Schikanen, Erpressungen, ja sinnloser Mord auf der Tagesordnung stehen, wird der junge Pater Stephanus Olrik in geheimer Mission von seinem römischen Orden geschickt. Er soll den Menschen geistige Kraft bringen, sie in ihrem Glauben bestärken, ein unerkannter Pfarrer im Gewand eines Arbeiters sein. Für Olrik wird die Erfüllung dieser Aufgabe zu einem Abenteuer, das oft die Grenzen seiner Kraft übersteigt und das er doch immer wieder besteht.

Er trifft auf den sadistischen Kommandanten Rassim, der im ständigen Kampf mit der jungen Lagerärztin Tschakowskaja liegt, einer Frau, die es immer wieder wagt, die schlimmsten Greueltaten zu verhindern, und die eine Leidenschaft für den Priester empfindet, die sie vergeblich zu unterdrücken versucht – eine Leidenschaft, die er trotz seines Gelübdes erwidert. Er muß den Politkommissar Jachjajew überlisten, und vor allem muß er den Häftlingen helfen: dem verbannten Schriftsteller und dem General, dem Boxer, der Hure und vielen anderen, die unter unsagbaren Bedingungen leben und arbeiten.

Autor

Heinz G. Konsalik, 1921 in Köln geboren, begann schon früh zu schreiben. Der Durchbruch kam 1958 mit der Veröffentlichung des Romans »Der Arzt von Stalingrad«. Konsalik, der heute zu den erfolgreichsten deutschen Autoren gehört – wenn er nicht sogar der erfolgreichste ist –, hat inzwischen mehr als hundert Bücher geschrieben, die in viele Sprachen übersetzt wurden. Die Weltauflage beträgt über sechzig Millionen Exemplare. Ein Dutzend Romane wurden verfilmt.

Heinz G. Konsalik

Ein Kreuz in Sibirien

Roman

GOLDMANN VERLAG

Ungekürzte Ausgabe

Made in Germany · 1. Auflage · 10/85
© 1983 C. Bertelsmann Verlag GmbH, München
Umschlagentwurf: Design Team München
Umschlagfoto: Studio Schmatz, Egmating
Druck: Elsnerdruck, Berlin
Verlagsnummer: 6863
MV · Herstellung: Sebastian Strohmaier
ISBN 3-442-06863-0

Gewidmet der Menschenwürde
und den Menschenrechten

Ärger als ein Hund ist das Volk!
Erst wenn es ganz verblutet, wird es begreifen,
warum man es auf den Schädel haut . . .

> (Michail Scholochow, aus »Der Stille Don«)

Ich habe große Fehler gemacht. Mich umfaßt tödliches Grauen;
denn ich fühle, ich bin in einem Meer von Blut verloren, dem Blut
unzähliger Opfer.
Für eine Umkehr ist es zu spät.
Zur Rettung unserer Heimat Rußland wären zehn Männer wie
Franz von Assisi nötig gewesen . . .

> (Lenin, Einige seiner letzten Worte vor dem Tod)

Sehr geehrte Damen und Herren,
der Bundeskanzler hat mich beauftragt, Ihr Schreiben vom 28. Juli
1982 zu beantworten.
Die Bundesregierung kann nach Auswertung aller ihr zugängli-
chen Informationen die Pressemeldungen, nach denen beim Bau
der Erdgasleitungen in der Sowjetunion angeblich eine große Anzahl von Strafgefangenen eingesetzt werde, *nicht* bestätigen.
Mit freundlichen Grüßen . . .

> (Schreiben des Bundeskanzleramtes, Bonn, am 1. 8.
> 1982 an das Internationale Sacharov Committee in Ko-
> penhagen, im Auftrage von Bundeskanzler Schmidt)

1

Er wurde von einer Eisenbahnschwelle erschlagen.

An einem Mittwoch, morgens gegen sieben Uhr zweiundzwanzig. Es war kein besonderes Ereignis, und man sprach auch nur drei Worte darüber: »Pjotr ist tot.«

Mehr nicht. Warum auch. Fast täglich gab es Verletzte und Tote. Man hatte gelernt, damit zu leben, sah kurz zur Seite, holte einmal tief Atem und arbeitete weiter. Das Tagessoll war wichtiger als zeitverschlingende Trauer, war mächtiger als ein paar stille Gedanken, die Pjotr wert gewesen wäre.

Nun lag er da zwischen Holzbrettern und einem Stahlkasten voller Nieten, lag auf dem Rücken, als schlafe er noch. Nur ein wenig Blut war ihm aus der Nase gelaufen. »Aus dem Weg!« hatte Semjon, der Vorarbeiter, befohlen, hatte sich dabei über Pjotr gebeugt und sachkundig festgestellt, daß die Eisenbahnschwelle die Hirnschale zertrümmert hatte. »Bringt ihn aus der Arbeitslinie!« Zwei Mann packten den Toten an den Füßen und unter den Schultern, schleiften den durchhängenden Körper zur Seite und legten ihn ab. Dort blieb er nun liegen bis Arbeitsende, bis die Kolonnen zurück ins Lager rückten. Er lag einfach da mit seinen starren, offenen blauen Augen und vereiste bei den 40 Grad Frost, die man heute gemessen hatte. Am Abend würde man ihn aufheben und in einen Lastwagen schieben – neben zerbrochene Schaufeln und Hacken, die man zum Magazin fuhr, um sie zu reparieren.

An Pjotr war nichts mehr zu reparieren. Er war immer ein ziemlich zarter Mensch gewesen, wenn man diesen Ausdruck für einen Mann gebrauchen darf. Ein mittelgroßes, schmales Wesen mit weiten blauen Augen, einer sanften Stimme und einer gebildeten Sprache. Als er vor zwei Jahren mit einem Transport aus Tjumen im Lager JaZ 451/1 erschien, in viel zu weiten Kleidern, bleich und mit Händen, die besser zu einem Friseur als zu einem Schwerarbeiter am Gasrohrstrang paßten, sagte selbst die Lagerärztin Larissa Dawidowna verwundert:

»Wen hat man uns denn da geschickt? Hier sollen Rohre verlegt, aber keine Stickereien angefertigt werden! Will die Hauptverwaltung in Tjumen uns jetzt mit Künstlern beglücken?«

Für zehn Minuten wurde Pjotr ein interessanter Fall. Man las seine Laufkarte durch und erfuhr voll Staunen, daß der schmächtige Bursche ein ganz gefährlicher Mensch war. Ein Dichter! Na so was! Ist klug wie ein Lexikon, drechselt Verse, jongliert mit den Worten – aber statt den Mond zu besingen oder die Blumen, den Busen eines Mädchens oder die Unendlichkeit des Himmels, wie es sich für einen Lyriker gehört, schreibt er revolutionäre Gedichte, trägt zersetzende Thesen auf der Straße vor und wundert sich dann, wenn man ihn für zehn Jahre wegschickt nach Sibirien. Zur produktiven Umerziehung, wie es in der Überweisung hieß.

»Einen Dichter haben wir schon immer gebraucht«, hatte Rassul Sulejmanowitsch Rassim, der Lagerkommandant, höhnisch gesagt. »Endlich ein Fachmann! Er kommt in die Brigade der Rohrabdichter.« Dann hatte er Pjotr gezwungen, ganz schnell ein kurzes Gedicht mit Rohr aufzusagen, und Pjotr hatte mit seiner sanften Stimme erwidert:

»Stand am Rohr
und fror . . .«

Rassim hatte ihm daraufhin einen mächtigen Tritt in den Hintern gegeben. Wie von einem Katapult abgeschossen, sauste Pjotr aus dem Zimmer, denn Rassim war ein großer, stämmiger Mensch mit Beinen wie Säulen und Muskeln wie Schiffstaue, und während sich Pjotr mühsam wieder aufgerichtet hatte, begleitete ihn das dröhnende Lachen des Lagerkommandanten.

So war vor zwei Jahren Pjotr in das Straflager JaZ 451/1 gekommen, arbeitete in der Kolonne, die die riesigen Gasrohre mit Asbest und Glaswatte verkleidete, tat unscheinbar seine Pflicht, überstand den Winter und den nicht minder grausamen Sommer in der Taiga, wurde nie krank, brach nie unter der Last des Solls zusammen und behielt seine gütigen blauen Augen und seine sanfte Stimme. Fast ein Wunder war er. Larissa Dawidowna Tschakowskaja, die Ärztin, ließ ihn im Laufe dieser zwei Jahre neunmal zu sich kommen und unterhielt sich mit ihm allein. Unter vier Augen, wie es so heißt. Pjotr trug Gedichte vor und nahm den Rat der Tschakowskaja an, einen quälenden Husten vorzutäuschen. Aber erst nach der neunten Aussprache war er dazu bereit.

Nachdem er sich am Rohrstrang drei Tage lang würgend gequält, sich gekrümmt und dem brüllenden Vorarbeiter ins Gesicht gehustet hatte, überwies man ihn endlich ins Lagerhospital. Dort untersuchte ihn Larissa Dawidowna, klopfte ihn ab und entschied dann kurz: »Arbeitstauglich! Ladebrigade!«

Das war eine große Auszeichnung. Weg von Asbest und Glaswatte, weg von den Rohren, weg von der 4465 Kilometer langen

Rohrstraße durch Wälder und Sümpfe, Tundra und Dauerfrostboden, unter Flüssen hindurch und über Berge hinweg – Pjotr durfte nun Material abladen und Lastwagen leeren. Nach drei Monaten fuhr er sogar einen kleinen Raupenschlepper, mit dem er Holzstämme, Bretterstapel und Stahlplatten transportierte.

Bis dann dieser Mittwoch kam, kalt und noch nachtdunkel um diese Zeit. Mit einem Güterzug waren Eisenbahnschwellen gekommen, weil man zwischen drei Außenlagern eine Bahn legen wollte, um die Sträflinge schneller an die immer weiter vorrückenden Arbeitsplätze zu bringen. Schöne, neue, imprägnierte Schwellen aus den Sägewerken von Tawda, wo achthundert Frauen die Bäume fällten und das Holz bearbeiteten. Pjotr begann mit dem Verladen, aber plötzlich kam eine der Schwellen ins Rutschen, zu spät sah er es, noch einen Sprung zur Seite machte er, aber er stolperte über den Schotter, sein Kopf ruckte vor und genau in die Fallrichtung der Schwelle.

Es war kein harter Aufprall, man hörte fast gar nichts, und die mit Pjotr abladenden Kameraden starrten ihn verwundert an, als die Schwelle rechts und Pjotr links auf die Erde fielen und liegenblieben. Eine ganze Zeit dauerte es, bis man begriff, daß Pjotr tot war und der Vorarbeiter Semjon »Aus dem Weg!« brüllte, weil Pjotrs Körper das Abladen behinderte.

Nun lag er da zwischen der Nietenkiste und den weggeworfenen Holzbrettern, erstarrt im Frost. Und die Tränen, die ihm beim plötzlichen Sterben aus den Augen getreten waren, verwandelten sich zu glitzernden Kristallen und warfen das Licht der Scheinwerfer, mit denen die Arbeitsstellen beleuchtet wurden, in seine blauen Augen zurück. Es sah aus, als wenn sie noch lebten. Dann trat die Sonne durch den Morgendunst, ein schöner Tag wurde es noch. Das weite Land strahlte im goldenen Glanz, die Föhren und sibirischen Zedern, die Lärchen und Birken, die Farne und das Unterholz, alles versank im Zauber der Sonne. Selbst die Trasse der Rohrleitung, die unendliche Schlange an Material und Menschen, Fahrzeugen und Kränen verlor ihren beklemmenden Gigantismus. Welch ein herrlicher, klarer, sonnengoldener, kalter, windstiller Tag! Fast unmöglich, daß Auge und Herz soviel Schönheit begreifen.

Auch in Pjotrs Augen schien die Sonne, ließ die Tränenkristalle schimmern und belebte das starre Gesicht. So wäre es bis zur Dunkelheit gegangen, wenn nicht ein Ingenieur vorbeigekommen wäre und einen Blick auf Pjotr geworfen hätte. Er stutzte, blieb stehen, trat näher und beugte sich über den Körper.

»Wer ist das?« brüllte er dann, die Hände in die Hüften gestemmt. »Der Verantwortliche für diese Sauerei zu mir!«

Semjon, der Vorarbeiter, fluchte in seinen Bart, hielt ein Nasenloch zu, rotzte auf den gefrorenen Boden und kam näher.

»Er ist tot!« sagte er mit rauher Stimme.

»Das sehe ich!« bellte der Ingenieur. Es war ein noch junges Kerlchen, frisch von der Akademie in Nowosibirsk gekommen. Er hatte einen Streckenabschnitt übernommen und kannte noch nicht die Gepflogenheiten, mit denen man hier arbeitete. Für ihn war ein toter Mensch eben ein toter Mensch, dem eine gewisse Ehre zusteht. Daß der Tote ein Sträfling war – zudem noch ein politischer –, kam ihm nicht in den Sinn. »Warum liegt er hier?«

»Warum nicht?« fragte Semjon verblüfft dagegen.

»Ist das eine Antwort?« schrie das Jüngelchen von Ingenieur.

»Was wollen Sie hören, Genosse Ingenieur?«

»Sie können doch einen Toten nicht einfach herumliegen lassen!«

»Er ist außerhalb des Arbeitsbereiches und stört nicht. Was will man mehr?«

»Sie können doch nicht einfach einen Toten . . .« Der Ingenieur schluckte mehrmals. Er warf noch einen Blick auf Pjotrs von der Sonne glänzende blaue Augen und hob wie schaudernd die Schultern. In Semjons Nase juckte es, er kniff das andere Nasenloch zu und rotzte zur Seite. »Hier gibt es mindestens hundert Möglichkeiten, den Toten würdevoll unter Dach zu legen«, sagte der junge Ingenieur stockend. Wie mit Rost belegt war seine Stimme.

»Pjotr wird mit dem Materialwagen zurück ins Lager gebracht. Ob unter Dach oder in der Sonne – ihm schadet's nicht mehr.«

»Name!« sagte der Ingenieur steif.

»Pjotr. Lagernummer römisch Eins, Querstrich, Vierhundertneunundsechzig . . .«

»Ihr Name!« brüllte der junge Genosse.

»Semjon Victorowitsch Plachin, Vorarbeiter Transportbrigade V, Lager JaZ 451/1.«

»Sie werden zur Meldung gebracht!«

»Das hat man nun davon«, sagte Semjon böse und raufte sich am Bart. Es war ein schwarzer wolliger Bart, auf den er stolz war und mit dem er bei den Weibern grandiose Erfolge erzielte. Da war noch keine gewesen, die nicht aufgewinselt hatte, wenn er mit diesem Bart ihre Brüste bestrich oder sie zwischen den Schenkeln kitzelte. »Da legt man ihn pietätvoll hin und wird angeschissen wie ein Lokusbalken. Genosse Ingenieur – das war ein Sträfling!«

»Na und? Auch ein Sträfling ist ein Mensch.«

»Darüber sollten Sie sich mit Rassul Sulejmanowitsch, dem Kommandanten, unterhalten«, sagte Semjon und grinste breit. Immerhin bückte er sich, nahm ein zufällig herumliegendes großes Stück Pappe und legte es über Pjotrs Gesicht. Das sah noch merkwürdiger aus, denn auf die Pappe hatte man gedruckt: BOHNEN MIT SPECK. Der Deckel eines Konservenkartons. »Genosse Ingenieur, Sie sind noch sehr jung. Ihre erste Stellung ist das hier. Viel Ehre, in Ihrem Alter. Wollen Sie Erster Ingenieur werden? Dann sehen Sie nur die Pipeline, nicht die Menschen. In zwei Jahren müssen hier Millionen Kubikmeter Gas fließen, Tag und Nacht – alles andere drumherum ist unwichtig. Am unwichtigsten ist so ein Stück Abfall wie Pjotr!«

Er drehte sich um, ließ den jungen Ingenieur stehen und stapfte zurück zu seiner Arbeitsbrigade. Dort steckte er sich eine Pfeife an, setzte sich auf einen Stapel abgeladener Schwellen und beobachtete seine Leute.

Eine Stunde später holte man Pjotrs Leiche ab. Mit einem der Küchenwagen, die früher zurück zum Lager fuhren. Da der Tote steif gefroren war, bedeutete er kein Problem: Wie ein Brett legte man ihn quer über die leeren, offenen blanken Stahlkessel, mit denen man die Suppe gebracht hatte, und fuhr davon. Im Lager würde Nina Pawlowna Leonowa, die Lagerköchin, Stein und Bein fluchen und die Fahrer allesamt Bogenpisser nennen, aber der Genosse Ingenieur hatte es befohlen, und gegen einen Befehl kann man nichts machen. Und was heißt hier Hygiene? Ein Toter kann nicht mehr unter sich machen – schon gar nicht, wenn er steif gefroren ist. Aber das kennt man ja: fluchen und schimpfen muß sie immer, die Nina Pawlowna.

Nachdenklich blickte der junge Ingenieur dem Küchenwagen nach. Pjotrs Anblick ließ ihn nicht mehr los. Es war seine erste unmittelbare Begegnung mit einem Toten. Die Toten im Fernsehen, etwa in Afghanistan oder sonstwo auf der Welt, das waren Bilder, die man abschalten konnte. Hier aber hatte er wirklich vor einem Toten gestanden, hatte sich über ihn gebeugt, hatte in diese starren blauen Augen geblickt und war zutiefst betroffen gewesen.

»Ihr seid die Hoffnung und die Zukunft der Sowjetunion!« hatte man ihm und seinen Kameraden auf der Akademie gesagt. »Ihr werdet Sibirien erobern. Ihr werdet euer Vaterland zum mächtigsten und reichsten Staat der Erde machen. Ihr seid unser Stolz.« Da war ihnen das Herz aufgegangen, und sie hatten sich freiwillig zum größten Projekt des Vaterlandes gemeldet: zum Pipelinebau durch Sibirien. Und dann kamen sie an in Tjumen, Tobolsk, Tawda, Irbit und Kungur, in Surgut und Ust-Ischim, in Tscheljabinsk und Urengoj, standen an dem Jahrhundertwerk, der unendlichen Röhrenschlange durch Eis, Tundra, Taiga und Steppe und sahen zum erstenmal in ihrem Leben, was Menschen aus Menschen machen können: die Pipelinesklaven. Sie sahen zum erstenmal die über das Land verstreuten Lager. Sie lebten zum erstenmal Seite an Seite mit Kreaturen, die wie Menschen aussahen, wie Menschen sprachen, wie Menschen sich bewegten, wie Menschen dachten – und die doch ein Nichts waren, nur nackte Arbeitskraft für zehn Stunden Schufterei, entblößt von allem Recht, sogar dem Recht auf Leben.

»Da sie sonst zu nichts nütze sind, leisten sie wenigstens hier ihren Beitrag zum Wohle des Volkes«, hatte man kühl in der Zentrale Tjumen gesagt, als einige der jungen Ingenieure dumme Fragen stellten. »Jeder an seinem nutzbringenden Platz, das ist die Devise der Zukunft!«

Man hütete sich daraufhin, weitere Fragen zu stellen. Die russische Kunst, das Leben hinzunehmen, wie es nun einmal ist, half auch hier über moralische Klippen hinweg. Man gewöhnte sich daran, neben den Sträflingen zu leben, ohne den Verfall ihrer Menschlichkeit wahrzunehmen. Sie gehörten zum Arbeitsmaterial wie Röhren, Schrauben, Nieten, Hölzer, Stahlträger, Bagger, Kräne, Lastwagen, Schweißgeräte, Kompressoren oder ein einfacher Hammer. Sie waren Werkzeuge mit menschlichen Gliedmaßen und menschlichen Gesichtern.

Der junge Ingenieur wartete, bis der Küchenwagen hinter einer Steigung verschwunden war, und kehrte dann zu seinem Planungswagen zurück. Es war heiß in dem engen Holzraum, der Eisenofen bullerte und glühte, Papyrossiqualm vernebelte Menschen und Gegenstände. Der Ingenieur zog seinen Watterock aus, warf seine Schapka – die Pelzmütze mit den großen Ohrenklappen – gegen die Wand und setzte sich an den mit Konstruktionsplänen übersäten Tisch, nachdem er sich mit dem Fuß einen Stuhl geangelt hatte. Es waren noch vier Leute im Raum, alles Ingenieure, aber älter und erfahrener als er.

»Wir haben einen Toten«, sagte der junge Genosse laut in den Qualm hinein.

Der Satz zeigte keine Wirkung; viel schlimmer wäre es gewesen, wenn er gesagt hätte: Der Bagger III ist kaputt.

»Man hat ihn einfach zur Seite gelegt!« Der Ingenieur hob die geballten Fäuste auf den Tisch. »Zwischen Abfall!«

»Hier ist kaum der Ort, neben ihm Kerzen anzuzünden«, sagte einer im Raum. Es war ein Mann, der sich Bugaritschow nannte. So um die vierzig herum, seit zwölf Jahren in Sibirien, verheiratet mit einer Jakutin, Familienvater mit drei Kindern. Ein ehrlicher, biederer Mann, der in seiner Freizeit schnitzte und auf der Laute schwermütige Taigalieder sang.

»So behandelt man keine Menschen!« sagte der junge Ingenieur laut. »Man hat mir immer soviel von der Würde des Menschen erzählt. Wo ist sie, he?«

»Trink hundert Gramm Wodka, Brüderchen, und du findest die Antwort«, lachte einer, der Beresow hieß. »Zerbrich dir nicht den Kopf über moralische Theorien.«

»Es war sein erster Toter«, meinte Bugaritschow und goß sich Tee ein. Auf dem Eisenofen brummelte der Samowar, so wie es sich gehört. »Er muß sich erst daran gewöhnen.«

»Nie!« Der junge Genosse trommelte mit den Fäusten auf die Tischplatte. »Ich werde immer fragen! Wo sind wir denn hier?«

»In Sibirien.« Bugaritschow schlürfte den dampfenden Tee und schnalzte dann mit der Zunge. »In Sibirien, Freundchen.«

Es war eine Antwort, nach der es keine Fragen mehr gab.

Wer kann Sibirien erklären . . .?

Larissa Dawidowna hörte sich auf einem modernen Plattenspieler gerade die schönsten Melodien aus Tschaikowskys »Dornröschen« an, als Dshuban Kasbekowitsch Owanessjan nach kurzem Anklopfen eintrat und an der Tür stehenblieb.

Dshuban war Armenier, sah aus wie ein südfranzösischer Millionär und war sich seiner Wirkung voll bewußt. Wenn er nicht gerade den weißen Arztkittel trug, den er sich in der Lagerschneiderei auf Figur hatte umarbeiten lassen, kleidete er sich provokativ westlich, indem er die einförmigen Konfektionsanzüge, die man in den staatlichen Magazinen von Surgut erstehen konnte, ebenfalls in der Lagerschneiderei auf einen modernen Schnitt bringen ließ. Zu diesem Zwecke hatte er über den Umweg Swerdlowsk-Tjumen–Tobolsk dekadente französische und italienische Modemagazine bestellt. Jeden Monat kamen neue und so viele, wie man über die internationale Presseagentur beziehen konnte. Sobald sie im Lager eintrafen, benahm sich Dshuban Kasbekowitsch jedesmal wie ein kokettes Weibchen, das einen neuen Lippenstift entdeckt hat. Er hockte in seinem Zimmer und vergrub sich in die bunten Bilder der neuen Herrenmode. Selbst seine Stimme und sein Verhalten änderten sich in dieser Zeit. Die Krankmeldungen der Häftlinge beurteilte er milder, und er schrieb weniger Kranke arbeitsfähig. Im Lager gab es deshalb einen Informationsdienst, der vom Ersten Sanitäter über den Küchenelektriker bis zum Barackenältesten der Baracke VI lief: Sind die neuen Journale schon da? Waren sie bei der wöchentlichen Post dabeigewesen, umarmten sich die Kranken und stellten sich zur Untersuchung an. Dshuban Kasbekowitsch ließ sie im Eilschritt an sich vorbeimarschieren – die Minuten reuten ihn, die er für diese Bande verschwenden mußte. Er fieberte nach seinen Modemagazinen wie eine Geliebte nach der Umarmung des Liebsten.

Larissa Dawidowna blickte Dshuban erstaunt an, als er jetzt plötzlich vor ihr stand. Es war sonst nicht seine Art, nach kurzem Anklopfen einfach einzutreten. Höchstens vier- oder fünfmal war das in all den Jahren passiert, und dann nur in Notfällen. Im täglichen Leben ging man sich aus dem Weg. Man arbeitete zwar zusammen im Lagerhospital – Dshuban operierte, sie war zuständig für die Inneren Krankheiten –, man tauschte Diagnosen aus, wechselte ein paar höfliche Worte … das war aber auch schon alles. Einen persönlichenKontakt, ein freundschaftliches Gespräch hatte es nie gegeben – sieht man davon ab, daß einmal jährlich bei der Feier für Väterchen Frost Kommandant Rassim das leitende Personal des Lagers zum Essen, Trinken und Tanzen einlud. Notgedrungen mußte Dshuban dann auch mit Larissa Dawidowna tanzen, obwohl ihm der junge, blondgelockte Leutnant Gawril Iwanowitsch entschieden besser zusagte. Wie man überhaupt den Blick senkte, wenn vor allem blonde Patienten, die mit Dshuban allein im Arztzimmer waren, besonders gründlich und lange untersucht wurden und dann mit einem Anweisungszettel für die Küche herauskamen, auf dem stand: Vier Tage Sonderration mit zusätzlich 200 Gramm Fleischeinwaage.

Es gab eine Zeit, in der einige Sträflinge die Margarine vom glitschigen Brot kratzten, sie sammelten und später, wenn sie ungefähr hundert Gramm zusammen hatten, einem der Lastwagenfahrer mitgaben. Er sollte dafür in Surgut ein Fläschchen Wasserstoffsuperoxyd besorgen. Damit wuschen sie dann ihre Haare, nicht nur auf dem Kopf, auch zwischen den Beinen, bleichten sie auf ein sonniges Weißblond und meldeten sich krank. Der Erfolg bei Dshuban war garantiert.

Aber wie überall auf der Welt gab es auch im Lager verfluchte Verräter, die der Neid zerfraß. Dshuban erfuhr jedenfalls von dem üblen Trick und verbannte die nächsten Anschleicher nach einem Blick auf die weißblonde Pracht zu den gefürchtetsten Arbeitskommandos: den Grundierungstrupps in den Sümpfen. Hier fielen im Sommer Billionen Stechmücken über die wehrlosen Kolonnen her, denn nur die Wachmannschaften und Vorarbeiter trugen Mützen oder Hüte mit Moskitonetzen.

»Etwas Besonderes, Dshuban Kasbekowitsch?« fragte Larissa Dawidowna und drehte den Plattenspieler leiser. »Oder hat ›Dornröschen‹ sie angelockt?«

»Der Küchenwagen hat einen Toten gebracht, meine Liebe«, sagte Dshuban gefühlvoll. »Der Ärmste geriet unter eine Eisenbahnschwelle.«

»Ein Unfall war's?« sagte die Tschakowskaja kühl. »Das ist dann Ihr Ressort, Dshuban.« Sie zog eine Decke über ihren Unterkör-

per, obwohl sie wußte, daß der Anblick entblößter Frauenschen-
kel auf Dshuban keinerlei Eindruck machte. Wie immer in den
dienstfreien Stunden hatte sie es sich bequem gemacht, was hieß,
daß sie nur leicht bekleidet in den überheizten Räumen herumlief, die ihr zur Verfügung standen. Es waren drei Zimmer im Hospital: ein Wohnraum, ein Schlafraum und eine Art Bibliothek.
Welch ein Luxus! So wie sie hier im Straflager JaZ 451/1 wohnten
nicht mal die Millionen Sowjetbürger in den großen Städten. Drei
Zimmer für eine einzige Frau – wem man das in Moskau oder in
Kiew erzählen würde oder gar in Irkutsk oder Tschita, der hätte
milde gelächelt, einem die Hand flach auf die Stirn gelegt, um zu
messen, ob man Fieber habe, und dann gesagt: »Bist ein lieber
Idiot, Freundchen. Schreib's auf für ein Märchenbuch.«
Aber im Lager 451/1, nordöstlich von Surgut am Großen Ob, in
den Sumpf- und Seengebieten zwischen den Flüssen Agan und
Ajkajegan, einem Fleckchen Land übersät mit Gottes Tränen, die
man Weiher oder Tümpel oder Teiche nannte – ein Erdenstück, in
dem die Stille wie ein Schrei wirkt, so einsam ist es unter dem unbegreiflich weiten Himmel –, hier war es möglich, daß Larissa als
Chefärztin drei Zimmer bewohnte. In diesen Räumen also bedeckten oft nur noch ein dünnes Höschen und ein weißer Büstenhalter ihre von der Natur verwöhnte Gestalt.
Denn schön war Larissa Dawidowna. Schwarze Haare hatte sie,
kurz geschnitten und leicht an den Schläfen gewellt. Ein schmales
Gesicht mit hochangesetzten Wangenknochen. Und Augen, die
voller undurchdringlicher Geheimnisse schienen und jedem Gesprächspartner das Gefühl hoffnungsloser Unterlegenheit ver-
mittelten. Fast zwei Drittel ihres Körpers bestanden aus Beinen,
schlank, aber mit muskulösen Waden. Vor zehn Jahren war sie
eine gute 200-Meter-Läuferin gewesen; sie hatte zum Kader der
Olympiaauswahl gehört – aber als man sie für die Mannschaft
aufstellen wollte, mußte man ihr den vereiterten Blinddarm entfernen. Nach dieser an sich leichten Operation fand sie ihre große
Form nicht mehr wieder und glänzte nur noch in den Studenten-
sportgruppen. Nun war sie zweiunddreißig, von einer unver-
schämten Schönheit, wie Chefingenieur Morosow einmal festgestellt hatte; oder wie sich der Politkommissar des Lagers, der Genosse Jachjajew, poetisch ausdrückte: eine Rose in voller Blüte. Es
war geradezu eine Schande, eine solche Frau in einem Straflager
zu vergraben, auch wenn sie Chefärztin war und drei eigene Zimmer bewohnen konnte.
Larissa zog also eine Decke über ihre bloßen Schenkel und lehnte
sich auf dem altmodischen Sofa zurück. Ein Sofa aus der Jahrhun-
dertwende – der Teufel allein wußte, wie es nach Surgut am Ob,

in das verfluchteste Sibirien, gekommen war. Aber es stand schon da, als Larissa das Lagerhospital übernahm. Das war vor fast vier Jahren gewesen und ziemlich plötzlich; man hatte sie aus Perm weggeholt, wo sie damals als Oberärztin in einem Fachkrankenhaus für Lungenleiden arbeitete. Da es ein Befehl aus der KGB-Zentrale in Moskau war, beantragt von der GULAG-Verwaltung in Tjumen, gab es keine Möglichkeit, mit den Verwaltungsgenossen zu debattieren und die Versetzung abzuwenden.

Bis zu diesem Tag hatte Larissa nicht gewußt, was es heißt, wenn ein Lager mit »strengem Regime« zum Mittelpunkt des Lebens wird. Sie erfuhr es sofort nach ihrer Ankunft in JaZ 451/1, als Lagerkommandant Rassul Sulejmanowitsch Rassim, der bullige Turkmene mit dem Gewissen eines Auerochsen, den Arm um sie legte, dabei mit dem Handteller ihre rechte Brust umfaßte und geil wie ein einsamer Witwer verkündete:

»Wir hatten einmal eine Ärztin, die starb nach der fünften Abtreibung. Und Ihr Vorgänger, der sentimentale Dr. Semlakow, hing eines Morgens an seinen Hosenträgern am Fenster. Ein zartes Gemüt. Schreibt mir an einem Tag vierundsiebzig Halunken krank. Was mußte ich da machen? Ich habe die Kerle trotzdem zur Arbeit geschickt – und das hat ihm das Herz gebrochen. Was werden wir von Ihnen, meine liebe Larissa Dawidowna, erwarten können?«

»Einen Tritt zwischen die Beine, wenn Sie meine Brust nicht loslassen, Genosse Podpolkownik (Oberstleutnant)!« hatte sie mit einem Lächeln geantwortet, das ihre schrägen Augen noch enger erscheinen ließ. Rassim hatte daraufhin schnell seine Hand zurückgezogen, aber von dieser Stunde an blühte zwischen ihnen der Haß wie im Frühling das Unterholz der Taiga.

Dr. Semlakow hatte kaum etwas hinterlassen, was Larissa Dawidowna übernehmen wollte. Er hatte geradezu primitiv gewohnt mit Bett, Schrank, Tisch, Stuhl und einem Regal voller Bücher über fremde Länder, mit denen er sich jeden Abend weggeträumt hatte aus Sumpf und Lager. Er hatte von Hawaii gelesen, von Tahiti und den Seychellen, von Florida und den weißsandigen Stränden Mexikos oder Marokkos . . . und hatte in einer kleinen, in die Taiga hineingesetzten Hölle gelebt, bis er es nicht mehr ertragen konnte.

Larissa hatte alles aus der Wohnung geworfen bis auf das Sofa. Es erschien ihr hier in dieser Einsamkeit wie ein gerettetes Stück aus einer versunkenen Welt. Alles andere ließ sie aus Tjumen und Swerdlowsk kommen: helle Birkenmöbel, Bücherregale, bequeme Sessel, mit flauschigen Wollstoffen bezogen, Lampen mit hellen Stoffschirmen und zwei Teppiche aus dem Kaukasus.

»Sind Sie Millionärin, Genossin?« rief Rassim aus, als nach einer

Wartezeit von fast einem halben Jahr alle diese Köstlichkeiten mit einem Lastwagen aus Tobolsk eintrafen. »Die Augen laufen einem über! Wo gibt es solche Dinge zu kaufen? Haben Sie mit den maßgebenden Männern im Bett gelegen?«

Larissa ließ Rassul Sulejmanowitsch einfach stehen, was natürlich nicht zur Festigung der Harmonie beitrug. Der Kommandant erkundigte sich reihum von Tjumen bis Perm, wieso diese Tschakowskaja zum Beispiel zu zwei kaukasischen Teppichen kommen könne – und erfuhr, daß die Genossin einen Onkel in Moskau habe, von dem man nur wisse, daß er irgendwie Einfluß in der Parteileitung ausübe. Eine nebelhafte Auskunft, aber sie genügte Rassim. Onkel mit Einfluß sind gefährlich, wo immer sie auch auftreten. Sie können wie ferne Nebel sein, die das ganze Wetter beeinflussen. Ein vorsichtiger Mensch geht solchen unsichtbaren Witterungen aus dem Weg.

Der gegenseitige Haß, eigentlich durch nichts begründet als durch tiefe unerklärliche Abneigung, blieb erhalten, aber Rassim wurde höflicher im Umgangston. Er sagte nicht mehr zu Larissa: »Na, mein schönes Brüstchen . . .«, sondern redete sie respektvoll mit »Frau Ärztin« oder gar »Genossin Chefarzt« an, was allerdings nicht bedeutete, daß er seine geilen Blicke unterdrückte, mit denen er auf Larissas Hüften und Brüste starrte.

Aber er blieb wachsam. Ein Vollweib wie die Tschakowskaja konnte unmöglich über Jahre hinweg ohne einen männlichen Körperdruck auskommen. Völlig gegen die Natur war das, es sei denn, sie war das feminine Gegenstück zu Dshuban Kasbekowitsch, dessen blonde Knaben bei Rassul Übelkeitsanfälle auslösten. Aber nichts da, Genossen! Die schöne Larissa blieb neutral, ließ keinen Mann heimlich in ihre Wohnung schleichen und wurde auch niemals mit den Sekretärinnen der Bauleitungen beobachtet – etwa, daß sie mit ihnen angeblich Schach spiele bis in den frühen Morgen hinein. Man konnte ihr nichts nachsagen.

»Sie muß sich unten zugenäht haben«, sagte Rassim im Offizierskreis, wenn er genug Wodka getrunken hatte und die Zunge locker wurde. »So ein Wunder von Weib – und verstaubt!«

»Natürlich war es ein Unfall!« sagte Dshuban jetzt an der Tür und fingerte eine Zigarettenschachtel aus dem maßgeschneiderten Ärztekittel. Keine Papyrossi, o nein – Dshuban rauchte orientalische, süßliche Zigaretten, die mit seinen Modemagazinen angeliefert wurden; Zigaretten, deren Qualm duftete, als hätte man sie wochenlang in einem Puff gelagert. »Aber – ich mag mich täuschen, Genossin – er geht auch Sie an. Der Tote ist Pjotr.«

Nichts in dem schmalen, hochwangigen Gesicht verriet, daß Larissas Herzschlag für zwei Sekunden aussetzte und dann zu rasen begann. Sie drapierte die Decke nur noch enger um ihre entblößten Beine und Schenkel, drehte den Plattenspieler noch leiser und fuhr sich dann mit der rechten Hand durch das kurze schwarze Haar.

»Welcher Pjotr?« fragte sie mit großer Fassung.

»Der Dichter.«

»Wer hat ihn getötet?«

»Getötet?« Dshuban sah sie erschrocken an. »Eine Eisenbahnschwelle . . .«

»Wer hat sie ihm auf den Kopf geworfen?«

»Ein Stapel kam beim Abladen ins Rutschen, und Pjotrs Kopf war im Weg. Das ist alles. Ein Unfall wie Hunderte.« Dshuban grinste verhalten. »Er war doch Ihr Vorzugspatient, nicht wahr?«

»Er war ein armer Kerl, der nie begriff, warum lyrische Gedichte staatsgefährlich sein können. Er hat auch hier im Lager gedichtet, und ich habe sie mir vortragen lassen. Eins seiner neuen Gedichte hieß: Wir Sumpfblumen.«

»Da fängt's ja eben an, Genossin! Defaitismus schon im Titel! Das ist das Gefährliche an den Spinnern, daß sie nie begreifen können, welchen Schaden sie anrichten.« Er steckte sich seine parfümierte Zigarette an und spitzte beim Qualmabblasen die Lippen wie zu einem Kuß. »Wollen Sie ihn noch einmal sehen? Er liegt im Anatomieraum. Ich habe ihn gerade obduziert.«

Dshuban beobachtete Larissa wie eine Schlange das Kaninchen. Aber sie gab sich keine Blöße. Sie nickte nur leicht, geradezu unbeteiligt, und stellte den Plattenspieler endgültig ab. Dann erhob sie sich, die Decke um ihre Hüften festhaltend, und streckte ihr schmales Kinn vor.

»Gehen Sie raus, Dshuban Kasbekowitsch. Ich will mich anziehen.«

Dr. Owanessjan verließ die Wohnung und eilte, als trage er eine frohe Botschaft mit sich, beschwingten Schrittes hinüber zur Chirurgie und zum Anatomiezimmer. Wenig später folgte ihm die Tschakowskaja, jetzt in einem Wollrock mit hohen Stiefeln darunter und einer braunen Wollbluse. Ihr Gesicht war diskret gepudert, was ihre an sich schon ins Bronzene schimmernde Haut noch gesünder erscheinen ließ.

Dshuban stand im Anatomiezimmer hinter dem hingestreckten Körper des Toten. Die zertrümmerte Schädeldecke war sauber präpariert. Da niemand Pjotrs Augen zugedrückt hatte, blickten sie starr, ohne Ausdruck, auf Larissa. Die Ärztin trat an Pjotr heran und schloß mit der flachen Hand seine Lider. Dann wandte sie sich um, tauchte die Hände in ein Emaillebecken mit Desinfektionslösung und schüttelte die Nässe ab. »Sie lassen ihn noch heute begraben?«

»Natürlich. Haben Sie besondere Wünsche, Genossin?«

»Nein. Wieso?«

»Ich dachte. Vielleicht ein Kreuz . . .?«

»Sie sind ein Rindvieh, Dshuban!« Ihre dunklen Augen verrieten keine innere Regung, als sie die Hände an einem Handtuch abtrocknete und an der Leiche vorbei zum Ausgang ging. »Pjotr war ein Atheist, das weiß ich nun besser als Sie!«

Sie warf die Tür hinter sich zu, schritt hinüber zu ihrer Wohnung und schloß sich ein. Dann stand sie am Fenster, hinter der Gardine, blickte über den großen freien Platz vor dem Hospital und hinüber zur Straße, auf der die ersten Arbeitsbrigaden ins Lager einrückten. Es waren die Sägewerk-Kolonnen, die keinen weiten Weg hatten und deshalb in offenen Lastwagen transportiert wurden. Zu jedem Wagen gehörten zwei Wachsoldaten mit scharfen Hunden. Das war ein besserer und sichererer Schutz vor Fluchtversuchen als alle Maschinengewehre und Postenketten.

Vor dem großen Lagertor hielten die Lastwagen, die Sträflinge sprangen auf die Erde, der Transportführer übergab dem Wachhabenden die Transportliste, die Ankommenden wurden gezählt, die Zahl stimmte, und der Eingang zum Lager wurde freigegeben. Hier, innerhalb der hohen Holzpalisaden und des äußeren Stacheldrahtzauns, waren sie dann unter sich, die lebenden Toten, die toten Seelen. Sie wurden von ihren Barackenältesten empfangen, von den Kapos, den Privilegierten der Sträflinge; zum größten Teil waren das verurteilte Kriminelle. Ein Politischer stieg selten in eine Vertrauensstelle im Lager auf. Ein Raubmord ist immerhin menschlich – wer jedoch Kritik am Regime übt, hat jedes Menschenrecht verwirkt.

Larissa Dawidowna faltete die Hände und drückte sie gegen ihr Kinn. Man muß beten, dachte sie. Für Pjotr beten, daß seine Seele endlich Ruhe findet dort oben, weit hinter allen Himmeln. Keiner sieht es ja, ganz allein ist man ja mit sich, und es werden noch mehrere beten heute abend, wenn sie von Pjotrs Tod erfahren. Werden in einer Ecke ihrer Baracke hocken oder die Hände unter der Decke im Bett falten, werden ihr Gesicht zur Wand drehen und die Schultern hochziehen, damit keiner sieht, wie sich ihre Lippen bewegen. Ein Kreuz werden sie schlagen, nur in der Andeutung, mit den Fingerspitzen, während ihre Blicke herumirren: Sieht es jemand? Kann man erkennen, was wir jetzt tun? Haben wir nicht gelernt, daß gedachte Gebete Gott ebenso erreichen wie laut hinausgeschriene?

Gott mit dir, Pjotr. Auf Wiedersehen in der Seligkeit, Brüderchen. Aller Segen über dich. Auch ohne dich bleiben wir zusammen. Ein Schwur ist das, Väterchen Pjotr!

Auf einer Schubkarre transportierte man Pjotr zu dem Feld, wo die Toten des Lagers begraben wurden. Es gab dort keinen Stein, keinen Stecken mit einem Namensschild, nicht einmal einen Grabhügel. Die Erde wurde wieder festgestampft, und wenn das Feld voll belegt war, forstete man es auf, setzte Stecklinge von Zedern und Lärchen in den Boden und überließ die Weihe des Ortes der Taiga und ihrer ungebändigten Kraft. Es war schon schwer genug, die Gräber überhaupt auszuheben, denn in achtzig Zentimetern Tiefe – das war das äußerste – begann der Dauerfrostboden. Hier kam man nur weiter, wenn man mit Dynamit sprengte. Der logische Vorschlag von Rassul Sulejmanowitsch, die Toten zu verbrennen, konnte nicht verwirklicht werden, weil es an den dazu brauchbaren Öfen mangelte.

Larissa stand noch immer am Fenster, als sie die Karre mit dem in eine Decke eingerollten Pjotr über den großen Platz rumpeln sah. Zwei Sträflinge zogen das Gefährt, begleitet von einem Soldaten mit dem obligaten Hund. Kommandant Rassim, ein Hundenarr, liebte vor allem Boxer und Deutsche Schäferhunde über alles. Wurde ein Hund krank oder verletzte sich, stellte er große Untersuchungen an und benahm sich, als sei sein linkes Auge ausgelaufen; meldeten die Wachmannschaften hingegen, daß in der abgelaufenen Schicht vier Sträflinge an Entkräftung umgefallen waren, grunzte er nur und sagte mißmutig: »Wir müssen aus Perm Ersatz anfordern. Verdammt und bei allen Teufeln – ich brauche gesunde Leute für diese verfluchten Gasröhren!«

Leb wohl in einem anderen Reich, Väterchen Pjotr. Wir denken immer an dich.

Larissa wandte sich ab, blickte auf die Uhr, zog ihren Arztkittel an und bereitete sich auf die Abendvisite vor. Jeder im Lager, selbst Dshuban, nannte diese Visite einen kompletten Blödsinn. »Wir sind hier nicht in der Universitätsklinik von Moskau!« bellte Rassim ein paarmal, wenn er Larissa auf dem Weg zu ihren Kranken begegnete. »Blasen Sie ihnen Zucker in den Darm?«

»Ich wünschte, man gäbe mir genug Zuckerlösung – das würde vielen helfen!« hatte sie mit Stolz geantwortet. Rassim schluckte das in ohnmächtiger Wut, aber nur, weil in seiner Vorstellung dieser verdammte nebelhafte Onkel aus Moskau herumspukte.

Im großen Gemeinschaftsraum der Inneren Abteilung kam Larissa ein Sträfling mit lockigen, schlohweißen Haaren entgegen. Er trug in jeder Hand einen Plastikeimer mit gesammeltem Urin, trat sofort an die Wand, als er die Tschakowskaja sah, und nahm Haltung an. Seine graue Drillichjacke wies ihn als einen Krankengehilfen aus.

»Er ist tot«, flüsterte er, als Larissa vorbeiging. »Pjotr ist tot . . .«

»Ich weiß es, Professor. Habe ihn gesehen. Ein Unfall.«

»Wirklich ein Unfall? Man erzählt schon so vieles im Lager. Wie Würmer kriechen die Gerüchte herum. War's wirklich eine Schwelle?«

»Wirklich, Professor.«

»Welch ein Verlust für uns alle!«

»Wir müssen in seinem Geiste fortfahren . . .«

Der Weißhaarige, der einmal Professor für Kybernetik gewesen war und dem man nach vier Vortragsreisen ins Ausland Verrat von Staatsgeheimnissen vorgeworfen hatte, obwohl er jedes Redemanuskript einreichte und um Freigabe gebeten hatte, hob den Kopf und drückte das Kinn an. Durch die Außentür betrat gerade Mikola Victorowitsch Jachjajew das Hospital, der für die Lagergruppe JaZ 451 zuständige politische Kommissar. Er war ein kleiner dicker Mann mit einem rosigen Gesicht und aufgeworfenen Lippen, so, als pfeife er dauernd. Aber sein Anblick täuschte. Es gab wohl niemanden in der Lagergruppe, Rassul als Kommandant eingeschlossen, der Jachjajew nicht die Hölle an den Hals wünschte. Das war sogar berechtigt, denn Mikola Victorowitsch war so etwas wie eine Wiedergeburt des Satans. Wo er auftauchte, breitete sich Kälte aus – Kälte im Herzen, im Blut, in den Nerven. Dabei wußte man, daß Jachjajew in Swerdlowsk ein hübsches Weibchen und drei Kinderchen sitzen hatte, alle mit roten Haaren, anzusehen wie die Engelchen. Ihre Fotos zeigte er jedem und blähte sich dabei voller Stolz auf wie ein Pfau. Aber die Fotos waren auch eine gefährliche Waffe. Ein paarmal hatte man erlebt, daß Gefangene zum Verhör befohlen wurden, vor dem Tisch von Jachjajew saßen und auf den silbernen Bilderrahmen starrten, der so auf seinem Schreibtisch stand, daß der zu Verhörende die Fotos sehen konnte. Wie eine Spinne beobachtete Jachjajew den Häftling, und wenn dieser mit den Augen blinzelte – auf dem Foto trug Jachjajews Frau einen knappen Badeanzug –, sprang Mikola Victorowitsch auf, hieb mit der Faust auf den Tisch und brüllte:

»Was ist denn das? Na, was ist das denn? Starrt meine liebe Frau an, und seine Hose hebt sich! Hat man so ein Schwein schon gesehen? Ist das Fressen im Lager so gut? Dem kann man abhelfen! Zehn Tage in den Jaschtschik!«

Das war die reine Hölle, denn damit war – Jaschtschik heißt Kasten – ein enger Bretterraum ohne Fenster und Boden gemeint. Nur gestampfte Erde, nichts zum Sitzen, nichts zum Festhalten. Dunkelheit und Kälte im Winter. Dunkelheit und Glut im Sommer. Und wer das zehn Tage lang überlebte, fiel in die Knie, wenn er nur von weitem ein Foto sah.

Das war Jachjajew, und dieser Satan betrat jetzt das Hospital. Der Professor rief denn auch sofort: »Melde: Num- mer 14, Zimmer 9. Anatoli Pawlowitsch Dudin. Hat Blut im Urin!«

Larissa verstand, ohne sich umzudrehen. Sie winkte energisch, als verscheuche sie eine lästige Fliege; der Professor drehte sich weg und lief davon. Jachjajew war näher gekommen und rieb sich die dicke Nasenwurzel. Man kann es nicht leugnen: Er sah wie ein Ferkelchen aus.

»Das war doch der Professor Polewoi, der Kybernetiker?« fragte er.

»Ja«, antwortete Larissa abweisend.

»Wie stellt er sich an, schöne Ärztin?«

»Geschickt. Aber was wollen Sie auf meiner Station?« Larissa blieb stehen, und ihre Augen funkelten angriffslustig. Wie herrlich sie ist, dachte Jachjajew.

»Ich bin gekommen, um Ihnen anzukündigen, daß ich morgen einen Schulungsabend abhalte. Hier im Gemeinschaftssaal. Alle Kranken müssen kommen. Ob mit Bett oder ohne Bett – alle! Morgen abend um acht Uhr.«

Er rieb wieder seine Nasenwurzel und drehte sich dann schroff um. Auf kurzen, stämmigen Beinchen wieselte er aus dem Hospital.

Man sah es nicht, aber Larissa atmete auf. Ihm ist Pjotr entronnen, dachte sie. Mein Gott, wie sähe es jetzt hier aus, wenn Jachjajew hinter Pjotrs Stirn hätte blicken können . . .

In Rom erhielt Pater Stephanus Olrik einen geheimnisvollen Anruf. Als das Telefon läutete, hob er ahnungslos den Hörer ab, und eine durchaus angenehme Stimme sagte einfach so dahin: »Ich brauche Sie!«

Pater Olrik war Angehöriger der Kongregation vom Heiligen Kreuz (KHD) in Rom, einem kleinen, aber exklusiven Orden, der vor allem in den asiatischen Staaten mit großer Mühe seine Missionsstationen aufbaute. Seine Oberen hatten ihn als Dolmetscher für Russisch in eine Dienststelle des Vatikans abkommandiert, die es offiziell gar nicht gab. Sie nannte sich harmlos »Ostabteilung«, wurde nirgendwo in den Lohnlisten geführt, tauchte in keinem Stellenplan auf, hatte jedoch einige Büroräume außerhalb des Vatikans in der Vorstadt Fiumicino bezogen, ganz in der Nähe des Flughafens. In einem unscheinbaren, alten Haus mit vermoosten Schindeldächern. Wer daran vorbeiging, machte sich keinerlei Gedanken, so uninteressant sah es aus.

Pater Stephanus lehnte sich in seinem Schreibtischstuhl zurück, streckte die Beine von sich und betrachtete die Spitze des Rotstiftes, den er in der linken Hand hielt. Er war gerade damit beschäftigt gewesen, aus einer sowjetischen Komsomolzenzeitschrift einen Artikel zu übersetzen, der sich mit einem aufsehenerregenden Phänomen beschäftigte: Unter der sowjetischen Jugend machte sich eine schleichende Religiosität bemerkbar. Der Komsomolzenführung kam das unheimlich und unverständlich vor.

»Wer ist da?« fragte Olrik. »Wollten Sie mich tatsächlich sprechen? Pater Stephanus?«

»Da ich Ihre Rufnummer kenne, sollten Sie das annehmen. Ich möchte Sie bitten, in einer Stunde zur Piazza Campo dei Fiori zu kommen. Ich erwarte Sie dort, und wir gehen dann ein wenig spazieren.«

»Sie sind ein Spaßvogel, Signor Unbekannt!« sagte Olrik belustigt. »Wenn ich nicht in einer wichtigen Aufgabe steckte, würde ich mir die Zeit nehmen, mich mit Ihnen weiter zu unterhalten. So aber? Adieu . . .«

»Es handelt sich um eine weit größere Aufgabe als die, welche Sie gerade vor sich haben. Ich nehme an, Sie übersetzen einen Zeitungsartikel aus dem Russischen.«

Pater Olrik warf seinen Rotstift auf den Tisch zurück und straffte sich. »Wer sind Sie?« fragte er mit Schärfe in der Stimme. Gleichzeitig drückte er auf den Knopf, der das Tonbandgerät in Bewegung setzte, mit dem das Telefon verbunden war.

Sein Gesprächspartner lachte verhalten: »Daß es die Techniker nicht wegbekommen, dieses Knacken, wenn sich das Tonbandgerät einschaltet! Seien Sie beruhigt, Pater Stephanus, Ihre Oberen wissen Bescheid. Der Leiter Ihres Büros hat nichts dagegen.«

»Mit mir hat noch keiner gesprochen.«

»Auf meinen ausdrücklichen Wunsch hin. Bitte, stellen Sie den dummen Kasten ab, und löschen Sie das Band! Wir treffen uns auf der Piazza Campo dei Fiori.«

»Und wie erkenne ich Sie?«

»Ich kenne Sie, Pater Stephanus. Wir können uns nicht verfehlen. Ich bin Geistlicher wie Sie.«

»Moment!« rief Olrik. »Noch eine Frage . . .« Aber der Anrufer hatte aufgelegt in der Gewißheit, daß diese Frage kommen mußte.

Wenig später stand er dem Leiter der »Ostabteilung« gegenüber, in einem nüchternen Büro mit Regalwänden, ein paar Stühlen und einem Tisch. Der einzige Schmuck war ein Farbfoto des Papstes, ein großes Bild in einem Wechselrahmen aus Messing. Wie Olrik trug auch er einen schwarzen Anzug mit einem runden steifen Kragen darunter. Er hatte den Titel eines Prälaten verliehen bekommen und wurde offiziell als Mitglied der Verwaltung der vatikanischen Gärten geführt.

»Ich habe da eben einen mysteriösen Anruf bekommen ...«, setzte Pater Olrik an, aber der Prälat winkte ab, setzte sich lächelnd und zeigte auf einen Stuhl neben sich. Olrik nahm Platz und blickte verwundert auf die Schreibtischlade, die jetzt geöffnet wurde. Eine Flasche Kognak kam zum Vorschein, ihr folgten zwei kleine Becher aus Silber. Der Prälat goß ein, reichte Olrik einen Becher und hob den seinen hoch.

»Spülen wir die Verwunderung weg!« sagte er. »Eins muß ich Ihnen schon im voraus sagen, Stephanus: Ich habe lange gezögert, ehe ich zustimmte. Ich habe mit mir gerungen wie ein Erzengel mit den Teufeln. Ich habe ein ganz hartes NEIN gesagt – aber dann ließ ich mich belehren, daß der Auftrag Christi über alles geht, auch über alle Gefahren.«

»Ich verstehe kein Wort«, sagte Olrik und hielt seinen Silberbecher hin. »Erlauben Sie noch einen, Monsignore?«

»Gut so! Üben Sie, Stephanus. Sie werden zum Wohle des Kreuzes noch mächtig saufen müssen.«

»Ich verstehe gar nichts mehr. Wer ist der anonyme Anrufer, Monsignore?«

»Auch ein Monsignore.« Der Prälat erhob sich, ging zum Fenster, wanderte dann in dem muffigen Raum herum und schlug hinter dem Rücken die Hände gegeneinander. »Wenn wir schon so etwas wie eine illegale Truppe sind, die niemand im Vatikan kennen will, dann ist Ihr Anrufer überhaupt nicht existent. Nicht in seinem Aufgabenbereich! Denn den gibt es nicht, hat es nie gegeben und wird es auch nie geben.«

Pater Olrik trank den zweiten Becher Kognak leer und sehnte sich nach einer Zigarette. Es blieb ein geheimer Wunsch, denn der Prälat war ein fanatischer Nichtraucher, bei dem die Abneigung gegen Tabak so weit ging, daß er sofort die Fenster aufreißen ließ, wenn er einen Raum betrat, in dem es nach Tabakrauch roch. Dafür aß er am Tag drei Tafeln Schokolade: morgens Vollmilch, mittags Mokka, am Nachmittag Zartbitter. Der Arzt hatte ihm das seit Jahren streng verboten, und Monsignore lebte auch nach einer gewissen Diät – aber die Schokolade konnte ihm keiner verbieten. »Gott wird kleine Sünden verzeihen!« hatte er einmal gesagt. »Gottes Güte ist unbegreifbar.« Sie war es, denn trotz Diabetes und Schokolade hatte der Prälat 69 Jahre erreicht, war ein Kerl wie ein Baum und sah blühend aus mit seinen roten Bäckchen – das waren allerdings Alarmzeichen – und fühlte sich wohl wie ein Delphin im warmen Wasser.

»Das alles ist politisch so heiß, daß keiner sich damit befassen will«, sagte der Prälat und wanderte wieder in dem Büro hin und her. Vor dem Foto des Papstes blieb er stehen, sah es eine Weile stumm an und fuhr dann fort: »Auch er weiß es nicht! Nun machen Sie kein Schafsgesicht, Stephanus; wir belügen Papa nicht, sondern wir sagen einfach gar nichts. Wer nichts sagt, lügt nicht, das ist doch logisch? Unter Pius XII. war die Ostpolitik des Vatikans noch eine Art Konfrontation gegen den stalinistischen Kirchenkampf, doch seit Johannes XXIII. – daß er mit Chruschtschow nicht Krakowiak getanzt hat, erscheint mir heute noch geradezu verwunderlich – entwickelt sich ein Liberalismus in der Ostpolitik, eine Art Duldungsabkommen, ohne Rücksicht darauf, wie schwer es unsere Brüder von der Ostkirche in Wirklichkeit haben. Was wir tun, ist Informationen sammeln . . . Und da helfen Sie ja mit, Stephanus.«

»Ich verstehe noch immer nicht die Zusammenhänge in Verbindung mit meiner Person.«

»Das wird Ihnen Monsignore Battista erklären.« Der Prälat hob beide Hände. »Sagen Sie ihm bloß nicht, daß ich Ihnen seinen Namen verraten habe. Wenn er es Ihnen selbst sagt, gut – aber so lange betrachten Sie ihn als namenlos.«

»Und was will er von mir?« fragte Pater Olrik stockend. Da der Prälat vor dem Foto des Papstes stand, goß er sich den dritten Silberbecher Kognak selber ein.

»Das soll er Ihnen persönlich sagen. Ob Sie es glauben oder nicht: Ich weiß es auch nicht, Stephanus. Das ist keine Lüge, kein Trick! Ich schätze Sie und Ihre Arbeit sehr, Pater. Das wissen Sie. Und ich habe mich auch bis zuletzt gewehrt . . .«

»Wogegen?«

»Daß man Sie mir wegnimmt . . .«

»Monsignore!« Pater Olrik erhob sich von seinem harten Stuhl. »Ich finde es sehr rücksichtsvoll, daß Sie mir alles tröpfchenweise, in therapeutischen Dosen, einflößen möchten. Aber was geschieht, wenn ich *nicht* zur Piazza Campo dei Fiori gehe?«

»Nichts!«

»Trotzdem es anscheinend so wichtig ist?«

»Niemand kann Sie zwingen, Stephanus. Sie sind Priester. Man kann Ihnen ein Amt übertragen, aber man kann Ihnen nicht befehlen, Ihr Leben zu opfern.«

»Moment!« Pater Olrik holte tief Atem. Der letzte Satz des Prälaten hatte sein Herz wie ein Stich getroffen. Plötzlich merkte er, daß es schwer wurde zu atmen. Eine Art Krampf lähmte sein Inneres. »Was sagten Sie da von meinem Leben, Monsignore?«

»Man wird es Ihnen erklären, Stephanus. Hören Sie sich alles in

Ruhe an. Und ich wiederhole: Niemand kann Sie zwingen. Nur Ihr Gewissen kann es!«

Sehr nachdenklich ging Pater Olrik in sein Büro zurück. Mitten im Raum blieb er stehen, drehte sich um und blickte hinauf zu dem einfachen Holzkreuz, das über dem Türstock an der Wand hing. Stumm bekreuzigte er sich. Sein Inneres, das gab er zu, war durcheinander geraten. Die unklaren Andeutungen des Prälaten, der nicht zu einer verständlicheren Sprache zu bewegen war, erzeugten in ihm allerlei Mutmaßungen, von denen aber keine so extrem war, daß sein Leben gefährdet sein könnte. Ein Missionsauftrag war nicht zu erwarten – den konnte nur sein Orden aussprechen. Außerdem kam so etwas nie plötzlich, nicht per Telefon und nicht mit solchen Geheimnissen umrankt, wie es der Prälat getan hatte. Also etwas Politisches? Was aber, bei Gott, sollte es sein? Im Vatikan gab es keine Planungen, die von Beginn an das Leben eines Priesters in Rechnung stellten. Das widersprach allen ethischen Grundsätzen.

Er räumte seinen Schreibtisch auf, blickte auf seine Armbanduhr und sah, daß er sich beeilen mußte, wenn er pünktlich zum Treffpunkt kommen wollte. Seine innere Unruhe war noch gewachsen, als er vor dem unscheinbaren, verwahrlosten Haus in seinen kleinen Fiat stieg und nach Rom hineinfuhr. Er fuhr unkonzentriert, verursachte dreimal fast einen Unfall, ertrug das Hupkonzert seiner Verkehrsgegner und die unmißverständlichen Handzeichen an die Stirn, suchte dann in der Nähe der Piazza Campo dei Fiori eine Parklücke und quetschte den kleinen Wagen halb auf den Gehsteig. Um die Polizei nicht in Verlegenheit zu bringen, stellte er in das Frontfenster ein Schild des vatikanischen Pressedienstes. Das war zwar nur ein halbes Alibi, aber mancher brave Carabiniere scheute sich doch, von einem Vertreter des Papstes ein Bußgeld zu verlangen.

Langsam schlenderte er dann zum Campo dei Fiori und schaute sich um. Sein unbekannter Anrufer war schon da. Er sah ihn neben einem Zeitungskiosk stehen. Im neutralen schwarzen Anzug eines Geistlichen, weißhaarig, mittelgroß und hager. Ein asketisches Gesicht, wie man es oft auf mittelalterlichen Bildern von Mönchen sieht. Er las in der Zeitung »Il Messaggero« – ein harmloser Müßiggänger im geistlichen Rock.

Pater Olrik überquerte die Piazza und wunderte sich nicht, daß er trotz Zeitungslektüre längst gesehen worden war. Der Bruder in Christo faltete die Zeitung zusammen und steckte sie in seine Rocktasche.

»Das gefällt mir«, sagte er freundlich, als Olrik neben ihm stand. »Sie sind pünktlich. Das ist heute selten, glauben Sie mir. Es gibt

Begriffe, die im modernen Sprachgebrauch zu Reizworten wurden. Pünktlichkeit gehört dazu ebenso wie Pflichterfüllung, Charakter und Verantwortungsbewußtsein. Seien Sie willkommen, Pater Stephanus. Ich bin Giovanni Battista.«

Wie hatte der Prälat gesagt: Wenn er Ihnen seinen Namen nennt, ist das schon eine Auszeichnung.

»Wie darf ich Sie anreden, Signor Battista?« fragte Olrik zurückhaltend.

»Zwischen uns soll ein offenes Wort sein, Pater. Sagen Sie Monsignore.« Battista fuhr mit dem rechten Zeigefinger in seinen steifen weißen Kragen. Es war schwülwarm, und er schwitzte. »Mir ist klar, daß Sie bis zum Gaumen voller Fragen stecken und fast daran ersticken.«

»Wer könnte mir das übelnehmen, Monsignore?«

»Wir hätten das einfacher haben können, indem ich Sie in mein Haus bestellt hätte. Aber – so unglaublich das klingt – auch im Vatikan hat man Wände mit einmontierten Ohren. Natürlich bildlich gemeint. Aber Sie kennen ja den Fall, daß in der nächsten Umgebung von Papst Paul VI. sogar ein Bischof im Dienste Moskaus stand. Der Kreml wußte genau, was im Vatikan geschah. Seitdem bin ich vorsichtig. Schließlich heiße ich ja auch wie Paul VI. Giovanni Battista.«

Das sollte ein Witz sein. Pater Olrik verzog höflich den Mund zu einem verhaltenen Grinsen. Moskau, dachte er dabei. Kreml. Spionage. Der Umkreis des Geheimnisses begann sich ein wenig zu lichten. Aber das kann nicht sein, dachte er so schnell, wie es die Gesprächspause zuließ. Im Vatikan gibt es keinen Geheimdienst im herkömmlichen, politischen Sinn.

»Ich schlage vor«, sagte Monsignore Battista und blickte über die Piazza, »daß wir zur Villa Borghese fahren und uns dort in den Gärten eine schattige Bank suchen, wo wir uns in Ruhe unterhalten können. Wir werden nebeneinander in unseren Brevieren lesen und dabei alles durchsprechen. Ich fahre voraus, Sie folgen mir in zehn Minuten, und wir sehen uns am Haupteingang wieder. Dort begrüßen wir uns, als träfen wir uns zufällig.«

Eine halbe Stunde später – der römische Straßenverkehr konnte auch zarte Gemüter zur Raserei bringen – trafen sie sich, wie verabredet, vor der Villa Borghese, spielten die Überraschten und wanderten dann durch die wohl schönste Parkanlage der Welt bis zu einer Bank, die in der Nähe einer Grotte zwischen Büschen und blühenden Sträuchern stand.

»Hier!« sagte Battista sachverständig. »Das ist der richtige Platz für zwei geistliche Herren.« Er lachte etwas trocken, setzte sich und holte sein Brevier aus der Tasche. »Damit Sie nicht vor Neugier platzen, Pater Stephanus, denn ich sehe Ihnen den Überdruck der Fragen an: Wir haben für Sie eine Aufgabe ausersehen, die alles, was Phantasie zu konstruieren vermag, übertrifft. Die Wirklichkeit ist weitaus unbegreiflicher. – Nun setzen Sie sich doch, Pater!«

»Wer sind Sie, Monsignore, und wen vertreten Sie?« fragte Olrik und nahm Platz.

»Ich diene Christus, wie Sie. Und ich habe die Aufgabe, allen Menschen in Not die tröstende Kraft der Kirche zu schenken. Das Wort Gottes, das Brot der Ärmsten der Armen. Die Welt ist voller Märtyrer, nur weiß das keiner – oder es will niemand wissen, weil es in keine politische Richtung paßt. Da gibt es Politiker, die beten, wenn Presse, Funk und Fernsehen dabei sind, knien vor Ehrenmalen nieder und träumen, daß die Weltöffentlichkeit ergriffen unter Tränen schluchzt. Dabei machen sie uns nur blind vor der täglichen Wahrheit und lassen die Politik zur praktizierten Lüge verkommen. Wer mit Sowjetrußland Geschäfte machen will, etwa Erdgas für ganz Europa bestellt und in die Gegenrichtung Tausende Tonnen EG-Butter zum von europäischen Steuerzahlern subventionierten Billigpreis liefert, der verschweigt natürlich die mehr als fünf Millionen Zwangsarbeiter an den Großbauprojekten der Sowjetunion, zu denen zum Beispiel die sibirische Pipeline für Erdgas gehört. Allein dort sind rund hunderttausend Sklaven im Einsatz – von Urengoj bis Tscheljabinsk.«

Battista blätterte in seinem Brevier, als suche er eine neue Lesestelle. »Ich habe noch nie gehört, daß ein Politiker öffentlich gebetet hätte: ›Gott im Himmel, beschütze die Arbeitssklaven in Sibirien, laß sie das Grauen der Straflager überleben, und gib ihnen Stärke gegen alle Unmenschlichkeit um sie herum!‹ – Oder haben Sie solch ein Politikergebet schon mal gehört? Sie werden es nie hören.«

Er holte tief Atem und sah Pater Olrik von der Seite an. »Das ist meine Aufgabe, Stephanus: Den getretenen Kreaturen, diesen Menschen jenseits aller Menschlichkeit und Würde, allen Rechts und aller Hoffnung, ein wenig Kraft zu geben durch das Wort Gottes und durch tätige Nächstenliebe.«

»Hier? Von Rom aus?« Pater Olrik blätterte ebenfalls in seinem Brevier. Ein paar Spaziergänger schlenderten an ihnen vorbei und warfen einen Blick auf die beiden meditierenden, weltvergessenen Geistlichen. »Schicken Sie Lebensmittelpakete?«

»Die nie ankämen! Halten Sie mich für blöd?«

»Gebete in römischen Kirchen werden kaum helfen, Monsignore.«

»Endlich werden Sie sarkastisch. Nun läßt sich freier reden.« Giovanni Battista lehnte sich etwas zurück und blickte in das Blätterdach über sich. »Um noch einmal kurz von mir zu sprechen, und ich tue es, weil ich großes Vertrauen in Sie setze: Meine Tätigkeit würde vom Heiligen Stuhl nie gebilligt und nie abgesegnet werden. Nicht mehr! Wir sind ein kleiner Kreis, der illegal arbeitet. Eine Handvoll Priester, verschworen und unbekannt wie die Prediger der Urkirche in den Katakomben von Rom. Wir haben im Vatikan alle unsere offizielle Aufgabe, aber außerdem und in noch höherem Maße unsere Arbeit im Untergrund.«

»Und Sie wollen mich, wenn ich Sie recht verstehe, in diesen Untergrund hineinziehen. In die neue Katakombe. – Warum gerade ich?«

»Hineinziehen – das klingt so kriminell, Pater Stephanus. Ich werde Ihnen die Situation schildern, und dann entscheiden Sie nach Ihrem Gewissen.«

»Das ist die raffinierteste Umschreibung eines Befehls für einen Priester. Wir leben nur in einem Auftrag Gottes.«

Monsignore Battista blätterte wieder in seinem Brevier. »Wir haben uns eingehend mit Ihnen beschäftigt, Stephanus. Wir kennen Sie genau. Ihre Eltern hatten ein Gut bei Kurla, südlich von Reval. Beim Vormarsch der Russen mußten sie flüchten. Mit vier Pferden, zwei Leiterwagen und einem Auto-Union-Wagen. In Deutschland kamen sie an mit einem Leiterwagen, einem Pferd und vier Personen. Ihr Bruder erfror auf der Landstraße bei Ligatne. Ihre Schwester starb an Entkräftung an der Straße von Groß-Bliden. Ihre Mutter war hochschwanger, und Sie wurden auf der Flucht geboren, in Labiau, am Kurischen Haff. In einem Keller, unter den Einschlägen sowjetischer Stalinorgeln. Den Westen erreichten Ihr Vater, Ihre Mutter, Ihr Großvater mütterlicherseits und Sie, der Säugling – in Papier und Lumpen gewickelt. In Niedersachsen, in Hannover, wuchsen Sie dann auf, studierten in Münster Theologie und wurden zum Priester geweiht. Was Sie aber vor allen anderen auszeichnet: Sie wuchsen auf Geheiß Ihres Vaters zweisprachig auf; deutsch und russisch. ›Wenn wir einmal zurückkommen‹, sagte er immer, ›muß der Junge Russisch können!‹ Außerdem sprechen Sie Französisch, Englisch und Italienisch. Latein natürlich auch. Das alles ist ein großes Kapital, das wissen Sie, Pater Stephanus. Noch schwerer aber wiegt, daß Sie das Collegium russicum besucht und auch Ihre orthodoxe Weihe empfangen haben. Sie könnten in Brescia predigen und als Pope in Irkutsk die Liturgie singen. Das alles macht Sie für uns zu einem idealen Partner.«

»Ich arbeite bereits in einer illegalen Stellung«, sagte Olrik steif. »Ich muß Ihnen allerdings freimütig gestehen, daß ich mir ein

Priesteramt anders vorgestellt habe, als russische Zeitungsartikel zu übersetzen.«

»Aber Sie tun es seit zwei Jahren, getreu dem Gehorsam, den Sie geschworen haben.«

»Ich bin Ordensgeistlicher und beuge mich der Weitsicht meiner Oberen. Ob ich zum Bau einer Kirche Urwälder in Paraguay rode oder in Rom an einem Schreibtisch sitze und sowjetische Zeitungen lesen muß – wenn es denn nach höherer Einsicht gottgefällig ist und . . .«

»Ich brauche Sie als Priester, Stephanus!« unterbrach ihn Battista ernst. »Sie sollen ein Amt haben.«

Verblüfft starrte Olrik seinen Nebenmann an. Monsignore Battista blinzelte ihm zu, als habe er einen nicht ganz reinen Witz ausgesprochen. »Man . . . man kann doch kein Priesteramt verleihen, das illegal ist . . .«, stotterte er.

»Ihr Ordensgeneral hat ja gesagt. Alles andere leiten wir ab von dem Auftrag Christi: ›Gehet hin in alle Welt . . .‹« Monsignore Battista faltete die Hände um sein Brevier. Er wirkte sehr ins Gebet versunken, wenn man ihn jetzt im Vorbeigehen betrachtete. »Die Entscheidung aber liegt, das ist Ihr Vorteil bei der ganzen Sache, ganz allein bei Ihnen. Wir bitten Sie . . . weiter nichts. Mehr können wir auch nicht.«

»Wo soll ich eine Pfarre übernehmen?« fragte Pater Olrik. Sein Herz klopfte bis zum Hals. Er spürte tatsächlich seinen Pulsschlag bis in die Mundwinkel. In seinem Schädel rauschte das Blut, als passiere es dort einen Kocher. Er hätte jetzt so gern einen Spiegel gehabt, um zu sehen, ob sein Kopf glutrot war.

»In Rußland!« antwortete Battista.

»Aha . . .«

»Genau umrissen: In Sibirien.« – Battista hob den Blick in den von weißen Haufenwolken durchsetzten Himmel. »Sie können sofort nein sagen, Stephanus.«

»Ich habe noch keine Äußerung getan, Monsignore.«

»Sie haben bei dem Wort Rußland aha gesagt und sind dann versteinert.«

»Ich hatte auf das Wort gewartet.«

»Und jetzt denken Sie: Das ist ungeheuerlich. Das grenzt an Irrsinn! Ist es so?«

»Ich bin überwältigt von der Vorstellung, daß Sie Priester nach Sowjetrußland einschleusen. Diese Betroffenheit müssen Sie mir zugestehen, Monsignore.«

»Bis zu Papst Pius XII. gab es im Vatikan eine Dienststelle, die sich mit dem Einsatz illegaler Priester in der Sowjetunion befaßte. Sie wissen: Pius XII. haßte den Bolschewismus; er haßte ihn so glühend und leidenschaftlich, daß die Euphorie des Hasses ihn sogar mit den Nazis unter Hitler paktieren ließ. Jedenfalls tolerierte er Hitler, um Stalin zu vernichten. Diese blinde Leidenschaft war verheerend, aber auch der Papst ist nur ein schwacher Mensch. Gott verzeihe ihm. Die Blutopfer unserer Kirche in Rußland waren ungeheuer. Das NKWD, wie der sowjetische Geheimdienst damals hieß, schlug mit aller Macht zu. Meist wurden unsere Brüder durch Verrat entlarvt und endeten in Straflagern oder nach der Folter in den Kellern des NKWD. Wir hatten heimliche Pfarreien in ganz Rußland aufgebaut – von Minsk bis zum Kap Dechnew im nördlichsten Sibirien, wo die grausamsten Straflager liegen. Ob in Karaganda oder an der Eismeerstraße, ob in Kolyma oder an der Trasse neuer Eisenbahnen in Sibirien, ob in Tjumen oder in den Holzfällerlagern am Ob – überall arbeiteten unsere heimlichen Priester.

Wer weiß schon, daß auf den Kurilen-Inseln über 6000 weibliche Häftlinge den roten Kaviar in Dosen füllen? Den schwarzen Kaviar füllt man in der Leninfabrik in Gurjew ab, die von Häftlingen erbaut wurde. Die gesamte Industrialisierung Rußlands war nur möglich durch den Einsatz unzähliger Sträflinge. Extra für diese Großprojekte, die später die ganze Welt bewunderte – die Eroberung der unmeßbaren Bodenschätze Sibiriens –, wurde 1930 die ›Lager-Hauptverwaltung‹ geschaffen, die berüchtigte GULAG! Die industrielle Großmacht Sowjetunion steht auf einem Fundament aus den Knochen der Millionen Strafgefangenen. Jeder westliche Politiker weiß das – und schweigt verschämt. Wer kennt nicht den Namen Workuta?«

Battista drehte sein Brevier zwischen den Händen. »Heute weiß man, daß es 253 Straflager gibt. Ich kann Ihnen eine Liste zeigen mit genauen Ortsangaben. Sogar die Postadressen kennen wir. Aber das ist nur ein Teil des Ganzen – viele andere sind unbekannt. Man erfährt nur durch Erzählungen von verlegten Sträflingen davon. Allein im Bezirk Perm liegen über fünfzig Lager. Große Lagerkomplexe gibt es in Komi und im Gebiet von Kasachstan. Und überall versuchten wir, Trost durch Gottes Wort zu spenden. Aber – ich sagte es schon – die Verluste waren ungeheuer. Der Märtyrertod unserer Brüder bewog sogar Pius XII., auf die Weiterführung dieser Aktion zu verzichten. Unter Paul VI. und erst recht unter Johannes XXIII. wurde solch ein Einsatz völlig verboten. Und so ist es auch heute noch! Nur einige Bibelgesellschaften schmuggeln noch Bibeln in den verschiedenen sowjetischen Dialekten und Völkersprachen über die Grenzen – aber das sind Privatinitiativen. Bis auf die Aktionen der rührigen Baptisten in den Vereinigten Staaten von Amerika, die noch immer Prediger einschleusen, ruht auf unserer Seite alles . . .«

». . . wenn es nicht einen Monsignore Giovanni Battista und seine Freunde gäbe«, sagte Pater Olrik mit belegter Stimme. Der lange Bericht Battistas hatte ihn seltsam ergriffen. Wohl hatte er in den vergangenen Jahren, vor allem bei der Beschäftigung mit der Ostkirche, von heimlichen Arbeiterpriestern gehört – aber dies war während des Studiums ein Thema, das man nicht ausführlich behandelt hatte. Und, wollte er ehrlich sein, es hatte ihn auch nicht sonderlich interessiert. Seine orthodoxe Ausbildung betrachtete er mehr mit wissenschaftlichem Interesse. Nun hatte Battista ihm einen ersten Einblick in ein Leid gewährt, das ihn jetzt mit unerklärlicher Gewalt erschütterte. Eine andere Welt hatte sich ihm eröffnet.

»So ist es, Stephanus.« Battista legte das Brevier beiseite und fuhr sich wieder mit dem Zeigefinger in den steifen Kragen.

Es war heiß. Und er war innerlich erregt. »Wir haben wieder einen Verlust zu beklagen. Unsere Arbeit konzentriert sich seit einiger Zeit auf den Bau der Erdgas-Pipeline von Urengoj bis Tscheljabinsk. Entlang dieser Trasse sind eine Reihe berüchtigter Straflager entstanden. Zum Teil alte, bereits vorhandene Lagergruppen, bei Surgut sind drei. Bei Tjumen gibt es das Lagerkombinat Ust-Ischim, das auf keiner sowjetischen Karte steht – und es gibt bei Surgut am Ob das gefürchtete Lager JaZ 451/1. Hier war es über den schrecklichen Umweg einer Verurteilung zur Zwangsarbeit unserem Bruder Pieter van Orbourgh, einem Holländer, gelungen, eine heimliche Pfarrei aufzubauen. In vier anderen Lagern gründeten sich daraufhin kleine Glaubensgruppen – so sehr strahlte seine Wirkung aus, und so verzweifelt suchen diese armen Menschen Gott und seinen Trost.«

Monsignore Battista sah Pater Olrik jetzt voll an: »Erst vor vier Wochen erfuhren wir nun, daß unser Bruder Pieter van Orbourgh gestorben ist. Durch einen ganz dummen Unfall: Eine Eisenbahnschwelle fiel ihm beim Abladen auf den Kopf. Pjotr ist tot. Die Lagergruppe um JaZ 451/1 ist ohne Priester.«

»Und ich . . . ich soll jetzt nach Sibirien? An Pjotrs Platz . . .?« Olrik holte tief Luft, legte die Hände ineinander und spürte, daß sie trotz der Wärme des Tages eiskalt waren. Obwohl sein Blut in den Adern rauschte, so daß er meinte, man müsse dieses Geräusch hören, überzog Kälte seine Haut. »Wie . . . wie haben Sie sich das gedacht, Monsignore?«

»Den technischen Teil besprechen wir später in aller Ruhe.« In Battistas Blick war ein deutlicher Ausdruck von Ergriffenheit; er konnte nachempfinden, wie es in Pater Stephanus aussah. Da sitzt man auf einer Bank in den herrlichen Gärten der Villa Borghese, umgeben von Blüten und Blumen, und jemand sagt so daher: Du wirst in Sibirien gebraucht. Bei den toten Seelen. Bei den Vergessensten aller Vergessenen. Das Straflager JaZ 451/1 wartet auf dich. Es wartet auf dich vielleicht der sichere Tod.

»Was ich jetzt von Ihnen erwarte«, sagte Battista vorsichtig und in einem milden väterlichen Ton, »ist ein Nein! Niemand nähme Ihnen das übel. Über Ihr Leben bestimmen Sie allein. Ich wage zu behaupten, daß selbst Christus Ihnen das nicht befehlen würde.«

»Sie haben mein Gewissen angesprochen, Monsignore«, erwiderte Olrik und schluckte mehrmals dabei, als müsse er jedes Wort hochwürgen. »Mein Gewissen als Priester. Da gibt es nur eine Antwort.«

»Fühlen Sie sich nicht gezwungen, Stephanus.«

»Was haben Sie von mir erwartet? Einen Luftsprung? Endlich darf ich nach Sibirien! Komm an meine Brust, Brüderchen Giovanni, laß dich küssen. Bist ein Kerl, vor dem der Teufel seinen Schwanz einrollt! Laß uns einen trinken. Nastarowne . . .«

»So einen brauchen wir!« Battista faltete die Hände über der Brust. »Genau so einen wie Sie. Meine Wahl war richtig! Ich habe Sie aus neunundvierzig Kandidaten, die ebenso ahnungslos sind, wie Sie es bis eben waren, ausgesucht. Mein Gefühl sagte mir: Das muß er sein!«

»Ich habe noch nicht ja gesagt, Monsignore!«

»Das erwarte ich auch nicht. Jede Bedenkzeit ist Ihnen zugestanden. Nur vergessen Sie nicht: Mit jedem Tag wird die verlassene Gemeinde im Lager Surgut kleiner. Und jeder Tag ohne Gottes Wort ist eine Last für diese lebenden Toten! Sie beziehen ihre letzte Kraft nicht aus den Wassersuppen und dem glitschigen Brot, sondern aus dem inneren Feuer und der Hoffnung des Glaubens. Ich sagte es schon am Telefon: Wir brauchen Sie!«

»Ist morgen früh genug?« fragte Olrik und blickte hinauf in den übersonnten Frühlingshimmel.

Sibirien. Ein Straflager. Die Endstation seines Lebens. Surgut am Ob – sein Grab. Eine einzige Gewißheit war ihm sicher: Von dort, aus Sibirien, kam er nicht mehr zurück.

»Es ist übermenschlich, was ich von Ihnen verlange«, sagte Battista und legte den Arm um seine Schulter. »Ich weiß, daß sich Verzweiflung in Ihnen ausbreitet. Aber Sie werden durchkommen, Stephanus. Und Sie sind kein Feigling, wenn Sie mit Nein antworten. Das sollen Sie wissen!« Er lächelte wie ein Vater, der seinem Sohn etwas Gutes zu sagen hat. »Wollen Sie jetzt allein sein oder lieber mit mir einen guten Wein trinken?«

»Ich möchte trinken, Monsignore.« Pater Olrik hob den Kopf.

Seine Augen waren wie verschleiert. »Gott verzeih mir – aber jetzt möchte ich mich besaufen.«

Battista erhob sich von der Bank und half Olrik hoch. »Wir werden wie leere Schläuche sein ... und dann bringe ich Sie nach Hause. Ertränken Sie Ihre Angst, und machen Sie Ihren Mut frei.«

Auch drei Tage Bedenkzeit sind keine große Frist, wenn man lebend in ein Grab steigen soll. Olrik war mit sich und seiner Entscheidung allein. Es gab niemanden, den er um Rat fragen konnte. Keinen, dem er seine innere Qual gestehen wollte.

Er war einsam in dieser Welt. Seine Mutter starb schon 1958 an einer Lungenentzündung. Sein Vater kam aus einem Heilbad nicht zurück; am letzten Tag des Kuraufenthaltes, als die Ärzte ihm blendende Gesundheit bescheinigt und den Schlußbericht geschrieben hatten, fiel er in der Wandelhalle des Kurhauses mit einem Herzhinterwand-Infarkt um und war sofort tot. Die betroffenen und sehr verlegenen Ärzte behaupteten gegenüber Pater Stephanus, einen Hinterwand-Infarkt könne man auf keinem EKG erkennen, das sei eine ganz tückische Angelegenheit. Im Jahre 1973 war das gewesen, und Olrik selbst hatte die Totenmesse für seinen Vater gelesen. Zweisprachig, deutsch und russisch, so wie es sich sein Vater immer gewünscht hatte. Über die Hälfte seines Herzens war im Osten geblieben, das hatte er stets gesagt.

Jetzt saß Stephan Olrik nun vor den Fotos seiner Eltern, starrte ab und zu aus dem Fenster auf die Straße und sah das morgendliche Straßenleben Roms wie im Nebel und verzerrt an sich vorbeirauschen. – Sibirien – das Wort hatte sich in ihn eingebrannt. Sibirien. Ein Weg ohne Rückkehr. Eine Einbahnstraße ins Vergessen.

»Bleiben Sie zu Hause, solange Sie wollen«, hatte sein Vorgesetzter, der Prälat, voller Verständnis am Telefon gesagt, als er um Urlaub bat. »Gott gebe Ihnen Kraft . . .«

Gott gebe die Kraft . . . das war ein leicht dahingesagtes Wort, wie Olrik plötzlich mit innerem, großem Erschrecken feststellte. Ein paarmal hatte er auf das Kreuz an der Wand geblickt, aber es waren nur zwei Holzstücke, überkreuzt geleimt – nichts strömte von ihnen aus zu ihm hinein, keine Stärke, kein Trost, keine Ruhe, nicht einmal Besänftigung.

Zwei Tage lang war er durch Rom und hinaus über die Via Appia antica gewandert, ziellos, sich badend im lärmenden Leben der Großstadt und in der sanften Stille der Natur. Er hatte auf den römischen Säulenresten gesessen und dem Gesang der Vögel zugehört, hatte den Wind in den Pinien gesehen, an Blumen gerochen und die Käfer in den Gräsern beobachtet. Er lag im Schatten der

Olivenhaine, blickte den ziehenden Wolken nach, roch den Morgentau in den Moosen und sah die Tauben, die in den römischen Ruinen nisteten. Mit Omnibussen fuhr er kreuz und quer durch die Riesenstadt, ging die Spanische Treppe hinauf und hinunter, hockte unter Hunderten von Touristen am Trevibrunnen und kniete vor einem der Altäre im Petersdom. Er saß auf den steinernen Stufen des Colosseums und wanderte durch die Thermen des Caracalla, blickte vom Capitol über die Stadt und stand an den Brüstungen der Engelsburg. Zuletzt fuhr er mit einem gläsernen Aussichtsboot den Tiber hinauf und hinunter – das war am dritten Tag seines Ringens mit sich selbst, erfüllt von dem Wunsch, noch einmal alle Schönheit aufzunehmen, die das Leben zu bieten hat.

Am Nachmittag wählte er die Telefonnummer, die Monsignore Battista ihm gegeben hatte. Battista war sofort selbst am Apparat.

»Stephanus . . .«, sagte er voll Milde. »Wo sind Sie jetzt?«

»In einer Telefonzelle am Tiber, in der Nähe der Engelsburg.«

»Soll ich Sie abholen?«

»Ja, bitte . . .«

»Ich komme sofort!«

Battista fand Olrik am Tiber. Er saß auf einem alten Mauerstück, ließ wie ein Junge die Beine baumeln und rauchte eine Zigarette. Es war ein Anblick, den ein geistlicher Herr nicht bieten sollte, aber in seiner Lage war alles verzeihlich.

Battista setzte sich neben ihn auf die Mauer und pendelte ebenfalls mit den Beinen. Schweigend saßen sie eine Weile nebeneinander und blickten über den Tiber und auf das brausende Leben auf den Uferstraßen und Brücken.

»Wann?« fragte Olrik plötzlich.

»Darüber ist noch nichts entschieden.« Battista blickte ihn forschend an: »Heißt wann etwa ja?«

»Sie haben es von Anfang an gewußt, Monsignore. Ich bin Priester und habe meinen Auftrag.« Olrik spuckte den Stummel seiner Zigarette von sich, so wie es ein russischer Bauer tun würde. »Gehen wir zum technischen Teil über, wie Sie es nannten.«

»Ich möchte Sie jetzt umarmen und an mich drücken«, sagte Battista mit belegter und leicht zitternder Stimme. Auch ihn ergriff die Entscheidung ungemein. »Aber wer uns dann sieht, kommt leicht auf verwerfliche Gedanken, vor allem bei unserem schwarzen Rock. – Fangen wir gleich an, Stephanus. Von jetzt ab sprechen wir nur noch Russisch miteinander.«

»Sie können Russisch sprechen, Monsignore?«

»Den feinen Nowgoroder Akzent. Sie sprechen drei Dialekte, nicht wahr?«

»Ja. Sogar einen derben bäuerlichen . . .«

»Den pflegen Sie jetzt! Davon kann ich noch lernen. Also, Stephanus!« Battista lächelte leicht. »Sie heißen ab sofort Victor Juwanowitsch Abukow . . . schön, was?«

»Wieso Abukow?« Olrik schob sich von der Mauer und klopfte den Staub von seiner Hose.

»So hieß ein braver Sowjetbürger, dessen Paß Sie übernehmen. Ihr Bild klebt schon drin. Fabelhaft, sage ich Ihnen. Ein Paß so schön und rein wie der Bauchflaum einer weißen Taube . . .«

»Ein komischer Vergleich, Genosse Giovanni.« Sie sprachen bereits russisch.

Monsignore Battista zuckte bei dem Wort Genosse etwas zusammen, aber dann lachte er. »Rupfen Sie mal ein Täubchen, und Sie werden das Zarteste an Flaum erleben. So schwerelos ist Ihr Paß – als Fälschung nie zu erkennen.«

»Und mein Bild klebt schon drin? Schnell seid ihr. Wo kommt der Paß her?«

»Von einem Toten. Victor Juwanowitsch wurde in Kirov geboren, lernte Autoschlosser, wechselte über zu den Lastwagenfahrern, lenkte eines der überschweren Ungetüme und ertrank in der Wjatka, als er an einem Sonntag fischen wollte. Die Wjatka ist ein tückischer Fluß, vor allem kurz nach der Schneeschmelze. Victor Juwanowitsch war nicht verheiratet, war Vollwaise, hat also keine Angehörigen. Seine Papiere kamen über Mittelsmänner zu uns. Wir haben da eine ganze Sammlung von sowjetischen Pässen.« Battista blinzelte fast schelmisch. »Nur etwas ist da, Victor Juwanowitsch: Sie haben in Kirov ein uneheliches Kind. Ein Mädchen. Neun Jahre alt.« Battista rieb sich die Hände. »Damit müssen Sie leben – als Priester. Welche Kapriole des Schicksals!«

»Ich werde dem Kind ja nie begegnen, Monsignore.«

»Es kommt noch besser. Die Mutter – Ihre Geliebte – war eine Fabrikarbeiterin, die ihre wenigen Rubel aufbesserte, indem sie auf den Strich ging. Jetzt ist sie verheiratet mit einem Feinmechaniker. Ihre Vergangenheit wird Sie also nicht einholen, Victor Juwanowitsch. Nur sollten Sie vermeiden, gerade nach Kirov zu kommen. Der richtige Abukow sah Ihnen verdammt ähnlich. Wie man uns gesagt hat, war Victor Juwanowitsch mächtig hinter den Weibern her. Wo ein Rock wehte, blies er zum Angriff.«

»Ich glaube, Sie haben den falschen Paß herausgesucht, Genosse!« sagte Abukow trocken und steckte sich wieder eine Zigarette an. »Mein Gelübde der Keuschheit . . .«

»Das müssen Sie entscheiden, Brüderchen.« Battista fegte sich die wehenden weißen Haare aus dem Gesicht. Vom Tiber strich ein warmer Wind zu ihnen hinüber. »Ausnahmesituationen kennen keine Dogmen. Doch gerade diesem Problem kann man ausweichen.« Er sah Abukow forschend an. »Wieso haben Sie gerade davor Angst?«

»Ich sehe da einen Bruch in meiner Rolle als kraftstrotzender Kerl.«

»Wenn das Ihre ganze Sorge ist, Victor Juwanowitsch!« Battista lachte und sprang auch von der Mauer. »Gehen wir zu mir und sprechen wir über wichtige Dinge, die Sie zu überwinden haben. Ich habe mit Ihrem Prälaten und mit Ihrem Ordensgeneral gesprochen. Sie sind ein ganz Schlimmer, Abukow! Ein Abtrünniger. Sie haben Knall auf Fall Ihren Orden verlassen und einen Brief hinterlassen, der so etwas wie ›Leckt mich am Arsch‹ bedeutet. Man wird Sie hinauswerfen und Ihnen die priesterlichen Funktionen aberkennen!«

»Das . . . das können Sie nicht machen . . .«, stotterte Abukow entsetzt. »Das mache ich nicht mit!«

»Es muß sein, um Sie aus allen Listen zu streichen. Sie tauchen unter – unbekannt verzogen. Sie werden ein Nichts. Es gibt keinen Stephan Olrik mehr.«

Abukow blickte schweigend über den Tiber, hinüber zur Engelsburg und dann weiter zu der Kuppel des Petersdoms. Ich bin schon tot, dachte er mit schwerem Herzen. Zweifach tot, denn auch Abukow liegt ja unter der Erde. Ich lebe nur noch als Schatten. Eine Art Phantom, das sich irgendwann einmal in der Taiga auflösen wird.

»Und . . . und wenn ich doch einmal aus Sibirien zurückkomme?« fragte er tonlos.

»Welch eine Frage, Victor Juwanowitsch.« Battista faltete die Hände und senkte den Kopf. »Es gibt Entscheidungen, die endgültig sind.«

Sechs Wochen später ruderte ein ungarischer Fischer einen schmalen, dunkelbraunen, in der Nacht untertauchenden Kahn über das Flüßchen Tisar und setzte auf sowjetischer Seite einen einzelnen Mann ab. Außer einem kleinen Pappkoffer und einem Brotbeutel aus Segeltuch, wie es das russische Militär trug, hatte der Mann ein uraltes klapperndes Fahrrad aus der Fahrradfabrik von Minsk bei sich. Er schob es das Ufer hinauf, winkte dem Fischer noch einmal kurz zu und schwang sich dann in den Sattel. Koffer und Brotbeutel hatte er hinten mit faserigen Strikken festgebunden.

Es war eine dunkle Nacht mit einem schmalen Neumond, aber er kam auf der guten Straße zügig voran und erreichte nach einer Stunde die Stadt Beregowo. In einem Heustadel, voll mit frischer Mahd, machte er es sich bequem und wartete den Morgen ab.

Ein Priester war unterwegs nach Sibirien.

2

Der Winter in Sibirien war fürchterlich gewesen. War man es mittlerweile gewöhnt, bei klirrendem Frost von 40 Grad unter Null in der freien Natur zu arbeiten, vor allem im Wald, wo man die Stämme schlug, die hart wie Stahl waren – so kam jetzt etwas anderes hinzu: Der Auftrag lautete, durch die Taiga den Weg für die Gaspipeline zu legen.

Das bedeutete vielerlei. Zunächst mußte längs der Rohrleitung eine feste Straße gebaut werden, die man auch im Frühjahr und im Herbst befahren konnte, wenn alles sich in einen grundlosen Sumpf verwandelte: im Frühjahr durch das Schmelzwasser und wenn die Flüsse über die Ufer traten und ganze Landstriche zu brodelnden Seen wurden – im Herbst, wenn vor dem großen Schnee der Regen niederrauschte und das ganze Land ersoff, weil das Wasser nicht wußte, wohin es abfließen konnte. Also mußten Kanäle gebaut werden. Und Dämme, welche die Straßen schützten. Die Trasse der Pipeline mußte so geführt werden, daß sie immer zur Kontrolle erreichbar war. Und es mußten Stationen errichtet werden, Blockhaussiedlungen, nicht zuletzt Unterkünfte für die Facharbeiter, die Spezialisten, die an der eigentlichen Rohrleitung bauten.

Beginnend bei den Erdgasfeldern in den Riesensümpfen des Pur nahe der gewaltigen, von den Halbinseln Jamal und Gydansskiy gebildeten Ob-Bucht bis hin zum südlichen Ural entstand eine Röhrenstraße von über 2000 Kilometern Länge, die dann auf die andere gigantische Gastrasse stieß, die vom europäischen Rußland nach Osten, nach Sibirien, gebaut wurde. Zwei Arbeitsgruppen gab es: eine Gruppe, die zehn und mehr Stunden unter höllischen Bedingungen schuftete und das Gelände vorbereitete und planierte – und eine andere, kleinere Gruppe, die mit riesigen Baggern und Kränen, automatischen Schweißgeräten und einem Heer von Spezialwagen die Röhren verlegte und die Pumpstationen ausbaute.

Die eine, die größere Gruppe, existierte offiziell überhaupt nicht: es waren Sträflinge. Die andere, kleinere Gruppe, bestand aus den fröhlichen Facharbeitern, die meist freiwillig in dieses wilde Land gekommen waren – und allein sie wurde vorgezeigt, falls es einmal nötig war, die Weltöffentlichkeit von dieser Jahrhundertleistung Sibirien-Pipeline zu überzeugen.

Jachjajew, als politischer Kommissar für das Gebiet des Surgut zuständig, leistete darin Vorbildliches. Als zu Beginn des schrecklichen Winters eine neue Konstruktionsgruppe ausgerechnet in den Bezirk des Lagers JaZ 451/1 verlegt wurde und eine von Häftlingen gebaute Siedlung aus steinernen Baracken bezog, leistete sich Moskau – der Satan wußte, wer dafür verantwortlich war! – den Blödsinn, eine Gruppe westlicher Journalisten in vier Großhubschraubern einen Teil der Pipeline abfliegen zu lassen. Landen durften sie nicht, Gespräche auf der Erde waren sowieso ausgeschlossen – aber Jachjajew hatte größte Mühe, die Gastrasse von Sträflingen freizuhalten und dort nur die Spezialtrupps zu postieren. Diese blickten dann vergnügt nach oben und winkten den westlichen Journalisten zu: Seht, so glücklich sind wir in Sibirien! Wir wissen alle, wofür wir arbeiten: für den Fortschritt, für den Sozialismus! Die ganze Welt soll teilhaben an dem Reichtum dieser noch jungfräulichen Erde. Gas für alle. Öl für alle. Milliarden Devisen werden hereinkommen, mit denen wir wieder Getreide, Butter, Fleisch und Saatgut kaufen können. Rußland wird das reichste Land der Erde sein. Genossen, laßt euch gesagt sein: Die Erde kann gar nicht so lange bestehen, bis man Sibiriens Schätze restlos gehoben hat! Jeder Schritt auf diesem Boden ist ein Tritt auf bares Gold!

Jachjajews Arbeit war wie immer vorzüglich. Die Journalistenhubschrauber schwirrten davon, in Tjumen gab es ein Festessen mit Kaviar, Stör, Marinowannye Griba (das sind marinierte Champignons), Tuschenaja Kuriza Pod Sousom is Tschernosliw (geschmorte Poularde mit Pflaumensauce) und als Nachtisch Gurew Kascha, ein Grießauflauf mit Nüssen und kandierten Früchten. Da sage doch einer, zum Teufel, man lebe schlecht in Sibirien! Die westlichen Journalisten zogen jedenfalls sehr zufrieden nach Hause und schrieben, es gäbe keine Sklaven an der Pipeline. Und die Regierungen im Westen atmeten auf.

»Was sollte das?« schrie Jachjajew, als die Aktion beendet war. »Ha, wo finde ich die Idioten, die so etwas anordnen? Besichtigungen der Trassen. Haben wir nicht andere Sorgen? Wer will Gas, frage ich? Wir vom Westen oder der Westen von uns? Wer friert sich den Arsch ab, wenn kein Gas läuft? Wessen Industrie geht in die Binsen, na? Aber dann das Maul aufreißen und kontrollieren wollen, ob wir hier bei Sahnetörtchen und Likör die Röhrchen aneinanderschweißen! Wir liefern Gas – wie, das ist unsere Sache.«

In Wut redete er sich, der kleine dicke Mikola Victorowitsch, hieb mit den Fäusten auf den Tisch und spuckte gegen die Wand, wenn er Westen sagte.

Das neue Ingenieurkombinat war nun vollzählig bei Surgut eingetroffen, hatte die neuen Steinbaracken bezogen und stand unter der Leitung des Chefingenieurs Wladimir Alexejewitsch Morosow. Das war ein stiller, ernster, verschlossener Mensch, dreiundvierzig Jahre alt, der mit acht Jahren seinen Vater verlor, als dieser Berlin stürmte und einer der letzten Toten im Großen Vaterländischen Krieg war.

Wladimir Alexejewitsch war nicht verheiratet, und man sagte von ihm, daß er lieber mit seinen Zeichnungen von Kompressoraggregaten schlafe als mit einem warmen Frauenkörper. Selten sah man ihn lachen. Aber verzog er einmal die Lippen zu einem Lächeln, dann blitzten vorn zwei Goldzähne. Ein wohlhabender Genosse also.

Mit Jachjajew, der seit dem Einzug der Ingenieurtruppe und des neuen Zentralbaubüros fast täglich heranfuhr, weil Morosows Sekretärin Novella Dimitrowna Tichonowa ein verdammt hübsches, schmalhüftiges und prallbrüstiges Mädchen war, unterhielt er sich nur in knappen Sätzen. Er überließ es Jachjajew, sich vor Novella zu produzieren mit seinen unerschöpflichen Schimpfkanonaden. Ein paarmal lud der Politkommissar das süße Püppchen zu einem Spaziergang ein, zu einer Fahrt ins Kino nach Surgut oder zu einer Opernaufführung nach Tjumen – aber Novella betrachtete ihn nur wie einen Gummiball ohne Luft und sagte nein.

So blieb es den ganzen Winter über. Im Lager starben neunundsechzig Mann an Entkräftung und Lungenvergiftung. Der Asbeststaub, der beim Umwickeln der Rohre mit Asbest entstand, zerfraß die Lungen. Neun Sträflinge begingen Selbstmord, zwei starben in dem berüchtigten Jaschtschik, dem »Kasten«, der Privathölle von Jachjajew.

Von Pjotr, dem schmalen Dichter, dem eine Eisenbahnschwelle auf den Kopf gefallen war, sprach niemand mehr. Die Gemeinden, die er gegründet hatte, bröckelten auseinander. Die Angst zerstörte sie. Es fehlte Pjotrs mutiges Wort und sein Beispiel, zu leiden und doch voll Hoffnung zu sein. Wenn Gott es zuließ, daß eine dumme Eisenbahnschwelle die Arbeit von zwei Jahren zerstörte, was war das dann für ein Gott? Er schien schwach zu sein wie der armseligste Sträfling, dem wegen Vitaminmangels die Zähne ausfielen. In der Bibel konnte man lesen von der wundersamen Speisung der Fünftausend – aber wichtiger war hier im Lager die blecherne Schüssel, mit der man abends am Suppenkessel vorbeimarschierte. Wieviel Bohnen hatte man bekommen? War ein Stückchen Fleisch dabei? Schwammen auch keine Würmer in der Suppe? Sah man ein Fetzchen Fisch, war der Kohl auch nicht angefault? Und der Kanten Brot ... hatte man verschimmeltes Roggenmehl gebraucht? Bekam man Magenkrämpfe nach muffigen Graupen?

Am Ende des langen Winters kam der Kommandant des Lagers JaZ 451/1, Oberstleutnant Rassim, in arge Verlegenheit. Die Lagerärztin Larissa Dawidowna teilte ihm knapp mit: Wenn der Arbeitseinsatz weiter so rigoros befohlen wird, muß man die Kranken im Hospital stapeln wie die Bretter an der Trasse.

»Ich jage sie mit den Hunden zur Arbeit!« schrie Rassim. Er hatte das Hospital besichtigt und alles, was noch gehen konnte, hinaus in den Frost getrieben. »Sie sollten ein Hospital in Jalta oder Sotschi übernehmen, wo man Fettbäuche wegmassiert. Wieso können diese Halunken nicht arbeiten, Larissa Dawidowna?!«

»Sie sind krank, Genosse Oberstleutnant.«

»Können sie essen?« Rassim rollte wild mit den Augen.

»Ja. Natürlich.«

»Können sie scheißen?«

»Darauf antworte ich nicht.«

»Wer scheißen kann, kann auch arbeiten!« brüllte Rassim. »Stellen Sie keine Naturgesetze auf den Kopf, Genosse Ärztin. Morgen früh ist Ihr Hospital leer, oder ich fege die Betten mit meinen Hunden leer. Staunen werden Sie, wie sportlich Ihre Kranken über den Platz hüpfen.«

Um Larissa Dawidowna zu ärgern, nur darum ging es, ließ Rassim die in der klirrenden Kälte auf dem Appellplatz Zitternden einzeln in das Hospitalzimmer rufen und von Larissas Kollegen Dshuban Kasbekowitsch Owanessjan untersuchen. Der Chirurg stöhnte und schwitzte, und als die Hälfte untersucht worden war, sagte er zu Rassim: »Rassul Sulejmanowitsch, was soll man jetzt tun: Für alle, die nun hereinkommen, gibt es nur die Diagnose ›Eiszapfen‹. So, mit Verlaub und Respekt, geht es auch nicht. Sie haben ein Plansoll zu erfüllen, aber mit solchen Methoden erreichen Sie es nie. Um eine Spitzhacke zu schwingen, muß ein bestimmtes Potential an Kraft vorhanden sein. Das zu erhalten, haben wir hier das Hospital. Sonst hätte es keinen Sinn. Zum Umbringen braucht man keine Ärzte.«

Rassul fauchte wie ein Tiger, gab dem Schemel, auf dem gerade ein Patient saß, einen Tritt, der Kranke rollte gegen die Wand und blieb dort regungslos liegen in der weisen Voraussicht, daß jede Bewegung seine Situation nur noch verschlimmern würde – und wartete ab, bis Rassim das Zimmer verlassen hatte.

»Ich danke Ihnen, Dshuban Kasbekowitsch«, sagte Larissa später, als alle Kranken wieder in den Betten oder auf den Notlagern in den Gängen lagen. Ein grober Überblick ergab bereits jetzt, daß mindestens neunzehn Männer Erfrierungen davongetragen hatten und für längere Zeit ausfielen. Rassims Aktion war ein Rohrkrepierer geworden. »Ich hätte Ihnen, ehrlich gesagt, diesen Mut nie zugetraut.«

»Mut, meine Schöne!« Dshuban grinste verlegen und rupfte an seiner blumengemusterten italienischen Krawatte. »Sprechen Sie nicht davon. Unter uns: Ich war nur zu faul, alle zu untersuchen.«

»Ihre Faulheit hat Leben gerettet.«

»Da sehen Sie mal, wie wertvoll Unzulänglichkeiten sein können. Stellen wir fest: Ich habe bei Gelegenheit eine Gegenleistung bei Ihnen gut.«

»Ich löse sie ein, Dshuban.« Larissa gab ihm die Hand. »Der Genosse Rassim wird uns auch in den nächsten Tagen nicht in Ruhe lassen. Wenn die Schneeschmelze einsetzt – ich habe Angst davor. Im Plan steht: Rodung und Planierung von Abschnitt 19 bis 25. Im Feld 22 Bau von zwei Brücken. Im Feld 18 bis 21 Abschluß der Vorbereitungen für den Rohrleitungsgraben. Das gesamte Einsatzgebiet liegt im Sumpf- und Überschwemmungsgebiet, wenn die Schneeschmelze beginnt.«

»Das ist nichts Neues, schöne Genossin.«

»Sehen Sie sich den Zustand der Leute an, Dshuban!«

»Bin ich blind?«

»Laut Verfügung der Zentrallagerverwaltung stehen jedem arbeitenden Strafgefangenen täglich 2413 Kalorien zu.«

»Bitte, schweigen Sie, Larissuschka! Lassen Sie mich nicht umfallen vor Lachen!«

»Nicht einmal die Hälfte bekommen sie hier – bei zehn Stunden Arbeit in der Taiga!«

»Machen Sie eine Eingabe nach Tjumen oder gar Perm. Man wird Ihnen keine Brotwagen schicken, sondern für Sie privat einen Psychiater.«

»Haben Sie schon einmal daran gedacht, daß man streiken könnte?«

Dshuban starrte Larissa Dawidowna an, als habe sie ihm undamenhaft ins Gesicht gerülpst. Dann strich er sich über seine pomadisierten Haare und schob nervös seinen Krawattenknoten hin und her.

»Streik in einem Straflager. Das ist doch hirnverbrannt. Ja, total verrückt ist das. Genossin, entsetzlich zu denken, was dabei herauskäme.«

»Es gibt historische Beispiele. Der Streik in Workuta. Die Demonstration in Karaganda. Wir haben Hunger, haben Tausende geschrien. Ohne Brot keine Arbeit ...«

»Und was haben sie errreicht, na? Wie ging's aus, meine Liebe?«

Dshuban hüstelte, holte aus dem Rock ein Taschentuch mit feiner Spitzenkante und tupfte sich über die weibischen Lippen, denen nur die Schminke fehlte.

»Militär rollte heran, eine Einheit des KGB sperrte das Gebiet ab. Maschinengewehre und Granatwerfer gingen in Stellung ...«

»Aha! Aha!«

»Aber die Streikenden wichen nicht zurück. Lieber erschossen werden als verhungern, schrien sie. Sie bildeten einen dichten Block, einen Klotz aus Leibern, und warteten. Was geschah? Man schoß nicht in die Menschenmenge – ein Genosse aus der Zentralverwaltung erschien, stellte sich auf einen Lastwagen und hielt eine Rede. Er gab den Hungernden recht. Er habe Verständnis dafür, daß sie nach Brot schrien. Jede Arbeit sei ihre volle Suppenschüssel wert. Man wisse, es mangele an Kascha und Fleisch, an Fisch und Getreide, aber man wolle das schnell ändern. Rußland sei ja noch im Aufbau; wenn man erst einmal den Reichtum seines Bodens nutze, dann werde es den Sowjetmenschen besser gehen als allen anderen Völkern. Aber für dieses Ziel müsse man eben arbeiten bis zum Umfallen! Kein Paradies ohne den Einsatz von Hammer und Sichel.«

»Die Ausbildung unserer Parteiredner ist vorzüglich«, sagte Dshuban. »Wurden die Leute in Karaganda und Workuta davon satter?«

»Ja! Es gab größere Rationen. Es gab sogar Fleisch in den Suppen. Das Brot schimmelte nicht mehr. Der Leiter der Zentralbäckerei verschwand selbst in einem Lager. Eine ungeheure Hoffnung kam auf.«

»Und jetzt?« fragte Dshuban ahnungsvoll.

»Workuta ist aufgelöst. Karaganda soll ein Musterlager sein, das sogar westlichen Besuchern offensteht. Wohlgemerkt: Eingeladenen Staatsgästen.« Larissa lehnte sich gegen die Wand und schloß die Augen. Ihre Bluse spannte sich über den Brüsten; Dshuban nahm das wahr, ohne daß es ihn interessierte. »So etwas spricht sich herum, auch andere Lager streikten ...«

»Und der Erfolg?«

»Schweigen ...«

»Da haben Sie's! Und wetten wir, schöne Genossin, kein Lager hatte einen Kommandanten wie Rassul Sulejmanowitsch! Unvorstellbar, bei ihm könnten die Gefangenen streiken. Ha, das grenzt an Wahnsinn! Nicht vier unter den tausend hier im Lager wird man finden, die so etwas wagten. Und diese vier würde Rassim am Hauptturm neben der Einfahrt aufhängen, bis die Krähen sie zerhackt haben. Jeder Aufstand braucht seinen Führer – ist hier einer? Ich sehe nur schlotternde Gerippe, die den Löffel küssen, wenn ein Stück Fleisch draufliegt.«

»Aber wenn das so weitergeht, Dshuban«, sagte Larissa eindringlich, »haben wir im Frühjahr nach der Schneeschmelze mehr Schaufeln als Männer.«

»Ist das ein Problem, Genossin?« Dshuban grinste schief und ließ endlich seinen geblümten Schlipsknoten los. »Mit den nächsten Transporten, nach dem großen Schlamm, kommen aus Perm und Tjumen neue Stolypin mit frischen Sträflingen. Transportwaggons haben wir genug – und sie zu füllen, das hat noch nie Mühe gemacht. Meine süße Larissa Dawidowna, können Sie den Ob aufhalten, wenn Sie sich mitten in die Strömung stellen und die Arme ausbreiten?«

»Man sollte die übrige Welt alarmieren!«

»Die übrige Welt will Erdgas aus Sibirien und keinen erhobenen Zeigefinger von Larissa Tschakowskaja. . Schweigen Sie, und freuen Sie sich, daß Sie weiterleben dürfen.«

Es war, wie gesagt, ein fürchterlicher Winter.

Und als die Schneeschmelze begann, wurde es, wie erwartet, noch schlimmer.

In diesen Wochen befand sich Victor Juwanowitsch Abukow auf dem Marsch durch den Ural. Er sah struppig aus wie ein vom Winter gebeutelter Wolf – aber er fühlte sich prächtig und war voll guten Mutes.

Ein ungewöhnlich warmer Tag war's. So ein richtiges Frühlingswetter, wie man es sich wünscht. Die Birken hingen voller Blüten, es duftete aus allen Richtungen, die noch sumpfigen Wiesen färbten sich zaghaft in allen Farben, denn sobald der Schnee sich verwässerte und die ersten wärmenden Strahlen aus dem blaßblauen Himmel fielen, regte sich allerorts mit ungeheurer Kraft neues Leben. Die letzten Schneehühner flatterten durch die Lüfte, die Hermeline färbten sich schon bräunlich, Eichhörnchen und Frettchen flitzten umher, an den Bächen und Flüssen, den natürlich gestauten Weihern und Seitenarmen der Wasserstraßen kontrollierten die Biber, was der Winter von ihren Dämmen übriggelassen hatte – und wer jetzt durch den Wald streifte, konnte den noch verschlafenen Bären begegnen oder einem Rudel Wölfe, denen das Fressen jetzt vor den Fängen herumlief.

Eine schöne Zeit, wahrhaftig. Die Welt dehnte sich, zerbrach das letzte Eis auf den Flüssen. Der Boden, voll Schmelzwasser wie ein satter Schwamm, roch würzig, als sei jede Krume ein Kraut. Ein harter Winter war's gewesen, länger als normal, eisiger als seit Generationen. Die Bauern hatten hinter ihren mit Zeitungen verklebten Fenstern gestanden, tief und schwer geseufzt und gemurmelt: »Die Saat kommt zu spät in die Furche. Was soll nur werden? Ein Hungerjahr wird's wieder werden, wir werden die Körnchen zählen müssen.«

Aber plötzlich, wirklich über Nacht, kam Ende Mai der warme Wind aus dem Süden, das Eis auf den Flüssen zerkrachte mit Kanonendonner, und über die Bäume fiel ein hellgrüner Schimmer. Als die ersten Lerchen in den sonnengoldenen Himmel aufstiegen, nahmen die Bauern die Mützen ab und rieben sich die Hände, und wer noch ein Gläubiger war, schlug das Kreuz. Die ganz Glücklichen küßten sogar ihre Weiber und riefen aus: »Nun ist's geschafft! In die Hände wird jetzt gespuckt!«

Abukow war schneller vorangekommen, als er es sich erhofft hatte. Mit großen Schwierigkeiten hatte er gerechnet, mit vielen Umwegen, mit gefährlichen Kontrollen und einem öfteren Untertauchen in den Städten, die er auf seinem Weg nach Sibirien passierte. Nirgendwo ist man sicherer als in einer großen Stadt – das ist eine alte Weisheit. Ein Mensch unter vielen Menschen ist anonym – auf dem Land kennt jeder jeden.

»Wenn Sie vor Winteranbruch in Surgut ankommen, haben Sie Glück!« hatte Monsignore bei einer der letzten Einsatzbesprechungen in Rom gesagt. »Nur kein Risiko eingehen, Stephanus – pardon: Victor Juwanowitsch. Nur keinen übermäßigen Mut oder gefährlichen Ehrgeiz. Sicherheit geht vor alles! Lassen Sie sich die Zeit, die Sie brauchen, um sich voll in den Lagerkomplex zu integrieren. Es kommt nicht auf Wochen an – Sie haben ein ganzes Leben zur Verfügung.«

Abukow war deshalb sehr erstaunt, daß sein bisheriger Weg von der ungarisch-sowjetischen Grenze bis in den Ural geradezu normal verlaufen war. Mit seinem alten Fahrrad war er von Beregowo über Mukaschewo nach Stanislaw gefahren und hatte dort das Rad an die Wand des Bahnhofsgebäudes gelehnt. Dann hatte er den ausgehängten Fahrplan studiert und sich entschlossen, zunächst bis nach Kiew zu fahren. Kiew ist eine Riesenstadt, da fällt ein einzelner unter 1,9 Millionen Einwohnern nicht auf.

Abukow erkundigte sich am Fahrkartenschalter umständlich, ob man eine Garantie übernehme, daß der Zug bis Kiew auch nicht entgleise. Er fahre zum erstenmal mit solch einem Vehikel. Man höre ja Wunderdinge von verbogenen Schienen und vereisten Weichen. Als der geduldige Bahnbeamte ihm erklärt hatte, auf der Strecke nach Kiew sei seit ihrem Bestehen noch nie ein Zug entgleist, löste Abukow eine Fahrkarte und zählte die Rubel auf den Zahlteller.

Vor dem Bahnhof war der Platz, wo er sein Fahrrad abgestellt hatte, leer. Ein interessierter Genosse hatte das Rad geklaut, aber es mußte ein höflicher Genosse gewesen sein, denn er hatte Abukows Pappkoffer und Militärbrotbeutel losgebunden und an die Mauer gelehnt. Es gibt doch noch anständige Gauner.

Abukow seufzte, nahm den Koffer und Beutel und setzte sich in den Wartesaal des Bahnhofs. Stanislaw ist eine kleine Stadt mit einem fruchtbaren Hinterland, und so waren viele Bauern unterwegs, die den Ertrag ihrer eigengenutzten Felder auf den Stadtmärkten anboten. Dank einer Planwirtschaft, die noch nie funktioniert hatte, waren nicht nur die Züge in die Großstädte mit Bauern und ihren Körben, Kisten und Säcken überfüllt – sogar in den Flugzeugen saßen sie, Ferkelchen in Flechtkörben auf dem Schoß, und ließen sich nach Kischinew, Kiew oder sogar bis Gomel fliegen. Die Flugpreise waren so niedrig, daß bei Verkauf von zwei Ferkeln und ein paar Hühnern immer noch ein guter Gewinn übrigblieb.

Für ein paar Kopeken kaufte sich Abukow eine große Zwiebel, zwei schöne, saftige Möhren und ein Stück Bauernbrot und aß, an der Wand sitzend, mit knackenden Kaumuskeln. Zweimal in der Wartezeit ging ein Milizionär durch die Räume, aber er kontrollierte nicht, es war ein Routinerundgang, den er unlustig hinter sich brachte, um seine Pflicht zu erfüllen.

Bisher war Abukow nur zweimal nach seinem Ausweis gefragt worden. Das erstemal hielt ihn, als er nach Stanislaw fuhr, eine Straßenstreife an. Zwei freundliche Milizionäre auf schweren Motorrädern.

»Sagen Sie nichts, Genossen!« rief Abukow und hob klagend beide Hände in den Nachthimmel. »Ich kenne meine Schuld. Keine Lampe am Rad! Fahre gewissermaßen unsichtbar. Eine Gefahr für die Allgemeinheit. Seht, ich bekenne mich schuldig. Aber was soll ich machen? Jemand klaute mir die Lampe – und wo bekomme ich eine neue her? Herumgelaufen bin ich. Von Werkstatt zu Werkstatt. Den vierfachen Preis habe ich geboten. Nichts! Gar nichts zu machen! ›Eine Fahrradlampe‹, lachte mir der Genosse von der Werkstatt ins Gesicht. ›Eine einzelne Lampe, ohne Fahrrad dran – Freundchen, lüften Sie Ihr Gehirn aus! Bestellen kann ich sie, aber wann und ob sie überhaupt ankommt – da sollten Sie mal einen Leserbrief an die PRAWDA schreiben.‹ Es ist eine Tragik, liebe Genossen!«

Die Milizionäre – einer von ihnen roch angenehm nach Wodka und hatte blanke Augen – lachten, klopften Abukow auf die

Schulter und verlangten seinen Paß. Nur einen kurzen höflichen Blick warfen sie hinein, verglichen nicht einmal das Foto mit dem Inhaber und fragten: »Was, mein Lieber, machen Sie um diese Zeit auf der Straße? Von der Arbeit kommen Sie nicht.«

»Gewissermaßen doch.« Abukow blinzelte den beiden Polizisten kameradschaftlich zu. Unter Männern gibt es Argumente, die lassen sich nur mit einem Augenrollen erklären. »Kennen Sie Marija Allujewna, Genossen?«

»Nein.«

»Wäre es so, würden Sie keine Fragen mehr stellen. Sobald Marija mit dem süßen Hintern wackelt, kleben Sie an ihr fest. Ein Stündchen, so zur Erholung nach der Arbeit, wollte ich bei ihr verbringen – seht selbst, was daraus geworden ist! Und um sieben muß ich wieder hinter dem Steuer sitzen und einen Dreiachser fahren. Die Augen fallen mir zu. Oh, Marija . . .«

Die Milizionäre lachten wieder, gaben Abukow einen Klaps, und er konnte weiterfahren ohne Licht am Rad.

Das zweitemal, als er angehalten wurde, erzählte er den gleichen Vers von der unermüdlichen Marija Allujewna und unterstrich seine Erschöpfung durch ein langes, stöhnendes Gähnen. Auch diesmal wurde er mit fröhlichem Winken losgelassen – wer hat als Mann nicht Verständnis für ein tolles Weibchen?

Das hätte Monsignore Battista hören müssen, dachte Abukow, als er endlich Stanislaw erreicht hatte. Woher wissen Sie so was, hätte er sicher gefragt. Sie müssen ja besonders schwarze Lämmchen im Beichtstuhl gehabt haben, um sich so mit Theorie aufzuladen.

In Kiew blieb Abukow vier Tage und wohnte bei einer Familie Gordejew. Er schlief im Wohnraum auf einem Sofa und bezahlte dafür pro Nacht einen Rubel – ein sündhaft teurer Preis.

Kennengelernt hatte er Jakow Prokopijewitsch Gordejew in der Bahnhofshalle von Kiew. Er stieß mit ihm zusammen, als er sich am Milchausschank ein Glas heiße Milch mit Honig holte und dazu eine Wecke aß. Gordejew balancierte sein Glas von der Theke, bewegte sich rückwärts – und bumm, stieß man aneinander.

»Kein Unglück, Bruder«, sagte Gordejew höflich. »Die verschütteten Tröpfchen lassen sich von der Hand lecken. Ist Ihnen nichts passiert?«

»Nichts. Ich bin fast fertig mit dem Frühstück. Nur auf den Fuß haben Sie mir getreten.«

»Ich bitte um Verzeihung.«

»Schon geschehen, Genosse.«

Aus dieser angenehmen Unterhaltung entwickelte sich ein langes

Gespräch, in dessen Verlauf Gordejew sein Sofa für eine Rubel pro Nacht anbot.

»Was wollen Sie lange herumlaufen und suchen, mein lieber Victor Juwanowitsch!« rief er und legte, wie einem alten Freund, den Arm um Abukows Schulter. »Betrügen wird man Sie überall. Die Burschen in den Hotels sind alles Halsabschneider; sie wedeln nur mit den Händen, wenn die Gäste von Intourist kommen – unsereiner ist für sie wie Rotz auf dem Hemd. Bei uns können Sie sich wie zu Hause fühlen. Wie lange wollen Sie bleiben?«

»Höchstens eine Woche.«

»Und dann?«

»Ich muß weiter nach Swerdlowsk.«

»Der Himmel beschütze Sie! Welch ein weiter Weg! Was wollen Sie hinter dem Ural, mein Freund?«

»Ich habe eine Dienstverpflichtung.« Abukow trank den Rest seiner Honigmilch und wischte sich die Lippen mit dem Handrücken. »Ich bin Lastwagenfahrer. Diese großen Brocken, wissen Sie, so ab zehn Tonnen und mehreren Achsen. Wir sind gesuchte Spezialisten. Eines Tages waren Werber bei uns, zeigten einen Film aus der Taiga, hielten Vorträge, erzählten stundenlang, was es da alles gäbe – ein wohlhabender Mensch kann man da werden. Sie garantieren einen Monatslohn, der fünfzig Prozent über den Spitzenlöhnen liegt. Mit Zulagen und einer Wohnung, die mietfrei ist. Einen vollen Monat Urlaub gibt es auch. Rechnet man das alles zusammen, sind es fast 150 Prozent mehr Verdienst als hier hinter dem Steuer. Da soll man nicht zugreifen?«

»Aber es ist Sibirien, Victor Juwanowitsch«, sagte Gordejew schaudernd.

»Man wird es überleben.« Abukow lachte jungenhaft. »Bin ich nicht jung und stark genug?«

Die Wohnung der Gordejews bestand aus einem Wohnzimmer, einem Schlafraum, einer Höhle von Küche und einem Lokus, der auf dem Flur lag und den vier Mietparteien benutzten. Morgens, mittags und abends nach dem Essen mußte man sich vor der Tür anstellen, und die Tür war dünn: Man hörte jedes Darmgeräusch. Aber wer wird denn so zimperlich sein und einem lieben Nachbarn einen Furz übelnehmen? Ein großes Glück war es schon, in einem Haus zu wohnen, wo jede Familie eine eigene Wohnung besaß. Jakow Prokopijewitsch Gordejew gehörte zu den Auserwählten: Er arbeitete im Planungskomitee für Straßenbau und kannte viele, die Einfluß hatten und ihm auch halfen.

Anna Nikitajewna Gordejewa, Jakows Frau, war ein dickes, nettes Persönchen, das den neuen Schlafgast freundlich begrüßte, zu Mittag einen Topf voll Gurkengemüse kochte und den Teller, den

Abukow leer aß, mit 35 Kopeken berechnete. Am Abend dann wurde es gefährlicher, als nämlich die einzige Tochter der Gordejews, Marianna Jakowjewna, von der Arbeit in einer Elektromotorenfabrik heimkehrte, wo sie in der Wicklerei beschäftigt war.

Marianna schielte schauerlich, war klein und mickrig, vorne und hinten platt wie ein gehobeltes Brett und schnalzte mit der Zunge, wenn sie sich freute. Als sie Abukow sah, freute sie sich sehr, schnalzte laut und sagte:

»Bei uns wird es Ihnen gefallen, Genosse! An nichts soll es Ihnen fehlen, wirklich an nichts . . .«

Gordejew grunzte zufrieden, die Gordejewa trug Piroggen auf, gefüllt mit Hühnerfleisch, und berechnete sie diesmal nicht. Abukow wurde es unheimlich. Er ahnte, daß Jakow Prokopijewitsch in seiner grenzenlosen Vaterliebe den von ihm ausgesuchten Männern nur deshalb das trauliche Sofa anbot, um Marianna biologische Freuden zu gönnen – ein Dienst, zu dem sonst freiwillig kein männliches Wesen bereit war. Auch an den zufälligen Zusammenstoß am Milchausschank des Kiewer Bahnhofes glaubte Abukow nun nicht mehr – es war ein abgekartetes Spielchen gewesen, um ihn einzufangen. Nirgendwo kann man einen Menschen leichter fischen als auf einem Bahnhof.

Es gelang Abukow vier Nächte lang, Marianna Jakowjewna abzuwehren. Der alte Gordejew verzehrte sich vor Kummer und Wut. Anna Nikitajewna, das rührige Mütterchen, fütterte Abukow, als müsse er wie ein Bock gemästet werden. Aber als es sich endgültig herausstellte, daß weder süße Sahne noch Haluschkys – das sind lockere Eierklöße – den Gast anregten, sagte Gordejew am fünften Tag brummig:

»Victor Juwanowitsch, du bist uns ein lieber, angenehmer Gast, immer höflich, nie betrunken, kein Zänker – oh, was kann man alles erleben mit seinen Gästen! –, aber trotzdem: Wir müssen uns trennen. Annas Mutter kommt zu Besuch, wir brauchen das Sofa. Man kann das Großmütterchen doch nicht auf der Erde ruhen lassen! Hab Verständnis für unsere Lage.«

Abukow sah die Gründe ein, bezahlte zum letztenmal seinen Nachtrubel und verließ Gordejews Wohnung. Er fand auch, daß er lange genug in Kiew gewesen war und sich voll in das Leben eingewöhnt hatte. Er nahm Pappkoffer und Brotbeutel, umarmte Gordejew und seine Frau, ließ Marianna schön grüßen und tauchte in den Straßen unter.

Am Nachmittag sah er Jakow Porkopijewitsch im Bahnhof von Kiew am Milchausschank stehen, wie er seinen Becher balancierte und dabei einen stämmigen Mann anstieß.

Ein Vater ist verpflichtet, den Hunger seiner Tochter zu stillen . . .

Mit der Nachmittagsmaschine der Aeroflot, einer viermotorigen Antonow, flog Abukow nach Perm. Das Tor zum Ural. Die Schwelle nach Sibirien.

Im Flughafen wurde sein Paß peinlich genau kontrolliert. Ein Genosse vom KGB, in einem mausgrauen Anzug, blätterte in den Papieren und starrte dabei Abukow ab und zu mit stechenden Blicken an.

»Ein Freiwilliger sind Sie?« fragte er. »Zur Zentralbauverwaltung wollen Sie? Warum?«

»Es gibt dort gute Rubel, Genosse. Vorerst will ich drei Jahre bleiben. Wenn's mir in der Taiga gefällt – ich würde mir dort ein Häuschen bauen, eine Frau suchen und viele Kinder anschaffen. Das ist doch ganz im Sinne des Aufbaus, denke ich.«

Der Kontrolleur gab die Papiere zurück, nickte kurz und ließ Abukow die Sperre passieren. Mit klopfendem Herzen und heißem Blut schritt Victor Juwanowitsch in die Wartehalle, setzte sich dort auf einen der Kunststoffstühle und blickte aus dem Fenster über das Flugfeld.

Mit einem guten Papier ist auch Sowjetrußland kein Problem mehr, dachte er. Ein ganz normales Flugzeug bringt mich an den Rand der Hölle. Nur in die Hölle hinein, das wird ein unvorstellbarer Weg werden.

Auch mit einem einwandfreien Paß ist noch niemand in ein Straflager gekommen. Dazu gehören andere Papiere.

Vor Victor Juwanowitsch Abukow lag ein Land, von dem die Welt kaum wußte, daß es die stürmischste Entwicklung auf dieser Erde durchmachte. Ein Land, in dem immer neue Städte aus dem Frostboden wachsen – Städte mit Universitäten, riesigen Stahlkombinaten, Erdölfeldern von ungekannten Ausmaßen, Kohlenrevieren und chemischen Werken, deren Namen im Westen keiner kennt. An über 550 Hoch- und Fachschulen in Sibirien studieren fast eine Million junge Menschen. Allein im Gebiet Tjumen fördert man jährlich 600 Millionen Tonnen Erdöl, und über 800 Milliarden Kubikmeter Gas zischen durch die Rohrleitungen. Die unmeßbaren sibirischen Flüsse liefern 80 Prozent der Wasserkraftreserven der UdSSR, davon sind allein 770 Milliarden Kilowattstunden Strom den Flüssen Ostsibiriens zu verdanken – mehr ist das, als alle Flüsse der USA zusammengenommen an Wasserkraft produzieren können. Die Turbinen am Jenissej mit seinen unzähligen Nebenflüssen wie Angara, Podkamennaja, Tunguska, Nischanja Tunguska, Chantaika und so weiter schikken 250 Milliarden Kilowattstunden Elektrizität in alle Winde.

Wer weiß, daß aus dem Stahlhütten-Kombinat Kusnezk in West-sibirien ein Drittel aller Eisenbahnschienen Rußlands kommen? Daß die Stahlkonstruktion des Kongreßpalastes von Moskau und des Kulturpalastes von Warschau genauso hier geschmiedet wurden wie die Armaturen des ägyptischen Assuan-Staudammes oder die Gleise der Budapester U-Bahn? Sibirischer Stahl, sibiri-sches Öl, sibirisches Gas, sibirisches Holz und sibirische Kohle machen dieses Gebiet zwischen ewigem Frost und glühender Wüstensteppe zum reichsten Land der Erde. 79 Prozent des ge-samten sowjetischen Aluminiums produziert Sibirien. Hat man im Westen schon gehört von den Industriegebieten in Petrowsk, Sabaikalsk, Schelesnogorsk, Udokansk und Chrustalny? Wer kennt das moderne Kobaltwerk von Tuwinsk? Einmal wird viel-leicht die Zeit gekommen sein, wo ein Überleben der Menschheit von Sibirien und seinen Bodenschätzen abhängt.

Die Plankarte des Zentralplanungsstabes von Sibirien wurde von Wissenschaftlern aller Richtungen, von Architekten, Geologen und Geophysikern nach den neuesten Erkenntnissen der Boden-forschung gezeichnet; die Landkarte des Gebietes hinter dem Ural für das Jahr 2020: Da wird West- und Ostsibirien so dicht be-siedelt sein mit Städten, Dörfern und Gemeinden wie der in unse-rer Zeit am dichtesten bevölkerte europäische Teil der Sowjet-union. Sibirien, der Zukunft herrlicher Lenz, sagte der Dichter und Nobelpreisträger Pablo Neruda. Ein Lenz, der schon die er-sten Blüten treibt ...

Das ist das eine Gesicht Sibiriens, das Bild atemberaubender Zu-kunft. Das andere Sibirien, das unsichtbare Gräberfeld der Sträf-linge, das Land der Tränen – das war Abukows Ziel.

In Perm hatte er sich bei der Zentrallagerverwaltung gemeldet, was gar nicht so einfach war. Wer eine russische Verwaltung kennt und russische Beamte, der meckert nicht mehr über so harmlose Dinge wie über einen Postbeamten, der an seinen Schal-ter ein Pappschild hängt »Vorübergehend geschlossen« und da-hinter, für alle Wartenden sichtbar, ein Käsebrot verzehrt und eine Salzgurke hinterherschiebt. So einmalig wie Sibirien ist auch die sowjetische Bürokratie – sie ist die vollkommenste der Welt. Mit einem sowjetischen Beamten zu verhandeln – Genossen, da muß man vorher seine Nerven dick mit Schmalz einschmieren.

Abukow erlebte es mit der Geduld eines Esels, als man ihn von Dienststelle zu Dienststelle schickte, treppauf, treppab, ein paar-mal quer durch die Stadt. Und überall mußte er lange warten, da ja Beamte grundsätzlich überlastet sind. Endlich erfuhr er, daß in Perm für ihn niemand zuständig sei. Sein Problem könne man nur in Tjumen lösen, wo er ja auch seine Stellung antreten wolle.

Das kostete alles in allem drei Tage. Abukow übernachtete diesmal in einem staatlichen Männerheim, das man für durchreisende Sibirienarbeiter gebaut hatte. Wenigstens gab man ihm eine Bescheinigung, daß er sich bei der Zentrale gemeldet habe, und man stellte ihm einen Gutschein für die Übernachtungen aus. So erhielt er ein kostenloses Bett und täglich zweimal eine Schüssel Suppe oder dicke Bohnenkascha, ein schwarzes Brot, ein Döschen Margarine und einen Kunststoffbecher voll Mehrfruchtmarmelade.

»Bei diesem Fressen kommt nicht mal ein richtiger Furz zustande!« brüllte der Genosse, der das Bett neben Abukow bezogen hatte. »Fängt schon gut an, das Paradies Sibirien. Komm, wir gehen in die Stadt und kaufen uns ein Huhn. Wer uns das kocht? Es gibt Weiber genug, die für ein Hühnchen Küche und Bett zur Verfügung stellen!«

Abukow fand, daß dies nicht seine Richtung sei, ließ sich einen Idioten nennen und begnügte sich mit der Bohnenkascha.

Von Perm nach Tjumen flog Abukow ebenfalls mit einer Antonow. Na, wer sagt's denn? Ist Sibirien nicht modern? Früher mußte man sich unter Lebensgefahr durch den Ural schlagen, über Pässe und reißende Flüsse hinweg, durch Urwälder und an Abgründen vorbei. Heute sitzt man warm in einem Sesselchen, blickt aus dem ovalen Fenster zur Erde und sieht das wilde Land unter sich vorbeiziehen. Sogar ein Mittagessen bekommt man. Nudeln mit Gulasch. Und ein Bierchen. Für ein paar Kopeken sogar einen Wodka. Eisgekühlt, Genossen. Auf mein Wort! Ist das ein Leben! Und bedient wird man, als sei man ein Genosse vom Zentralkomitee der Partei. Wenn das so weitergeht, ihr Lieben, kann man sich an Sibirien gewöhnen.

In Tjumen, der uralten Stadt, um die herum man eine hochmoderne Stadt gebaut hat mit Kulturpalast, Theater, Verwaltungshochhäusern, Sportstadien, Erholungsparks, Wohnsiedlungen, Schulen, Akademien und Forschungsstätten, Geschäften und Kaufhäusern und sogar einem Modeinstitut, das jedes Jahr unerschwingliche sibirische Modellkleider veröffentlichte – in Tjumen war alles anders als in Perm.

In der Einsatzbehörde für die Pipeline, Abteilung Transportwesen, empfing man Abukow, als habe er bereits vor seinem Eintritt in das Büro gegen die Tür gepinkelt. Der Genosse Abteilungsleiter, dem schätzungsweise über tausend Lastwagen unterstanden, war ein gelbgesichtiger Mensch, dem das Magenleiden aus den Augen schaute. Er betrachtete Abukow, betrachtete den Paß, betrachtete die Bescheinigung aus Perm und sagte dann mißmutig:
»Was soll ich mit Ihnen, he? Alle wollen Autos fahren! Was ich

brauche, sind Hände, die zupacken. Die Dinge fliegen nicht von allein auf die Ladefläche. Gas geben kann jeder – ich brauche Muskeln!«

»Daran fehlt es nicht«, sagte Abukow. »Soll ich Ihren Schreibtisch durchs Fenster werfen, Genosse?«

»Immer voraus mit dem großen Maul, die Jugend!« Der Magenkranke suchte in einer Schublade nach Formularen, fand sie endlich und seufzte wieder wie unter einer großen Last. »Haben Sie schon mal bei 45 Grad Frost Eisenplatten abgeladen? Dran kleben bleiben Sie, als seien es Fliegenfänger.«

»Was andere können, kann ich auch.«

»Darauf kommt es nicht an, Großmaul! Sie melden sich zur Einstellung als Spezialist für schwere Fahrzeuge. Ab 38 Tonnen. Also muß man Sie auch dafür einsetzen. Sonst kommen Sie eines Tages mit einem Schreiben und beschweren sich, daß Sie statt mit dem Hintern auf einem Sitz mit den Händen haben arbeiten müssen – nun hätten Sie's im Kreuz, die Bandscheibe sei verschoben, nicht mal ein Gläschen könnten Sie ohne Zittern an den Mund heben. Ha, zum Krüppel habe man Sie gemacht! Und dann soll der Staat Ihnen eine fette Rente zahlen, damit Sie als stolzer Invalide auf einer Bank in der Sonne sitzen. Sehe ich so aus, als ob ich mir das vorwerfen ließe? Nein, mit mir macht man so etwas nicht! Sie werden Ihren Lastwagen lenken … Füllen Sie diese Formulare aus, Victor Juwanowitsch, und kommen Sie morgen wieder. Ich werde sehen, wo man Sie einsetzen kann.«

»Man hatte mir in Perm gesagt, in Surgut suche man Leute.«

»Diese Vollidioten in Perm!« Der Genosse Zentraleinsatzleiter lief gefährlich rot an und zerbrach zwischen seinen Fingern einen Bleistift, was ihn völlig aus der Fassung brachte. »Da sitzen sie in ihrem Planungspalast, zeichnen wunderschöne Pläne, bauen Modelle und fotografieren sie – aber wir hier draußen müssen uns durch die Wälder schlagen und durch die Sümpfe wühlen.« Er starrte Abukow an, als solle er hingerichtet werden. »Wissen Sie, daß die Gasleitung durch 200 Kilometer Sumpf führt? Daß wir die Trasse über 561 Wasserhindernisse legen müssen, über Flüsse hinweg, unter Flüssen hindurch? Das hängt uns am Hals! Die in Perm geilen sich bloß an ihren schönen Plänen auf.«

So war es zwar nicht, denn in Perm und in den Dienststellen des Ministers für den Bau von Betrieben der Erdöl- und Erdgasindustrie der UdSSR, dem Genossen Boris Stscherbina, zerbrach man sich Tag und Nacht sehr ernsthaft die Köpfe, wie man die Pipeline von Urengoj aus quer durch Westsibirien bis zur Wolga führen könne – aber Abukow nickte ergriffen, um einen guten Eindruck zu hinterlassen.

Er nahm die Formulare an sich und wollte gehen.

»Fünf Paßfotos gehören dazu!« bellte der aufgeregte Genosse.

»Dann werden Sie von einem Amtsarzt untersucht. Nur Gesunde kommen in den Arbeitsprozeß. Sind Sie gesund?«

»Ich glaube es, Genosse.«

»Keinen verschleppten Tripper?«

»Das bestimmt nicht!«

»Oje, was da so alles zu uns kommt. Kaum glaublich! Als ob wir ein Abfallkübel wären. Man könnte verzweifeln.«

Abukow nutzte die Zeit, ließ sich fotografieren, grinste freundlich in die Kamera, füllte die Fragebogen aus, zeigte sie als Legitimation vor, als er sich im Wohnheim für eine Bettstelle meldete, und erhielt ein Eisenbett in der Durchgangsstation. Hier herrschte ein ständiges Kommen und Gehen. Urlauber kamen von den verschiedenen Pipelineabschnitten in dieses Sammellager. Oder Kranke, die einen Spezialarzt brauchten. Verschiedene andere Gruppen wurden per Lastwagen oder Materialzügen mit angekuppelten Personenwaggons zu den Trassen gefahren, denen sie zugeteilt worden waren.

Abukow hörte sich vorsichtig um, ob man etwas von Sträflingen zu berichten wußte, von abgeschirmten Lagern, von den Leiden der Sträflinge. Aber er vernahm nur Andeutungen. Zu langen Gesprächen war keiner bereit.

»Mag sein«, sagte einer, den Abukow beim Fotografieren traf; »gibt es Häftlinge nicht überall?« Es war ein Ingenieur. Fein hatte er sich gemacht, trug einen blauen Anzug, ein weißes Hemd und eine rote Krawatte und ließ sich ablichten, um das Foto seiner Braut als Geschenk mitzubringen. Er hatte vier Wochen Urlaub, flog übermorgen nach Charkow und wollte dort heiraten. »Dann kommt sie mit nach Totolsk«, erzählte er mit glänzenden Augen und vibrierender Stimme; »eine Wohnung hat man mir versprochen, zwei Zimmer, ganz allein für uns. Ein Neubau, sieben Stockwerke hoch. Mit Doppelfenstern und einer Ferngasheizung. Das bekommt man nur in Sibirien geboten. Hier weiß man, was ein Mensch wert ist. Wird das eine Hochzeit, mein Lieber! Ganze 3450 Rubel habe ich gespart, wo kann man das sonst? Nur in Sibirien! – Häftlinge? Wie gesagt: Mag sein. Aber wer sich anständig benimmt, braucht nicht hinter Stacheldraht. Wo ich arbeite, da gibt es keine Häftlinge. Ich richte eine Kompressor-Kühlstation ein.«

Beim Amtsarzt waren die Gespräche ergiebiger.

Wie bei allen amtlichen Untersuchungsstellen war der Warteraum überfüllt. Auf den Bänken hockten die Menschen, an den Wänden lehnten sie, bis auf den Flur standen sie herum. Es roch nach Schweiß, nach kaltem Tabakrauch, nach Ausdünstungen. Das Atmen wurde einem schwer. Abukow drückte sich an eine freie Stelle an der Wand und fingerte in seinen Rocktaschen herum.

»Versuch bloß nicht zu rauchen«, sagte der Mann neben ihm. »Die schmeißen dich sofort hinaus. Eine ganz rabiate Schwester haben sie da drin; flitzt plötzlich durch die Tür und kontrolliert. Ein Mordsweib, sag ich dir. Brüllt wie ein Feldwebel. Man muß schon wirklich krank sein, um nicht wegzulaufen.« Er sah Abukow forschend an und entdeckte keine Anzeichen einer Krankheit. »Ist's bei dir auch die Lunge?«

»Nein. Einstellungsuntersuchung.«

»Rohrschweißer?«

»Schwerlastfahrer. Ich will Geld machen, Brüderchen. Später kaufe ich mir einen eigenen Lastwagen und schließe mich einer Transportkommune an. Nur hier soll man einen goldenen Schwanz bekommen, hat man mir gesagt. Filme hat man uns gezeigt – vor Begeisterung haben wir geschwitzt. In meinem Betrieb haben sich neun für die Pipeline gemeldet. Da draußen in der Taiga muß ja was los sein.«

»Du wirst's sehen, Genosse!« Der Mann stieß Abukow in die Seite. Die Tür zur Ordination wurde aufgerissen. Ein Turm von Weib erschien, durch die Schwesternhaube noch gewaltiger wirkend. »Jetzt im Sommer fressen dich die Mücken. Im Winter kannst du nicht im Freien pinkeln, weil du dann sofort 'nen Eiszapfen dran hängen hast . . . Aha, jetzt geht's los!«

»Hier raucht einer!« brüllte der Weiberberg an der Tür. »Dabei steht's groß an der Wand: Verboten! Wenn ich den Dreckskerl erwische! – Die nächsten vier zum Doktor!«

Vier Männer quetschten sich an der Schwester vorbei ins Zimmer, die Tür knallte zu.

Abukow strich sich über die Augen. »Untersucht der vier auf einmal?«

»Wie soll er sonst durchkommen? Auch der Doktor ist nur ein Mensch. Du wirst es sehen – bei dir geht es ruckzuck, du bist gesund, bekommst deine Stempelchen ins Papier und darfst endlich in die Taiga. Du Vollidiot!«

Nach drei Stunden war Abukow an der Reihe. Der Schwesternturm gab ihm einen Stups, er stolperte zu einer Liege. Die drei anderen, die mit ihm zur Untersuchung gekommen waren, verteilten sich in die anderen Ecken.

»Hose runter!« bellte das liebe Wesen in Schwesterntracht. »Welche Beschwerden?«

»Keine, liebste Genossin.«

Es mag sein, daß noch niemand »liebste Genossin« zu ihr gesagt hatte – mit starrem Gesicht sah sie Abukow an, und ihre Nasenflügel blähten sich.

»Nichts?«

»Rein gar nichts, Schwesterchen.«

»Eine Ohrfeige können Sie bekommen, dann haben Sie einen schiefen Kopf!«

»Das würde mich sehr belasten. Ich bin zur Einstellung hier. Tauglichkeitsuntersuchung.«

»Hose runter!« Die Stimme der Genossin schwoll an. »Aber schnell!«

Aus der linken Ecke, wo der Amtsarzt gerade seinen Patienten abklopfte, klang ein Räuspern. Der Doktor war ein kleiner, spitzgesichtiger, weißhaariger Mensch, der einen viel zu langen weißen Kittel trug und ziemlich hilflos wirkte. Stand er neben diesem Turm von Schwester und holte diese tief Atem, mußte man befürchten, daß er ihr quer unter der Nase klebte.

»Was gibt es?« fragte der Amtsarzt. Daß jemand seiner Schwester Widerworte gab oder gar mit ihr diskutierte, war so ungeheuerlich, daß Abukow wie ein antiker Held wirkte.

»Grunduntersuchung!« schrie das Schwesterchen. Sie riß Abukow die Papiere aus der Hand, ging zum Schreibtisch und setzte sich. Wie bei allen amtlichen Formularen gab es ungefähr neunzig Fragen, angefangen von »Hatten Sie Kinderkrankheiten?« bis »Gibt es in Ihrer Familie geistig Gestörte?«

»Sie sind tauglich«, sagte der Amtsarzt nach einer Viertelstunde, was geradezu eine Auszeichnung war, denn fünfzehn Minuten sind eine wahnwitzige Zeitverschwendung für einen einzelnen Mann. Abukow stand nackt vor ihm, der Schwesternturm füllte noch einige Fragen aus, eine ungewohnte Situation war es. Zum erstenmal stand Abukow nackt einer Frau gegenüber. Er sah ihren Blick über seinen muskulösen, sportlichen Körper wandern und kam sich sehr merkwürdig vor. Monsignore Battista, das wußte er, hätte sich jetzt die Hände gerieben.

»Wissen Sie, daß Sie aus meiner Heimatstadt kommen?« fragte der Arzt.

Abukow zuckte zusammen. »Welch ein Zufall, Genosse Doktor.«

»In der Uliza Polskaja Nummer 9 bin ich geboren. Steht das Haus noch?«

»Ich glaube ja.« Abukow wurde es etwas heiß. Man muß das Gespräch schnell beenden, dachte er. Was tun, wenn der Doktor nach Einzelheiten fragt.

»Ich schreibe Sie tauglich für die Transportbrigade III«, sagte der kleine Amtsarzt freundlich und setzte seine Unterschrift unter das Formular. Mit einem Knall drückte das Schwesterchen den Stempel daneben. »Die Brigade III ist zuständig für die Lebensmitteltransporte und den Magazinbedarf.«

Er blinzelte Abukow zu, und Abukow wagte es zurückzublinzeln. Zwei Männer aus der gleichen Stadt, man trifft sich in Sibirien, in Tjumen an der Tura – das verbindet innerlich. Da kann man, ganz offiziell, ein gutes Geschenk machen: Ein Plätzchen bei den Lebensmittelfahrern. Hast immer zu fressen, lieber Freund, leidest nie Not, brauchst nur nach hinten zu greifen in den Wagen. Du fährst ja das Schlaraffenland durch die Taiga. Jeden Tag! Man sollte dich umarmen, Genosse Amtsarzt.

Abukow zog sich an, nahm die Papiere an sich, verbeugte sich höflich vor der völlig verstörten Schwester und wünschte ihr ein langes Leben – hier, wo jeder ihr den Satan an den Hals betete! Dann ging er hinaus, aber erst draußen auf der Straße holte er tief Luft, ein paarmal, lehnte sich an einen Laternenpfahl und brauchte ein paar Minuten, um zu begreifen, daß er jetzt ein Mitglied der Pipelineorganisation war; ein angestellter Kraftfahrer, der in der Lohnliste geführte Victor Juwanowitsch Abukow, Transportbrigade III.

Auf dem Weg zum Wohnheim kaufte er sich an einem Wagen ein großes gemischtes Eis und fand bestätigt, was jeden Italiener zum weißglühenden Sprengkörper macht: Das russische Eis ist das beste der Welt. Sein Eis lutschend, bummelte er dann durch Tjumen und übersah dabei völlig, daß ein unbekannter Mann ihm folgte.

Es gibt Menschen, die werden geboren, um zu leiden. Gott allein weiß, warum das so ist, denn eigentlich dürften sie gar nicht auf die Welt kommen. Wo sie auch auftauchen – nirgendwo haben sie Ruhe, jedermann kühlt sein Mütchen an ihnen und darf alles mit ihnen anstellen. Man erwartet von ihnen, daß sie alle Pein still dulden, und begehren sie doch einmal auf in einem Anfall von verzweifeltem Mut, dann stürzt man sich auf sie und tritt nach ihnen.

Ein so armer Mensch war Mustai Jemilianowitsch Mirmuchsin. Bereits sein Name lastete auf ihm wie ein Klumpen Unrat: Wer heißt schon Mirmuchsin? Da spielte es keine Rolle, daß sein Heimatland Usbekien war und daß sein Vater noch zu Allah betete in der großen Moschee von Samarkand und mit der Stirn den Teppich berührte, auf dem Kopf die buntbestickte Filzkappe. Darüber hinaus war Mustai völlig aus der Art geschlagen. Er hatte rote Haare! Der Himmel möge einstürzen – wie war so etwas möglich? Ein Usbeke mit feuerroten Haaren – das war eine Strafe Allahs.

Als Mustai geboren wurde und sein Vater die roten Haare bemerkte, verprügelte er seine Frau, davon überzeugt, daß sie mit einem Weißen gehurt hatte, einem Nationalrussen, und daß sein Sohn ein vollendeter Bastard sei. Und als Bastard wuchs Mustai, der arme, auf.

Er erlernte den Beruf eines Limonadenherstellers. Wer da sagt, Limonade zu produzieren sei keine Kunst, der weiß nicht, was Limonade in Südrußland, in Usbekien, bedeutet. Was wären Samarkand oder Taschkent ohne Limonadenverkäufer? Der große Trick, und das muß man lernen, ja geradezu studieren, ist die Produktion der Limonade mit möglichst wenig Auslagen. Sie muß schmecken wie ein Quell aus Allahs Garten, darf aber in der Herstellung kaum etwas kosten – da liegt die Basis des Wohlstandes. Wie uralte Familienrezepte geradezu als Heiligtümer vererbt werden, so blieben auch die Limonadenmixturen bis zum Tod verteidigte Geheimnisse, und der Erbe mußte schwören, sich eher den Kopf abhacken zu lassen, als zu verraten, wie man aus einem Nichts eine köstlich schmeckende Limonade herstellt. Mustai Jemilianowitsch Mirmuchsin lernte die Herstellung von zwei Sorten: Marakuja und Passiflora (die auch Passionsblume heißt). Limonaden aus diesen Säften gehören zum Köstlichsten, was man einem Gaumen bieten kann – vorausgesetzt, es gibt genug Saft von diesen Pflanzen. Solche Engpässe zu umgehen, das eben ist die Kunst der Limonadenbrauer.

Mit den zwei Sorten kam Mustai aus, auf die gründete er sein Leben. Es war ein solides Fundament, solange man in Usbekien lebte. In Sibirien allerdings sah die Welt anders aus. Zunächst kannte dort niemand Marakuja und Passiflora; man bevorzugte – wennschon Limonade im Sommer – die schmackhaften Waldhimbeeren, Walderdbeeren und die vitaminreichen Hagebutten, trank den würzigen Birkenwein, vergorene Heidelbeeren und Kirschwein. Und man brannte Schnaps aus Kartoffeln und Zukkerknollen – ein höllisches Gesöff, nach dem man stundenlang verblöden konnte. Als nun Mustai mit seinen Limonaden auftauchte, fand er den Markt gesättigt. Für Marakuja oder was immer das war, was er da zusammenmixte, gab es wenig Interessenten.

Nach Sibirien war Mustai gekommen, weil man ihm erzählt hatte, Usbekien sei zwar ein schönes Land, warm und fruchtbar, von Allah geküßt – aber wer sich nach Sibirien begebe, an die neuen Zentren des Aufbaus, der könne dort mehr verdienen als die Gauner in Samarkand. Solche Argumente überzeugen. Das alte Lied war's: Propagandisten priesen das neue Paradies im Norden, das Jahrhundertwerk der Pipeline und der Ölkombinate, die 2000 Kilometer lange Straße, die neuen Städte und Siedlungen, wo das Geld locker saß. Dieses jungfräuliche Land, in das einmal Millionen neuer Siedler strömen würden.

Mustai erkundigte sich eingehend, ob man dort auch Limonade trank. Man bestätigte es ihm sofort, lachte ihm freundlich zu, denn man hielt ihn für ziemlich blöd und überreichte ihm die Antragsformulare. So kam Mustai in Taiga und Sumpf, verfluchte die ganze Menschheit und war inzwischen schon zwei Jahre lang an der Trasse bei Surgut und in den Sümpfen zwischen den Flüssen Agan und Minchimkina. Es war genau das Gebiet der Lagergruppe JaZ 451/1, und man kann sich denken, daß dort der Absatz von Marakuja-Limonade sehr problematisch ist. Nichts war es mit einem Rubelvermögen, und Mustai, den alle nur den »Blöden« nannten, mußte sein Essen als Beifahrer verdienen. Aber weil er eben blöd war – wenigstens schien es so –, setzte man ihn überall dort ein, wo andere sich drückten. Bis der Sommer kam! Dann nämlich schnallte er sich, stur wie er war, seine beiden verzinkten Kanister auf den Rücken und zog mit seinen selbstgebrauten Limonaden herum.

Jeder kannte ihn, und da man einen Blöden für ungefährlich hielt und man bei Mustai sah, daß er das Leben hinnahm, wie es ihm entgegenkam, hatte niemand etwas dagegen, wenn er seine Limonadenwerkstatt im Hauptmagazin des Lagers 451/1 einrichtete. In einem Schuppen neben dem Kühlhaus, wo das Fleisch an Haken hing, das hauptsächlich zur Ernährung der Bewachungskompanien diente.

Magazinverwalter war der Genosse Kasimir Kornejowitsch Gribow, ein fetter Kerl, der ein Verhältnis mit der Leiterin der Lagerküche hatte, der derben Nina Pawlowna Leonowna. Allerdings faßte auch der politische Kommissar Jachjajew Nina gern unter die Röcke.

Es war nun Anfang Juni, Billionen Mücken surrten über den Sümpfen nördlich der Ob-Niederungen. Das Schmelzwasser war abgeflossen, aber der Boden blieb noch schwabbelig wie ein Pudding. Mustai hatte sich seinen Urlaub genommen, aber nicht, um in die usbekische Heimat zu fliegen, sondern um in Tjumen der Post aufzulauern, die ihm aus Samarkand die Fläschchen mit den geheimnisvollen Mixturen bringen sollte. Mixturen, aus denen er dann seine unschlagbare Marakuja-Limonade braute. Vier Pakete waren schon eingetroffen, aber sechs weitere noch unterwegs. Mustai machte sich große Sorgen: Auf dem Weg von Samarkand bis Tjumen geht die Post durch zu viele Hände . . . Allah verfluche alle, die sich an seinen Mixturen vergreifen sollten! Das Schicksal wollte es, daß Mustai im Wohnheim sein Bett neben Abukow bekommen hatte. Und Mustai war es auch, der Abukow nach dessen amtsärztlicher Untersuchung in einiger Entfernung durch die Straßen verfolgte, ihn das Eis lecken sah und sich wunderte, daß ein Pipelinearbeiter sich für die Auslagen der Buchhandlungen interessierte, sogar einen dieser Läden betrat und sich ein Buch kaufte. Für Mustai war das etwas Ungeheures; er war neununddreißig geworden, ohne jemals ein Buch in der Hand gehabt zu haben.

Er wartete bis zum Abend, setzte sich dann auf sein Bett und betrachtete Abukow, der schon auf dem Rücken lag und in dem Buch las. Eine unerklärliche Zuneigung zu diesem fremden Genossen hatte ihn von Beginn an erfaßt; man hatte sich von Bett zu Bett zugenickt, weiter nichts – aber Mustai spürte, daß dort ein Mensch war, der ein Freund werden konnte. Es gab dazu keine Veranlassung . . . er fühlte es einfach.

»Ich bin Mustai Jemilianowitsch Mirmuchsin«, sagte er und wartete darauf, daß sein Nachbar, genauso wie er – Mustai – es bisher bei fast allen anderen Leuten erlebt hatte, den Mund zu einem Grinsen verziehen würde. Zumal da er auf seinen feuerroten Haaren die bestickte Usbekenmütze trug; das letzte, was ihn mit seiner Heimat verband. Von seinem Vater hatte er sie geerbt, in der Erinnerung war sie verbunden mit Schlägen und Schimpfworten, mit Bastard und roter Bock – trotzdem liebte er sie, vor allem den Kranz der bunten Glasperlen.

Abukow blickte von seinem Buch hoch. Er grinste nicht. Hab ich es nicht geahnt, dachte Mustai glücklich. Er ist ein Freund.

»Ich heiße Victor Juwanowitsch Abukow.«

»Auch an der Pipeline?«

»Noch nicht. Will erst hin. Habe gerade die Einstellungsuntersuchung hinter mir. Warte auf den Einsatzbefehl.«

Mustai beugte sich vor und starrte auf das Buch: »Was liest du da, Brüderchen?«

»Etwas Technisches. Reparaturen an Achtzylindern.«

»So was macht doch die Werkstatt.«

»Und wenn unterwegs der Motor aussetzt?«

»Dann gibst du dem Aas einen Tritt und hast frei. Sag bloß, du willst ihn selbst reparieren!«

So kam man ins Gespräch. Mustai erzählte von seinen Limonadensorgen. Wie elektrisiert kam sich Abukow vor, als Mirmuchsin seinen Herstellungsbetrieb im Magazin des Lagers JaZ 451/1 erwähnte.

»Kann man dort eine Wohnung bekommen?« fragte Abukow

naiv. »Man hat mir als Spezialisten ein Zimmer für mich allein versprochen.«

Mustai starrte Abukow zunächst fassungslos an, dann schüttelte er sich vor Lachen, warf sein besticktes Mützchen in die Luft und gebärdete sich, als lecke ihm eine Ziege die Fußsohlen. »Ein Zimmer!« schrie er und klopfte sich auf die Schenkel. »Ein Zimmer will er im Lager haben! Kannst es bekommen, Brüderchen . . . stell dich in Tjumen auf den Leninplatz und ruf in alle Winde: Weg mit den Bonzen! Jagt sie alle weg, die Schmarotzer in Moskau! – Sofort wirst du ein Zimmerchen im Lager bekommen, ein Holzbrett in der Reihe, und keine Sorge hast du mehr mit dem Fressen, brauchst nichts mehr zu kaufen, bekommst alles angeliefert . . . hahaha!«

»Ach, so ist das«, sagte Abukow gedehnt und tat so, als begreife er es jetzt. »Und du darfst da hinein?«

»Sie halten mich für blöd.« Mustai zwinkerte vergnügt. »Da stehen alle Türen offen. Blödsein – das bedeutet das freieste Leben auf Erden. Du wirst es schwerhaben, Victor Juwanowitsch – du bist ein Intellektueller. Du liest Bücher. Wenn jemand zu mir sagt: ›Weißt du, was ein Bücherwurm ist?‹, dann nicke ich und freß die Seiten auf. Dann wird alles lachen, und niemand wird mir im Wege stehen, wohin ich auch komme.«

»Ein verdammt kluger Bursche bist du, Mustai Jemilianowitsch.«

»Sag's nicht so laut, Freundchen.« Er kam hinüber zu Abukow, setzte sich auf dessen Bett und benahm sich so, als vertraue er ihm Geheimnisse an. »Hab dich beobachtet, Brüderchen, den ganzen Nachmittag. In der Stadt.«

»So?« antwortete Abukow. Aber er wurde vorsichtig. Was habe ich falsch gemacht, durchfuhr es ihn, daß mich ein Mensch wie Mustai nicht aus den Augen läßt? Wo und wie habe ich mich anders benommen als die anderen? Das muß man ändern. Was an mir auffällt, könnte später sehr gefährlich werden. Da sieht man es: Es genügt nicht, drei russische Dialekte zu sprechen, um ein Russe zu sein. »Hing mir das Hemd aus der Hose?«

»Ich muß immer wissen, wer mein Bettnachbar ist.« Mustai schob das bestickte Käppchen tiefer in die Stirn. »Du bist mir aufgefallen, weil du so vornehm bist.«

»Vornehm? Haha!« Abukow lachte roh. »Laß mich mal Zwiebeln essen, und ich stinke wie zehn Ziegen.«

»Zwei weiße Hemden hast du im Koffer, und einen schwarzen Schlips.«

»Du hast also meinen Koffer durchwühlt, du Halunke!«

»Bloß zur Information, Brüderchen.« Mustai grinste kameradschaftlich. Es war keinem übelzunehmen, daß er in Mustai einen

Idioten sah. »Die Finger sollen mir abfallen, hintereinander, wenn ich etwas stehlen würde.«

»Ich habe vor«, sagte Abukow leichthin, »an freien Abenden ins Theater zu gehen, wenn etwas Gutes gespielt wird. Eine Oper vielleicht, oder ein Drama von Schiller. Kann auch ein Singspiel sein . . . Und fürs Theater macht man sich fein, ist doch klar. Nur im weißen Hemd gehe ich ins Theater . . .«

Mirmuchsin sah Abukow bewundernd an und schnalzte mit der Zunge. Nur einmal war er in Taschkent in der Oper gewesen. Mit einer geschenkten Karte, die ihm ein völlig fremder Mensch verehrt hatte. Der Mann hatte einen Becher Limonade gekauft, mit einem so bösen Gesicht, daß man Angst bekommen konnte, und hatte zu Mustai gesagt:

»Überrascht habe ich sie! Knutscht sich herum mit dem Genossen von der Buchhaltung. Dabei wollte ich heute mit ihr in die Oper. Nichts da! Nie mehr! Hier, nimm die Karten!«

Da stand er da mit zwei Opernplätzen, war sehr verwirrt, ging zu dem prunkvollen Opernhaus, einem wahren Palast, und ließ sich an der Kasse für eine Karte die Rubel wiedergeben. Zehn Stück gab es dafür. Zehn Rubel für einen Platz! Der Spender mußte ein Millionär gewesen sein.

Dann saß Mustai am Abend in dem prunkvollen Zuschauerraum und schämte sich, kratzte sich die roten Haare, überall juckte es ihn, alle Menschen blickten so feierlich. Dann gingen alle Lichter aus. Ein Heer von Musikern begann zu spielen, der Vorhang teilte sich. Vorn auf der Bühne war ein Zimmer mit großen Fenstern, ein paar Männer brüllten herum, ein Mädchen mit blonden Haaren verlor einen Schlüssel, den dann einer der Männer suchte und feststellte, daß das Weibchen eiskalte Hände habe. Kurzum, die Blonde hatte es an der Lunge und war auch noch so dämlich, damit im Schnee herumzustehen und zu singen – wen konnte es dann wundern, daß sie kläglich einging und ihren Geist aushauchte! Außerdem hieß sie Mimi, ein total verrückter Name. Nein, die Oper hatte Mustai Jemilianowitsch nicht gefallen. So blöd wie da oben auf der Bühne benahm man sich nicht.

Und hier war nun ein Genosse, der ein Freund werden konnte – und er besuchte Opern. Zog dafür extra ein weißes Hemd an. Weiß der Himmel, warum man ihn, Mustai, als blöd bezeichnete . . . es gab noch Blödere.

»Soso«, sagte Mirmuchsin tiefsinnig. »So einer bist du! Wirst aber in Surgut wenig Gelegenheit haben, deine weißen Hemden anzuziehen.«

»Warten wir es ab.« Abukow legte sein Buch zur Seite. »Wann gehst du ins Lager zurück?«

»Wenn alle meine Pakete da sind. Wir könnten zusammen fahren.«

»Ich weiß noch nicht, wann ich antreten muß.«

»Das läßt sich regeln, Brüderchen.« Mustai beugte sich tiefer zu Abukow hinab. »Kenne da ein Mittel, dem niemand widersprechen kann: die Frühjahrs-Scheißerei. Fast alle Neuen bekommen sie. Muß am Wasser liegen oder am Öl, in dem sie die Fische braten. Da sagt jeder Arzt: Ist bekannt – und schreibt dich krank. Victor Juwanowitsch, wir sollten zusammenbleiben! Aber nur, wenn du willst. Wirst es nicht bereuen. Wirst Dinge sehen, die sonst kein anderer sieht. Mit einem Blöden kommst du überallhin. Allah weiß, warum . . . aber ich mag dich!«

Abukow hatte fast eine ganze Nacht Zeit, über Mustais Vorschlag nachzudenken, denn er lag noch lange wach. Der Rothaarige hat seine Limonadenbrauerei im Magazin direkt beim Lager, dachte er, und alles, was im Lager gebraucht wird, kommt aus diesem Magazin. Es ist der Mittelpunkt allen Lebens. Ob Wachmannschaften oder Häftlinge: Für alle ist das Magazin ein Fleckchen Paradies in Sumpf und Taiga. Nur – diese Frage war die wichtigste: Wie stellte man es an, unter Hunderten von Lastwagenfahrern genau für diese Stelle ausgewählt zu werden? Unmöglich war es, zum Einsatzleiter zu sagen: Ich möchte nach Surgut. Der Amtsarzt hatte ihn zwar für die Lebensmittelbrigade III vorgeschlagen, aber die konnte auch in Tobolsk sein oder in Tjumen selbst oder sonstwo in dem riesigen Gebiet der Pipelinetrasse. Ein Heer von Arbeitskräften war im Einsatz – wenn sich da jeder sein Plätzchen wünschen würde, wo käme die ganze Organisation hin?

Am Morgen ging Abukow zunächst zu einem Arzt der Verwaltung, erzählte von seinem Durchfall und wurde, wie Mustai es gesagt hatte, krank geschrieben. Dann meldete er sich im Einsatzbüro. Er wurde registriert. Seine Formulare wurden abgeheftet. Er bekam einen Ausweis mit Lichtbild und Stempeln und ein Lohnbuch, in dem die Zahlungen eingetragen werden sollten. Schließlich blätterte eine freundliche Sekretärin mit dem Gesicht eines Püppchens in einer Liste. Es war die Anforderungsliste der verschiedenen Bauabschnitts-Verantwortlichen, die ihre freien Stellen mitteilten.

»Ihr Lippenstift ist aufreizend, Genossin«, sagte Abukow mit sonorer Stimme. »Die Farbe lockt zum Küssen.«

»Blicken Sie woandershin!« gab sie zur Antwort, aber von unten her schielte sie zu Abukow hinauf. Ein kräftiger schöner Mann war er, der ein Herz in Schwingungen versetzen konnte. »Haben Sie Wünsche?«

»Wünsche . . . wenn ich Sie ansehe . . .?«

»Es geht um den Einsatzort, Genosse. Um nichts sonst!«

»Ich habe Kameraden bei den Baggern nördlich von Surgut. Ein Verwandter von mir, ein Vetter, arbeitet auf dem Schwimmbagger Samotlor. Wenn die Transportbrigade III in dieser Gegend noch einen Fahrer braucht . . .«

»Surgut?« Das liebe Püppchen blickte zweifelnd hoch. »Sie wollen wirklich in das nördliche Gebiet von Piltanlor und Yegan?«

»Wo mein Vetter ist, kann auch ich arbeiten. Die Hölle wird's nicht sein.«

»Sie könnten aber auch in Tjumen arbeiten.« Sie spitzte das rote Mündchen, und normalerweise hätte kein Mann dieser Aufforderung widerstehen können. Abukow aber schüttelte den Kopf. »Schreiben Sie Surgut ins Papier!« sagte er. »Wenn möglich, meine ich.«

»Ich wollte nur Ihr Bestes, Genosse.« Sie trug tatsächlich Brigade III, Kombinat Surgut Nordost, ein und verlor alles Interesse an Abukow. Wer einmal in Surgut war, kam nur zur Durchreise nach Tjumen zurück.

Abukow bekam seine endgültigen Papiere und verließ erleichtert das Verwaltungsgebäude. Wie schnell es ihm gelang, nach Surgut vorzudringen, das war erstaunlich. Aber in der Bürokratie unterschied sich Sowjetrußland nicht wesentlich von anderen Staaten: Gelang es einem erst mal, ein »Vorgang« in den Akten zu werden, dann arbeitete der Beamtenapparat reibungslos und gut geölt. Man gehörte dazu und wurde weitergereicht, bis man die Stelle erreicht hatte, die eingetragen worden war.

Mustai Jemilianowitsch Mirmuchsin war in Hochstimmung, denn drei von den noch fehlenden sechs Paketen waren angekommen. »Und wie war es bei dir?« fragte er Abukow fröhlich.

»Was hat's bei der Verwaltung gegeben?«

»Krank für acht Tage.«

»Sagte ich es doch!«

»Und eine Fahrerstellung in Surgut, Verpflegungsbrigade III.«

»Ein Wunder ist das. Wieviel Rubel hat's gekostet?«

»Nicht eine Kopeke. Ein Rotmündchen saß an der Quelle.«

»Haha! Du hast sie flott übern Tisch gelegt?«

»Nicht einmal das. Nur ihren Lippenstift habe ich gelobt.«

»Ein Glückspilz bist du! Victor, mein Brüderchen, wir können zusammen fahren. Ich mach dich mit allen bekannt, die nützlich sind. Da ist in erster Linie der Fettwanst Gribow, der Leiter des Magazins. Dann Nina, die Zentralköchin. Hat eine Stimme wie ein Mann; aber jeder muß seine Hose festhalten, wenn er mal allein mit ihr ist. Dabei zählt sie schon neunundvierzig Jahre. Wichtig ist für dich auch Nikita Borisowitsch Rakscha, dem die große Autowerkstatt untersteht. Ein leidenschaftlicher Schachspieler. Selbst wenn er mit einem Weib im Bett liegt, hat er sein Brett neben sich stehen und knobelt neue Züge aus. Kannst du Schach spielen?«

»Sehr gut sogar.«

»Dann wird Nikita Borisowitsch sofort dein Freund werden.« Mustai reichte Abukow eine Tüte mit Honigbonbons hin, die er in der Stadt gekauft hatte. Knackend zerbissen sie solch ein Zukkerkissen und fühlten sich beide pudelwohl. »Ja, und noch einer wird dir begegnen«, sagte Mustai. »Mikola Victorowitsch Jachjajew. Der Politkommissar der Lagergruppe. Ein Saustück, ein wahrer Teufel, ein geiler Bock. In dem schlägt kein Herz; der hat einen Motor drin in der Brust. Mit ihm mußt du dich gut stellen, wenn du ihm begegnest. Er blickt dich aus Schweinsaugen an, und entweder mag er dich sofort – dann läßt er dich in Ruhe –, oder er mag dich nicht – dann kannst du ihm den Hintern lecken, er verprügelt dich trotzdem. Oberstleutnant Rassim, ein Turkmene, ist der Lagerkommandant. Ein Muskelberg. Er ist nur glücklich, wenn er brüllt. Erschrick also nicht, wenn er dich anbläst. Wenn er sanft ist, kann er nur krank sein, oder er wird gefährlich. Und sonst . . .« Mustai hob den Blick zur Decke und kaute seine Honigbonbons: »Die Lagerärztin Larissa Dawidowna, ein verhindertes Engelchen. Dann Dshuban Kasbekowitsch, der Lagerchirurg, der blonde Kerle liebt. Und Chefingenieur Morosow, ein stiller Mensch, der nie lacht und mit seinen Bauplänen schläft. Das sind die wichtigsten Personen. Die anderen nützen dir nichts.«

»Die anderen? Welche anderen?« fragte Abukow ohne große Betonung.

»Der Professor, der Jurist, der Chirurg, der Schriftsteller, der Physiker, der Boxer, der Bildhauer, der General . . .«

»Du lieber Himmel. Lauter gebildete Leute!«

»Welch ein Idiot bist du! – Sträflinge sind es.«

»Ein General?!« fragte Abukow dumm, aber sein Herz klopfte heftig. Mustai war ein Geschenk des Himmels. Ihm standen wirklich alle Tore offen.

»Du wirst sie alle sehen, Brüderchen.« Mustai legte den Arm um Abukows Schulter. »Ich kenne sie ja alle. Ich schenke ihnen, wenn möglich, ein Schlückchen Limonade. Sie schlürfen es wie Medizin, diese Armen. Als Fahrer kommst du überallhin, und mit mir läßt dich jeder durch. Den roten blöden Mustai kennen alle. Das schönste Leben habe ich!«

Abukow war davon überzeugt. In der Nacht ging er zur Toilette, verriegelte seine Kabinentür, schraubte den Absatz seines linken

Stiefels ab, entnahm dem Hohlraum ein zusammengelegtes Kreuz und entfaltete es. Auf den hinteren Rand vom Lokussitz stellte er das Kreuz, kniete nieder und betete. Es war der einzige Ort, wo niemand ihn beobachten konnte.

»Ich danke dir, Herr«, sagte er leise. »Bis hierher hast du mich geführt auf einem leichten Weg. Gib mir die Kraft für den schweren, der vor mir liegt.«

An der Klinke rappelte es. Ein harter Tritt ließ die Tür zittern.

»Dauert's noch lange?« schrie jemand.

Abukow klappte schnell das kleine Kreuz zusammen, steckte es in den hohlen Absatz und schraubte ihn wieder an den linken Stiefel. Dann schob er den Riegel zurück, trat hinaus und ging langsam in den Schlafsaal zurück.

Noch fünf Tage, dachte er, dann bin ich in Surgut. Bruder Pjotr, was werde ich von deinem Erbe vorfinden?

Eine zweimotorige Antonow, die als Frachtflugzeug eingerichtet worden war und nur im Vorderteil vier Sitzreihen für vierundzwanzig Passagiere hatte, brachte Abukow und Mustai von Tjumen nach Surgut. Mit ihnen flogen neun Ingenieure und drei Spezialisten für die am Paton-Institut für Elektroschweißen in Kiew entwickelte Schweißanlage SEWER, die eine ganze Kolonne Schweißer ersetzte; ferner ein Konstrukteur für das zum Einsatz in Nordsibirien extra entwickelte Sumpffahrzeug TJUMEN, von dem man Wunderdinge hörte; schließlich zwei Ärzte, die während des ganzen Fluges eine Diskussion über Asbestgeschwüre und Hautkrebs führten, sowie einige andere Genossen, die wie Mustai und Abukow ihre Arbeit antraten.

Die Pakete aus Samarkand mit den Essenzen für die Limonadenherstellung waren alle angekommen. Unbeschädigt und unbeklaut. Mustai lobte die sowjetische Post, packte die Pakete in einen Leinensack um und beschwor die Besatzung der Antonow, auf dieses Gepäckstück besonders achtzugeben.

In etwa zweitausend Meter Höhe schwebten sie dann über die Taiga, über diesen unermeßlichen, unfaßbaren Wald, über tausend kleinere oder größere Seen; über Flüsse, die wie ein Adersystem aussahen; über Sümpfe, die jetzt in der schon heißen Morgensonne dampften und wallende Nebel ziehen ließen. Wie Narben zogen sich einsame Straßen durch den Wald, verbanden Siedlungen miteinander, eine Anhäufung von Holzhäusern, hineingesetzt in einsamste Wildnis ... Dörfer von Ostjaken, Jägern und Rentierzüchtern; kleine Holzwerke; dann wieder ein Flecken mit rauchenden Schloten und dem stählernen Filigran von Bohrtürmen; ein Schienenstrang, über den ein langer Güterzug keuchte – und dann sahen sie das riesige Flußgebiet des Ob, den mächtigen Strom mit seinem breiten Schwemmland, den Hunderten von Inseln, die von den wilden Verzweigungen gebildet wurden. Sie erkannten die blinkende Riesenschlange der Ölleitung und den Kahlschlag für die Gaspipeline. Eine unendliche Wunde in Taiga und Sumpf, von Horizont zu Horizont. Die unzähligen Menschen sahen aus der Höhe wie Ameisen aus im Gewimmel von Fahrzeugen, Rohren, Holzstapeln, Baggern und Kränen.

Die Antonow zog einen weiten Bogen, flog Surgut – die neue Metropole, die sich nach allen Seiten mit modernen, eintönigen Bauten ausdehnte – aus nördlicher Richtung an und überflog dabei auch ein Gebiet, das man in die Wälder hineingeschlagen hatte und das durch zwei Straßen mit der breiten, winterfesten Hauptstraße nach Surgut verbunden war. Fünf Gruppen von Baracken und Steinhäusern, Maschinenhäusern und fabrikähnlichen Gebäuden konnte man deutlich sehen. Jede Gruppe war von Palisaden umgeben mit Holztürmen entlang der Umzäunung. Einen großen freien Platz gab es und schnurgerade Gassen. Siedlungen vom Reißbrett.

»Die Lager«, sagte Mustai und stieß Abukow in die Seite. »Dort, die Steinhäuser, das ist eine Kleiderfabrik. Da nähen sie die Arbeitskleider für die Gasleitungsarbeiter des ganzen Bezirks. Achthundert Frauen nähen da. Das Lager ist wie eine Bombe: Stell dir vor – achthundert Weiber, die nach einem Mann jagen! Du wirst's erleben, Brüderchen. Mit mir wirst du alles erleben. Ich darf ja überallhin.«

Sie blickten auf den großen Lagerkomplex, der so schnell unter ihnen wegglitt, daß sie ihn gar nicht voll erfassen konnten. Er setzte sich im Wald fort, wo die Holzfällerkolonnen arbeiteten und schon breite Schneisen durch die Taiga geschlagen hatten. Dann kamen wieder die Häuser von Surgut in Sicht, die Antonow setzte zur Landung an und rollte auf einer schönen, breiten, vorbildlichen Betonpiste aus.

Noch einmal wurden sie, wieder sehr genau, kontrolliert, bevor sie die Sperren durchlaufen konnten. Ihre neuen Fotos und Ausweise wurden in einer Art Röntgenkasten geprüft. Es mußten Spezialpapiere sein. Fälschungssicher. Auf diesem Weg konnte – so dachten sie – kein Ungebetener nach Surgut kommen.

»Da sind wir nun«, sagte Mustai Jemilianowitsch, als sie vor dem Flughafengebäude standen und zu dem Omnibus gingen, der sie in die Stadt fahren sollte. »Das neue Paradies.« Er schleppte den Sack mit seinen Mixturen zum Bus und setzte ihn dort ab. »O je!

Marfa Wladimirowna ist die Schaffnerin. Keine Möglichkeit, den Sack in den Bus zu bringen. Marfa ist eine Plage wie die Mücken. Sie hat schon abgelehnt, mich mit meinen Kanistern zu transportieren. ›Ich spendiere ein Gläschen Marakuja-Limonade!‹ habe ich gesagt. Und was hat sie geantwortet? ›Sauf deine Pisse allein!‹ – So eine ist das! Komm, Brüderchen, wir suchen uns ein anderes Gefährt mit einem höflicheren Genossen.«

Sie hatten Glück. Ein offenes Gemüseauto kam vorbei, und Mustai winkte mit beiden Armen. Jeder schien ihn zu kennen, denn der Fahrer hielt sofort an, lud den schweren Sack auf und ließ Abukow und Mustai zwischen den Gemüsekisten Platz nehmen.

»Wohin fahren wir eigentlich?« fragte Abukow, als die ersten Häuserzeilen auftauchten.

»Zu Rimma Leonidowna Matwejewa.«

»Du lieber Himmel, wer ist denn das?«

»Bei Rimma schlafe ich, wenn ich in Surgut bin. Sie liebt rote Haare.«

»Ich muß mich bei meiner Dienststelle melden, Mustai. Zuerst zur Verwaltung!« sagte Abukow eindringlich. Er hatte wenig Interesse, Zeuge einer bestimmt sehr handgreiflichen Wiedersehensfreude zu werden. Es war Mustai zuzutrauen, daß er sich schon auf der Treppe entkleidete.

»Alles zu seiner Zeit«, sagte Mirmuchsin und winkte ab. »Aus der Luft hast du die Lager gesehen. Wer drängt sich schon, sie aus der Nähe zu sehen?«

Abukow zuckte die Schultern. Immerhin hatte er Surgut erreicht. Kam es jetzt noch auf ein paar Tage an? Obwohl er vor Erwartung fieberte. Was würde er im JaZ 451/1 vorfinden? Während sie über den Lagerkomplex geflogen waren und Mustai ihm alles erklärte, hatte er stumm gebetet. Dort unten würde sich sein weiteres Leben abspielen – dort unten, in dem in die Taiga hineingeschlagenen Barackenkomplex, würde sein Leben auch zu Ende gehen. Er war fast am Ziel.

Jetzt, zwischen den Gemüsekisten, auf der Fahrt zu Mustais Freundin, wurde es ihm schwer ums Herz – so, wie damals in Rom am Ufer des Tiber, als er die Entscheidung fällte. Er schloß die Augen und atmete ein paarmal tief durch.

Dann war es vorbei, er hob den Kopf, blickte um sich, betrachtete die Neubauten des modernen Surgut und sagte zu Mustai: »Einen Hunger habe ich, Freundchen! Ich könnte ein ganzes Schwein fressen!«

Und Mustai lachte zurück: »Warte es ab, Brüderchen. Ein paar saftige Pelmeni mit gehacktem Fleisch hat Rimma immer im Ofen . . .«

3

Der Leiter der Verpflegungstransport-Abteilung Surgut, der Genosse Lew Konstantinowitsch Smerdow, biß gerade in ein dickes Schinkenbrot, als Abukow eintrat und seine Papiere auf den Tisch legte. Man weiß, welch ungeheure Provokation es ist, einen Beamten beim Frühstück zu stören; Smerdow musterte den morgendlichen Eindringling, als habe dieser ihm ins Gesicht gespuckt. Abukow sagte auch sofort: »Entschuldigung, Genosse. Aber die Zeit drängt. Ich muß meinen Dienst antreten. Keinen Rubel will ich haben ohne Arbeit. Man hat mir gesagt, ich bekäme von Ihnen einen Lastwagen . . .«

Smerdow schluckte den Bissen, an dem er kaute, hinunter und lehnte sich dann zurück.

»Aha«, knurrte er, »so einer sind Sie! Wollen Ihr Soll um 150 Prozent übererfüllen . . .«

»Das wäre wohl das mindeste, Genosse Transportleiter.«

»So ist es immer!« Smerdow biß wieder in sein Schinkenbrot und kaute voll Genuß. Er betrachtete Abukows Papiere gar nicht. Wenn ein Beamter frühstückt, ist er nicht im Dienst. »Kommen aus allen Winden daher und denken, sie könnten über die Straße rollen wie in Smolensk oder Moskau. Gas geben, und juchhei geht's davon! Fangen wir gleich an: Ich habe keinen Wagen frei.«

»In Tjumen sagte man mir . . .«

»Tjumen liegt von uns aus gesehen hinter dem Mond. Wenn die Zentrale in Tjumen uns einen Fahrer schickt, soll sie gefälligst den Wagen gleich an ihn dranbinden. Reifen haben wir genug, aber keine Fahrzeuge. Oder wollen Sie die Reifen einzeln durch den Sumpf rollen?«

»In Perm garantierte man mir . . .«

»Hören Sie mit Perm auf, Genosse!« keuchte Smerdow erschüttert. »In den Berichten aus Perm ist alles in bester Ordnung. Da läuft alles wie ein Quell. Da liest man von keinen Schwierigkeiten, da wird jedes Soll erfüllt. Und die Genossen in den Stäben bekommen ihre Verdienstorden. Aber hier draußen, in der Taiga, an der Trasse, da zittern ihnen die Arschbacken. Ich habe neunundzwanzig schwere Fahrzeuge herumstehen, die keiner reparieren kann. Jeden Tag fallen im Durchschnitt zehn Lastwagen aus, weil sie von vorn bis hinten klappern. Dabei wäre alles so einfach – wenn wir Ersatzteile hätten. Aber nein, was schickt uns Tjumen? Neue Fahrer!« Smerdow blickte nun doch auf Abukows Papiere, verzog geradezu schmerzhaft das Gesicht und polkte mit der Zungenspitze einen dicken Krümel aus seinen Zähnen: »Schwertransporter? Victor Juwanowitsch, da ist keine Hoffnung! Alles besetzt. Einen Fünftonner kann ich Ihnen geben, einen Kasten mit Kühlaggregat für Fleisch und verderbliche Lebensmittel . . .«

»Danke, Genosse.«

». . . aber das Miststück hat einen Knacks in der elektrischen Leitung, der Motor sagt keinen Muff, und das Aggregat heizt, statt zu kühlen. Damit können Sie sich belustigen, Victor Juwanowitsch. So sieht's bei mir aus!«

Nach einer Unterhaltung von zwanzig Minuten, einigen Telefongesprächen und einem tierischen Gebrüll des aggressiven Smerdow mit seiner Zentralwerkstatt in Surgut bekam Abukow einen neuen Schein, der ihn berechtigte, den Kühlwagen Nummer 11 zu übernehmen.

»Sie wollen ihn reparieren, Victor Juwanowitsch?« fragte Smerdow. mit schiefem Kopf.

»Versuchen werde ich's.«

»Wenn Sie damit bei mir vorfahren, spendiere ich eine Flasche Wodka. Und in die Lohnliste trage ich Sie für eine Prämie ein. Viel Vergnügen, Genosse Abukow.«

Eine Stunde später standen Abukow und Mustai vor dem Kühlwagen Nummer 11. Es war ein fast noch neuer Wagen, hellgrau lackiert, mit guten Reifen, ohne Roststellen und ohne Beulen. Nur gab er keinen Ton von sich.

»Welch ein Wägelchen!« hatte Mustai ausgerufen und in die Hände geklatscht. »Haben wir ein Glück, Victor. Ein Kühlwagen! Den wagt keiner zu kontrollieren – aus Angst, die Ware könnte verderben. Immer freie Fahrt! Kannst immer sagen: Platz, ihr Hohlköpfe, oder ihr bekommt faules Fleisch zu fressen und ranzige Butter. Wer mich behindert, schädigt das Volkseigentum und sich selbst.«

Der Werkstattleiter, durch Smerdows temperamentvollen Telefonanruf in tiefster Seele beleidigt, hatte Abukow und Mustai allein gelassen, nachdem er wütend erklärt hatte, diesen Kühlwagen solle der Teufel holen. Die Batterien seien in Ordnung, die Kabel auch, trotzdem stehe er herum wie ein Denkmal. Man wisse nicht mehr weiter.

Zwei Tage lang suchten Mustai und Abukow nach dem Fehler. Sie testeten die gesamte komplizierte elektrische Anlage durch und entdeckten endlich, daß im Kühlaggregat ein Relais versagte, einen Kriechstrom bildete und damit die Batterien immer wieder entlud. An ein neues Relais aber war vorläufig nicht zu denken. Mustai löste das Problem auf usbekische Art. Am nächsten Morgen sagte der Kühlwagen Nummer 3 keinen Ton mehr, der Fahrer fluchte gottserbärmlich, gab seinem Fahrzeug sinnlose Tritte, der Werkstattleiter schleuderte seine Mütze auf den Boden und trampelte auf ihr herum – aber auch davon bewegte sich der Kühlwagen Nummer 3 nicht mehr.

Dagegen gab der Kühlwagen Nummer 11 unter dem Fahrer Abukow ein fröhliches Röhren von sich und brummte aus der Halle hinaus auf den Hof. »Wie ist das möglich?« brüllte der Werkstattleiter und schielte vor Erschütterung. »Was hast du mit ihm gemacht? Woran lag es?«

»Ein Kabelknick in der Kühlung«, sagte Mustai. »War kaum zu sehen. Ein Knickchen. Diese komplizierte Technik, Genosse! Empfindlich wie eine Brustwarze. Gibt es Ärger mit Nummer 3?«

Smerdow staunte nicht schlecht, als Abukow sich bei ihm melden ließ und strahlend ins Zimmer trat. »Blicken Sie aus dem Fenster, Lew Konstantinowitsch!« rief er und rieb sich die Hände. »Und dann heraus mit der Flasche Wodka und der Sonderprämie! Da steht Nummer 11!«

Smerdow war ein mißtrauischer Genosse. Man kann ein Auto auch herumschieben und vor ein Haus schleppen. Er fuhr also mit Abukow kreuz und quer durch Surgut, und als die Nummer 11 nach einer Stunde noch immer fröhlich brummte und das Innere des isolierten Kastens eine herrliche Kühle ausströmte, was jetzt, bei über 30 Grad Hitze im Freien, besonders spürbar war, gab sich Smerdow geschlagen.

»Es ist schlimm, nur von Idioten umgeben zu sein«, sagte er klagend. »Sie scheinen der einzige Intellektuelle in meiner Bande zu sein. Victor Juwanowitsch, wenn Sie sich eingefahren haben und alles kennen, könnten Sie Gruppenleiter werden . . .«

»Bloß das nicht!« sagte später Mustai, als sie zum Zentrallager fuhren, um ihre erste Ladung aufzunehmen. »Als Gruppenleiter sitzt du mehr am Tisch als hinterm Steuer. Das wollen wir nicht. Unsere Nummer 11 geben wir nicht wieder her!«

An diesem ersten Tag übernahmen sie Kartons mit Milch und Margarine, Marmeladenfässer, Kübel voll Rindfleisch und Innereien, Plastikwannen mit Quark und Spankisten voll frischem Kopfsalat.

»Wohin?« fragte Mustai, als Abukow mit den Transportpapieren aus der Einsatzleitung kam. Mustais Sack mit den geheimnisvollen Limonadenessenzen lag auch im Kühlwagen.

»Zum Magazin I in Nowo Wostokiny. Wo ist das?«

»Genau dort, wohin wir wollen, Brüderchen. Das ist der offizielle Name für JaZ 451/1! Das Glück leckt uns den Hintern, man kann's kaum begreifen! Welche Freude, alle wiederzusehen. Mein Freund Gribow, der Verwalter, wird heute abend ein Fest für uns geben. Und Nina Pawlowna wird für uns kochen. Ha, eine Spezialität hat sie, bei der dir das Wasser aus dem Mund läuft: Kotmis Saziwi – Brathähnchen in Walnußsoße. Sie kommen ja an alles ran, die mächtigen Genossen!«

Mit fünf Wagen fuhren sie los. Abukow, als Neuling, machte den Schluß. Das war die schlechteste Position, denn der aufgewirbelte Staub der vier voranfahrenden Wagen zog voll über ihn hinweg. Er fuhr immer wie durch einen gelblichen Nebel und sah nach einer Stunde aus, als sei er in eine Mehltonne gefallen. Zwar tobte Mustai und schrie herum, er kenne den Weg wie seinen Bauchnabel, und Abukow habe eine Prämie bekommen und ihm gebühre die Spitze – aber der Fahrer des ersten Wagens spuckte bloß vor Mirmuchsin aus, sagte: »Halt's Maul, blöder roter Hund!« und drohte Schläge an.

Am Abend erreichten sie den Lagerkomplex 451/1. Man merkte es daran, daß sie drei Kontrollen durchfuhren; Schlagbäume, die die Straße sperrten. Aber die Wachsoldaten verrichteten ihren Dienst sehr lässig, sie kannten ja die meisten Fahrer und die Lastwagen. Sie winkten Mustai fröhlich zu, als dieser den Kopf aus dem Fenster steckte und seine bestickte Filzkappe schwenkte, und riefen lachend: »Der Blöde ist wieder da! Hast wohl deine Blase wieder mit Limonade gefüllt, haha?!«

»Alle sind meine Freunde«, sagte Mustai glücklich und lehnte sich neben Abukow zurück. »Siehst du es?«

Abukow nickte stumm. Die Fahrt über die durch die Taiga geschlagene Straße, über Holzbrücken und durch Sumpffelder, wo trotz der Hitze der schlammige Boden noch weich war und wo statt des Staubes Wolken von Moskitos den Transport begleiteten – diese Fahrt hatte ihm einen ersten Eindruck vermittelt davon, unter welchen Bedingungen die Häftlinge arbeiten mußten. Nun sah er auch einen Teil der neuen Erdgas-Trasse, einen sogenannten Zufahrtsstrang, und zum erstenmal begegnete ihm eine Kolonne Sträflinge, die zurück ins Lager marschierte, verschwitzt, verdreckt, schwankend vor Entkräftung, die Köpfe von Mückenstichen aufgedunsen, mit hohlen Augen und leeren Blicken. Nur vier Wachsoldaten begleiteten sie; mehr war nicht nötig, denn jeder führte einen scharfen Hund an der Lederleine: die Spezialität von Oberstleutnant Rassim. Wer wollte hier schon flüchten? Wer hatte genügend Kraft dazu?

Abukow fuhr mit schwerem Herzen an der armseligen Kolonne vorbei. Jetzt bin ich zu euch gekommen, dachte er. Ich bringe euch nichts als Gottes Wort und ein Kreuz. Ob euch das genügt? Mein Gott, was ist hier zu tun!

Sie erreichten den Verwaltungsbezirk des Lagerkomplexes, das Magazin, die Kasernenbauten, die Kommandantur, das Hospital, die Zentralküche, die Wäscherei, die Werkstätten, die Maschinenhallen, das Elektrizitätswerk mit den Transformatoren und dem riesigen Lagerplatz voller Baumstämme, Balken und Bretter. Abgeschirmt von allem, hinter Palisaden, von Wachtürmen umringt, lagen die verschiedenen Barackengruppen der Sträflinge.

»Da ist ja Kasimir Kornejowitsch Gribow!« schrie Mustai und winkte mit seiner bestickten, perlenglänzenden Filzkappe. »Hier bin ich, Freundchen! Willkommen, willkommen! Victor Juwanowitsch, dort hinüber, zum Magazin! Ha, der Kerl ist noch fetter geworden. Nimmt jeden Monat ein paar Pfund zu. Bald wird er platzen. Welch eine Freude! Nun sind wir zu Hause . . .«

Zu Hause, dachte Abukow und bremste vor dem Magazin. Zu Hause. Wie das klingt. Zu Hause im Vorhof der Hölle . . .

Während vier bevorzugte Häftlinge – wie meistens in den Straflagern waren es Kriminelle, die sofort die lukrativen Posten besetzten und von den Wachmannschaften besonders bevorzugt wurden, weil man ihre Skrupellosigkeit ausnutzen konnte – den Wagen Nummer 11 entluden und dabei klauten, was ihre Taschen aufnehmen konnten, machte Mustai seinen neuen Freund Abukow mit dem Magazinverwalter Gribow bekannt. Der unheimlich nette Mensch begrüßte Abukow mit drei Wangenküssen und nahm ihn dann zur Seite.

»Du fährst jetzt die Nummer 11?« fragte er.

»Ja. Es ist mein fester Wagen. Das ist mir garantiert. Ich habe ihn zum Laufen gebracht. Es ist so, als würde er mir gehören.«

»Du weißt, daß du das Beste transportierst, was es in Sibirien gibt«, sagte Gribow geheimnisvoll. »Fleisch, Fett, Käse und andere ausgewählte Delikatessen. An dir allein liegt es, die Übergabescheinchen zu unterschreiben und zu bestätigen: Alles ist an seinem vorgeschriebenen Platz angekommen. Und ich muß gegenzeichnen. Ist das klar ausgedrückt? Alles muß seine Richtigkeit haben. Die Zahl, das Gewicht . . . Hat man zum Beispiel fünfhundert Hühner im Kasten, müssen auch fünfhundert ins Magazin gebracht werden. Und tausend Päckchen Margarine bleiben tausend Päckchen. Es kann aber auch sein, mein lieber Victor Juwanowitsch, daß es nur vierhundertfünfzig Hühnerlein und neunhundertfünfzig Margarinewürfel sind. Keiner kümmert sich mehr darum, wenn wir beide es quittiert haben. In Surgut heftet man die Listen ungelesen ab, und dann verstauben sie in den Regalen.« Gribow blinzelte, als habe er Sandkörner in den Augen. »Du verstehst, mein lieber Abukow?«

»Sie kratzen mein Gewissen an, Genosse Gribow«, antwortete Abukow zurückhaltend. »Ich bin ein guter Kommunist.«

»Wer von uns ist das nicht?« rief Gribow begeistert. »Das ändert aber nichts daran, daß fünfzig Hühnchen ein erfreulicher Anblick sind.«

»Ich bin Anwärter der Partei«, sagte Abukow steif.

»Gratuliere!« Gribow faßte Abukow unter und zog ihn noch weiter vom Wagen weg. »Eine Parteinummer sollte keine Bremse sein, wenn man sich das Leben verschönern kann.«

»Im Gegenteil, Genosse.«

»Wie wir uns verstehen, Victor Juwanowitsch!« rief Gribow enthusiastisch. »Das beste Fundament einer Freundschaft ist immer das Verhältnis 50:50. Was hältst du davon?«

»Also fünfundzwanzig Hühnchen für mich und fünfundzwanzig Würfelchen Margarine, um bei dem Beispiel zu bleiben . . .«

»Bist ein ungeheuer kluger Kopf, Abukow!«

»Und das bei jeder Lieferung?«

»Wenn's möglich ist. Genau genommen gibt es nichts, was man nicht mindern könnte. Sehen wir ab von so uninteressanten Dingen wie Salatköpfen, Kohl, Gurken oder Zwiebeln. Aber schon ein Sack Kartoffelchen kann Freude erregen. Frische Kartoffeln! Nicht die getrockneten Schnitzel für die Häftlingssuppe.«

»Wir wollen sehen, wie sich alles entwickelt«, sagte Abukow noch immer ausweichend. Innerlich war er bereits nach Gribows ersten Andeutungen bereit gewesen zuzustimmen. Etwas Besseres konnte ihm gar nicht angeboten werden. Jedes Stückchen, das er mit Gribow teilte, würde zu den Sträflingen in das Lager weitergegeben werden. Auf welchem Weg, das mußte er noch erkunden. Es kam vor allem darauf an, wie frei er sich bewegen konnte und ob es überhaupt gelang, das große Palisadentor mit seinem Wachhaus zu überwinden und die Barackenstadt zu betreten. Pjotr, sein priesterlicher Vorgänger, hatte damals den sichersten und tödlichsten Weg gewählt: Er war als Häftling einer der Verdammten geworden.

Es geschah genau das, was Mustai vorhergesagt hatte: Der dicke Gribow gab in seiner Wohnung im Magazin ein kleines Empfangsfest. Nina Pawlowna Leonowna, die Leiterin der Zentrallagerküche, briet drei Hähnchen und machte eine Walnußsoße, die zum Köstlichsten gehörte, was Abukow je gegessen hatte. Mustai sang usbekische Lieder, man trank Wodka und kam so in Stimmung, daß Nina Pawlowna sich bei Abukow auf den Schoß setzte und ihn trotz seiner ungeschickten Abwehrversuche abknutschte. Gegen zwei Uhr morgens fiel Gribow um wie ein gefällter Baum, Mustai lag auf einem Sofa und röchelte, und Nina Pawlowna hing quer über dem Tisch und schnarchte schauerlich.

Abukow verließ die Wohnung, trat hinaus in die warme Nacht und sah sich um. Von den Wachttürmen her waren Scheinwerfer auf die Absperrung gerichtet, alles andere lag im Dunkel. In dem großen Zwinger neben der Kommandantur rumorten die Hunde. Vom Maschinenhaus herüber klang Stampfen und dumpfes Rattern.

Abukow ging langsam hinüber zu seinem Wagen Nummer 11. Mit den anderen Fahrzeugen stand er in einer korrekten Reihe vor den Wagenschuppen des Bewachungsbataillons. Mit schwerem Herzen setzte sich Abukow auf eine leere Kiste, die an der Schuppenwand stand, und blickte hinüber zu dem breiten geschlossenen Lagertor. Verwundert wandte er den Kopf, als er von rechts einen leichten Schritt hörte. Das Klappern kam näher, die Wagenreihe entlang. Er fragte sich, ob er nicht im Schatten des Schuppens untertauchen sollte. Er entschloß sich sitzenzubleiben und steckte sich sogar eine Papyrossi an. Plötzlich kam die Person um den Wagen herum, stand vor ihm und starrte ihn an. Eine junge, schlanke Frau war es, mit kurz geschnittenen schwarzen Haaren. Sie trug ein einfaches Baumwollkleid von hellbrauner Farbe mit gelben Tupfen. Sehr schön sah sie aus, mit hohen Backenknochen und Mandelaugen. Der Anblick des Mannes auf der Kiste schien sie zu erschrecken; ruckartig blieb sie stehen, ihre Hände nestelten unruhig an dem Gürtel, der ihre Taille umschlang. Aber sehr schnell überwand sie die Überraschung und stemmte die Hände in die Hüften.

»Was machen Sie denn hier?« fragte sie mit scharfer Stimme. Es war ein heller, befehlsgewohnter Ton.

»Ich genieße die reine Nachtluft, bevor morgen wieder die Mücken kommen. Ist's nicht erlaubt?« antwortete Abukow höflich.

»Haben Sie keine Uhr?«

Abukow erhob sich. »Wen interessiert die Zeit, wenn man tief durchatmen kann?«

»Wer sind Sie?« fragte sie im Befehlston.

»Ich fahre dort den Kühlwagen.« Abukow zeigte auf das Fahrzeug. »Nummer 11. Und wer sind Sie? Haben Sie etwa keine Uhr?«

»Sie kennen mich nicht? Sie sind neu hier?«

»Heute erst aus Surgut angekommen.«

»Ich leite hier das Hospital. Larissa Dawidowna Tschakowskaja . . .«

»Ah! Oh! Die Chefärztin persönlich. Welche Ehre. Gerade Sie
werden Verständnis haben für meine Luftnot. Es war heute eine
staubige Fahrt.«

»Ich komme eben von einem Kranken!« sagte die Tschakowskaja,
als müsse sie eine Erklärung abgeben. Ihr Blick war unruhig, als
habe sie Sorge, außer Abukow könnten noch andere sich an der
Nachtluft erfreuen. Victor Juwanowitsch bemerkte das sehr wohl
und wunderte sich im stillen. Irgendwie gehetzt sieht sie aus,
dachte er. Hat sie Angst? Warum? Was ist dabei, wenn sie sich mit
einem Lastwagenfahrer unterhält, der im Dunkeln herumsitzt
und raucht und sie dabei zufällig sieht, wenn sie um zwei Uhr
nachts von einem Kranken kommt. Was, so darf man fragen,
stimmt da nicht?

»Ist es erlaubt, morgen in Ihre Sprechstunde zu kommen, Genossin Chefärztin?« fragte er fast demütig.

»Sind Sie krank?«

»In Tjumen hatte ich eine Darminfektion. Man weiß nie, Genossin . . . Mein Freund Mustai Jemilianowitsch hat dadurch einmal
vierzehn Pfund verloren.«

»Mustai ist Ihr Freund?« Sie musterte ihn plötzlich mit anderen
Blicken. Die Angst im Hintergrund schien verflogen. Ihre Augen
wurden menschlicher und wärmer. »Sie haben Ihren Namen nicht
gesagt.«

»Victor Juwanowitsch Abukow. Spezialist für Schwertransporter.
Da man dort keinen Posten frei hat, habe ich einen Kühlwagen bekommen.«

»Und woher kennen Sie Mustai?«

Das klang ja fast nach einem Verhör. Abukow sah die Tschakowskaja forschend an. Was wollte sie wissen? Warum veränderte sich ihr erst angespanntes Wesen bei der Nennung von Mirmuchsin? Was tat der Blöde, der so klug war, im Lager noch anderes als Limonade herstellen und verkaufen?

»Wir lagen in Tjumen nebeneinander im Wohnheim, Genossin
Chefärztin«, sagte Abukow. Sein Lächeln schien sie wieder zu irritieren. »Mustai, der Halunke, durchwühlte in meiner Abwesenheit meinen Koffer und fand zwei weiße Hemden und eine
schwarze Krawatte. Das begriff er nicht.«

»Es ist auch ungewöhnlich für einen Fahrer, nicht wahr?«

»Ich gehe gern in ein Theater, das ist es. Während meine Kameraden saufen oder bei den Mädchen ihre Rubel lassen, höre ich mir
lieber ›Boris Godunow‹ an oder bewundere ›Schwanensee‹.«

»Sie scheinen ein ungewöhnlicher Mensch zu sein, Victor Juwanowitsch«, sagte die Tschakowskaja verwundert. »Kommen Sie morgen gegen 11 Uhr zu mir ins Hospital.«

Sie nickte ihm zu, drehte sich auf dem Absatz um und ging mit schnellen Schritten davon. Wie eine Flucht sah es aus.

Abukow blickte ihr nach, zerdrückte dann seine Papyrossi mit dem Stiefel und schlenderte in die Richtung, aus der Larissa Dawidowna gekommen war. Aber er konnte nichts Besonderes feststellen, sah keinen Lichtschimmer, fand aber auch keine Erklärung, wo in dem Komplex der Werkstätten und Schuppen ein Kranker dringende ärztliche Hilfe brauchte, nachts um zwei Uhr. Dort wohnte niemand. Da lagerte nur Material. Hinter den dunklen Fenstern der Tischlerei standen in diesem Augenblick neun Männer und beobachteten mit angehaltenem Atem den Fremden, der mit den Händen in den Hosentaschen lässig durch die Nacht spazierte und sich umsah. Ab und zu blieb er stehen, musterte die stillen, dunklen Gebäude, wandte sich dann ab und schlenderte zurück zu den abgestellten Lastwagen. Bei den Autoschuppen wurde er dann unsichtbar, die Nacht saugte ihn auf.

»Kennt ihn jemand?« flüsterte einer der Männer am Fenster. »Wo gehört er hin?«

»Muß neu sein, Professor.«

»Auf jeden Fall ist es ein Zivilist. Micha soll sich um ihn kümmern. Als Elektriker hat er die besten Möglichkeiten. Er trägt Stiefel, bei dieser Hitze! Daran kann ihn Micha erkennen. Und Pawel soll Mustai fragen. Der sieht, hört und riecht alles. Was macht dieser fremde Mensch um diese Zeit im Freien? Hoffentlich hat er Larissa nicht gesehen! – Gott sei mit euch . . .«

Der Mann, der einmal vor vier Jahren Professor für Kybernetik gewesen war, wartete, bis die anderen die Tischlerei durch einen Seitenausgang verlassen hatten. Unter einem verschiebbaren Palisadenbrett krochen sie nacheinander ins Lager zurück, warteten ab, bis sie im toten Winkel des Scheinwerferstrahls waren, und sprangen dann wie die Hasen zu einem hohen Bretterstapel. Dort waren sie sicher, von da huschten sie zu ihren Baracken zurück. Der Professor zog zwei Nägel aus zwei dünnen Holzleisten, mit denen sie zu einem Kreuz zusammengefügt worden waren, warf die Leisten auf einen Haufen anderer Hölzer und schlich sich aus der Tischlerei davon zur Wäscherei. Dort wohnte er. Er war im Sprachgebrauch des GULAG ein sogenannter »Geleitfreier«, ein Sträfling ohne Bewachung, ein Sibirienverbannter mit dem Vorrecht, sich außerhalb des geschlossenen Lagers bewegen zu dürfen. Er arbeitete vormittags im Hospital als Pfleger, nachmittags in der Wäscherei am Sortierband. Man war seiner sicher. Mit dreiundsechzig Jahren flüchtet man nicht mehr aus der Taiga.

Abukow kehrte in die Wohnung von Gribow zurück, wo alle noch so lagen und schliefen, wie er sie verlassen hatte. Er setzte sich an den Tisch, schob Ninas Kopf etwas zur Seite und legte sein Gesicht auf die gekreuzten Unterarme.

Der erste Tag in seiner neuen Heimat war ein guter Tag gewesen. Er hatte viel gesehen und gehört, und plötzlich fühlte er sich wohl in seiner Aufgabe, vor der er solche Angst gehabt hatte.

Pünktlich um elf stand Abukow im Warteraum des Hospitals, um bei Larissa Dawidowna vorgelassen zu werden. Die morgendlichen Selektionen der Kranken, das gefürchtete »Arbeitsfähig!«, waren vorbei. Auch die Visite bei den wirklich Schwerkranken war beendet. Nur sie bekamen ein Bett. Die leichteren Fälle blieben im Lager. Trotzdem mußte Abukow noch warten, denn aus dem Untersuchungszimmer drangen erregte Laute.

Jachjajew war aufgetaucht. Seine Laune befand sich auf dem tiefsten Punkt, denn am frühen Morgen hatte er eine deutlich vom Alkoholkater gezeichnete Nina Pawlowna im großen Kesselsaal der Küche angetroffen, wo sie mit Schöpfkellen nach den Küchengehilfen warf. Der Politkommissar ahnte, daß Fettsack Gribow hinter der nächtlichen Feier steckte. Den Hals sollte man ihm umdrehen, dem schwabbeligen Bock. Aber als Leiter des Hauptmagazins war er unangreifbar, solange man ihm nicht nachweisen konnte, daß er ein Saboteur war, ein Defaitist, ein Systemfeind oder ein Dieb am Volkseigentum. Das aber würde schwer sein, denn Gribow war ein raffinierter Kerl, der von keinem verraten wurde, weil alle von ihm profitierten.

So ließ Jachjajew seinen Zorn dort aus, wo er am wenigsten Widerstand fand: bei den Kranken. Er pflanzte sich in einen Stuhl, sein Quallengesicht rötete sich, und seine Mausaugen starrten die Tschakowskaja böse an.

»Ich frage mich«, bellte er los, »warum wir auf keiner Liste für Kuraufenthalte stehen! Nach welchen Kriterien untersuchen Sie eigentlich, Genossin? Verstehen Sie, man will Ihnen keine Vorschriften machen. Sie sind der Arzt. Sie haben studiert, wie es im Inneren eines Körpers aussieht . . .« Er dachte an den geheimnisvollen Onkel der Tschakowskaja in Moskau, der sogar eine Verbindung zum Zentralkomitee haben sollte, und wählte seine Worte mit Vorsicht. »Aber bedenken Sie: Wir haben vier Prozent Kranke! Genossin, wo kommen wir da hin?«

»Ich habe zehn Prozent zur Arbeit geschickt, die eigentlich zurückbleiben müßten. Die Hälfte der Trassenarbeiter ist krank!«

»Wer frißt, muß arbeiten!« sagte Jachjajew laut. »Kauen und

Schlucken erfordert Kraft, die auch ausreicht, um eine Schaufel zu bewegen!«

»Sie sind verantwortlich für die ideologische Betreuung der Häftlinge.« Larissas Stimme war scharf in ihrer Helligkeit. »Mag sein, daß Sie auch ein Beauftragter des KGB sind. Aber die Ärztin hier bin *ich*!«

Bei dem Wort KGB zuckte Jachjajew zusammen, als habe man ihn ins Gesäß gestochen. Nicht, weil es ihn beleidigte, sondern weil Larissa Dawidowna so leichthin die Wahrheit gesagt hatte. Für Jachjajew war es eine Ehre, für den großen Genossen in Moskau zu arbeiten, ihm monatliche Berichte zu schicken und seine Beobachtungen genau und detailliert mitzuteilen. Auch wenn der oberste KGB-Chef die Berichte nie zu Gesicht bekam – es war immer gut, ein Drähtchen nach Moskau zu haben –, wenn es auch kein dicker Draht war wie der zwischen der Lagerärztin und dem Onkel der Tschakowskaja.

»Ich verbiete Ihnen, so etwas auszusprechen!« schrie Jachjajew und schnappte nach Luft. »Sie sind nicht berechtigt, mir vorzuhalten, was meine Pflicht ist!«

»Ich sage nur, was *meine* Pflicht ist, was *meine* Verantwortung ist, Mikola Victorowitsch. Und da reden Sie mir nicht rein! Gibt es noch etwas, Genosse?«

»Viel! Oh, sehr viel!« brüllte Jachjajew. Der Hochmut der Tschakowskaja trieb seine Nerven auf, als blase man sie voll Luft.

»Nicht jetzt. Ich habe Ordination.«

»Rassul Sulejmanowitsch kommt nachher. Der Kommandant wird Ihnen klarmachen, daß im Winter nur zwei Drittel von dem geschafft wurde, was nach der Norm zu leisten war.«

»Der schönste Befehl kann kein Eis wegzaubern. Es war ein besonders strenger Winter!«

»Und hinterher? Na? War es da etwa besser?«

»Wäre es nicht möglich, Genosse Jachjajew, daß Sie sich in die Sümpfe stellen und sie trockenreden?« fragte die Tschakowskaja voller Hohn. »Vier Flüßchen sind zu überwinden, durchfließen grundlosen Boden – vielleicht trocknet alles aus, wenn Sie ihnen Lenin vorlesen?«

Jachjajew war viel zu sehr außer Atem, um darauf etwas erwidern zu können. Außerdem zeigte Larissas Rede, wie sicher sie sich fühlte. So wagte keiner zu sprechen, der damit rechnen mußte, daß seine Worte an höherer Stelle bekannt werden konnten. Die Tschakowskaja schien frei von Furcht zu sein. Der Oberst des KGB, der in Tjumen regierte, flößte ihr keine Angst ein. Das war ein deutliches Zeichen in Richtung des Moskauer Onkels. Wenn man nur entdecken könnte, wer es war ...

»Streiten wir uns nicht«, keuchte Jachjajew mit letzter Kraft verbittert. Dieser Morgen setzte ihm mächtig zu. Er mußte schnell hinaus, um irgendeinen zu treffen, dem er alle Wut an den Kopf werfen konnte. »Die Rechnung werden Sie bekommen, Larissa Dawidowna. Von der Zentrale in Tjumen!«

Er stürzte aus dem Zimmer und prallte mit Abukow zusammen, der vor der Wand neben der Tür stand und ein Foto von den Ölfeldern von Surgut betrachtete.

»Du hast mir gerade noch gefehlt!« brüllte Jachjajew und stierte Abukow mit rollenden Augen an. »Entschuldige dich sofort dafür, daß du im Weg stehst!«

»Das lehne ich ab«, sagte Abukow ruhig. »Der Raum ist groß genug für uns beide.«

»Wache!« brüllte Jachjajew. Seine Lunge platzte fast, er verschluckte sich und schüttelte sich in einem Hustenkrampf. »Zur Wache kommst du mit! In den Kasten kommst du! Name?«

»Fragen Sie bei der Transportbrigade III in Surgut.« Abukow schob den zitternden Jachjajew zur Seite. Für den fielen die Wolken auf die Erde, so ungeheuerlich fühlte er sich behandelt. »Ich fahre den Kühlwagen Nummer 11. Freundschaft!«

Er hob die Faust und betrat das Arztzimmer, ohne abzuwarten, ob er eintreten durfte. Jachjajew starrte entgeistert auf die zufallende Tür, spuckte dann gegen die Wand und stürmte mit gesenktem Kopf aus dem Hospital. Auf dem Vorplatz traf er Mirmuchsin, der auf einer Karre einen Sack Zucker zu seiner Limonadenbrauerei schob. So etwas bekommt man nicht ohne Berechtigungsschein; Mustai Jemilianowitsch konnte jederzeit und allerorts damit aufwarten. Er besaß einen ganzen Block Blankoscheine, mit Unterschrift und Stempeln. Usbekische Fingerfertigkeit hat sich schon immer ausgezahlt. In dieser Hinsicht hatte Mustai die beste Lehre hinter sich. Wer blöd ist, sollte wenigstens schnelle Hände haben. Jachjajew schoß auf ihn zu wie ein Stier in der Arena. »Halunke! Wo ist der Zucker her?« schrie er. »Schiebt hier so einfach einen Sack weg! Einen ganzen Sack!«

»Hast du einen halben, Genosse?« fragte Mustai freundlich. »Mein Beileid.«

Larissa und Abukow beobachteten vom Fenster aus, wie Jachjajew dem Karren von Mustai einen Tritt versetzte und Richtung Kommandantur weiterlief. Dann sahen sie sich für einen kurzen Augenblick wortlos an.

»Wer ist denn das?« fragte Abukow, um Larissas Musterung zu entgehen.

»Der politische Kommissar. Ein Mann, der die Dissidenten zu neuen Bolschewisten erziehen soll. Aber die Strafgefangenen hö-

ren ihm nur zu, weil sie dann eine Stunde weniger arbeiten müssen. Viele schlafen dabei mit offenen Augen. Das haben sie gelernt: Sie blicken einen an, aber das Auge ist leer. Sie schlafen.«
»Und Sie erzählen mir das, ohne zu wissen, wer ich bin . . .«
»Ich habe über Sie nachgedacht, Genosse Abukow. Wer nach Sibirien kommt und daran denkt, in die Oper zu gehen, der ist ein besonderer Mensch.« Sie lächelte leicht, zeigte auf einen alten Sessel mit zerschlissenem Wollbezug und wartete, bis Abukow sich niedergelassen hatte. Dann setzte sie sich selbst hinter ihren Schreibtisch, nahm ein durchsichtiges Kunststofflineal zwischen die Hände, bog es und ließ es wieder gerade schnellen. Immer wieder. »Sie sind auch nicht krank . . .«
»Nein, Genossin. Ich fühle mich wie ein ausgeschlafener Bär. Ich hatte nur den Gedanken . . . Ich wollte Sie gern kennenlernen . . .«
Im Hospital stand unterdessen der weißhaarige Sträfling, der einmal Professor für Kybernetik gewesen war und jetzt die Schwerkranken wusch und ihnen die Urinflaschen anlegte oder ihnen die Pfanne unterschob, am Telefon und rief hinüber zu der Bäckerei. Dort arbeitete, auch als »Geleitfreier«, der ehemalige Schriftsteller Miron Arikin.
»Jetzt ist er bei Larissa Dawidowna«, sagte der Professor hastig. »Hat sich mit Jachjajew angelegt – und nichts ist ihm geschehen. Muß ein einflußreicher Bursche sein. Vorsicht, Freunde! Warnt alle anderen. Hat Ilja schon etwas erfahren können?«
Ilja Kriwow, der einmal Staatsanwalt in Odessa gewesen war, schleppte jetzt Elektrokabelrollen und zog Leitungen entlang der neuen Pipeline. Er hörte viel, was andere nicht erfuhren. Aber auch Ilja konnte keine Auskunft geben.
Nacheinander rief der Professor seine Freunde in den verschiedenen Werkstätten an, zuletzt den ehemaligen Chirurgen Wladimir Fomin, einen Gehirnspezialisten. Er hatte früher die Neurochirurgische Abteilung einer großen Nervenklinik geleitet, bis er sich weigerte, das Wesen prominenter Systemkritiker durch präfrontale Lobektomien zu verändern. Das brachte ihn, der so viel Verschwiegenes wußte, in das sibirische Lager. Jetzt arbeitete Fomin nicht etwa im Hospital, sondern hockte in der Schuhwerkstätte an einer Sohlenheftmaschine.
Von ihm kam die erste Information. Er hatte gehört, daß man gestern zehn Kübel voller Fleisch ausgeladen hatte. Aus dem Kühlwagen Nummer 11. Nun wartete man voll Spannung, ob die nächsten Suppen ein paar Fleischfaserchen als Einlage aufwiesen. Die vier Häftlinge, die beim Ausladen geholfen hatten, wurden vorsichtig befragt, ob sie irgendetwas aufgeschnappt hatten. Der Fahrer war ein Neuer. Wußte man, was da dahintersteckte?

»Ein Kühlwagenfahrer!« meldete der Professor den anderen weiter. »Ein absoluter Vertrauensposten ist das und läßt vermuten, daß der Mann ein linientreuer Kommunist ist. Warum ging er zu Larissa? Freunde, behaltet diesen Burschen im Auge. Schnell hat man einen Dorn im Fleisch.«

Er hängte den Hörer ein, lief zurück auf seine Station und machte sich in der Nähe von Larissas Sprechzimmer zu schaffen. Der fremde Bursche war noch immer bei ihr. Der Professor hörte ihr Sprechen als Gemurmel durch die Tür, und um eine Berechtigung zu haben, im Vorraum zu sein, begann er mit einem feuchten Lappen die Bänke zu reinigen; er wusch sogar die Tür ab.

Nach etwa einer halben Stunde hielt er es nicht mehr aus, klopfte und trat in die Ordination. Abukow sagte gerade: ». . . deshalb habe ich das Kommando zur Verpflegungsbrigade bekommen, so kann es einem gehen . . .« Dem Professor klang das sehr verdächtig, dabei erzählte Abukow nur von dem freundlichen Amtsarzt in Tjumen, der aus der gleichen Heimatstadt stammte und ihm mit der Zuweisung zur Verpflegungsbrigade ganz persönlich etwas Gutes tun wollte.

»Bett 29 hat Blut im Stuhl!« sagte der Professor und warf einen schnellen Blick auf Abukow. Der saß im Sessel, trank tatsächlich ein Gläschen Walderdbeersaft und rauchte eine Papyrossi.

Larissa blickte den Professor verblüfft an, denn Bett 29 hatte einen Beinbruch und gehörte zu Dshubans Patienten.

Dann nickte sie unmerklich, kam vor die Tür und schüttelte den Kopf. »Keine Sorge«, flüsterte sie schnell. »Ein harmloser Junge.«

»Man weiß es nicht, Larissaschka. Er ist noch nicht durchleuchtet.«

»Ich bin gerade dabei.«

»Wir werden ihn nicht aus den Augen lassen. Sei vorsichtig . . .«

Er nahm seinen Lappen, blinzelte der Ärztin zu und verließ den Vorraum von Larissas Ordination. Die Tschakowskaja kehrte ins Zimmer zurück und setzte sich wieder.

»Haben Sie schon mal von Professor Polewoi gehört, Victor Juwanowitsch?« fragte sie.

»Mir unbekannt«, antwortete Abukow ehrlich.

»Georgi Wadimowitsch Polewoi gehört zu den bekanntesten Kybernetikern der Sowjetunion. Der Mann eben – das war er.«

»Als Hospitalgehilfe?«

»451/1 ist eine Art Prominentenlager. Eine Menge berühmter Leute haben wir hier. Sogar ein ehemaliger General ist darunter, Fjodor Tkatchew.« Sie beugte sich zu Abukow vor. »Erzählen Sie weiter aus Ihrem Leben, Victor.«

»Es interessiert Sie, Genossin Chefärztin?«

»Sehr.«

»Warum?«

»Mustai Jemilianowitsch mag Sie, Sie sind sein Freund . . . sehr selten ist das. Sie können es nicht wissen: Mustai hat keine Freunde. Gott und alle Welt kennt er, und doch ist er einsam.«

»Erwähnten Sie eben Gott, Genossin?« Es war eine leicht hingeworfene Frage. Die Tschakowskaja saß aufrecht, um ihren Mund kam ein scharfer Zug. Ganz schmal und eng wurden ihre Lippen. »Eine Redensart bloß . . . Sie kennen sie doch . . . Man sagt es so daher. Nichts von Bedeutung . . .«

Von dieser Stelle an versandete die Unterhaltung merkbar. Abukow erhob sich schließlich, bedankte sich für den Erdbeersaft und verließ das Hospital. Auf dem großen Platz fegte ein Häftling mit einem Reisigbesen Papierstückchen und Zigarettenkippen zusammen. Es war der ehemalige Schriftsteller Miron Arikin. Als Abukow zehn Schritte an ihm vorbeigegangen war, schulterte er den Besen und trottete hinter dem Neuen her.

Pjotrs allein gelassene Gemeinde fühlte sich bedroht.

Mirmuchsin hatte die Produktion seiner Limonade aufgenommen. Da solche Braukunst nach Mustais fester Überzeugung zu den bestgehüteten Geheimnissen gehörte, hatte er den Schuppen hinter dem Magazin nicht nur verschlossen, sondern von innen sogar mit einem dicken Eichenholzknebel verriegelt. Wollte man den Limonadebrauer sprechen, mußte man erst durch die Tür mit ihm verhandeln. Meistens sagte er dann grob: »Scher dich weg, du lästige Laus! Du Lump willst mir nur meine wertvolle Zeit stehlen.« – Dann hörte man Klappern aus dem Inneren des Schuppens, das helle Klirren von Töpfen und anderem metallenem Gerät, und wer an dem verhängten Fenster schnupperte, roch einen Fruchtduft, der durchaus nicht übel war.

Selbst der fette Magazinverwalter Gribow hatte keine Erlaubnis, Mustais Werkstatt zu betreten. Aber er war der erste, der ein Pröbchen der neuen Limonade zu schmecken bekam. Er rollte den Schluck im Gaumen herum, als verkoste er einen wertvollen grusinischen Wein, zog den Saft durch die Zähne und spülte die Zunge darin, ehe er ihn hinunterschluckte und begeistert sagte: »Gut. Sehr gut, Mustai, mein Freund. Von angenehmer Süße und doch Säure. Erfrischend. Bist ein großer Künstler, Brüderchen.«

Gribows großes Interesse an Mustais Zaubertrank hatte seinen Grund: Wie an allem, was durch die Hintertür seines Magazins lief, war Gribow natürlich auch an der Limonade insofern beteiligt, als der Zucker aus den Beständen der Lagerverpflegung stammte. Die Berechtigungsscheine deckten ihn, aber da sie Blankoformulare waren, forderte er für die nächsten Lieferungen aus Tjumen die doppelte Menge an, und meistens klappte es auch. Erstaunlicherweise verfügte man in Tjumen über große Zuckervorräte; aus verschiedenen Zuckerrübenfabriken rollten die Säcke güterwagenweise an, um die Konserven- und Marmeladenkombinate am Rande der Stadt zu versorgen. Da alles streng planwirtschaftlich geschah und eine Armee von Beamten beschäftigte, gab es seltsamerweise am Ende keine Erklärung mehr dafür, warum gerade der Bereich Surgut-Nordost so viel Zucker verbrauchte. Wäre jemand außerplanmäßig der Sache nachgegangen, hätte er rein rechnerisch feststellen müssen, daß man dort offenbar die Badewannen mit Zuckerwasser füllte.

Abukow wurde nach dreimaligem Klopfen in den Limonadeschuppen hineingelassen. Sofort aber verriegelte Mirmuchsin hinter ihm die schwere Holztür. Der große Raum duftete nach Marakuja, in drei Emaillekesseln reifte die Limonade, wie Mustai es stolz nannte. Es war nicht damit getan, Fruchtessenzen einfach in Zuckerwasser hineinzuschütten und umzurühren.

»Willst du ein Glas Limonade, Brüderchen?« Mustai füllte mit einer Schöpfkelle ein Bierglas voll. »Ist noch nicht kalt genug. Die Kühlung läuft erst seit zwei Stunden. Aber es tut trotzdem gut. Welch eine Hitze draußen!«

»Ich muß morgen nach Surgut zurück«, sagte Abukow. »Bin mal herumgegangen, am Lagertor, zu den Werkstätten, bei den Kasernen. Habe mich mit diesem und jenen unterhalten. Scheinen alle nicht glücklich zu sein. Auch nicht die Soldaten. Die Langeweile bringt sie um. Immer nur Bewachungsdienst, immer der gleiche Trott, immer dieselben Gesichter. Draußen an der Trasse Staub, Dreck, Lehm und der Himmel gelb von Mücken. Am Abend Radio, Musik, Filme und keine Weiber. Trostlos, Brüderchen.«

»Hier ist nicht die Krim!« erklärte Mustai. »Hättest Obstfahrer in Jalta werden müssen oder Teetransporteur in Sotschi. Jetzt bist du da, wo Tausende vor Freude seufzen, daß sie den nächsten Tag erleben dürfen.« Mirmuchsin musterte Abukow forschend; es war fast der gleiche Blick, wie ihn die Tschakowskaja hatte, als sie mit Abukow sprach. »Nehmen wir an, Gribow hat dich zur Seite genommen und dir ins Ohr geflüstert . . .«

»Das hat er wirklich. Ein schönes Wort gebrauchte er: Fünfzig Prozent.«

»Kasimir Kornejowitsch ist ein Halunke. Man müßte ihm den Hals umdrehen. Aber was er verspricht, das hält er. Wie war deine Antwort?«

»Man muß sich das reiflich überlegen – habe ich gesagt. Konnte ja eine Falle sein, wer weiß das vorher? Man sagt ja, und hopp, ist man hinter den Zäunen und frißt stinkende Suppe. Nun sagst du, Gribow ist ein ehrlicher Mensch ... also könnte man zustimmen, ihn als Partner beim Stehlen zu nehmen.«

»Es wird nicht gestohlen. Nur abgezweigt und umverteilt.«

»Wohin verschwinden all die schönen Sachen?« fragte Abukow gespannt.

»Gribow verkauft sie in Surgut. Da sind sie ganz wild auf diese Sonderzuteilungen. Einen Mann gibt es da, einen Boris Alexandrowitsch Popow, der nimmt alles ab, was Gribow hinüberschickt. Er hat eine Sargwerkstatt, und in den Särgen versteckt er auch die Ware. Hat schon jemals einer Särge kontrolliert?« Mustai nahm ein Probegläschen, tauchte es in den Limonadenkessel und kostete. »Es wird schon kälter«, sagte er anerkennend. »Was wirst du mit deinen fünfzig Prozent machen, Victor Juwanowitsch? Soviel fressen kannst du gar nicht. Verkaufst es auch in Surgut?«

»Auch darüber muß man nachdenken.« Abukow blickte an die rohe Asbestzementdecke des Schuppens, um Mustais lauernden Blicken zu entgehen. »Mich beschäftigt das ganze Leben hier. Zum Beispiel, nur eine Idee ist's: Man könnte ein Theater gründen.«

»Ein was? Ein Theater?« Mustai holte pfeifend Atem. Die Bohème-Aufführung in Taschkent kam ihm wieder zu Bewußtsein. »So eine Bühne, wo eine Lungenkranke singt und an dieser Dämlichkeit stirbt? Wo man ein weißes Hemd mit Schlips anziehen muß? Halt dein Gehirn fest, Brüderchen!«

»Ein Theater, bei dem jeder mitspielen kann. Soldaten wie Häftlinge.«

»Geradezu idiotisch ist das, Victor Juwanowitsch.«

»Unter den Häftlingen werden doch auch Schauspieler und Sänger sein, Bühnenmaler und Beleuchter.«

»Bestimmt. Im Lager gibt es jeden Beruf, den es auch draußen in der Freiheit gibt. Ein Theater!« Mustai schlug die Hände über dem Kopf zusammen. »Abukow, fahr deinen Kühlwagen Nummer 11, und halt das Maul! Ist gerade einen Tag hier und will ein Straflager reformieren ...«

»Reformieren, das ist ein guter Ausdruck«, sagte Abukow leichthin. »Die Langeweile soll weggeblasen werden. Ich spüre, wie große Ideen auftauchen.«

»Grab sie tief ein und beschwere sie mit dicken Steinen. Ein Theater mit Soldaten und Häftlingen! Wenn das Jachjajew hört, lacht er sich die Därme raus.«

»Ich werde es den maßgebenden Stellen vortragen«, sagte Abukow stur. »Hab ich erst einmal eine Idee, Brüderchen, dann muß man mich schon töten, ehe ich sie aufgebe. So kennst du mich noch nicht. Da breche ich Mauern auf.«

»Nicht hier! Nicht in Sibirien, und schon gar nicht im JaZ 451/1. Da ist Oberstleutnant Rassim, der dir sofort einen Tritt in den Hintern gibt, und da ist vor allem Jachjajew, der dich sofort versetzen läßt, weil die Idee nicht von ihm ist. Victor Juwanowitsch, befolge meinen Rat: Fahre deinen Kühlwagen, klaue mit Gribow zusammen, was möglich ist, teile es mit ihm, und mach dir ein herrliches Leben. Leg dir ein Weib zu – dann hast du Theater genug!«

Abukow sah ein, daß es keinen Sinn hatte, mit Mustai weiter darüber zu diskutieren. Wie war es ihm verständlich zu machen, daß ein Theater zu einer Kirche werden konnte? Daß es möglich war, jede Probe zu einem Gottesdienst umzufunktionieren? Wo sonst würde man so viele Häftlinge zusammenbringen und zu ihnen reden können als im unverfänglichen Zuschauerraum eines Theaters? Welche Gelegenheiten ergaben sich! Man könnte in die Textbücher Seiten aus den Evangelien stecken, die Bühnenbilder mit Ikonen bereichern, Bibeltexte unter die Noten schreiben. Oft kam man zusammen, um zu üben. Eine Trompete oder eine Geige spielten ja nicht von allein; das war harte Arbeit, so etwas einzustudieren. Unmöglich, Mirmuchsin das alles zu erklären!

Am nächsten Tag fuhr Abukow mit seinem Kühlwagen Nummer 11 nach Surgut zurück. Mustai begleitete ihn zum Wagen. Der Schriftsteller Arikin, der wieder den Platz fegte, der Chirurg Fomin in der Schusterei und der Professor im Hospital sahen ihm kritisch nach. Larissa Dawidowna stand hinter der Gardine am Fenster und beobachtete ihn ebenfalls. Mustai hatte, sich immer wieder an die Stirn tippend, von den Theaterplänen des verrückten Abukow berichtet. Unter den Häftlingen hatte sich das wie ein Strohfeuer verbreitet. Da kommt ein Neuer mit einem Kühlwagen aus Surgut und will im Lager ein Theater gründen. Was soll man von solch einem Menschen halten? Entweder ist er blöder als Mirmuchsin, oder das Theater ist ein ganz raffinierter Plan zur Überwachung der ideologischen Einstellung.

Vorsicht, Brüder! Mit solchen Spinnereien will er sich nur bei uns einschleichen. Zieht eine Mauer des Schweigens um unsere kleine Gemeinde. Keine heimlichen Treffen mehr, keine Betstunde, keine Liturgie in der nächtlichen Schreinerei! Behaltet Gott im Herzen ...

Man atmete auf, als Abukow in einer Staubwolke das Lager verließ. Nur Gribow, der Fette, winkte ihm nach.

Die nächsten Fahrten brachten Abukow nicht mehr nach 451/1. Dafür lernte er andere Siedlungen entlang der neuen Erdgas-Trasse kennen – die Wohngruppen der Leitungsspezialisten, der Elektrofachleute, die Baracken der Rohrverleger mit ihren mächtigen Kränen und der verwirrenden Fülle von Baumaterial, die Ingenieurbüros, die Kompressorenmonteure, die riesigen Schwimm- und Sumpfbagger und die Rohrschweißerkolonnen mit der sagenhaften automatischen Schweißanlage SEWER aus Kiew. In nur vier Minuten klebte die Maschine Rohr an Rohr aneinander, und dazu noch so perfekt, daß später die Röntgenkontrollen der Schweißnähte nur einen geringen Prozentsatz Undichtigkeit aufdeckte. Auf diesen Roboter SEWER waren die Russen mit Recht sehr stolz, hatten doch Kontrollen an der berühmten amerikanischen Erdölleitung quer durch Alaska ergeben, daß bei aller hochgelobten Präzision einige tausend Schweißstellen undicht waren. Tausende! Ein Schaden von zig Millionen Dollar. In Sibirien lächelten die Spezialisten nur spöttisch über ihre amerikanischen Kollegen.

Mußte Abukow nun auch andere Strecken fahren, so hatte er dadurch doch Gelegenheit, sich zu informieren über die Baustellen und die Trasse, an der die Häftlinge arbeiteten. Er belieferte die Kantinen der verschiedenen Baustellen und Barackendörfer entlang der Pipeline und lernte eine Menge Leute kennen, vor allem die Ingenieure und die Magazinverwalter, von denen die Mehrzahl keine andere Moral hatte als der Genosse Gribow in Nowo Wostokiny.

Nach einer Woche kam er wieder in das Gebiet von JaZ 451/1. Er brachte Fleisch und Gemüse in den Bauabschnitt der Trasse, der zum Planungsgebiet von Chefingenieur Wladimir Alexejewitsch Morosow gehörte. Hier endlich stieß Abukow auf die Kolonnen der Häftlinge, die durch Taiga und durch Sümpfe die breiten Schneisen für die Gasröhren schlugen.

In glühender Sonne, umschwirrt von Myriaden von Mücken, ohne jeden Schutz, zogen sie Dämme durch die Sümpfe, zimmerten die Schalungen für die Betonpfeiler, auf denen die Gasleitung liegen sollte, gossen die Zementklötze und rammten riesige Stahlstützen in den schwammigen Boden. Denn das war ja das Höllische an dieser sibirischen Erde: Oben schwabbte der Sumpf, aber nach achtzig Zentimetern oder einem Meter begann der Dauerfrostboden, taute die Erde nie auf, hieb man wie auf Stahlplatten. Die Taiga wehrte sich, aber Tausende von keuchenden Lungen, Tausende aufgerissener Hände schlugen die Fundamente der Gasleitung in den feindlichen Grund.

Nachdem Abukow seinen Kühlwagen Nummer 11 im Magazin

der Baubrigade abgeladen hatte und den Verwalter Mirsu, einen Tungusen, kennengelernt hatte, der sofort für sich einen dicken Braten zur Seite legte, ließ er seinen Wagen stehen und ging zu Fuß an die breite Trasse. Die Wachsoldaten, mit Moskitonetzen über ihren Mützen, behinderten ihn nicht. Man sah ihnen an, daß sie ihren Dienst verfluchten: im Sommer gnadenlose Sonne und Mücken, im Winter ebenso gnadenlose Kälte und Eiszapfen an den Augenbrauen. Da soll ein Mensch fröhlich sein!

Abukow kam gerade zurecht, um zu erleben, wie ein Vorarbeiter vor einem auf dem Boden liegenden Häftling stand, ihn anbrüllte und ihm Strafen androhte: Meldung beim Kommandanten und Kürzung des Essens. Das war das Schlimmste überhaupt, was man diesen Armen antun konnte: Die halbe Ration von der Hälfte dessen, was ihnen nach der Norm zustand. »Schlag mich tot!« sagte der auf der Erde liegende Häftling gerade. »Erlöse mich, tu es doch endlich! Ich stehe nicht mehr auf! So viel hat man schon mit mir gemacht – nimm die Hacke und schlag mir den Schädel ein! Werde dir noch in der Ewigkeit dankbar sein . . .«

Der Vorarbeiter starrte den Liegenden an und kam zu dem Schluß, daß Herumbrüllen keine müden Knochen und keine zerschundenen Muskeln wieder aufrichten konnte, blickte dann Abukow an, der stehengeblieben war, und sagte verächtlich:

»So etwas hat mal kommandiert! Da sieht man's wieder: Ohne Uniform sind die hohen Herrchen wie kleine nackte Mäuse. Vor so etwas mußte man strammstehen! Nicht mal das Anspucken sind sie wert, die Herren Generäle . . .«

Abukow wartete, bis der Vorarbeiter zu der Häftlingskolonne an der Pfeilerschalung zurückgegangen war, und setzte sich dann in die Hocke vor den Liegenden. Der Häftling blickte ihn an. Seine tiefliegenden blauen Augen waren wäßrig, als weine er lautlos. Abukow mußte tief Atem holen. Er sah einen Menschen, der mehr tot als lebendig war.

»Was siehst du mich an?« fragte der Liegende. »Macht's Spaß, einem Sterbenden zuzusehen?«

»Wenn ich richtig denke, sind Sie der General Fjodor Tkatschew. Ist es so?«

»Sie kennen mich?« Tkatschew richtete den Kopf etwas auf. Abukow nahm einen leeren Pappkarton und schob ihn unter seinen Nacken. So lag der General bequemer.

»Aus den Bemerkungen des Vorarbeiters entnahm ich, daß Sie Tkatschew sein müssen.«

»Ich *war* es – das kann hundert oder tausend Jahre her sein. Ich weiß es nicht mehr.« Er blickte Abukow abwehrend an. »Was wollen Sie von mir?«

»Werden Sie bei der Rückkehr ins Lager kontrolliert?«

»Nur gezählt. Ab und zu filzen sie einen, unverhofft, man weiß nie, wann – aber das macht zusätzliche Arbeit, und dazu sind sie meist zu faul.« Er hob wieder den schmalen Kopf mit den eisgrauen Haaren. »Warum?«

»Ich stecke Ihnen nachher vier Dosen Gulasch und zwei Packungen Marmelade zu.«

»Nein!« sagte der General hart.

»Sie haben Angst?«

»Ich lasse mich in keine Falle locken. Oh, Leute wie Sie erkenne ich sofort! Sie nähern sich mit Humanität und ziehen dann die Peitsche. Für wie dumm halten Sie mich?!«

»Für lebensbedrohend dumm, Fjodor Tkatschew. Ich werde nach Einsatzplan noch dreimal hierherkommen, und dreimal werde ich Ihnen etwas zustecken. Ich fahre einen Kühlwagen aus Surgut. Nächste Woche beliefere ich wieder das Zentralmagazin des Genossen Gribow. Da sehen wir uns wieder im Lager. Ist es Ihnen möglich, etwa zwanzig Hühner, dreißig Stück Butter, zwanzig Eier und drei Blöcke Käse ins Lager zu bringen?«

»Sie sind verrückt!« murmelte der General. Seine Augen irrten umher, als käme von allen Seiten Gefahr auf ihn zu. »Ein Irrer sind Sie! Machen Sie, daß Sie wegkommen!«

»Bleiben Sie liegen, Tkatschew, und tun Sie so, als seien Sie besinnungslos geworden. Ich bin in einer halben Stunde wieder bei Ihnen. Mit Gulasch und Marmelade. Dann sehen Sie, ob Sie mir vertrauen dürfen: Und überlegen Sie in Ruhe, wie wir die Hühnerchen und alles andere ins Lager bringen können.«

Abukow schnellte aus der Hocke hoch und entfernte sich eilig. General Tkatschew fiel, dem guten Rat folgend, sofort in Ohnmacht und wartete. Wenn es nun doch eine Falle ist, bohrte es in ihm. Wenn sie auf diesem Weg erfahren wollen, was wir im Lager alles möglich machen können? Man wird sehen.

Abukows Stimme holte ihn nach einer Weile aus seinen Gedanken zurück: »Aufwachen, General! Kommen Sie aus der Ohnmacht wieder zu sich.«

Tkatschew zog die Lider hoch. Er war von Moskitos wie mit Staub bedeckt, aber das störte ihn nicht mehr. Es war sein dritter Sommer in der Taiga. Einmal wird die Haut wie Leder und mißachtet Mückenstiche.

»Es gibt auch noch einen Block Schmalz«, sagte Abukow. »Wo wollen Sie alles verstecken?«

»Mit Stricken binde ich es zwischen die Beine. Nur wenige Kontrolleure greifen dorthin.« Der General hob etwas das Gesäß, und Abukow schob ihm die Büchsen unter. In ihrer Nähe begann jetzt

ein gewaltiger Lärm. Eine Dampframme knallte einen Stahlträger in den Dauerfrostboden. »Wollen Sie mir sagen, wer Sie sind?«
»Ich heiße Victor Juwanowitsch Abukow.«
»Das ist nur ein Name . . .«
Abukow zögerte. Nein, dachte er dann. Es ist noch zu früh. Noch habe ich keine Sicherheit. Ein General wurde zum Häftling – aber wie denkt dieser Häftling über Gott? Man muß abwarten können, auch hier . . . ich will nicht drei Tage ihr Priester sein, sondern dreißig Jahre, wenn es dem Herrn gefällt. Geduld ist die Schwester des Glaubens.
»Ein Name genügt«, antwortete er. »Vertrauen Sie darauf.«
Er ging weg, ohne sich noch mal umzuwenden, und sah den anderen Sträflingen an der Trasse zu. Jammergestalten, die ihre letzten Kräfte in den Sumpf warfen. Aber das große Werk wuchs weiter. In zwei Jahren würde Mitteleuropa sibirisches Gas haben. Milliardengeschäfte waren dann abgewickelt, Milliardengeschäfte würden anlaufen. Hunderttausende würden ihre Arbeitsplätze behalten, einen guten Lohn empfangen und im Urlaub nach Mallorca fliegen, nach Teneriffa oder Gran Canaria, auf die Malediven und auf die Seychellen, nach Sri Lanka oder Thailand. Was zählen da schon die Knochen an der Pipeline von Urengoj bis Tscheljabinsk, weit dahinten in Sibirien?
Der Vorarbeiter, der den General nicht mehr zur Arbeit treiben konnte, kam zu Abukow und stellte sich neben ihn.
»Hab dich noch nie gesehen hier, Genosse!« sagte er.
»Bin aus Surgut. Fahrer.«
»Wie sieht's mit Papyrossi aus?«
»Kannst eine Schachtel haben.« Abukow holte eine Packung aus der Tasche und gab sie ihm. Dann nickte er zu den Häftlingen hinüber. »Eine Drecksbande, was?!«
»Wie man's nimmt. Der da hinten liegt und vielleicht krepiert, war mal ein General.«
»Was du nicht sagst! Und die anderen dort?«
»Siebzig Prozent Intellektuelle. Sogar ein paar berühmte Namen!«
»Alles Systemverräter, was? Der Teufel hole sie alle!« Abukow spuckte aus und schlenderte davon. Bei solchen Reden hielt ihn keiner auf, wenn er sich unter die Arbeitskolonnen mischte.
Am Abend schleppten zwei Strafgefangene den General Tkatschew in einer Decke zum Lager zurück. Zwischen seinen Beinen lagen die Gulaschbüchsen, die Marmelade und der Schmalzblock. Uninteressiert blickten die Torwachen weg, als er in der Decke an ihnen vorbeischaukelte.
Zum Erbarmen sah er aus . . . so etwas kontrolliert man nicht.

In den eingeweihten Kreisen des Lagers war der Teufel los!
Der Name Abukow machte die Runde, von Baracke zu Baracke, von Werkstatt zu Werkstatt. Gulasch und Marmelade, na gut – aber wer gibt schon einen Block Schmalz ab? Selbst wenn man genug zu essen hat – eine Vorstellung, die geradezu phantastisch war – und sich den Bauch vollschlagen kann: Einen Block Schmalz herzugeben, das ist etwas absolut Unglaubliches.

Larissa Dawidowna ließ Mirmuchsin zu sich kommen. Er erschien mit zwei großen Kanistern auf dem Rücken in dem Glauben, man verlange im Lazarett nach seiner Limonade. Welchen Sinn sollte es sonst haben, daß die Tschakowskaja ihn rief?

Aber schon im Eingangsflur fing ihn Professor Polewoi ab. »Was ist das für einer, dein neuer Freund?« zischte er Mustai zu.

Mirmuchsin wurde es kalt unter den roten Haaren, so kalt wie seine Limonade auf dem Rücken. »Hat er was angestellt?« fragte er voll Schreck. »Mit seinem dämlichen Theater . . .?«

»Was heißt Theater? Er wirft mit Schmalz um sich!«

»Der Himmel stürzt ein«, sagte Mustai erschüttert. »Welch ein Idiot! Wem verkauft er es? Man muß ihn warnen. Sag ich es nicht: Ein Neuling, unschuldig wie ein Lämmchen. Ich muß ihn erst noch anlernen.«

»Er hat es dem General geschenkt; für uns alle«, sagte Polewoi. »Draußen an der Trasse. Brachte Ware ins Magazin der Bauleitung. Und kommt dann daher mit einem Sack voll Schätzen. Mustai, was ist Abukow für ein Mensch?«

»Wie man sieht, ein guter Mensch.«

»Und ein unvorsichtiger.«

»Schmalz gibt er her für die Häftlinge! Das habe ich nicht erwartet. Habe eher gedacht: Der entwickelt sich wie Gribow zu einem Gauner. Fünfzig Prozent vom Geklauten steht ihm zu.« Mirmuchsin sah den Professor mit flackernden Augen an. »Bei Allah, wenn er auf den Gedanken kommt, diese fünfzig Prozent euch zu geben?«

»Warum sollte er? Das ist ja die große Frage, Mustai Jemilianowitsch: Warum? Da kommt einer freiwillig nach Sibirien, um viel Rubel zu verdienen und sich ein gutes Leben aufzubauen, und was tut er? Er verschenkt Dinge, mit denen er reich werden kann.« Polewoi schüttelte den Kopf. »Es stimmt da etwas nicht. Vorsicht ist geboten, Mustai!«

»Für Victor Juwanowitsch ertränke ich mich in meiner eigenen Limonade«, rief Mirmuchsin leidenschaftlich.

»Das ist allerdings ein schrecklicher Tod«, sagte Polewoi sarkastisch, gab Mustai einen Schubs und ging davon. Mirmuchsin schüttelte den Kopf, dachte angestrengt über Abukow nach und kam zu dem gleichen Schluß: daß niemand in Sibirien ein Vermögen an Sträflinge verschenkt, ohne einen überwältigenden Hintergedanken dabei zu haben.

Die Tschakowskaja ließ Mustai sofort in ihr Zimmer, als man ihn meldete. Sie saß hinter dem Schreibtisch, füllte Krankenberichte aus, denn obwohl ein Häftling weniger wert war als zum Beispiel ein Automotor, verlangte die Bürokratie des GULAG genaue Meldungen aus den Lazaretten und Kommandanturen. Auch tote Seelen müssen verwaltet werden – was wäre ein Beamter ohne Akten?!

»Du hast es schon gehört?« fragte sie, als Mustai seine Kanister von der Schulter wuchtete und abstellte. »Abukow ist dein Freund, sagst du, sagt er . . . Aber er benimmt sich völlig rätselhaft. Du kennst ihn erst seit Tjumen?«

»Ja. So ist es.«

»Eine kurze Zeit, Mirmuchsin.«

»Vielleicht hat er Verwandte, die ebenfalls eingesperrt sind. An die erinnert er sich. Wenn er uns Gutes tut, denkt er an sie. Möglich ist das. Es gibt solch gute Herzen.«

»Und wenn er doch nur Fallen stellt und uns an den KGB verrät?«

»Er wird's nicht lange überleben, Larissa Dawidowna«, sagte Mustai mit großem Ernst. »Lautlos werde ich ihn erdrosseln und im Sumpf versenken. Das sei euch allen geschworen!«

Die Tage gingen dahin, die Schufterei am Trasseneinschlag höhlte die Menschen aus, die Motorsägen kreischten in der Taiga, in den Sumpf wurden weiterhin die Stahlstützen gerammt und die Betonpfeiler gegossen, Meter um Meter, in glühender Sonne und schwirrenden Moskitowolken. Und Abukow wurde immer unheimlicher.

Wie angekündigt, brachte er bei jedem Transport zu dem Bauleitungs-Magazin auch ein Säckchen Köstlichkeiten für die Häftlinge mit. Gutes Mehl, nicht muffig, wie sonst üblich. Grieß und Graupen, Fett in Büchsen. Fisch in Konserven. Zucker und Pakete mit Fertigsuppen. Alles Dinge, die man aufheben konnte und die gefahrlos das Lagertor passierten. Seine eigentliche Fracht, das Frischfleisch, das Geflügel, die Milch konnte er hier draußen an der Trasse nicht verteilen. Bei 35 Grad Hitze verdarb es zu schnell, und außerdem kann man sich Milch schlecht zwischen die Beine schnallen. Im Lager hatte der Jurist Ilja Kriwow, der ehemalige Staatsanwalt, die peinlich genaue Verteilung der Spenden übernommen. Mit einer kleinen Handwaage aus Blech und Draht, die der Chirurg Fomin konstruiert hatte, wog man grammweise die Zuteilungen ab. Das geschah nachts in der Baracke II, in der auch

Pjotr gewohnt hatte und wo man sicher war, daß kein Verräter einen Wink zur Kommandantur gab.

Für jeden 20 Gramm Mehl – das reichte, mit Wasser vermengt, für eine gute Mehlsuppe. Ein Löffelchen Fertigsuppenpulver – welche Köstlichkeit, das anzurühren und zu schlucken. Und aufgekochter Grieß mit Zwiebeln und einem Quentchen Schmalz – welch ein himmlischer Brotaufstrich! Bei den Fischkonserven wurde es ein wahres Festmahl; sie saßen alle um den langen Tisch im Mittelgang der Baracke, beteten vor dem Essen, und Kriwow verteilte den Hering in Tomatensoße. Der Schwächste unter ihnen, General Tkatschew, durfte die Dosen leerlecken; es waren sechs Stück, seine Augen glänzten fiebrig vor Wonne. Er putzte mit Fingern und Zunge die Blechdosen so blank, als kämen sie gerade aus der Herstellung. Zwei Tage lag er dann herum und wurde von Leibschmerzen gequält; es war das ungewohnte Fett – aber er war dennoch einer der glücklichsten Menschen.

Mit Abukow, dem merkwürdigen Spender, kam man jedoch nicht weiter. Der Schriftsteller Miron Arikin unterhielt sich mit ihm, weil er anstelle des Generals die Sachen in Empfang nahm. Er war an Abukow, der sich nach Tkatschew umsah, herangetreten und hatte ihm zugeflüstert: »Fjodor ist krank geworden, hat das Auslecken der Fischkonserven nicht vertragen, ich soll jetzt alles mitbringen!« Aber Abukow hatte zunächst sehr steif geantwortet: »Was willst du? Wovon redest du? Sitzen dir die Mücken schon im Hirn? Scher dich weg!« Doch später hatte er Arikin wortlos die köstlichen Dinge mitgegeben, diesmal sogar zwanzig Tafeln Milchschokolade. Als ob es Weihnachten wäre . . .

»Ein undurchsichtiger Mensch«, berichtete später im Lager der bepackte Arikin. »Man kommt an ihn nicht heran. Nun geht das schon sieben Tage, doch Jachjajew scheint noch nichts zu wissen. Also verrät Abukow nichts, das ist sicher. Material gegen uns hat er genug gesammelt. Wir sollten Georgi Wadimowitsch damit beauftragen, eingehender mit Abukow zu sprechen. Er kann es am besten.«

Professor Polewoi nickte. »In der nächsten Woche beliefert er wieder das Zentralmagazin, sagt Mustai. Wir werden sehen, wie er sich da benimmt.«

»Er hat mir zwanzig bratfertige Hühner angekündigt«, sagte der General. »Wenn er dieses Wort einlöst . . .«

». . . dann stelle ich ihm offene Fragen«, rief Polewoi erregt. »Ihr stimmt doch zu, liebe Freunde, daß so etwas nicht normal ist!«

Am Montag rückte tatsächlich die Versorgungskolonne in Nowo Wostokiny ein. Eine hohe Staubwolke kündigte sie an. Außerdem war ein Motorradfahrer der Monierbrigade zur Komman-

dantur gekommen; er hatte die Wagenkolonne überholt und verkündete das freudige Ereignis. Es gab wieder frisches Fleisch!
Mirmuchsin und Gribow standen voller Freude am Magazin und winkten den Lastwagen zu, als sie auf dem großen Platz auffuhren. Auch Kühlwagen Nummer 11 war dabei – aber hinter dem Steuer saß ein anderer Fahrer. Kein Abukow, weit und breit nicht.
Der Schreck fuhr Mustai so in die Glieder, daß er einen tiefgrollenden Wind loswurde, der Gribow zusammenzucken ließ.
»Er ist weg!« stammelte Mustai und verdrehte die Augen, als habe es sein Inneres zerrissen. »Victor Juwanowitsch kommt nicht. In Surgut muß etwas geschehen sein. Eiskalt bin ich plötzlich, Kasimir Kornejowitsch!«
Auch Gribow spürte einen Hauch von Weltuntergang. Das Geschäft, das sich mit Abukow so gut angelassen hatte, die fünfzig Prozent an der »Umverteilung«, lösten sich in nichts auf.
»Fahr sofort nach Surgut«, sagte er zu Mustai. »Im Auftrag des Zentralmagazins. Ich gebe dir ein paar Listen mit, dann hat es seine Begründung. Was mag nur mit Abukow passiert sein?«
Er schnaufte besorgniserregend, sein Blutdruck mußte eine astronomische Höhe erreicht haben. Ächzend wälzte er sich in sein Büro, sank dort in seinen extra breiten Sessel und stierte gegen die getünchte Wand.
Die Nachricht, daß Abukow nicht erschienen war, machte sofort die Runde. Polewoi rief wieder seine Vertrauten an, die Angst kroch erneut durch das Lager. Der häßliche Verdacht, daß ein Spion nun seine Pflicht getan hatte und nicht mehr nötig war, nistete sich wieder ein.
»Wir werden es sehen, wie Jachjajew sich in den nächsten Tagen verhält«, sagte die Tschakowskaja, und es klang durchaus nicht beruhigend. »Ob es einen Sinn hat, Mustai nach Surgut zu schikken? Nun, abwarten können wir . . .«
Am nächsten Morgen fuhr Mirmuchsin doch nach Surgut. Einer der Lastwagen nahm ihn mit. Der Fahrer des Kühlwagens Nummer 11, den Mustai verhörte, konnte nur berichten, daß der Genosse Einsatzleiter ihm das Fahrzeug mit den Worten anvertraut hatte:
»Behandele es wie dein Auge oder das, was dir am wertvollsten ist! Es ist der Wagen, der am besten in Ordnung ist!«
Weiter nichts. Keine anderen Erklärungen. Wie verdächtig war das! Kein Wort über Abukow. So, als ob es ihn überhaupt nicht gegeben hätte. Immerhin nahm Mirmuchsin eine dünne, mehrfach gedrehte, stabile Seidenschnur mit. War es nötig, wollte er seinen Schwur einlösen und Abukow, wenn er ihn fand, nach altehrwürdiger Art erdrosseln.

Victor Juwanowitsch Abukow ging es gut in Surgut. Er wohnte im staatlichen Wohnheim, verpflegte sich in der Kantine, hatte bereits am fünften Tag im Gewerkschaftshaus ein Theaterstück besucht – eine Komödie von Tschechow, die eine Laienschauspielergruppe aus Tobolsk aufführte – und hatte den für ihn zuständigen Einsatzleiter um drei Tage Urlaub nach Tjumen gebeten.

»Eine wichtige Sache habe ich bei der Zentralverwaltung vorzutragen«, sagte er. »Einen nützlichen Verbesserungsvorschlag.«

Man fragte nicht lange, schrieb ihm eine verbilligte Flugkarte nach Tjumen aus, und Abukow flog am Montagmorgen in das Herz der Pipelineverwaltung.

Zunächst begann das alte Spiel. Er durchlief ungezählte Beamtenzimmer, wartete in Vorräumen, erfuhr von jedem, daß er nicht zuständig sei, bis er an einen Genossen geriet, der verblüfft fragte:

»Was wollen Sie? Ein Theater gründen? Im Lagerkomplex Nowo Wostokiny? – Ich stelle Ihnen gern einen Schein für eine Untersuchung beim Psychiater aus. Stimmen Sie dem zu?«

Am frühen Nachmittag des zweiten Tages stand er endlich dem Genossen gegenüber, vor dem selbst Jachjajew eine strammere Haltung einnahm. Er war der Beauftragte für die Kulturarbeit des Bezirkes, auf den ersten Blick ein feiner Mensch mit Manieren und einer sichtbaren Bildung: Er bot Abukow, dem einfachen Fahrer, einen Lederstuhl an. Und er hörte Abukow zu, ohne ihn zu unterbrechen. Vor allem warf er ihn nicht hinaus.

»Geben Sie es zu«, sagte er, als Abukow seinen Vortrag beendet hatte, »das ist eine total verrückte Idee!«

»Aber sie ist kulturell wichtig und fördert die Arbeitsmoral. Darauf kommt es allein an. Geistige Freude erzeugt innere Kraft; sie ist wie ein Transformator.«

»Trotzdem bleibt es eine Verrücktheit!« Der vornehme Genosse, dem man ansah, daß er einen gebratenen Stör grätenfrei zerlegen konnte und ihn nicht roh zerteilte, betrachtete Abukow mit Wohlwollen. Das war viel wert. Jachjajew zum Beispiel hätte ihm Fußtritte angedroht. »Lobenswert ist, daß Sie sich Gedanken gemacht haben, wie man in Taiga und Sumpf Kultur fördern kann . . .«

»Wir haben dort zwar Radio, wir können Filme sehen – aber all das ist eine passive Kultur. Sagt man jedoch: Jeder, der will, der es sich zutraut, der Freude daran hat, kann mitspielen – in einem Lagerorchester, im Chor, als Solist auf der Bühne, als Maler für die Bühnenbilder, als Beleuchter, als Maskenbildner, oder es schleppt einer auch nur die Kulissen hin und her, was glauben Sie, Genosse, was passiert? Die allgemeine Arbeitsleistung wird steigen. Ob verrückt oder nicht: Ein Theater halte ich für einen wichtigen Motor der Arbeitsmoral. Werfen Sie mich vor die Tür, wenn Sie anderer Meinung sind.«

Abukow blieb drei Stunden bei dem einflußreichen und sonst sehr gefürchteten Genossen, und das bedeutete: Seine Idee wurde eingehend diskutiert.

»Es ist technisch nicht durchführbar!« sagte der feine Genosse schließlich und schüttelte fast bedauernd den Kopf. »Abukow, mein Ohr ist immer offen, wenn es Theater hört. Kulturerziehung betrachte ich als eine der wichtigsten Aufgaben der bolschewistischen Revolution. Nicht umsonst genießen unsere Künstler eine bevorzugte Behandlung. Jeder Künstler ist ein Baustein der Zukunft. Trotzdem – undurchführbar!«

»Was ich brauchen könnte, Genosse«, sagte Abukow ganz vorsichtig, »wäre nichts weiter als ein Papierchen, das es mir erlaubt, die Gründung einer Theatergruppe zu versuchen.«

»Das Papier können Sie haben. Was nützt es Ihnen? Niemand wird Ihnen helfen.«

»Vielleicht Sie, Genosse.«

»Immer nur mit Papierchen?« Der Kulturbeauftragte hob die Schultern. »Die können Sie dann als Dekoration auf die Bühne hängen. Und überhaupt: Genehmigen muß es Oberstleutnant Rassim. Allein er weiß, ob die Lagergruppe für ein Theater geeignet ist.«

»Sie könnten mit dem Genossen Rassim reden.«

»Ich kann nur empfehlen.«

»Das wäre schon genug. Dazu die Erlaubnis, ein Laientheater zu gründen.«

»Ist für all diese Dinge nicht der Genosse Jachjajew verantwortlich?«

»Sie sagen es.« Abukow schob die Unterlippe vor. »Nicht jeder Mensch, der ein verantwortliches Amt bekleidet, ist ein musischer Mensch. Der Genosse Jachjajew wird in dieser Richtung ein Problem.«

So ging es noch eine ganze Weile, wie gesagt, über drei Stunden lang. Nach dieser unendlichen Diskussion verließ Abukow den vornehmen Genossen mit vier Bescheinigungen, alle unverbindlich, ohne eine Verpflichtung des Ausstellers, aber für Abukow in seiner Situation mehr wert als blankes Gold. Es kam darauf an, wie man den Text verstehen wollte, etwa diesen:

»Dem Genossen V. J. Abukow ist es erlaubt, in der Lagergruppe 451/1 Theater zu spielen und Partner zu beschäftigen. Erlaubt sind nur klassische Stücke, Opern und Operetten. Sie müssen vorher dem Kulturbeauftragten oder seinem Vertreter vorgelegt werden . . .« Und dann kam ein Satz, der Abukow besonders freute:». . . Das Komitee für kulturelle Bildung sieht es als besonders förderungswürdig an, wenn aus dem Volk heraus Sänger und Schauspieler hervorgehen . . .«

Das war weit mehr, als Abukow sich je erhofft hatte. Mit diesen Schreiben sah er es als sicher an, daß in kurzer Zeit eine Theatergruppe im Lager gebildet werden konnte. Das Fundament einer Kirche, umkleidet mit bunten Bühnenbildern.
Am Abend kaufte er sich etwas Brot und gekochten Schinken, leistete sich eine Flasche Krimwein und kehrte in das Wohnheim zurück.
Auf seinem Bett hockte Mirmuchsin und wartete auf ihn. Mit gekrauster Stirn und verengten Augen sah er Abukow an, bemerkte die Flasche Wein und zog die Unterlippe durch die Zähne.
»Mustai! Brüderchen!« rief Abukow, als er Mirmuchsin von weitem sah. »Du bist hier? Welche Freude! Als hätte ich es geahnt . . . eine gute Flasche habe ich gekauft. Laß dich ans Herz drücken.«
Mustai wehrte sich nicht, als Abukow ihn an sich zog und brüderlich küßte. Überhaupt sah seine Freude echt und ehrlich aus. Er war nicht betreten, seine Augen zuckten nicht, kein Schuldgefühl lag in den Mundwinkeln. Wie ein echter Freund benahm er sich.
Mirmuchsin dachte an die gedrehte Seidenschnur in seiner Rocktasche und klopfte beim Bruderkuß Abukow auf den Rücken:
»Alle haben es dich vermißt«, sagte er. »Kommt doch am Montag der Kühlwagen Nummer 11, und kein Victor Juwanowitsch sitzt darin. Das muß man klären, habe ich gedacht. Mußt sowieso nach Surgut zur Zuteilungszentrale. Vielleicht hast du Glück, triffst Brüderchen Abukow und fragst ihn, was denn passiert ist! Und was erfahre ich? Das Brüderchen flog nach Tjumen. Warum, frage ich? Was macht er dort? Ich war neugierig. Und nun bin ich hier!«
»Du wirst vor Staunen den Mund nicht mehr zubekommen! Zwei erfolgreiche Tage hatte ich.«
»Soso?« sagte Mustai verhalten. »Laß hören.«
»Ich bin vorgedrungen bis zur höchsten Stelle. Bis zum Vorgesetzten von Jachjajew . . . Ist das etwas?«
»Man kann nur gratulieren. Oha, das ist wirklich etwas! Wem gelingt das schon? Hattest viel zu erzählen, was?«
»Eine große Menge! Über drei Stunden habe ich geredet . . .«
Ich werde ihn in der Nacht erdrosseln, dachte Mirmuchsin und blickte Abukow auf den braungebrannten Hals. Laß ihn jetzt schwätzen – er wird so viel erzählen, daß ein Körnchen genügt, um ihn umzubringen. Ein Wörtchen nur . . . O Bruder, und dir

habe ich vertraut. War bereit, mich in meiner eigenen Limonade zu ertränken, so sicher war ich deiner.

»Vollmachten habe ich sogar bekommen!« sagte Abukow glücklich.

»Vollmachten?« wiederholte Mustai dumpf. »Aha! Soso!«

»Sogar vier Stück. Das übertrifft alles.«

Mirmuchsin sah zu, wie Abukow mit einem Korkenzieher, den man aus einem Taschenmesser hervorknicken konnte, die Weinflasche öffnete, das Brot auspackte, den gekochten Schinken und einen Kunststoffbecher aus seinem Brotbeutel holte.

»Den Einsatz am Donnerstag werde ich wieder fahren«, sagte Abukow.

Mirmuchsin nahm eine Scheibe Schinken – wenn es ums Essen und Trinken ging, vergaß er die strengen Gebote des Propheten Mohammed –, stopfte sie in den Mund und blickte an Abukow vorbei gegen die Wand. Am Donnerstag liegst du stumm und steif in einer Blechwanne, dachte er dabei, und der Arzt wird sich fragen: Wer hat ihn erwürgt? In Tjumen kann ich dich nicht verschwinden lassen, Victor Juwanowitsch. Muß dich liegenlassen, und dann bekommst du sogar ein anständiges Begräbnis. Warst ja ein treuer Genosse und Spion . . . in Wirklichkeit bist du es nur wert, einfach in die Tura geworfen zu werden.

»Wie lange bleibst du in Tjumen, Mustai?« fragte Abukow.

»Bis morgen nur. Muß nach Surgut zurück. – Ein guter Schinken und ein guter Wein!«

»Ich habe Grund zum Feiern.«

»So ist es. Man soll sich vergnügen, solange es die Kehle noch durchläßt . . . Einmal ist sie zu. Ganz plötzlich.«

»Du wirst dich wundern, was ich erreicht habe«, sagte Abukow in seiner fröhlichen Ahnungslosigkeit. »Nicht mal geträumt hättest du davon!«

Mirmuchsin nickte schwer. Der gedrehte Seidenstrick in seiner Tasche wurde bleischwer, und er hatte das Gefühl, als zöge ihn der Strick zur Seite. An die Wand lehnte er sich zurück, kaute die letzte Scheibe Schinken und wünschte sich die Nacht herbei. Schnell muß es gehen, dachte er und betrachtete wieder Abukows Hals. Mit einem festen Ruck muß man ihm den Knorpel brechen. Er soll nicht zappeln und sich vor Todesangst in die Hosen machen, wie es fast alle Erwürgten tun. Ein letzter Freundschaftsdienst soll's sein, Victor Juwanowitsch . . . ein blitzschneller Tod.

Er schloß die Lider, um nicht immer Abukows Nacken, sein fröhliches Gesicht und seine so ehrlichen blauen Augen sehen zu müssen.

4

Mustai Jemilianowitsch Mirmuchsin vermochte nicht zu begreifen, wieso Abukow sich so seelenruhig hinlegen und schlafen – ja sogar schnarchen konnte, als sei er völlig schuldlos und ohne Gewissenspein. Lange saß Mustai auf seinem Bett, spielte mit der Seidenschnur und starrte Abukow an. Ein leichtes wäre es gewesen, jetzt ganz zart die Schlinge über seinen Kopf gleiten zu lassen und sie mit einem Ruck zuzuziehen. Gleichzeitig müßte man mit den Knien den Oberkörper niederpressen, denn sollte sich Abukow doch noch aufbäumen, könnte es Lärm geben, und den wollte Mustai vermeiden. Aber indem er nun Victor Juwanowitsch so eindringlich beobachtete und seinen gesunden Schlaf sah, überkam ihn Mitleid mit dem Freund. Andererseits sagte er sich: Ein Agent des KGB, so ziemlich das Teuflischste nach dem Satan selbst, verdient keine Tränen. Unser Vertrauen hat er mit Schokolade und Schmalzblöcken zu erschleichen versucht. Die hilflosen Sträflinge wollte er ans Messer liefern . . . Mustai Jemilianowitsch, kein Zittern sei in deiner Seele, wenn du die Schlinge zuziehst!

Trotzdem weckte er Abukow. An den Schultern schüttelte er ihn, bis er aus dem tiefen Schlaf hochschreckte, sich aufsetzte und Mustai voller Unverständnis anblickte.

»Was ist denn los?« sagte er schlaftrunken. »Rüttelst mich wie ein Spreusieb? Hattest wohl einen schlechten Traum, was, Freundchen?«

»Einen schrecklichen Traum! Träumte mir doch, eine Schlange, die man nur mit Honig fütterte, kackte Teufelseier. Und als die Eier ausgebrütet waren, na, wer schlüpfte da heraus? Lauter KGB-Genossen!«

»Ein Traum, bei dem man sterben könnte«, sagte Abukow erschüttert.

Mustai schluckte mehrmals. »Wenn es jemanden gäbe, der mir diesen Traum deuten könnte . . .«

»Was hast du mit dem KGB zu tun?« fragte Abukow geradezu. Seine Stimme war leise, aber scharf genug, um Mustai aufhorchen zu lassen.

»Nichts, Genosse.«

»Aber du träumst von ihm!« .

»Angst habe ich vor ihm. Wen wundert das? Wer hat nicht Angst davor – es sei denn, er gehört selbst dazu. Und sogar die haben wieder Angst vor ihrem Vorgesetzten, das geht stufenweise nach oben. Vom kleinsten bis zum größten Speichellecker. Ist Berija, der große Chef, nicht im Kreml erwürgt worden? Wie schnell kann's da die Kleinen treffen!«

Mirmuchsin umklammerte wieder die Seidenschnur in seiner Tasche. Die nächste Frage oder Antwort Abukows war entscheidend. Und Abukow sagte: »Wir alle haben Angst vor dem KGB. Deshalb sollten wir zusammenhalten. Im Lager vor allem gegen Jachjajew. Ein dämlicher Mensch ist er zwar, aber gerade die Dämlichsten können die Gefährlichsten sein.«

»Und wie ist's mit dir, Victor Juwanowitsch?«

»Auch ich habe Angst. Darum gründe ich doch das Theater.«

»Dein idiotisches Theater!« Mirmuchsin spuckte in die Ecke. »Ein Wort davon an der richtigen Stelle, und du bist weg in einer Anstalt.«

»Du hast es nicht begriffen, Mustai! Du lieber Himmel, das sehe ich jetzt. Ich komme von der richtigen Stelle. War heute bei ihm, dem Kulturbeauftragten der Region. Habe stundenlang mit ihm gesprochen und vier Vollmachten bekommen: Damit kann ich jetzt arbeiten. Gegen Jachjajew!«

»Gegen?« sagte Mustai gedehnt. »Wieso denn?«

»Theater ist ein Stück Freiheit . . . du wirst es sehen.«

»Du kannst dein Theater spielen, Freundchen?« Mustai riß die Augen auf. Unglaublich war das. Da hätte man bald einen erwürgt, der nur auf ein paar erhöhten Brettern stehen und sprechen oder singen wollte. Er ließ den Seidenstrick in der Tasche los, zog die Hand heraus und bemühte sich, seine bösen Gedanken zu vernichten. »So richtig Theater? Mit einem, der ein eiskaltes Händchen hält, und das Weibchen, die Blöde, hustet und singt doch dabei in den höchsten Tönen?«

Abukow lächelte. »Wenn wir ein paar gute Sänger unter den Gefangenen haben – auch das spielen wir dann, Mustai.«

»Wie kann man singen mit leerem Bauch?«

»Es wird sich alles finden, mein Freund, alles! Laß uns nur wieder im Lager sein. Ich habe zwar vier Vollmachten in der Hand, aber es hängt alles davon ab, was Jachjajew und Kommandant Rassim sagen. Sie sind die maßgebende Instanz. Der Genosse hier in Tjumen kann nur raten und befürworten.«

»Erledigt!« sagte Mirmuchsin. »Bei der Vorstellung, daß seine Häftlinge auf der Bühne singen, macht er sich in die Hose.«

»Nein, er wird begeistert in der ersten Reihe sitzen«, sagte Abukow und legte sich zurück aufs Bett. »Mustai, mein Lieber, laß mir meinen Schlaf! In den nächsten Wochen werde ich wenig davon haben.«

Auf die Seite drehte er sich, seufzte tief und schloß die Augen. Aber er schlief nicht, auch wenn sein Atem so klang. Er wartete darauf, was Mustai tun würde.

Mirmuchsin starrte Abukows Rücken an und kratzte sich die Haare. Soll einer schlau aus ihm werden, dachte er unsicher. Kommt freiwillig nach Sibirien, um einen Schwerlaster zu fahren. Hat einen dunklen Anzug und weiße Hemden bei sich. Macht mit Gribow, dem Gauner vom Magazin, faule Geschäfte. Schenkt dem General Schmalz und Schokolade und verspricht ihm Hühner. Will ein Theater im Lager machen und gegen Jachjajew kämpfen. Und das alles soll normal sein? Benimmt sich so ein Lastwagenfahrer? Dem Teufel sei's gesagt: Ich finde mich nicht mehr zurecht. Das soll der Professor entscheiden. Zunächst – das allein ist sicher – bleibt Abukow noch ein bißchen leben.

Nur ein Aufschub war's, das beschloß Mustai in dieser Nacht. Entschloß man sich im Lager anders, gab es noch viele Möglichkeiten, Abukow ins große Vergessen zu würgen. Das war zwar nicht christlich und durchaus nicht im Sinne des Mannes, der Jesus geheißen hatte, aber Mirmuchsin war ja kein Christ – und wer von Mohammed gelesen hat, der weiß, daß der Prophet Allahs nicht zimperlich war. Armer Victor Juwanowitsch, dachte Mustai und legte sich auf den Rücken; unsere Freundschaft hätte so schön sein können!

Er lauschte auf Abukows langen Atem und erkannte noch immer nicht, daß sein Instinkt, was Menschen angeht, ihn so völlig verlassen hatte. Dann schlief Mustai ein und schnarchte wie ein Bock. Erst jetzt sagte sich Abukow, daß es für ihn Zeit sei, ebenfalls noch ein wenig den Schlaf zu suchen.

Am nächsten Morgen flog Mirmuchsin zurück nach Surgut. Abukow blieb in Tjumen und wollte – wie er sagte – mit dem Nachmittagsflugzeug nachkommen. Er habe noch wegen des Theaters einiges zu tun. Das konnte stimmen, aber auch nicht – zu kontrollieren war es nicht mehr.

Mustai umarmte Abukow, gab ihm einen Wangenkuß und dachte, als er in der Maschine saß: Jeder im Lager würde sich an die Stirn fassen, sollte er von den Theaterplänen erzählen. Wie kann man nur so blöd sein, diesen Wahnwitz zu glauben, würde man sagen – Mustai, was ist aus dir geworden? Abukow hat dich mit lächelndem Gesicht betrogen. Das war es, was Mirmuchsin traurig werden ließ. Er seufzte ein paarmal, blickte wehmütig auf die Landschaft unter sich, auf die dunklen Wälder und braungrünen Sümpfe, die tau- send Augen der kleinen blauen Seen und das Geäder der Flüßchen und rang dabei die Hände. Er wußte nicht, was er tun sollte.

Abukow unternahm an diesem Morgen einen ausgedehnten Spaziergang durch Tjumen. Nicht nur die glatten, modernen Neubauten interessierten ihn – es war überhaupt das Leben hier, was ihn faszinierte. Er begriff, daß man drüben im Westen ein völlig falsches Bild von diesem Land bekommen hatte. Sibirien ist nicht nur Tundra, Taiga, Steppe und Wüste, besteht nicht nur aus riesigen Flüssen, aus Sümpfen, Seen und Eis. Nein, Sibirien zeigt in seinen alten und neuen Städten die Lebenskraft dieses Völkergemischs hinter dem Ural. Es ist ein weiter Blick in die Zukunft. In die Zukunft des sicher einmal reichsten Landes der Erde.

Die Sibirierin überrascht jeden Besucher. Sie ist meist ein schlankes, hübsches, lebenslustiges Weibchen. Französin der Taiga, so könnte man sie nennen. Sie besprüht sich mit grusinischem Blütenparfüm und legt großen Wert auf ein gutes Make-up. Abukow sah staunend die Mädchen, die aus den Büros, Geschäften, Lokalen, Schulen und Instituten kamen. Sie trippelten in wehenden, leichten, fröhlich bunten Kleidchen durch die Straßen, in hellblauen oder violetten Nylonstrümpfen, die sogar mit Blumenmustern verziert waren. Das Klick-Klack ihrer im italienischen Stil geschnittenen Schühchen mit den schwindelnd hohen Bleistiftabsätzen hörte man rundherum und schon von weitem auf dem Asphalt. Ihre Haare waren gepflegt, denn mindestens einmal in der Woche – das gehörte zum guten Ton – ging man zum Parikmacher, zum Friseur also, und diese Friseursalons sind große, auf das modernste eingerichtete Räume, mit Spiegelwänden und Marmor und viel Nippes, eine Wonne selbst für das luxusgewöhnte Auge einer Dame aus Berlin oder Hamburg oder Düsseldorf.

Abukow blieb oft stehen, sah sich um, betrachtete seine Umgebung, blickte den Menschen nach, schaute in die Auslagen der Geschäfte und erkannte mit Schrecken: Das falsche Bild, das der Westen von Sibirien hat, trägt in großem Maße dazu bei, den gesamten sowjetischen Komplex falsch einzuschätzen.

Das hier – Sibirien – war ein Pionierland. Aber ganz anders als damals der Wilde Westen der USA war es kein Land der Abenteurer und Eroberer, sondern wurde mit seiner Entdeckung Stück für Stück sofort in das 20. Jahrhundert integriert – ja, man spürte allerorts bereits greifbar das nächste Jahrhundert. Hier hinter dem Ural wuchs eine Kraft, entwickelte sich ein Potential – jung, frisch, stark, unverbraucht und belastbar –, dem die übrige Welt weder jetzt noch in der Zukunft etwas Gleichwertiges gegenüberstellen konnte. Was hier in Sibirien Schritt für Schritt dem jungfräulichen Land abgerungen wurde an Öl, Erdgas, Bodenschätzen, Wasserkraft, Diamanten, Gold, Holz und Boden unterm Pflug, durch Industrieanlagen, Forschungsstätten, riesige Stauwerke und künstliche Seen, das alles machte Rußland von Tag zu Tag souveräner gegenüber allen anderen Staaten der Erde.

Abukow bummelte an den Schaufenstern vorbei. Es war unglaublich, was sich seinem Blick darbot. Da war ein Geschäft mit Perücken. Perücken in allen Farben und Schnittformen. Sogar mit so ausgefallenen Haarfarben wie Rosa oder Violett. Da gab es in anderen Geschäften moderne Damenkleider, Herrenregenmäntel im italienischen Schnitt, Anzüge mit engen, aufschlaglosen Hosen und in den neuesten Dessins, Schuhe in aktuellen Formen, Hüte, Handtaschen in den besten Ledern, Handschuhe in Kalb- und Schweinsleder, Nylonstrümpfe und zarte duftige Dessous – aber auch Bügeleisen, Staubsauger, elektrische Rasierapparate, Rundfunkgeräte, Fernseher, Küchenmaschinen, Mixer, Fotoapparate, Kaffeemaschinen, natürlich Samoware, Elektrokühlschränke und modernste Elektroherde.

Wie angewurzelt blieb Abukow schließlich stehen, als er in einem der Schaufenster etwas völlig Unvorstellbares sah: Eine schlanke, langbeinige, kunstvoll frisierte Schaufensterpuppe, angetan mit einem bodenlangen, zauberhaften Abendkleid aus einem goldfädendurchwirkten, schimmernden Samtstoff. Und daneben die Puppe eines Mannes, der einen makellosen schwarzen Smoking trug, ein Hemd mit Satinstreifen, eine modische Fliege und schmale Lackschuhe. Umrahmt war dieses Paar von anderen Schaufensterpuppen mit schicken Kostümen und Kleidern. In Moskau oder Smolensk, Kiew oder Minsk hätten die Frauen vor diesem Fenster gestanden wie vor einem Wunderland – die Tjumerinnen gingen daran vorbei. Es war für sie selbstverständlich.

Abukow betrat den Laden und sah sich um. An der Wand eine Samttapete, Vitrinen verteilt im Raum, bemalte Holzregale, eine Theke voller Gläser. Eine versteckte Klimaanlage verbreitete eine angenehme Kühle. Waren draußen fast 40 Grad Hitze, so konnte man hier fast frieren.

Zwei Verkäuferinnen kamen aus dem Hintergrund. Das Geschäft war leer, Abukow der einzige Kunde. Die Mädchen, hochgewachsen, schlank, stark geschminkt, mit feuerroten Lippen und Fingernägeln, selbstverständlich in Stöckelschuhen, umringten

Abukow, als wollten sie ihn einfangen. Abukow schnupperte bewußt deutlich ihr starkes Parfüm und lächelte sie dann fröhlich an.

»Zunächst eins . . .«, sagte er etwas umständlich, »ich komme aus Kirow. Wißt ihr, wo das ist, Genossinnen? Wenn einer wie ich aus Kirow hierhin nach Tjumen kommt, macht er das Maul und noch mehr auf . . .«

»Bitte nicht mehr!« sagte eines der Mädchen frech. »Was soll's sein? Eine neue Hose? Oder gar ein neuer Anzug?! Bevor Sie anprobieren, Genosse: Bei uns fangen die Anzüge bei 180 Rubel an!«

Abukow verdrehte die Augen. Bei den Gehältern in Sibirien, die 150 Prozent über dem normalen Verdienst jenseits des Urals liegen, kann man solche Preise zahlen. Aber für einen einfachen Bürger aus Kirow, der im Monat gut und gern auf seine 250 Rubel kommt – und das ist schon ein Spitzenlohn –, sind 180 Rubel für Hose und Jacke geradezu ein Schock, und sei der Anzug noch so schön und modern in einem englischer Webqualität vergleichbaren Stoff.

»Bin ich ein Bojar?« rief Abukow. »Damals, die Bojaren, konnten sich das leisten. Wir in Kirow . . .«

»Was dachten Sie sich, Genosse?« fragte das andere Mädchen. »Vielleicht ein modernes Hemd? Jetzt im Sommer, ganz neu: italienische Markisenstreifen-Dessins . . .«

»Soll ich mich vor ein Fenster hängen?« rief Abukow. »Warum soll ich eine Markise tragen? Ihr lieben Püppchen – ist das da draußen in der Auslage ein Abendkleid?«

»Ja.«

»Und ein Smoking?«

»Ja.«

»Wer, um des Himmels willen, sagt es mir, trägt hier so etwas? Die hohen Genossen?«

»Wenig. Meistens die Künstler und Künstlerinnen. Für die Bühne, wissen Sie? Das Kleid im Fenster ist bereits verkauft, an eine Sängerin. Und der Smoking wird abgeholt von einem . . .«

»Lassen Sie mich raten!« schrie Abukow. »Von einem Sänger!«

»Nein, von einem Zauberkünstler.« Die Verkäuferinnen hatten ihr Interesse an dem kulturlosen Menschen aus dem fernen Kirow verloren. Ihre Kundschaft sah anders aus. Gerade in Tjumen gab es in der klassenlosen Gesellschaft Lenins eine ungeheuer fein abgestimmte ökonomische Skala für die soziale Einschätzung der Genossen. Fegten doch die einen die Straße, während die anderen in weißen Leinenanzügen auf der Uferpromenade entlang der Tura flanierten. »Was wollen Sie denn nun?« fragte das Mädchen ziemlich grob. »Kaufen oder nur dumm fragen?«

»Informieren«, antwortete Abukow. »Denken Sie an ein Wort Lenins, daß die Information in einem vom Volk getragenen Staat . . .«

»Hier ist kein Parteibüro, sondern ein Modegeschäft!« rief das andere Mädchen und riß die Ladentür auf. Ein lustiges Glockenspiel bimmelte. Abukow nickte traurig.

»So ist das nun«, sagte er wehmütig. »Da kommt man aus Kirow nach Sibirien in das gelobte Land, freut sich über alles wie eine Jungfrau auf den ersten Stich, und was erntet man? Einen Hinauswurf! Das ist nicht im Sinne des Fortschritts, Genossinnen.«

Er verließ das Modegeschäft, hinter ihm knallte die Tür zu, er hörte noch den Ausruf: »Welch ein Idiot!« Und dann stand er noch ein Weilchen vor dem Fenster und betrachtete Abendkleid und Smoking.

Das hätten wir nun alles, dachte er. Ich weiß, wo es Schminke und Perücken gibt, Abendkleidung und Stoffe, Schuhe und modisches Beiwerk. Ich habe ein Musikaliengeschäft gesehen mit Platten und Tonbändern und auch Noten. Auch einen Instrumentenladen gibt es in Tjumen. Was will man mehr? Die Gründung des Theaters kann beginnen. Nur zwei Dinge braucht man noch: das Wohlwollen von Oberstleutnant Rassim – und das Geld, um das ganze Material kaufen zu können. Oder staatliche Bezugscheine! Wenn die Bresche in Surgut geschlagen war, sollte man noch einmal mit dem freundlichen eleganten Genossen Kulturbeauftragter sprechen. Das hatte Abukow verstanden und behalten: Außer auf die technologische Entwicklung Sibiriens legte man nahezu genausoviel Gewicht auf die kulturelle Aufforstung des Landes. Technik und Kultur – das waren die Grundpfeiler der neuen Zeit.

Mittags aß Abukow in einem der neuen Selbstbedienungsrestaurants eine Hühnerkeule mit Pilzsoße, trank köstlich kalten Kwaß und flog dann zufrieden nach Surgut zurück. Sein Gesicht wurde erst wieder ernst, als seine Maschine über Taiga und Sumpf und dem Lagergelände zum Flugplatz einschwenkte – hier war das andere Sibirien, das Sibirien der toten Seelen, das Sibirien der Gnadenlosigkeit.

In Tjumens Schaufenster ein golddurchwirktes Abendkleid aus Samt – dort unten in Staub und Sumpf die Häftlinge, zerlumpt, halb verhungert, krank bis in die Knochen, den Schwärmen von Mücken schutzlos ausgesetzt.

Der Irrsinn ist eigentlich perfekt, dachte Abukow voll Bitterkeit. Ich ringe in Tjumen um Luxus, damit die lebenden Toten sich freuen sollen.

Das kann nur begreifen, wer da unten in der Taiga lebt.

Der Aushilfsfahrer dankte Gott im stillen, daß Abukow, für den er eingesprungen war, sich wieder meldete. Ein wahrer Höllenposten ist es, immer, bei jeder Abfahrt, zu hören: Paß auf, sei vorsichtig, küsse das Wägelchen, bevor du es besteigst. Es ist unser bestes Stück!

Bis zu dieser Aushilfe hatte er nur Schraubenkisten zum Depot III an der Pipeline gefahren, ein herrlich leichter Einsatz auf guten Straßen. Da war man abends nicht zu müde, sich um seine leiblichen Bedürfnisse zu kümmern. Wer aber zurückkam von der großen Lagerroute, der fiel aufs Bett, genehmigte sich vielleicht noch einen hohen Wodka und zog dann die Hose aus – nicht, um vor einem Weibchen zu renommieren, sondern um zu schlafen.

So war man in Surgut rundherum fröhlich, als Abukow sich meldete und sagte: »Wo ist mein lieber Kühlwagen Nummer 11?« Der Transportleiter, der Fahrbereitschaftsleiter, der Werkstattleiter, der Aushilfsfahrer, der Ladeleiter – überhaupt alle, die mit Abukow zu tun hatten, drückten ihm die Hand und versicherten, er habe ihnen sehr gefehlt. Natürlich würde er morgen seinen geliebten Kühlwagen wieder auf die Höllenstrecke setzen können.

Und so traf am Donnerstag, wie versprochen, die Verpflegungskolonne mit dem Kühlwagen Nummer 11 an der Spitze im Lagerbereich 451/1 ein. Schon der erste Sperrposten hatte sie angekündigt: »Freunde, sie kommen! Es gibt wieder frisches Fleisch und Hühnchen, Käse und Quark, Gemüse und Obst.«

Es war selbstverständlich, daß der fette Gribow vor dem Eingang seines Magazins stand und der Wagenschlange gespannt entgegensah. Ebenso erwartungsvoll waren drei Häftlinge, die man zu Säuberungsarbeiten abkommandiert hatte: Der eine – der Schriftsteller Arikin – strich ein Garagentor, der zweite – der Physiker Aaron Petrowitsch Lubnowitz – nagelte neue Bretter an den Palisadenzaun, der dritte – General Tkatschew – pflanzte, aufgrund seines Gesundheitszustandes für leichte Arbeiten eingeteilt, im erbärmlichen Vorgarten der Kommandantur neue Blümchen. Am Fenster des Hospital-Waschraums stand der Professor und starrte auf die näher kommende Staubwolke. Mirmuchsin war noch in seiner Limonadenbrauerei; er soff sich Mut an mit einem höllischen Schnaps, den man hier in Sibirien aus Holz brennt. Dieser Holzsprit, in staatlichen Destillerien gewonnen, ist in der Industrie unschädlich. Mehrmals gefiltert und verdünnt kann man ihn sogar trinken. Aber was man da heimlich und im Ställchen zusammenbrennt – Freunde, wer so was trinkt, spielt mit seinem Schicksal Lotterie: Verträgst du es, ohne blind zu werden, hast du gewonnen! Und Mirmuchsin trank jetzt zur Aufmunterung einen »Privatbrand«.

Der erste, der Abukow erkannte, war der General. An ihm mußte der Kühlwagen Nummer 11 zuerst vorbei. Abukow winkte ihm zu, der General winkte zurück, und dieses Winken war das Zeichen für die anderen: Er ist gekommen!

Was Gribow nicht wußte, wohl aber Mustai, war der Beschluß der verschworenen Gemeinschaft, Abukow eine Falle zu stellen.

»Er soll es uns beweisen, daß er es mit dem Theater ernst meint«, sagte der Professor. »Wir können innerhalb von vier Stunden ein ganzes Ensemble zusammen haben. Hier leben Tenöre, Baritone und Bassisten, Musiker aller Instrumente. Im Lager VI allein gibt es vier ehemalige bekannte Schauspieler. In der Gruppe II arbeitet der Regisseur Tawitschek. Im Abschnitt Agan bei den Rohrumwicklern sind zwei Dramaturgen und ein Dirigent. Jedenfalls werde ich dem Großmaul Abukow ein Staatstheater servieren, und wenn er kneift . . .« Er sah Mustai an, und Mirmuchsin verstand ihn und nickte stumm.

So war die Stimmung, als Abukow seinen Kühlwagen Nummer 11 vor Gribows Magazin bremste, aus dem Führerhaus sprang und gegen die fette Brust Kasimir Kornejowitschs fiel. Gribow küßte ihn ab, als sei Abukow die Köchin Leonowna, brüllte vor Freude und fragte: »Was hast du im Kasten, Brüderchen?«

»Alles, was dein Herz begehrt. Die Augen werden dir übergehen!« Abukow blickte sich um. Das übliche Leben . . . die Wachmannschaften, die »geleitfreien« Sträflinge bei ihren Sonderarbeiten. Auf einem abgelegenen Platz ließ Rassim sogar exerzieren, um den Überdruck abzulassen, wie er es nannte. Von der großen Küche her zog Krautsuppenduft, der Schornstein der Wäscherei stieß weißen Rauch aus, von den Werkstätten dröhnte Hämmern und das Kreischen von Sägen herüber. Die anderen Wagen der Kolonne fuhren in einer Reihe auf. Die Ablader – auch Häftlinge, meistens gehfähige Kranke – standen noch in einem Block zusammen und warteten auf Gribows Einsatzbefehl. Aribin, Lubnowitz und General Tkatschew kamen näher.

»Fangen wir sofort an?« fragte Gribow begierig. »Wie sind die Begleitpapiere?«

»Ich habe zwei Blankolisten bei mir«, erwiderte Abukow.

»Du bist mir lieber als Bruder, Schwester, Mütterchen und Urahne«, sagte Gribow enthusiastisch. »Es gibt keine Schwierigkeiten?« »Keinerlei, Kasimir Kornejowitsch. Was du quittierst, kommt in dein Lager – so einfach ist das bei doppelten Listen.« Während die anderen Wagen mit den Kartoffeln, Rüben, Krautfässern und Zwiebelsäcken ausgeladen und die Kisten und Kartons mit Material der Werkstätten weggeschleppt wurden, blieb der Kühlwagen noch verschlossen. Die schwerste Arbeit war hier nicht das Ausladen, sondern das Ausfüllen der zweiten Listen. Gribow schwitzte, als brate er in der Sonne, und rang mit Abukow um die Höhe der Umverteilung.

»Brüderchen«, sagte Abukow ernst. »Ich bin kein Mensch, der eine offene Hand zurückzieht, in die es golden hineintröpfelt – aber es darf auch nur tröpfeln! Ein ganzer Guß kann das Gelenk brechen, das siehst du doch ein? Wie beim Wodka ist's: Ein paar Gläschen verursachen Wonne, zuviel fegt dich von den Beinen. Laß es tröpfeln, Gribow, immer und immer wieder, statt einen Guß zu fordern und dann nichts mehr zu bekommen.«

Gribow sah es knurrend ein und fügte sich. So wurden »umverteilt«: 30 Hühner, vier Block Schmalz, zehn Kilo Rindfleisch, zwölf Kilo Schweinefleisch, vierzig Eier, zehn Pfund Butter, zwanzig Block Margarine, zehn Block Kunsthonig, vier Eimer Marmelade, eine Schüssel Quark, vierzig Tafeln Schokolade, vierzig Dosen Fertiggerichte und eine Seite fetter Speck.

Als man die Listen abschloß, traten Gribow die Tränen in die Augen. Er drückte Abukow an sich, versicherte, daß er aus Freundschaft für ihn sterben könnte – was natürlich nur so dahergesagt war –, er sei der beste Mensch unter der Sonne, und noch mehr solche Reden. Dann ging man daran, den Kühlwagen auszuladen, und hier waren nun der General und der Schriftsteller dabei und blinzelten Abukow zu. Er übersah es, zu viele Augen sahen zu ihnen hin. Aber als der General eine Seite Speck auf dem Rücken ins Magazin schleppte, ging Abukow ihm nach und nahm ihm im Kühlraum den Speck ab. Tkatschew sah ihn fragend an.

»Es bleibt bei meinem Wort«, sagte Abukow. »Fünfzehn Hühner, bratfertig. Haben Sie dafür gesorgt, daß sie ins Lager können? Das war Ihr Problem, General!«

»Ist gelöst, Victor Juwanowitsch. Darf ich fragen, warum Sie das tun?«

»Später! Jetzt laden wir ab. Sorgen Sie dafür, auch noch eine halbe Seite Speck, fünf Kilo Rindfleisch, sechs Kilo Schweinefleisch und – unter anderem – zwanzig Dosen mit Rouladen abzutransportieren . . .«

»Sie sind verrückt, Abukow! Wie soll ich . . .«

»Sind Sie General und fähig zur Logistik – oder sind Sie als ein Versager mit Recht zum Sträfling gemacht?« sagte Abukow hart. »Ich habe noch mehr für euch, aber ich kann es nur bis ans Magazin bringen – ins Lager hinein, das ist eure Sache!«

»Wir . . . wir waren früher noch nie mit einer solchen Situation konfrontiert . . .«, stotterte der General. »Abukow, sagen Sie mir ein Wort, vertrauen Sie mir: Wer sind Sie?«

Das war der Augenblick, in dem Abukow nicht mehr wußte, was

er tun sollte. Sollte er jetzt seine Tarnung abstreifen? Sollte er sagen: General, ich bin euer neuer Priester?

Gribow erlöste ihn aus diesem Konflikt. Er kam in den Kühlraum und begleitete den Schriftsteller Aribin, der eine Schweinehälfte schleppte.

»Man muß immer dabeisein!« schrie Gribow erregt. »Nicht eine Sekunde kann man die Halunken allein lassen! Was tun sie? Der eine beißt ins rohe Fleisch und schluckt einen Batzen herunter, bevor man es ihm wieder entreißen kann, und der andere taucht doch seinen Kopf voll in den Bottich mit Quark und schlürft ihn in sich hinein wie ein Saugbagger. Beim nächstenmal hol ich die Peitsche und leih mir von Rassim einen Hund!«

Ohne den Blick zu heben, trabte der General wieder hinaus zum Wagen. Abukow folgte ihm, aber im Vorbeigehen nickte er dem Schriftsteller beruhigend zu. Am Ende des Ausladens blieben nur noch drei Häftlinge übrig und starrten auf den Rest, der im Kühlwagen geblieben war . . . der Anteil Abukows an der Umverteilung. Abukow hockte auf dem Wagenrand und sah hinunter zu dem General.

»Das ist alles für euch«, sagte er leise. »Ich lasse den Wagen offen. Erst morgen früh fahre ich zurück nach Surgut. Überlegt euch, wie ihr die Sachen ins Lager bringt.«

»Sie . . . Sie vollbringen Wunder an uns«, sagte der General mit stockender Stimme. »Wunder . . .«

»Wunder kommen von Gott. Ich bin nur ein Mensch. Aber könnte es nicht sein, daß Gott durch mich bei euch ist? Überlegt das mal . . .«

Er sprang von der Ladeklappe und ließ die Häftlinge mit staunend weiten Augen zurück.

Während Abukow bei Gribow seine Rückkehr feierte und die Köchin Nina Pawlowna einen himmlischen kaukasischen Karabach chorowaz – das ist Schweinefleisch am Spieß mit einem Granatapfelsirup – briet und Gribow eine Flasche Wodka spendierte, begann draußen heimlich und mit aller Vorsicht, so daß es kein Unbefugter merkte, der stückchenweise Abtransport der Spenden. Die halbe Speckseite wurde zerteilt in kleine Stücke, die Schmalzblöcke wurden geviertelt. Schokolade und andere kleine Teile machten keine Schwierigkeiten, ein Problem aber wurden die fünfzehn Hühner und die Dosen mit Fertiggerichten.

Der General und der Schriftsteller berieten sich. »Da stehen wir nun da!« sagte Arikin. »Es ist niemand in der Nähe, dem man vertrauen könnte. Du hast gewußt, Fedja, daß er die Hühner bringt. Wir hätten dafür sorgen müssen . . .«

»Was Abukow alles gesagt hat. Ha!« Der General warf die Arme in die Luft. »Habt ihr es geglaubt? Und einig waren wir uns, daß er ein Agent ist! Schiebt mir jetzt nicht alle Verantwortung zu. Das nicht, Freunde!« Er starrte auf die Hühnerchen und die Weißblechbüchsen, die halbgefüllte Quarkwanne und die Margarineblöcke. Kraft für einen ganzen Monat, wenn man alles gut einteilte. Die Hühner mußte man braten, zerlegen und die Portionen möglichst mit gleichem Gewicht verteilen. Der Chirurg und der Physiker, vor allem aber der Jurist Ilja Kriwow waren darin penibel genau: Sie wogen alles mit ihrer kleinen Handpendelwaage nach – und wehe, irgendwo schlug sie über Gebühr nach unten! Ein Gramm kann lebensrettend sein, vor allem, wenn es Fett oder Zucker ist, Eiweiß oder Stärke.

»Wir sollten Fomin fragen«, sagte der General. »Geh hinüber in die Schusterei und berate dich mit ihm. Mein Vorschlag: Ihr holt eine große Materialkiste, marschiert am Werkstattmagazin vorbei und kommt wieder hierher. Es fällt nicht auf, wenn ihr die Kiste dann schwer beladen zurück in die Schusterei schleppt. In der Nacht schieben wir sie dann durch das lockere Brett im Zaun. Das ist der einzige Weg.«

Und so geschah es. Am Abend trugen der Schriftsteller und der Chirurg eine gewaltige Kiste über den großen Platz zum Zentralmagazin, stellten sich dort hinter einen Bauwagen, warteten eine anständige Zeit und keuchten dann unter der Last der – noch leeren – Kiste zurück zur Schusterei. Dabei machten sie einen kleinen Umweg, verschwanden hinter dem Kühlwagen Nummer 11, dessen Ladeklappe nicht einsehbar war, und füllten die Kiste mit den Wunderdingen. Wladimir Fomin, der Chirurg, schluchzte, als er die fünfzehn Hühner in die Kiste legte. Seine Nerven hielten den Anblick kaum aus.

»Das Transportproblem scheinen wir gelöst zu haben, auch für späterhin!« sagte der General. »Aber im Lager ergeben sich fast unüberwindliche Schwierigkeiten: Den Bratenduft von fünfzehn Hühnern können wir nicht wegwedeln! Über alle Baracken wird er ziehen. Und wer ihn riecht – es werden genau 1200 Mann sein –, wird die Fährte wie ein Wolf aufnehmen. Ein gebratenes Huhn – im Lager! Dafür kann man zum Mörder werden. Wie braten wir die Hühner?«

»Die Tataren hatten da früher eine eigene Methode, ein Huhn zu garen«, sagte Arikin. »Sie gruben in den Boden ein Loch, legten es mit Steinen aus, heizten die Steine, bis sie fast platzten, und gaben dann das Fleisch dazu. Noch eine Lage Steine, dann die Erde wieder darüber . . . das Fleisch garte im eigenen Saft.«

»Das muß man erst können!« Fomin, der Chirurg, starrte auf die große Kiste mit den Hühnern. »Was ist, wenn wir aus dem Erdofen nur noch verkohlte Stücke herausholen? Wie lange darf ein Huhn auf den Steinen bleiben? Und wenn es nicht verkohlt – trocken wie ein Lederlappen kann es werden.«

»Wir müssen es eben lernen, Freunde.« Arikin hob die Schultern. »Ein Hühnchen muß man zum Versuch opfern. Weiß einer etwas Besseres als den tatarischen Ofen? Alles *über* der Erde riecht, und der Wind trägt es in alle Ecken. Da hat Fedja recht: Hunderte werden mit schnuppernder Nase herumlaufen, und auch die Wachen werden es riechen!«

»Ein anderer Vorschlag.« Der Chirurg Fomin setzte sich auf die wertvolle Kiste. Die Schuhwerkstatt war geschlossen, sie waren allein. Die anderen Häftlinge saßen schon jenseits der Palisaden in ihren Baracken. Der Schuhmachermeister – ein schmaler Mensch mit Brille, seit neun Jahren Witwer und deshalb ganz froh, diese Stellung bekommen zu haben, wo eine gutfunktionierende Verwaltung für ihn sorgte, ihm Essen und Wohnung gab und ihn aller Sorgen enthob – war längst in sein Zimmer im Verwaltungsgebäude zurückgekehrt. Fomin war wie immer der letzte; er räumte auf, kehrte die Böden, sorgte für Ordnung. Genau wie der Bildhauer drüben in der Schreinerei, dem es oblag, den geheimen Kirchenraum der christlichen Gemeinde – das Holzlager – zu überwachen. »Mein Vorschlag also«, wiederholte Fomin: »Jeder bekommt sein Stück Hühnchen sofort . . . roh. Er kann damit machen, was er will.«

»Und uns alle verraten, wenn er sein Stückchen über einem Feuerchen röstet!« rief Arikin. »Zu gefährlich, Wladimir. Befreunden wir uns mit dem Erdofen, mit allen Risiken.«

»Risiken gibt es viele.« General Tkatschew trat an das staubige Fenster und blickte hinüber zu der langen Wagenreihe. »Abukow sprach von Gott!«

»Genau gesagt . . .«, Arikin legte die Hände zusammen. ». . . er meinte, Gott könne ihn schicken. So habe ich es verstanden.«

»Lubnowitz ist drüben bei Professor Polewoi«, sagte der General. »Abukow kann mit diesem Satz eine ganz große Falle aufgebaut haben . . .«

»Fassen wir zusammen, was wir von Abukow wissen, aus eigener Anschauung und durch die Berichte von Mirmuchsin: Er ist plötzlich da als Kraftfahrer, der angeblich aus Kirow kommt. Ein Freiwilliger – davon gibt es in Sibirien Tausende. Also unverfänglich.« Fomin, der Chirurg, zählte die einzelnen Punkte an seinen Fingern ab. Es waren knochige, zerrissene Hände geworden – war es in einer anderen Welt gewesen, als diese Hände einmal die feinsten Nerven im Hirn operieren konnten? »Abukow kommt nach Tjumen und trifft auf den Amtsarzt, der auch aus Kirow stammt. Zufall . . . so etwas gibt es natürlich; wer will das bestreiten? Durch diese Bekanntschaft bekommt Abukow einen besonders guten Posten: Er wird Fahrer des Kühlwagens. Ist auch das ein Zufall? – Gleich nach seiner ersten Ankunft im Lager hat er eine Auseinandersetzung mit Jachjajew. Nichts geschieht! Warum? Auch Zufall? Plötzlich erscheint er an der Trasse, steckt Fjodor Butter, Marmelade, Schokolade, Schmalz und Honig zu und schmeichelt sich damit ein. Will Vertrauen erwecken, will eindringen in unseren Kreis. Ich frage: Woher weiß er, daß Fjodor General und Ilja ein Jurist, Miron ein Schriftsteller und Georgi ein Professor sind?«

»Von Mustai!« antwortete Arikin und schob die Unterlippe vor. »Was mir gar nicht gefällt, ist der Wahnsinn mit dem Theater. Polewoi hat recht: Damit hat er uns alle unter Kontrolle. Wir werden sehen: Wenn ihm das Theater erlaubt wird, das Unmöglichste des Unmöglichen – dann wissen wir, woher er kommt! Dann ist Abukow ein verdammter Beamter der Zweiten Hauptverwaltung des KGB, und zwar der Abteilung ›Sluschba‹, der Führungszentrale der Spitzel in unserer Mitte.« Arikin blickte die anderen forschend an: »Hat jemand eine andere Meinung?«

»Es ist alles so voller Widersprüche«, sagte der General fast hilflos. »Wenn Abukow ein auf uns angesetzter Spitzel ist, dann muß dem KGB eine Information zugegangen sein, hier im Lager gäbe es eine religiöse Gemeinschaft. Hat aber der KGB tatsächlich eine solche Information, dann braucht er keinen Abukow, der sich mit Lebensmitteln bei uns einschleichen soll. Dann genügt Jachjajew mit seinem ›Kasten‹ oder der Wink mit einem Daumen, und irgendwo ist ein schwaches Glied in der Kette, und die Kette zerbricht. Wozu der teure Umweg über Hühnchen und Schmalz? Ein nackter Hintern, ein Holzbock und eine Lederpeitsche genügen vollauf, um die Wahrheit herauszubringen.«

»Vielleicht ahnt man, daß jeder von uns sich in Stücke schlagen ließe, ohne den Mund aufzumachen?« sagte Fomin, der Chirurg.

»Ist es so?« Der General sah voll Zweifel auf seine Hände. »Ich möchte darauf kein Haus bauen, nicht mal eine Hütte. Jeder Mensch hat, wenn ihm Schmerzen zugefügt werden, eine Grenze. Wer weiß das besser als der KGB?«

Sie warteten bis zur Dunkelheit, schoben dann die schwere Kiste durch die Zaunlücke, marschierten anschließend durch das große Lagertor und meldeten sich bei der Wache.

»Drei Mann vom Abladen und vom Werkstattdienst zurück«, meldete der General.

Der Wachhabende nickte. Er kannte ja jeden der »Geleitfreien«, die ehemals großen Genossen, von denen nichts übriggeblieben war als ihr Name, und der sagte auch nichts mehr. Er winkte, die drei passierten das Tor und schlurften hinüber zu ihrer Baracke. Was wird morgen sein, dachten sie. Oder vielleicht schon in der Nacht? Sind wir Abukow auf den Leim gegangen? Wird man unsere Baracke durchsuchen? Fünfzehn Hühner, von den anderen Dingen ganz zu schweigen. Das ist eine satanische Versuchung; wer könnte ihr widerstehen? Sich einmal richtig vollfressen – und dann sterben. Wäre das nicht auch ein Ziel?

Bei Gribow blieb Abukow bis zum Abend. Als er ging, traf er im Flur des Magazins auf Mirmuchsin.

»Wo hast du gesteckt?« fragte Abukow. »Bin seit acht Stunden hier!«

»War in meinem Betrieb«, sagte Mustai kurz angebunden. »Willkommen bei uns, Victor Juwanowitsch.«

»Ich bin an deiner Tür gewesen. Abgeschlossen. Nichts rührte sich. Ich habe für die Häftlinge eine Menge abgezweigt.«

»Ist mir bekannt geworden.« Mustai musterte ihn abweisend. »Wo willst du jetzt hin?«

»Den Bär wecken. Ich gehe zum Kommandanten.«

»Weiß er, daß du kommst?«

»Gribow hat vor drei Stunden mit ihm telefoniert. Er hat mir diese Zeit genannt.« Abukow blickte Mustai forschend an. Das Benehmen Mirmuchsins gefiel ihm nicht. »Was hast du?« fragte er. »Irgendein Kummer? Verändert bist du . . .«

»Welcher Mensch ist immer gleich?« fragte Mustai und drängte sich an Abukow vorbei. »Bist du immer der, den ich anblicke?«

»Ja.« Abukow nickte. Mirmuchsins Frage gab ihm sehr zu denken. »Ich bleibe, der ich bin. Veränderungen sind nur äußerlich! Ein Hemd wechselt man, und gleich sieht der Mensch fremd aus. Schlüpft jemand in einen anderen Rock, heißt es schon: Nanu, wer ist denn das? Ein Neuer? Schneidet er sich die Haare und hat plötzlich einen Scheitel, begrüßt man ihn: Einen schönen Gruß, Nachbar, wer sind Sie? Man kann Häuser bunt anstreichen, das Holz darunter bleibt Holz! Denk mal drüber nach, Mustai Jemilianowitsch.«

Abukow ließ den erstarrten Mirmuchsin stehen und verließ das Verpflegungsmagazin. Aber er ging nicht geradenwegs hinüber zur Kommandantur, sondern machte einen Umweg zum Hospital. Er drängte ihn, noch ein paar Worte mit Larissa Dawidowna zu sprechen.

Die Tschakowskaja gab sich ihrer liebsten Abendbeschäftigung hin: Sie lag, eingehüllt in einen grusinischen, bestickten, kaftanähnlichen Umhang aus feinster Seide, auf ihrem unter einer Wolfsfelldecke versteckten Bett, hörte Tschaikowsky-Ballettmusik von ihrem Plattenspieler und blätterte dabei in den neuen Magazinen, die ihr Kollege Dr. Dshuban Owanessjan vor drei Tagen aus Tjumen bekommen hatte. Obgleich die Abbildungen verdreht stehender oder hockender, liegender oder herumspringender Männer ihr nichts sagten, als daß die Modelle anatomisch gut gebaut waren und auch von Frauen mit Interesse betrachtet werden konnten, las sie dennoch die Artikel durch. Still lächelte sie vor sich hin, wenn sie neben Modeaufnahmen ein paar rote Randstriche sah, die Dshuban angebracht hatte. Es war vorauszusehen, daß die Lagerschneiderei in den nächsten Wochen allerlei zu tun haben würde, um den modischen Wünschen von Dr. Owanessjan nachzukommen.

Da das Lagertor geschlossen war und bis auf einige wenige Abkommandierte, zu denen Polewoi gehörte, kein Häftling sich mehr im Kommandanturbereich befand, hob sie überrascht den Kopf, als es an ihrer Tür klopfte. Sie ordnete ihren Kaftan, richtete sich auf, lehnte sich an die Wand und rief herein. Baß erstaunt war sie, daß es Abukow war, sie hatte eher mit Jachjajew oder gar Rassim gerechnet.

Abukow blieb an der Tür stehen. Auch einem Priester sei es erlaubt – vor allem, wenn er erst fünfunddreißig ist –, für einen Augenblick die Schönheit eines Weibes in sich aufzunehmen. Abukow tat es nicht mit gierigen Augen; er sah vielmehr die ästhetische Vollendung dieser Frau, die da auf einem Wolfsfell lag, in glitzernder, bestickter Seide, das kurz zuvor gewaschene schwarze Haar von einem roten Samtband gehalten. Mit ihren leicht asiatischen Augen blickte sie ihn an. Das Licht der Tischlampe zauberte einen bronzenen Schimmer auf die hohen Wangenknochen. Unter der fließenden Seide ihres Umhangs zeichneten sich die schlanken Beine, ihr flacher Leib und die Wölbung ihrer Brüste ab. Zu diesem Land gehört sie, dachte Abukow fast ehrfurchtsvoll. Nicht in dieses Lager, oh, nie, aber in dieses Land Sibirien, das voller Schönheit und voller Geheimnisse ist.

Ihre Blicke prallten aufeinander; wären sie Materie gewesen, hätte es jetzt einen metallenen Schlag getan. So drangen sie nur lautlos in den anderen ein.

»Victor Juwanowitsch«, sagte Larissa, und ihre Stimme hatte wieder den Jungmädchenklang, der gar nicht zu ihr paßte. »Drückt Sie etwas? Was führt Sie zu mir?«

»Ich habe gleich eine Besprechung mit dem Kommandanten.« Abukow blieb an der Tür stehen. »Vorher, dachte ich mir . . .« Er verzog sein Gesicht zu einem Grinsen, weil er getreu seiner Rolle etwas Dummes sagen mußte: »Es kann sein, daß Rassul Sulejmanowitsch in wenigen Minuten entweder einen Schreikrampf oder einen Lachkrampf bekommen wird. Sind Sie medizinisch darauf eingerichtet?«

»Die Therapie ist einfach: Ein Schlag ins Gesicht. Das hilft immer.« Sie erwiderte sein Lächeln und winkte ihn zu einem Stuhl neben dem Wolfsbett. »Es kann aber auch sein, Victor Juwanowitsch, daß Rassim Sie mit all seiner Kraft in den Leib tritt – dann sieht es böser aus! Soll ich ein Bett für Sie frei machen? Rassim hat ungeheure Kräfte. Ärgern Sie lieber einen Büffel als ihn.« Sie beugte sich etwas vor, schob das rote Samtband vom Kopf und schüttelte ihre schwarzen Haare. »Was wollen Sie von ihm, Abukow?«

»Ich habe aus Tjumen vier Vollmachten mitgebracht.«

»Ach!« Sie starrte ihn an. Mißtrauen war plötzlich in ihren dunklen Augen, die Lippen verengten sich etwas. Sie warf Dshubans Magazin mit den schönen jungen Männern auf den Boden und legte dann die Hände in den flachen Schoß. »Vollmachten? Sieh an . . .«

Abukow blieb an der Tür stehen und neigte etwas den Kopf.

»Tschaikowsky«, sagte er. »Schwanensee. – Können Sie singen, Larissa Dawidowna?«

»Ich weiß es nicht. Ich lebe in einer Umgebung, wo man nicht singt.«

»Sie wären eine wundervolle Tatjana, wenn es uns gelänge, ›Eugen Onegin‹ aufzuführen.«

»Sie sind verrückt, Abukow!«

»Oder eine ideale Ophelia, wenn wir uns den Hamlet vornehmen . . .«

»Haben Sie getrunken, Victor Juwanowitsch?« Sie schob sich von dem Wolfsfell, stand auf und stellte den Plattenspieler ab. Die unvermittelte Stille hatte etwas Lähmendes. Es war ein Gefühl grenzenloser Einsamkeit. Kälte in einer sommerschwülen Nacht.

»Auch das!« sagte Abukow. »Ich bin kein Held. Aber ich muß einer sein.« Er legte die Hand auf die Türklinke. »Das war eigentlich alles, Genossin Tschakowskaja.«

»Und deshalb kommen Sie zu mir?«

»Ich brauchte plötzlich jemanden, dem ich sagen kann, daß auch ich nur ein Mensch bin. Ein Mensch mit Angst.« Abukow hob die Schultern. »Jetzt ist mir leichter. Viele erwarten von mir den Mut eines Märtyrers. Wie schwer ist das . . .«

Er drückte die Klinke herunter, Larissas helle Stimme hielt ihn zurück: »Wie kommen Sie auf Märtyrer, Abukow?«

Den Köder hat sie aufgenommen, dachte Abukow zufrieden.

Nun schluck ihn hinunter, Dr. Tschakowskaja . . . schwer wird er dir im Magen liegen, unverdaulich, ich weiß es.

»Seien Sie gnädig und vergessen Sie es!« sagte er und riß die Tür auf. »Mit Wodka im Hirn spricht man seltsame Dinge. Verzeihung, Genossin . . . ich schäme mich der Störung.«

Er verließ schnell das Hospital und ging hinüber zur Kommandantur.

Die Tschakowskaja hinterließ er in hellster Aufregung. Sie stürzte aus dem Zimmer und suchte nach Professor Polewoi. Für den Nachtdienst hatte sie ihn angefordert, es gab neunzehn neue Darminfektionen im Lazarett und vier Unfälle. Im Waschraum II traf sie ihn.

»Ich muß dich sprechen«, sagte sie hastig. »Sofort! Er war eben bei mir. Geht zu Rassim. Vollgepumpt mit Wodka. Fast irr redet er. Vier Vollmachten bringt er hin.«

»Wir müssen abwarten, Töchterchen.« Polewoi ging mit Larissa Dawidowna vor die Tür. »Es ist die Zeit gekommen, wo wir nur beten können. Wir haben seine Geschenke angenommen – er hat uns ganz in der Hand.«

Den Wunsch des Fahrers Abukow, ihn zu sprechen, hatte der Lagerkommandant Rassim zwar am Rande wahrgenommen, und er hatte auch eine Zeit genannt – aber dann das Ganze wieder vergessen. Nun stand der Bursche vor der Tür und störte ihn beim Schach mit Oberleutnant Sotow – ausgerechnet in einer harten Denkphase, denn Sotow hatte einen guten Zug gemacht und seinen Vorgesetzten in Schwierigkeiten gebracht. Beim Schach war das die einzige Möglichkeit; Rassim verlangte ein ehrliches Spiel. Wenn man ihn bewußt gewinnen ließ, erkannte er das sofort. Mit einem Tritt flog er aus dem Zimmer.

»Ja?« brüllte Rassim. »Wer ist denn da?«

Artig trat Abukow ein und verbeugte sich etwas. Rassim starrte ihn an, als habe der Ankömmling gegen die Tür gepinkelt, und hob die Faust. »Hinaus!«

»Ich bin bestellt, Genosse Kommandant!«

»Raus, oder du hast deinen Arsch im Gesicht!«

Oberleutnant Sotow lehnte sich genüßlich zurück. »Matt!« sagte er laut. »Rassul Sulejmanowitsch, Sie sind matt!«

Abukow trat näher, warf einen Blick auf das Schachbrett und schüttelte den Kopf, ehe Rassim aufspringen konnte, um ihm an den Kragen zu gehen. Der Stuhl flog zwar zurück, aber Rassim blieb in der Hocke stehen, ein wahrhaft seltenes Bild. Sein Turkmenengesicht verzog sich, als zwickten ihn Leibschmerzen.

»Was schüttelst du den Kopf, du Affe?« zischte er.

»Da sehe ich einen wunderbaren Zug, Genosse Kommandant«, sagte Abukow. »Gar nicht matt sind Sie!«

»Los! Mach den Zug, du Großmaul!«

Abukow trat an den Tisch, blinzelte dem vor Wut seufzenden Sotow zu und holte mit dem letzten Springer Rassims eine völlig neue, gute Situation heraus. Sotow knirschte mit den Zähnen, sprang auf und verließ den Raum. Russen am Schachbrett können Todfeinde werden.

»Bravo!« sagte Rassim dumpf und ärgerte sich mächtig, daß ihm der Zug nicht selbst eingefallen war. Kommt da einer daher und zeigt ihm, daß er nicht denken kann. »Spielen wir die Partie zu Ende?«

»Bitte nicht, Genosse Kommandant!« Abukow schüttelte den Kopf.

»Warum nicht?«

»Ich würde gewinnen. Ihr Partner war kein guter Spieler. Sie sind in einer aussichtslosen Position. Dieser Zug brachte nur ein wenig Luft – beim übernächsten sind Sie wirklich matt!«

Rassul Sulejmanowitsch starrte auf das Schachbrett, ging dann hinüber zu der Sesselecke und warf sich in einen dicken Ledersessel. Als er an Abukow vorbeiging, war er versucht, ihm ins Gesicht zu schlagen, aber er unterließ es aus Neugier, was noch folgen würde. Ein Schlag von ihm hätte jede weitere Unterhaltung verhindert.

»Was ist nun los?« fragte er. »Was willst du von mir?«

»Wir sind verabredet, Genosse Kommandant.«

»Ich mit dir?« Rassim lachte dröhnend, aber sehr gefährlich.

Abukow kam näher. »Mein Name ist Victor Juwanowitsch Abukow. Ich fahre den Kühlwagen Nummer 11. Aber das ist nicht alles! Ich bin beauftragt, hier ein Theater zu gründen.«

Nur viermal in seinem Leben – und er war immerhin vierzig – war Rassim sprachlos gewesen: Einmal, als seine Frau ihm ein Mädchen gebar – da hatte er am Krankenbett einen Mundschutz um. Das zweitemal, als ihm der Armeegeneral eine Medaille verlieh – da darf man nichts sagen, sondern nur strammstehen. Das drittemal, als er beim Badeurlaub am Kaspischen Meer fast ertrunken wäre – da hatte er den Mund voller Wasser. Und das viertemal, als er seine Frau Jewgenija zusammen mit dem Bezirkskommandanten im Bett überraschte – da nahm er stumm erst einmal Haltung an, aber eine Minute später flog der Genosse Generalmajor aus dem Fenster. Er war für immer gelähmt und wurde jetzt in einem Rollstuhl herumgefahren.

Abukow gelang das Kunststück, Rassim zum fünftenmal in seinem Leben die Stimme wegzunehmen. Nur für einen Augenblick natürlich. Aber ehe Rassim dann richtig loslegen konnte, faltete Abukow seine Vollmacht Nummer 1 auseinander und schob sie ihm über den Tisch.

Ein schneller Blick genügte: ein amtliches Schreiben.

Wenn einem Russen ein Blatt Papier mit Stempeln überreicht wird, weiß er, daß sich irgendeine Behörde um ihn kümmert. Der Tag wird dann trübe. Noch vor dem Lesen weiß man, daß große Lasten auf einen zukommen. Ein amtlicher Brief ist immer ein Druck auf die Seele. Darin sind alle Menschen Brüder: Von einer Behörde kommt selten etwas Fröhliches.

Auch Rassims Stimme blieb im Ansatz eines Aufbrüllens stecken, als er das Schreiben sah. Von dem Papier starrte er zu Abukow hinauf, erkannte plötzlich, daß er als Sitzender eine schlechtere Position hatte, denn von unten nach oben zu blicken ist stets eine Unterwürfigkeit, und sprang deshalb auf, musterte Abukow scharf und sagte ziemlich normal:

»Was ist das?«

»Eine Vollmacht des Genossen Kulturbeauftragter der Region Tjumen. Zentralbüro für politische und geistige Bildung. Einen schönen Gruß soll ich bestellen.«

Das war nun gewaltig gelogen, Rassim kannte keinen Kulturbeauftragten in Tjumen – aber so etwas zeigt man nicht; man nimmt die Grüße an, als kämen sie von einem Zwillingsbruder. Rassul Sulejmanowitsch nickte also gnädig, nahm das Dokument, überlas es und ließ es auf den Tisch zurückflattern. Die Haut um seine Augen zuckte, eine übermenschliche Anstrengung war's, nicht doch aufzubrüllen und diesem Abukow einen Tritt zu geben.

»Ein Theater . . .«, sagte Rassim mühsam. »Was für ein Theater?«

»Ein richtiges, Genosse Kommandant.«

»Auf einer Bühne . . .«

»Natürlich. Wir haben im Lager die schöne große Stolowaja, die Versammlungsbaracke, wo der Genosse Jachjajew seine Schulungen abhält. Da kann man an der Stirnseite eine Bühne aufbauen.«

»Mit Dekorationen, Kostümen, Schauspielern, Sängern . . .«, keuchte Rassim.

»Komplett! Mir schwebt da sogar ein Orchester vor, ein gemischtes Orchester aus der Musikkapelle des Militärs und aus den Musikern unter den Häftlingen.« Abukow zog das zweite Dokument aus der Tasche. Rassim schielte auf das Papier und zog die Unterlippe zwischen die Zähne. »Darf ich dem Genossen Kommandant eine zweite Vollmacht vorlegen?«

»Worüber?« fragte Rassim kurz und heiser.

»Wenn bescheinigt wird, daß ein Theater nützlich ist für die politische und kulturelle Weiterbildung der Häftlinge, bekomme ich Bezugscheine für Noten, Instrumente, Textbücher, Dekorationsstoffe, Farbe, Leinwand, die elektrische Einrichtung – sagen wir: die Grundausstattung der Bühne. Es genügt nur eine Zeile von Ihnen, Genosse Kommandant.«

»Von mir?« Rassim nahm das zweite Schreiben aus Tjumen entgegen. Es war ebenso allgemein gehalten wie das erste; man konnte es ernst nehmen oder zusammenknüllen und als Kügelchen zum Spielen benützen. Es kam allein darauf an, wie man den Brief las und auffaßte. »Ich soll diesen Blödsinn genehmigen?«

»Formell!« sagte Abukow vorsichtig. »Der Genosse in Tjumen wollte auf gar keinen Fall an dem Genossen Kommandanten vorbeibestimmen. Schließlich sind Sie der Herr im Lager . . .«

Wirft man einem Hund einen saftigen, duftenden Knochen hin – er kann noch so satt sein, er wird ihn beschnuppern und wohlig zwischen die Zähne nehmen. Menschen sind da nicht anders: Streichelt man ihre Eitelkeit, tröpfelt überall Wohlwollen aus ihnen heraus. Warum sollte Rassim eine Ausnahme sein?

»Ich werde mit dem Genossen in Tjumen telefonieren«, sagte er streng. »So einen Irrsinn zu unterschreiben muß überlegt sein. Bei mir im Lager ein Theater! Mit gemischtem Orchester! Meine Sträflinge singen Wagner! Spielen Gogol!«

»Und Schiller . . .«

Rassim atmete tief durch. Der Name Schiller bedeutet im Kulturbewußtsein jedes Russen einen Höhepunkt. Was von Schiller kommt, ist unantastbar. Abukow hatte davon gelesen, als er noch in Rom Pater Stephanus hieß: In den sowjetischen Kriegsgefangenenlagern durften deutsche Gefangene Theater spielen, wenn es Stücke von Schiller waren. Und so war dann schließlich alles von Schiller – man spielte sogar »Charlys Tante« und »Der Raub der Sabinerinnen« als Schillers Werke. Nicht zu vergessen die in den Lagern selbstgeschriebenen Theaterstücke: alle von Schiller. Der Name allein verbreitete Ehrfurcht.

Auch für Rassim war Schiller natürlich ein Begriff. Im Theater der Militärakademie hatte man »Wallenstein« aufgeführt, alle drei Teile, und sie hatten bei Rassul Sulejmanowitsch einen tiefen Eindruck hinterlassen. Er hatte hinterher sogar eine militärwissenschaftliche Abhandlung über die strategischen Fehler Wallensteins geschrieben, für die er sehr gelobt worden war. Das Wort Schiller war jetzt also ein zweiter, saftiger Knochen, den Abukow ihm hinwarf und an dem Rassim nicht vorbeigehen konnte.

»Man wird sehen«, sagte er abweisend, denn ein Rassim ist nie entgegenkommend. »Ich werde mit Tjumen sprechen. Aber zu dir, mein Bürschchen: Da kommt ein Lastwagenfahrer einfach daher und will Theater spielen! Morgen kommt vielleicht ein Bäkker und sagt: Ich will ein Maleratelier einrichten. Und übermorgen steht hier ein Traktorist und verlangt: Das fehlt schon lange: Ein Puff muß her!« Rassims Stimme schwoll bedrohlich an: »Eine Erklärung will ich, Abukow!«

»Sie ist einfach, Genosse Kommandant: Außer Kraftfahrer bin ich seit 15 Jahren auch ein Laienschauspieler. Wo immer ich gearbeitet habe – stets war ich Mitglied einer Theatergruppe und habe in den Kulturpalästen gespielt und gesungen. Ich würde mich auch der Laienspielgruppe ›Junge Adler‹ in Tjumen anschließen, sie hat einen festen Spielplan, ist überall sehr beliebt und praktiziert den Kulturauftrag für den Fortschritt in Sibirien. In Moskau sieht man mit Freude diese Arbeit. Leider ist meine Station Surgut und der Lagerbereich. Unerobertes Neuland, Genosse Kommandant, in Sachen Kultur. Ich habe da einen Auftrag gesehen . . .«

Die Erwähnung Moskaus traf auch Rassim. Planungen aus Moskau, und seien sie noch so hirnverbrannt, entziehen sich der Kritik, weil es niemand wagen würde, eine andere Meinung als die Genossen im Kreml zu haben. Kritik im stillen entzieht sich jeder Verfolgung, man kann im eigenen Stübchen sich an die Stirn fassen, auf das Papier spucken, die Wände anschreien und jede Menge angestauter Luft ablassen – am Tagesablauf ändert sich nichts. Der Geist aus Moskau ist mächtiger.

»Ich lasse dich wieder rufen, wenn ich mit Tjumen gesprochen habe«, sagte Rassim ungewöhnlich gnädig. Er ging hinüber zu dem Schachspiel, setzte sich und zeigte auf den Stuhl, den Oberleutnant Sotow verlassen hatte. »Komm her! Wir spielen die Partie zu Ende.«

»Sie werden verlieren, Genosse Kommandant«, sagte Abukow zögernd.

»Hinsetzen!« schrie Rassim und hieb die Faust auf seinen rechten Oberschenkel. »Ich will die Züge sehen!«

Es war nicht auszuweichen; Abukow nahm Platz, entschuldigte sich noch einmal und setzte Rassim wirklich in zwei Zügen matt. Ruckzuck ging das, ohne langes Grübeln, als sei Rassim ein elender Anfänger. Mit verkniffenem Gesicht erhob er sich. »Wir werden noch öfter miteinander spielen«, sagte er knapp. »Und jetzt raus mit dir! Gebildete wie dich kann ich nur eine begrenzte Zeit ertragen.«

Abukow verließ schnell die Kommandantur. Jedes weitere Wort hätte zu einer Niederlage führen können. Er hatte mehr erreicht, als er in seinen kühnsten Träumen erwarten durfte: Rassul Sulejmanowitsch hatte die Unverbindlichkeit der Empfehlungsschreiben aus Tjumen nicht erkannt.

Von einem fast unerträglichen inneren Druck befreit, breitete Abukow beide Arme weit aus, als er wieder draußen in der warmen Nacht stand. Tief atmete er die herbe Luft ein, die von den Wäldern kam.

In diesem Augenblick hielt ein kleiner Wolgawagen vor der Kommandantur, und Jachjajew stieg aus. Sofort, als er Abukow sah, winkte er ihm zu. Es war kein freundliches Zeichen; eher wie ein Befehl sah es aus.

Der politische Kommissar war wie immer nicht der besten Laune. Vor allem in den letzten Wochen hatte er Anlaß genug gehabt, die Welt und seine Mitmenschen zu hassen: Die Leiterin der Lagerküche, Leonowna, hatte sich fest für den dicken Gribow entschieden. Der Teufel wußte, warum. Denn Gribow, das war bekannt, soff wie ein durstiger Elefant, fiel dann auf den Rücken und war als Geliebter unbrauchbar. Das Gegenteil traf auf Jachjajew zu: Trank er ein paar Gläschen, fuhr Feuer in seine Lenden, und jeder Eber hätte respektvoll gegrunzt vor Jachjajews Liebesangebot.

Nun soll man nicht denken, der kleine, runde Mikola Victorowitsch wäre allein auf Nina Pawlowna angewiesen gewesen. Bekannt war ja, daß einige Ehemänner in Surgut und in den Kasernen nur darauf warteten, ihm etwas nachweisen zu können, um ihn dann durchzuwalken wie ein Rohleinenbündel – nur hatte es bisher nie geklappt, weil Jachjajew genau die Dienstzeiten einhielt und nur dann zu den Frauchen schlich, wenn die Männer im harten Arbeitseinsatz waren. Trotzdem schmerzte es ihn, daß Nina Pawlowna den fetten Gribow vorzog. Für Jachjajew war es geradezu eine Beleidigung, da aus dem Feld geschlagen zu sein.

Ein anderes Mißgeschick verdunkelte seine Laune seit einigen Wochen noch mehr: Nachdem die neue Planungsleitung an die Trasse gezogen war und dort ihre Baracken aufgeschlagen hatte, war mit dem Chefingenieur Morosow auch dessen Sekretärin mitgekommen, die süße Novella Dimitrowna Tichonowa. Zweiundzwanzig Jahre jung, von zierlicher Figur und mit hellen blauen Augen, stolzierte sie jetzt an den heißen Tagen in engen, weißen Shorts herum, trug dünne Blüschen, durch die sich ihre spitzen Brüste drückten – und überhaupt: Wenn sie so daherging, mit wippendem Hinterchen, und die hellbraunen Haare wehten im heißen Wind, während ihr ovales Gesicht immer von einem Lächeln durchglänzt war, – bei einem solchen Anblick verwandelte sich Jachjajews Herz in einen Hefekuchen, der rasend schnell aufging und bis auf die Luftröhre drückte.

An Novella Dimitrowna war mit den üblichen Faxen nicht heranzukommen, das hatte Jachjajew schnell erkannt. Seine Beobachtungen sagten ihm auch, daß die Tichonowa nicht etwa in einem der Betten der zahlreichen Ingenieure lag. Zwar war sie zu allen lieb und freundlich, scherzte und lachte mit ihnen, ließ derbe Witze über sich ergehen, auch ins Kino begleitete sie ab und zu einen der jungen Genossen, tanzte im Kulturhaus von Surgut, besuchte Abende der Jungen Pioniere, machte im Rahmen des Arbeitskreises »Die junge Familie« sogar einen Nähkursus mit – aber hinterher schloß sie immer die Tür zu und blieb allein. Wenn Jachjajew sich vorstellte, wie sie sich dort entkleidete und was dann hervorkam, begannen seine Mundwinkel zu zucken.

Novella Dimitrowna sagte brav danke schön, als Jachjajew ihr eine große Tafel Nußschokolade mitbrachte, und sie sagte auch nur danke schön, als es beim nächstenmal eine Schachtel Pralinen aus Taschkent war. Mit Jubel im Herzen durfte zwei Wochen später Mikola Victorowitsch das Täubchen Novella ins Kino führen. Man sah einen Film aus dem Großen Vaterländischen Krieg, in dem die Frau eines tapferen Feldwebels – der Teufel hole sie – ihren im Erdloch bei Gomel liegenden Helden mit einem schleimigen, lungenkranken Textilbetriebsleiter betrog. Als bei einer Liebesszene kurz ein Stück nackter Oberschenkel ins Bild kam, seufzte Jachjajew ergriffen und legte seine Hand auf den Schenkel der Tichonowa.

Der Film war geschickt geschnitten: Nach dem nackten Oberschenkel folgte ein Bild von der Front mit einem krachenden Granateinschlag, und in dieser Detonation ging völlig das Klatschen unter, mit dem Jachjajew eine Ohrfeige empfing.

Seitdem lief Mikola Victorowitsch gegen eine Betonwand. Was er auch an Geschenken heranbrachte – Novella Dimitrowna war nicht mehr geneigt, ihm mehr zu gönnen als ein hochmütiges Gesicht. Und ein braves Dankeschön.

Jeder wird begreifen, daß ein bloßes Dankeschön zuwenig für Jachjajew war. Bei allen anderen Frauen hatte ein gebratenes Hühnerbrüstchen oder eine mittelgroße Dauerwurst, die Jachjajew auch noch mit schmutzigen Kommentaren überreichte, vollauf genügt, flugs die Röcke hochwehen zu lassen. Immerhin war es eine gewisse Ehre, von dem Politkommissar belegt zu werden – aber weder Ehre noch seltene Geschenke konnten Novella reizen. Und so lief Jachjajew wie ein hechelnder Hund herum, wenn er Chefingenieur Morosow an der Trasse besuchte und die Tichonowa mit ihrem wippenden Hinterchen an ihm vorbeitrippelte. Auch sie trug natürlich als bewußte Sibirierin hohe Stöckelschuhe mit einem Bleistiftabsatz. Ihre Beine wirkten dadurch, unter den kurzen Shorts, wie die zierlichen Knöchelchen eines Rehs. Eine Wonne war ihr Anblick. Ein Paradiesvöglein war sie, das Jachjajew verwehrt wurde.

Jetzt gerade war er wieder von einem Besuch bei Morosow zurückgekehrt, hatte sich mit Novellas Anblick vollgepumpt und trug eine Laune mit sich herum, in der er Steine fressen konnte. Abukow kam gerade recht, als er ihm in den Weg lief.

»Wir haben etwas zu besprechen, Genosse!« sagte er, als Abukow vor ihm stand. »Gehen wir in mein Büro.«

Die Abteilung Jachjajews lag auf der anderen Seite der Kommandantur. Es war der gefürchtetste und verfluchteste Teil des Hauses. Abukow folgte Mikola Victorowitsch mit sorgenvollen Gefühlen, sah sich im Zimmer kurz um und nahm Platz unter einem Bild von Breschnjew. Jachjajew zog seinen staubigen Rock aus und ließ sich in einen Sessel fallen. Er schwitzte stark, und die Ähnlichkeit mit einem wassertriefenden Kugelfisch war verblüffend.

»Victor Juwanowitsch«, sagte er, »ich weiß, daß Sie ein großer Patriot sind.«

»Ich bin Anwärter der Partei«, antwortete Abukow vorsichtig.

»Bekannt! Alles bekannt! Man erkundigt sich natürlich nach neuen Leuten. Überall hört man nur Gutes von Ihnen. Beim Zentraleinstellungsbüro habe ich nachgefragt, bei Ihrem Einsatzleiter in Surgut – überall das gleiche: Ein ehrlicher, braver, arbeitsfreudiger Mensch! So etwas wie Sie braucht das neue Sibirien.«

Abukow schwieg. Loblieder, von Jachjajew gesungen, können leicht zur Todesmelodie werden. Noch wußte man nicht, wohin er mit seinen Hymnen wollte – umsonst, das war so sicher, wie Regen aus Wasser besteht, rang sich Jachjajew keine guten Worte ab.

»Sie fahren den Kühlwagen Nummer 11«, sagte der kleine Dicke unvermittelt. Abukow lächelte nach innen. Die Nebel hoben sich, der Weg wurde klar. Auch Jachjajew war nur ein normaler und deshalb gieriger Mensch.

»Ja«, sagte Abukow einfach. Dabei dachte er: Warten wir ab, was der gute Genosse von der politischen Überwachung vorzuschlagen hat. Für mein Theater kann's nur von Nutzen sein. Auch in Rußland gehören zum Handreiben zwei Hände.

»Gribow ist mit Ihnen befreundet?«

»Nein, wir arbeiten zusammen. Befreundet bin ich mit Mustai Jemilianowitsch.«

»Wie kann man Freundschaft halten zu einem Blöden!« Jachjajew schüttelte den Kopf, bot Abukow Papyrossi an und holte sogar eine Flasche Wein. Einen fürsorglichen Gastgeber spielte er, aber je freundlicher er wurde, um so gefährlicher erschien er Abukow. Sogar auf die Schulter klopfte er Abukow, prostete ihm zu und ließ den süßlichen Wein genüßlich in der Mundhöhle rollen, be-

vor er ihn hinunterschluckte. »Kann ich bei Ihnen einen dicken
Schweinebraten kaufen?« fragte er unvermittelt. Abukow hatte
auf so etwas gewartet – die Überraschung mißlang. Jachjajews
Kugelfischgesicht war voll starrer Lauer.

»Nein!« Abukow schüttelte heftig den Kopf. »Bin ich ein Flei-
scher?«

»Sie transportieren Fleisch!«

»Das ist etwas ganz anderes.«

»Wollen Sie damit ausdrücken, mein lieber Victor Juwanowitsch,
daß während des Transportes nicht eine minimale Schrumpfung
eintritt?«

»Wie sollte sie das? Es ist ein Kühlwagen. Knackfrisch eingeladen
– knackfrisch ausgeladen. Kein Schwund!«

»Benehmen Sie sich nicht blöder als jeder normale Mensch!«
sagte Jachjajew unwillig. »Wenn es zum Beispiel während der
Fahrt rappelt, guckt man doch nach, was es ist.«

Abukow hob abwehrend die Hände. »Der Wagen ist plombiert,
Genosse«, rief er fast entsetzt. »In Surgut wird die Plombe drauf-
geklemmt, und hier im Lager entfernt sie Gribow. Er achtet peinlich genau auf eine Unverletztheit. Kam bei meiner ersten Fahrt
sogar mit einer Lupe und tastete den Draht ab. Keine Manipula-
tion möglich, Genosse.« Abukow richtete sich im Sitzen stolz auf.
»Außerdem: So etwas täte ich nie!«

»Dann sind Sie ein Heiliger, Abukow!«

»Seit der Oktoberrevolution gibt es für einen Kommunisten keine
Heiligen mehr.« Abukow blickte geradezu militärisch stramm gegen die Wand. »Religion ist Opium fürs Volk, sagte Lenin!«

»Victor Juwanowitsch, Sie haben den gleichen Namen wie mein
Vater, das sollte uns ein wenig verbinden.« Jachjajews schleimige
Art war wie ein klebriger Regen, der an einem haftenblieb. »Seien
wir doch ehrlich miteinander.«

»Nichts anderes tue ich, Genosse.«

»Gribow klaut, Sie klauen, alle klauen, von Leningrad bis Alma
Ata! Halunken alle, so weit man blicken und ahnen kann. Nur Sie
wollen eine Ausnahme sein?«

»Ich bin Kandidat der Partei und . . .«

»Wo kommt das Hühnerschenkelchen her, das man im Lager gefunden hat?«

»Man hat ein Hühnerschenkelchen . . .?« Abukow hob die Schultern. Was ist da hinter den Palisaden passiert, dachte er blitzschnell. Wie konnte das vorkommen? Wer war da unvorsichtig
gewesen? Brach alles, was man so vorsichtig aufgebaut hatte,
schon nach der ersten Aktion zusammen durch die Dummheit eines einzelnen?

»Beim Torposten erschien ein braver Bürger und brachte den Hühnerschenkel. ›Hab ihn gefunden unter einem Holzstapel‹, meldete er. Ein wirklich guter Genosse; liefert ihn ab, statt ihn selbst zu fressen. Sofort wurde mir das gemeldet. Was habe ich befohlen? Keine plötzliche Razzia! Wozu auch? Man wird nichts finden, das kenne ich. Völliges Schweigen habe ich angeordnet. Aber irgendwann, wenn sie sich alle so sicher fühlen, schlage ich zu. Dann lasse ich sogar den Boden unter den Baracken umgraben. Den treuen Bürger, der uns das gemeldet hat, habe ich belohnt. Zwei Tage dienstfrei von der Trasse. Arbeit als Kartoffelschäler in der Küche. Das ist wie ein Ostergeschenk.« Jachjajew legte die Hände aneinander und blickte über die Fingerspitzen zu Abukow hinüber. »Bleibt die große Frage: Wie kommt das Hühnerschenkelchen ins Lager?«

»Man müßte das Huhn fragen, Genosse.«

»Verkneifen Sie sich solche Witze, Victor Juwanowitsch. Haben Sie nicht Hühner gebracht?«

»Genau zweihundertsiebzig, Genosse. Steht in der Liste. Man kann sie, abgezeichnet von Gribow, einsehen. Nicht eines fehlt!« Abukow konnte es freihin sagen, denn es war die bereits berichtigte Liste nach der »Umverteilung«.

»Sicher ist nur eins: Ins Lager laufen konnte kein Huhn, sie waren alle ohne Kopf, ausgenommen und bratfertig. Ein Rätsel!«

»Für mich nicht«, sagte Jachjajew und lächelte breit. »Natürlich hat Gribow zweihundertsiebzig Hühner im Kühlraum liegen. Wieviel hat man in Surgut eingeladen?«

»Die Liste . . .«

»Ein Arschwisch, Abukow!« Jachjajew beugte sich etwas vor. »Daß ich mit Ihnen so frei spreche, sollte Ihnen doch sagen, daß ich großes Vertrauen in Sie setze. Es ginge auch anders: Ich hänge Sie an den Händen auf und binde Ihnen eine dicke, schwere Melone an die Hoden. Wer kann da noch schweigen? – Aber wozu solche Unfreundlichkeiten, wenn wir uns privat verstehen könnten? Mir schwebt da ein Schweinebraten vor, so um die sechs Pfund. Ein saftiges Nackenstück . . .« Jachjajew lehnte sich wieder zurück. »Versenken Sie diese Worte tief in Ihr Herz, Abukow. Sie sind nie gesprochen worden. Wir haben keine Zeugen. Verstehen wir uns?«

Und wie man sich verstand! Die Drohung war deutlich und massiv. Eine einzige Andeutung von Abukow in der Öffentlichkeit – und wie man einen Krümel vom Tisch fegt, so würde er hinter den Zäunen eines Lagers verschwinden. Abukow erhob sich abrupt. Lauernd starrte ihn Jachjajew über den Rand seines Weinglases an. Die trockene Nachtluft machte die Kehle kratzig beim vielen Sprechen.

»Ich will versuchen«, sagte Abukow steif, »bei meiner Fahrt am Montag etwas zu organisieren, Genosse Kommissar.«

»Zum Sonntag brauche ich es, Abukow!« Auch Jachjajew stand auf. »Diesen Sonntag.«

»Ich weiß nicht, wo man hier in der Taiga ein Schwein fangen kann. Ich bin noch neu hier . . .«

»Spielen Sie nicht den Blöden, der blöder ist als Mirmuchsin!« rief Jachjajew und lachte sogar mit spitzen Lauten. »Victor Juwanowitsch, im Magazin hängen mindestens zehn Schweinehälften.«

»Und wenn Sie selbst mit Gribow sprechen?« sagte Abukow harmlos.

»Eher fault mir die Zunge heraus!« Jachjajew schlug die Fäuste gegeneinander. »Ich könnte Sie mit wohlwollenden Augen betrachten, Abukow, wenn Sie mir einige kleine Gefallen erweisen würden . . .«

Abukow nickte und verließ Jachjajews Büro mit dem gütig lächelnden Breschnjew an der Wand. In der Hand hat er mich, wenn ich ihm den Braten besorge, dachte er, als er wieder draußen in der Nachtluft stand und über den großen Platz blickte. Alle Fenster waren dunkel, auch die vom Hospital, nur die Scheinwerfer auf den Wachttürmen tasteten das Gelände ab – die Barackenstraßen, die Palisaden, den freien Streifen vor den Zäunen.

Hinter dem Fenster der Gerätekammer des Lazaretts standen Larissa Dawidowna und Professor Polewoi. Sie hatten hier im Dunkeln gewartet – nun kam Abukow aus der Kommandantur heraus und ging langsam über den Platz zum Magazin. Nicht wie die anderen Fahrer schlief er in den Übernachtungsräumen neben der Werkstatt, sondern bei Mustai Jemilianowitsch.

»Lange war er bei Jachjajew«, flüsterte der Professor, obwohl sie hier niemand hören konnte. »Und zufrieden scheint er zurückzukommen. Ich sage es immer wieder: Eine Gefahr ist er, Larissa Dawidowna!«

»Er hat mir gestanden, daß er Angst hat.«

»Und wenn's nur eine dumme Rede war?«

»Es hörte sich nicht so an. Und dabei seine Augen . . .«

»Sieh ihn nicht als Mann an, Töchterchen, sondern als Gegner«, sagte Polewoi streng. »Ich weiß, der Blick einer Frau trübt sich, wenn die Seele mitsieht.«

»Dummheit, Fedja!«

»Du bist jung, schön und hungrig . . .«

»Zweiunddreißig bin ich schon!«

»Ein Alter, in dem eine Frau wie freiliegendes Zündpulver ist.

Töchterchen, streu einem alten Mann wie mir keinen Sand in die Augen. Was soll's? Gefällt dir einer, nimm ihn zu dir in die Kammer! Jeden, der es in dir zucken läßt . . . nur bei Abukow solltest du alle Regung in dir zuschütten.«

»Du siehst Tauben, wo Raben kreisen!« sagte Larissa Dawidowna abwehrend. »Ja, ja, starr mich nur an. Mir braucht keiner zu sagen, was ich zu tun habe. Bin erwachsen genug!« Sie trat vom Fenster zurück, fuhr mit beiden Händen durch ihre kurzen Haare und verließ wütend die Gerätekammer. Polewoi blieb am Fenster stehen und beobachtete weiter, was auf dem Platz geschah. Denn jetzt, zu so später Stunde, kam noch ein Wagen die Zufahrt herunter, und da ihn die drei Wachen durchgelassen hatten, mußte der Fahrer zur Lagerführung gehören.

»Und sie liebt ihn doch!« sagte Polewoi halblaut zu sich und stützte sich am Fensterbrett ab. »Welch eine Katastrophe, wenn er wirklich vom KGB kommt! Wir alle können hineingerissen werden . . .«

Das Auto, ein geschlossener Geländewagen, hielt mitten auf dem Platz. Wie eine Notbremsung war es, die Räder kreischten. Abukow fuhr herum. Es war Dshuban Kasbekowitsch, der Chirurg. Er kam aus Surgut zurück.

Dort hatte er einen Freund besuchen wollen, einen hellblonden Jüngling, der als Landvermesser an der Trasse tätig war. Ein zartes Jüngelchen mit einer mädchenhaften Figur, unbehaart, weißhäutig, mit Knöchelchen wie eine Gazelle und mit träumerischen Augen. Dr. Owanessjan liebte ihn glühend, dachte außerhalb seines ärztlichen Dienstes fast ausschließlich an ihn und begann innerlich geradezu fieberhaft zu zittern, wenn er an neue Begegnungen mit Syrbai Badawinowitsch dachte. Syrbai, der Schöne, war ein echter Kasache. In der Steppe aufgewachsen, erkannte er erst während der Ausbildung zum Landvermesser, daß ihn Stuten weniger interessierten als Hengste. Das bestätigte sich, als er vor neun Monaten nach Surgut versetzt wurde, dort auf Owanessjan stieß und sein gelehrigster Schüler wurde. Dshuban nannte ihn sein goldenes Lämmchen, beschenkte ihn mit Seidentüchern, usbekischen Seidenhosen und bestickten Hemden, kaufte kastenweise Pralinen und fütterte Syrbai damit, als wolle er eine Gans nudeln. Sogar mit Gribow hatte Dshuban erfolgreich verhandelt: Er bekam von ihm kaspischen Stör in Aspik, großkörnigen, mild gesalzenen rosa Kaviar und ganz feinen, über Wacholder und Salbei geräucherten Rentierschinken. Wie blind macht Leidenschaft – Dshuban Kasbekowitsch mußte von da an darauf verzichten, Gribow irgendwelche Befehle zu erteilen oder ihn – so berechtigt dies auch sein mochte – einen Gauner zu nennen.

Nun kam Owanessjan also aus Surgut zurück, in der gleichen Stimmung wie vorher Jachjajew, denn Syrbai war angeblich im nördlichen Trassenbezirk hängengeblieben und kam erst in drei Tagen wieder. Die Vermessung hatte länger gedauert. Dshuban, wie alle Liebhaber, die allein gelassen werden, glaubte dem nicht. Eifersucht zerfraß ihn, an andere Männer dachte er. Syrbai hatte ja genug bei ihm gelernt, es wimmelte in diesem frauenarmen Land von aufgestauten Wünschen, vor allem in den einsamen Landvermesserlagern in der Taiga und den Kolonnen, die meterweise in das unbekannte Neuland vordrangen.

Es war also nichts mit Streicheln und Seufzen, aber es durchzuckte Dshuban heftig, als er im Scheinwerfer seines Jeeps den schlanken, jungen Mann auf dem einsamen nächtlichen Platz sah. Er hatte zwar keine hellblonden Haare, aber blond waren sie doch, etwas dumpfer, schon zum lichten Braun hinschimmernd. Dshuban bremste heftig und sprang aus dem Wagen.

»Wer sind Sie?« fragte er. »Habe Sie noch nicht hier gesehen.«

»Das muß ein Irrtum sein, Genosse Arzt . . .«, sagte Abukow höflich.

»Oh! Sie kennen mich?« Dshuban bewegte sich auf ihn zu mit drehenden Hüftbewegungen. Sein Seidenanzug schimmerte sogar in der Nacht.

»Wir haben uns kurz bei der Genossin Chefärztin getroffen. Im Vorbeigehen.«

»Habe Sie nicht bemerkt. Welch ein Fehler, welch eine Schande geradezu!« Dshuban blähte die Nasenflügel. Etwas nach Schweiß roch der Mensch, man würde das ändern. Zu ihm paßte ein Parfüm aus Tiflis, etwas herb, mit einem Hauch von Jasmin. Dshubans innerer Aufruhr begann sich zu glätten. »Trinken wir einen Tee zusammen?« fragte er mit schwingender Stimme.

»Kann es morgen sein? Ich bin sehr müde, Genosse Arzt. Fahre einen Kühlwagen. Den ganzen Tag war ich auf den Beinen. Es gäbe jetzt wenig Spaß mit mir . . .«

Owanessjan schnaubte durch die Nase. Wie wir uns auf Anhieb verstehen, dachte er fröhlich. Wie unsere Wellen gleichheitlich schwingen! Ich spreche vom Tee, und er antwortet mit Spaß. Ein wahrer Glücksfall kann er werden. Muskulöser Bursche! Das Gegenteil von Syrbai. Rehkeulchen gegen Rindersaftbraten. Ein kultivierter Mensch lebt nicht von Suppen allein. Dshuban Kasbekowitsch nickte eifrig:

»Soll das ein Versprechen sein, mein Freund?«

»Sagen Sie eine Zeit – ich werde kommen.«

»Nach der Visite um elf?«

»Ich habe es in mein Herz geritzt, Genosse Arzt.«

Dshuban seufzte nach innen, umfaßte mit einem liebevollen Blick den sich sehr unbehaglich fühlenden Abukow, ließ den Jeep auf dem Platz stehen und bewegte sich mit tänzelndem Körper zum Hospital. Dort, an der Tür, winkte er zu Abukow zurück, und Victor Juwanowitsch winkte gleichfalls. Dr. Owanessjan war wichtig in der Hierarchie des Lagers – nur wie er sich aus der Situation morgen um elf herausmogeln sollte, das wußte Abukow noch nicht.

Gerade hatte er den Anbau erreicht, wo Mirmuchsin seine Limonadenherstellung wie ein chemisches Geheimlabor hütete, als ohrenbetäubend die Sirene auf Wachtturm III losheulte. Ein Ton, der in die Knochen schnitt. Sofort blitzten überall weitere Scheinwerfer auf und tauchten das Lager in Tageshelle. Von der Waschbaracke rannten die Einsatzbereitschaften zum Tor. Zwei Offiziere stürzten auf den Platz, ihnen folgte Oberstleutnant Rassim, seine Uniformjacke noch zuknöpfend. Auch im Hospital wurde es lebendig.

Alarm im Lager! Wann war das zum letztenmal gewesen? Kaum erinnern konnte man sich daran. Bei Rassim gab es grundsätzlich keinen Alarm; er sorgte dafür, daß seine Häftlinge keine außergewöhnlichen Situationen herbeiführten.

Der Lärm ebbte schnell ab. Nur am Tor gab es viel Aufregung, Abukow hörte Rassims Brüllen, dann erloschen die meisten Scheinwerfer rund um das Lager. Allein der innere Bereich blieb blendend erhellt.

Mit klopfendem Herzen sah Abukow, wie vier Soldaten in einer Zeltplane einen durchhängenden Gegenstand hinüber zum Hospital schleppten, und es bedurfte keiner Phantasie, um zu erkennen: Dort bringen sie einen Menschen weg!

Abukow zögerte, dann entschloß er sich, aus den Schatten hinauszutreten und den Neugierigen zu spielen. Bewußt kreuzte er Rassims Weg und erwartete seinen Schrei:

»Halt! Stehenbleiben!« Und dann: »Was streichst du noch hier herum, du Staatsschauspieler?«

»Bei dem Genossen Jachjajew war ich«, sagte Abukow schnell.

»Er kann's bestätigen. – Was ist passiert?«

»Ein Toter!« sagte Rassim und knirschte vor Wut. »Der Scheinwerfer erwischte ihn plötzlich beim Holzstapel. Ein Mord! Bei mir im Lager ein Mord! Da wird sich jetzt vieles ändern. Und du willst mit der Bande Theater spielen. Da hat jemand diesem Menschen gewaltsam einen Hühnerknochen in die Kehle gepreßt, damit er erstickt! Mein lieber Abukow – das Lager wird jetzt auf dem Kopf stehen, und 1200 Sträflinge werden gegen den Himmel scheißen!«

5

Eine unruhige, schlaflose Nacht wurde es.

Während sämtliche Wachttürme doppelt besetzt wurden, stürmte eine Kompanie der Wachsoldaten in das Lager und stellte sich vor das große Tor. Schwere Maschinengewehre baute man auf. Drei Panzerfahrzeuge ratterten vor den großen Appellplatz jenseits der Palisaden; die langen schlanken Rohre ihrer Kanonen schwenkten zu den wie ausgestorben daliegenden Baracken. Die knappen Kommandos der Offiziere hallten über die Truppen, die Maschinenpistolen wurden entsichert und vor der Brust in Bereitschaft gehalten. Dann gellten die Lagersirenen durch die Nacht und scheuchten die Häftlinge aus ihren Betten.

Sie hatten es erwartet, auf den Betten hockend oder mit angezogenen Beinen liegend; die Alarmsirene auf dem Wachtturm III hatte sie aufgeschreckt und dann in atemloser Erwartung gehalten. Was war geschehen? Warum Alarm? Die wenigen Stunden Schlaf, einzige Quelle der Kraft, wurden nun auch noch geraubt.

Wie eine lautlose, dunkle Flut quollen sie aus ihren Baracken und stellten sich in Blöcken auf. Vor jedem Block stand der Barackenälteste; es war meist einer von den Kriminellen, die innerhalb der Lagerverwaltung das größte Vertrauen genossen – vor allem auch deshalb, weil sie alle politischen Häftlinge als blanke Idioten ansahen. Wer läßt sich schon die Knochen brechen einer anderen politischen Meinung wegen? Wer schuftet sich in Sibirien zu Tode, nur um immer voll Stolz auszurufen: Ich bin dagegen? Ein Hirnverbrannter muß das sein. Dagegen ist ein Raubüberfall etwas Handfestes. Da lohnt sich ein Risiko. Aber Politik? Genossen, laßt uns lachen! Aber Rußland war ja schon immer ein Land der Spinner.

Oberstleutnant Rassim wartete, bis alle Insassen der Baracken auf dem Appellplatz versammelt waren. Leutnant Sotow nahm die Meldungen der Blockältesten entgegen: Vollzählig! Drei Trupps kämmten daraufhin alle Baracken durch, um die Vollzähligkeit nachzuprüfen. Ein paarmal war es bei Probealarmen nämlich vorgekommen, daß Faulenzer einfach im Bett liegenblieben und behaupteten, sie seien krank geworden.

Diesmal stand wirklich alles draußen in der warmen Nacht. Es gab nur einen Drückeberger, aber der konnte nachweisen, daß er nicht so schnell weggekommen war: Er saß auf dem Lokus und hatte Durchfall.

»Meldung an den Genossen Kommandant!« sagte Leutnant Sotow, als die Trupps zurückkamen. »Alles angetreten!«

Vor dem Lager hatte sich die Situation dramatisch zugespitzt. Man hatte den Toten ins Hospital getragen und dort einfach auf den Boden gelegt. Dr. Dshuban Kasbekowitsch, nach Parfüm duftend, das Seidenhemd bis zum Nabel aufgeknöpft, starrte voller Abscheu auf den Ermordeten und blickte hoch, als die Tschakowskaja im weißen Kittel den Gang entlanggelaufen kam. Sie hatte in aller Eile die Uniform angezogen, ihre Stiefel knallten über den Bretterboden.

Auch Jachjajew war da, natürlich – er rang die Hände, starrte auf den Erstickten und bebte am ganzen Körper. Im Hintergrund stand Professor Polewoi, klein, weißhaarig, zart, und hatte die Hände gefaltet. Welch ein Fehler, dachte er. War es nötig, diesen Menschen zu töten? Das ist nicht nach Gottes Gebot. Kann man aber hier in Sibirien als Verurteilter überhaupt nach Deinen Geboten leben?

Rassim, hochrot im kantigen Gesicht, war hereingestürmt und ging nun vor dem Toten hin und her. Abukow war einfach hinter ihm ins Hospital getreten, als gehöre er dazu, und stand etwas abseits neben der Leiche. Schaudernd sah er den Getöteten an. Der Anblick ließ auch den Hartgesottensten frieren. Tiefblau war das Gesicht angelaufen, die Augen quollen vor Entsetzen fast aus den Höhlen, die Finger waren zu Krallen verkrampft ... mehrere mußten ihn festgehalten haben, als man ihm den Hühnerknochen tief in die Kehle rammte und ihn daran ersticken ließ; so sah es aus. Nun ragte das Ende des Knochens aus seinem Mund, hochgeschoben durch die dick angelaufene blaue Zunge, und es schien, als habe er in einem Anfall von Wahn dieses Hühnerstück ganz hinunterschlucken wollen. Abukow erinnerte sich an ein Foto, auf dem eine Riesenschlange an einer Gazelle erstickt war ... das Hinterteil mit den Hinterläufen hatte noch aus dem weit gespreizten Schlangenmaul herausgeragt. Jetzt spürte er, wie Übelkeit in ihm hochkroch. Gleichzeitig lähmte ihn der Gedanke: Es ist ein Teil von meinen Hühnern, das sie zum Töten gebraucht haben! Ich bringe ihnen die Hoffnung auf ein Überleben ... und sie morden!

Rassim blieb ruckartig stehen und zeigte auf den Toten. Der Blick, der die Tschakowskaja traf, war wie ein Schlag.

»Was ist das?« fragte er mit lauernder Ruhe.

Verständnislos starrte Dshuban ihn an, aber die Tschakowskaja verstand den Angriff. Sie kniete neben der Leiche und betrachtete sie. »Ein Mann, der ein Huhn essen wollte und das nicht überlebte«, sagte sie ohne Hast.

»Und das ist normal?« schrie Rassim plötzlich auf.

»Was ist hier schon normal, Rassul Sulejmanowitsch?« Sie blickte hoch, und ihre dunklen Augen waren ungewöhnlich groß und rund. »Bei uns ist das Normale doch zum Abnormen geworden!«

»Stellen Sie amtlich den Tod fest, Genossin! Die Todesursache.«

»Erstickt an einem Hühnerknochen . . .«

»Ermordet!« brüllte Rassim. »Ermordet mit einem Knochen, Genossin!«

»Ich sehe als Arzt zunächst nur die Ursache des Todes.« Die Tschakowskaja erhob sich, strich sich durch das kurze Haar und bemerkte jetzt erst Abukow an der Wand. Ihr Gesicht verschloß sich sofort. Der kurze Blick, der ihn streifte, war heiß wie ein Blitzstrahl. »Genauen Aufschluß kann nur eine Obduktion geben . . .«

»Bin ich denn blind?« schrie Rassim außer sich. »Mit Gewalt hat man den Knochen . . .«

»Ich war nicht dabei«, unterbrach die Tschakowskaja kalt. »Genosse Owanessjan wird uns mehr sagen können. Der Chirurg ist er! Er wird obduzieren . . .«

Dshuban Kasbekowitsch zog die Schultern hoch. Man konnte nicht sagen, daß er ein Chirurg aus Berufung war, einer jener Besessenen, die am eröffneten Menschenkörper den Tod verjagen; vielmehr war er Chirurg geworden, weil er sich beim Studium der Medizin in Tiflis in seinen hellblonden Dozenten verliebt hatte, und der war nun einmal eine Kapazität im Bereich der Thoraxchirurgie. Zufrieden fühlte sich Owanessjan nie in seinem blutigen Beruf. Im normalen Leben wäre er über einen kleinen Assistenten nicht hinausgekommen, und auch da hätte man ihn nur zum Klammersetzen oder Nadelhalten ermuntert, nie zu einem eigenen Schnitt – aber hier im Lager war man froh, daß es einen Arzt gab, der Brüche schienen konnte, Furunkel spalten und Wunden nähen. Gab es einen kritischen Fall, etwa einen Magendurchbruch, einen perforierten Appendix oder gar einen Gallenstein mit Gallengangverschluß – der Mediziner nennt das stolz Choledocholithiasis, ein Wort, das Dshuban mit Wonne auswendig gelernt hatte und fast singend von sich gab, wann immer es angebracht war –, dann wurde der Kranke sofort nach Surgut überwiesen. In dem Krankenhaus, das man wegen der Pipeline neu eingerichtet hatte, arbeiteten Spezialisten, die sich ab und zu wunderten, warum der Facharzt für Chirurgie, Dr. Owanessjan, sogar einfache Fälle, wie etwa einen Blasenstein, nach Surgut weitertransportierte. Nur eins behielt sich Dshuban vor, ja, er stürzte sich mit geradezu heiligem Eifer darauf: die Amputationen! Wo Füße, Beine, Hände, Arme gequetscht oder durch Unglücksfälle stark verletzt waren, blühte Dshuban auf, zog seinen grünen OP-Kittel an, schnallte die Gummischürze um und pfiff ein fröhliches Lied. Lästerhafte Mäuler behaupteten sogar, man habe ihn beobachtet, wie er vor einer Amputation das große Amputationsmesser und die Knochensäge geküßt habe.

Auf jeden Fall hieß es im Lager: Und wenn du deinen Arm oder dein Bein an einen Pfahl bindest und herumschleppst . . . du hast sie noch! Kommst du aber zu Dshuban, bist du nur noch ein halber Mensch.

Einen wahren Ekel indessen empfand Dr. Owanessjan vor Obduktionen. Sie waren manchmal nicht zu vermeiden. Außerdem lernte er an den wehrlosen Toten. Wenn er ein paar Gläser grusinischen Kognak getrunken hatte und Feuer durch seine Adern rauschte, nahm er sogar an den Leichen komplizierte Magen- oder Lungenoperationen vor. Einmal wagte er sich sogar an eine schwierige Herzoperation, die im täglichen Leben für ihn über den Sternen lag – an der Leiche und nach zehn Kognaks war sie ihm glänzend gelungen, und er war darüber so selig, daß er am nächsten Tag keine Arbeitsunfähigen zur Trasse schickte. Es war ein Festtag der Krankschreibungen. Kommandant Rassim war an diesem Morgen ehrlich verwirrt, bölkte Dshuban Kasbekowitsch an, aber der Arzt sagte nur: »Ich muß es verantworten!« und ließ den schnaubenden Rassim stehen.

»Warum obduzieren?« fragte er jetzt voller Abwehr. »Jeder sieht doch, daß der Tote . . .«

»Ich will einen Mord bestätigt haben!« brüllte Rassim und schlug die dicken Fäuste gegeneinander. »Ärztlich bescheinigt: Hier wurde getötet!«

»Wichtiger erscheint mir die Lösung der Frage«, sagte nun zum erstenmal Jachjajew und trat näher, »woher die Hühner kommen. Im Lager gab es heute Kartoffelsuppe . . . ich nehme nicht an, daß darin die Hühnerchen herumschwammen. Außerdem ist das Huhn, das dem Toten in der Kehle steckt, gebraten, wie man sieht – nicht gekocht! Das ist doch eine Grundsatzfrage, Genosse Kommandant: Wie kommt ein gebratenes Huhn in das Lager?«

Die Tschakowskaja blickte schnell hinüber zu Abukow. Er verstand diesen Blick und schüttelte fast unmerklich den Kopf. Auch Professor Polewoi hatte bei dieser Frage Abukow scharf beobachtet. War das die Falle gewesen, in die sie alle hineingetappt waren? War der Tote – er hieß Matwej Kusmanowitsch Poljakow und arbeitete in der Schmiedewerkstatt; ein Krimineller, der aus

Nowgorod kam und dort dreimal Lastwagen überfallen hatte – vielleicht gar nicht von den Freunden getötet, sondern von Abukow selbst geopfert worden, um dadurch die verschworene Gruppe innerhalb des Lagers entlarven und aufrollen zu können? Nun schüttelte Abukow den Kopf ... das beruhigte Polewoi nicht sehr, aber er erkannte, daß Abukow die Zusammenhänge genau verstand.

»Die Hühnerbraterei werden wir aufklären, Mikola Viktorowitsch«, sagte Rassim laut. »In diesem Augenblick tritt das ganze Lager an.« Das Gellen der Sirenen war durch Fenster und Wände deutlich zu hören. Mit beiden Händen zeigte Rassim auf den Toten: »Ich will Ihnen helfen, Dr. Owanessjan. Der Mann, der da liegt, war ein treuer Genosse. Er wollte uns melden, daß man im Lager heimlich Dinge frißt, die durch noch unbekannte Kanäle in die Baracken kommen. Er wollte uns die Wahrheit sagen. Deshalb mußte er sterben.«

So ist es, dachte Polewoi. Genauso ist es. Poljakow hat unsere Hühner entdeckt und wollte das melden. Ein Verräter aber hat keine Lebensberechtigung, es ist ein uraltes Lagergesetz. Auch Rassim weiß das genau. Wäre er in unserer Lage, er würde nicht anders gehandelt haben.

»Ich werde ihn obduzieren«, sagte Dshuban steif. »Weg mit ihm!« Er starrte Rassim fast mörderisch an. »Wann wollen Sie den Bericht?«

»So schnell es Ihr Geist zuläßt«, antwortete Rassim anzüglich.

»In einer Stunde . . .«

»Ihnen wachsen ja Flügel, Dshuban Kasbekowitsch!«

Dr. Owanessjan drehte sich brüsk um und ging davon. Rassim blickte ihm mit vorgewölbter Unterlippe nach, als wolle er ihn nach Lamaart bespucken. Dann, nachdem die Flurtür zugeschnappt war, drehte er sich um und nahm den Kampf mit der Tschakowskaja wieder auf. Da kam von draußen ein Melder ins Hospital. Er brachte einen Zettel mit und übergab ihn Rassim.

»Aha!« sagte Rassul Sulejmanowitsch, nachdem er den Zettel gelesen hatte. »Der Tote heißt Matwej Kusmanowitsch Poljakow, kommt aus Nowgorod und war Straßenräuber.« Die vier Soldaten legten die Zeltplane wieder zusammen und schleppten die Leiche hinüber zur Chirurgie. Dort wartete Owanessjan in dem Raum, den er die »Anatomie« nannte und wo er die Toten auf einer blanken Marmorplatte, die über drei Holzböcke gelegt war, sezierte. Er hatte seine Gummischürze umgebunden, dicke Gummihandschuhe übergestreift und trank Kognak aus der Flasche. Er trank ihn so hastig und wild, daß er nach jedem langen Schluck um Atem rang.

»Als Straßenräuber könnte dieser Poljakow auch darin geübt gewesen sein, Hühner zu rauben«, sagte die Tschakowskaja ruhig. Sie sah, wie sich Jachjajew eine Papyrossi ansteckte, und streckte die Hand aus. Voll ungläubigen Staunens gab ihr Jachjajew eine Zigarette und reichte ihr sogar sein Feuerzeug. Sie sog dreimal hintereinander und blies dann den Rauch in einer dicken Wolke von sich. Es war der einzige sichtbare Beweis ihrer Nervosität.

»Wo denn?« schrie Rassim unbeherrscht. »Wo konnte er die Hühner rauben? Wir bauen eine Pipeline, keinen Hühnerhof!«

»Ist es überhaupt ein Hühnerknochen?« fragte die Tschakowskaja. Es war eine Frage, die einen Augenblick stumme Sprachlosigkeit erzeugte.

Jachjajew fuhr sich nervös über die Nase. »Was sonst?« fragte er.

»Eine Schweinerippe war's nicht!« brüllte Rassim.

»Es kann der Knochen einer Ente sein, einer Wildgans, eines Flughuhnes. Haben Sie so große zoologische Fähigkeiten, Rassul Sulejmanowitsch, daß Sie diese Knochen genau zu unterscheiden vermögen? *Ich* kann es nicht!«

»Was ändert das?« rief Jachjajew verunsichert.

»Wir leben zwischen Wald und Sumpf, Genossen.« Larissa Dawidowna sah alle der Reihe nach an. Als ihr Blick zu Abukow kam, bemerkte sie Begeisterung und tiefe Bewunderung in seinen Augen. Das machte sie unbegreiflich glücklich, sie spürte ein Wonnegefühl im Herzen. »Enten, Wildgänse und Flughühner aber leben auch in den Sümpfen. Man kann sie mit einfachen Schlingen fangen, wenn man geschickt ist. Wenn Poljakows Einsatzstelle im Sumpf lag . . .«

»War sie nicht!« Rassim blickte auf seinen Zettel. »Poljakow arbeitete in der Schmiedewerkstatt. Da fliegen keine Wildenten herum. Überhaupt, was soll das, Genossin?«

»Es verändert die Motive.« Sie sog wieder an ihrer Papyrossi. Dann warf sie die Zigarette weg und zertrat sie, dort, wo der Tote gelegen hatte. »Wenn Poljakow eine Ente oder was weiß ich gebraten hat, wurde er umgebracht, weil die anderen vor Hunger wahnsinnig wurden bei dem Anblick und dem Geruch des gebratenen Fleisches – und nicht, wie Sie denken, daß Poljakow andere, die ein Hühnchen brieten, verraten wollte. Das ändert vieles.«

»Es ändert gar nichts!« brüllte Rassim und wurde wieder rot. Gegen die Tschakowskaja sah man immer schlecht aus; mit ihr zu diskutieren war Schwerstarbeit. »Ermordet bleibt ermordet. Und die Täter suche ich mir jetzt heraus!«

»Es sind 1200 Hungernde.«

»Und sie werden morgen oder übermorgen oder in drei Tagen die Käfer von der Erde fressen oder die Moskitos einfangen und hinunterschlucken, wenn die Mörder sich nicht vor mir aufstellen und sagen: Hier sind wir!« Rassims dicker Kopf schnellte vor wie bei einem Büffel, der angreift. »Und auch Sie, Genossin Dr. Tschakowskaja, werden mich durch ärztlichen Firlefanz nicht mehr hindern, das zu tun, was *ich* für nötig halte. Ich brauche bis zu dem Tag, an dem ich sage: ›Jetzt wieder!‹ keinen Arzt mehr in meinem Lager . . . Und ich verantworte das vor jedem. Vor jedem, Genossin! – Verstehen wir uns?«

»Nein!« Die Tschakowskaja hob den Kopf. Ihre Augen funkelten. »Machen Sie Ihre Meldungen, Genosse Kommandant – ich mache die meinigen. Ihre werden nach Tjumen und Perm gehen; den Weg meiner Meldungen brauche ich Ihnen nicht zu erklären . . .«

Rassim holte tief Luft, aber obgleich er glaubte, platzen zu müssen, brüllte er nicht auf. Da war sie wieder, die ungreifbare Drohung, der Schutzpanzer, der die Tschakowskaja umgab: Moskau. Der geheimnisumwitterte Onkel im Zentralkomitee. Das quälende Unwissen, wer hinter Larissa Dawidowna und ihrer verdammten Sicherheit stand. Selbst Jachjajew war bei seinen vorsichtigen Nachforschungen gescheitert. Der KGB in Moskau schwieg sich aus. Wenn so etwas geschah, mußten die da oben schon wichtige Gründe haben.

»Gehen wir der Sache gründlich nach«, sagte Jachjajew etwas gehetzt. Er bemerkte nun auch Abukow, der noch immer an der Wand lehnte, blickte ihn lauernd an und wedelte dann mit den Händen: »Gehen wir ins Lager!«

Rassim stürzte wie ein Raubtier aus dem Hospital, die anderen folgten. Und als Jachjajew an Abukow vorbeiging, blieb er kurz stehen und flüsterte ihm zu: »Haben Sie mit dem Hühnchen etwas zu tun? Wenn ja, sagen Sie es schnell. Wir zwei können uns verständigen.«

»Nichts, Genosse«, antwortete Abukow ebenso leise. Dabei lächelte er breit. Es ist immer gut, mit gefährlichen Leuten in einer Kumpanei zu leben. »Aus meinem Kühlwagen Nummer 11 flattert kein unregistriertes Hühnchen.«

Mit einem Hüsteln lief Jachjajew den anderen hinterher. In wenigen Augenblicken war der Vorraum des Hospitals leer. Nur Larissa Dawidowna stand noch da, und im Hintergrund drückte sich Professor Polewoi herum. Abukow ging zur Tür, schloß sie und kam dann zurück. Die Tschakowskaja nagte an der Unterlippe, ihr Blick war nun unruhig geworden. Ihre Finger trommelten gegen ihre Hüften. Als Abukow nahe vor ihr stand, drehte sie den Kopf weg und starrte gegen die ölgestrichene Wand.

»Warum haben Sie das getan, Larissa Dawidowna?« fragte Abukow. »Die Feindschaft mit Rassim kann Ihr Unglück werden.«

»Ich hasse ihn«, sagte sie ohne große Leidenschaft in der Stimme. »Das ist einfach alles: Ich hasse ihn. Sonst nichts.«

»Man flüstert da etwas von einem einflußreichen Onkel im Kreml. Ein Gevatterchen mit Macht. Das gibt Ihnen diese Sicherheit, ist es so?«

»Was redet man nicht alles!« Die Tschakowskaja hob die Schultern. Aus dem Hintergrund schob sich Professor Polewoi heran, zur Tarnung trug er eine Urinflasche in der Hand, als würde er zu einem Kranken gerufen. »Warum stehen Sie noch hier herum? Warten Sie auf eine ärztliche Leistung?!«

»Ja.« Abukow lehnte sich gegen die Eingangstür. Da sie nach innen aufging, mußte man ihn wegdrücken, wenn jemand plötzlich das Hospital betreten wollte. Es war ein Schutz gegen Überraschungen. »Die Pinkelflasche des Professors allerdings brauche ich nicht.«

»Wir kennen uns noch nicht, Genosse«, sagte Polewoi voller Vorsicht.

»Man informiert sich . . .«

»Zu welchem Zweck?«

»Wir sind unter uns, liebe Freunde«, sagte Abukow leise, aber deutlich. »Niemand wird uns jetzt stören. Da drüben, in der Hölle, werden die Teufel wüten – welch ein Schauspiel für alle! Niemand wird es sich entgehen lassen.«

»Es ist, logisch gesehen, *Ihr* Werk, Abukow.« Polewoi atmete schwer. Er dachte an seine Kameraden, die jetzt vor den Maschinengewehren standen und Rassims Racheorgien anhören mußten. »Sie haben die Lebensmittel geliefert. Pumpen Sie sich jetzt auf mit Triumph?«

»Ich bin traurig bis in die tiefste Seele«, erwiderte Abukow ernst. »Ich wollte nur helfen, und es sollte auch nur der Anfang sein. Wer konnte ahnen, was daraus entsteht?«

»In welcher Welt leben Sie eigentlich, Victor Juwanowitsch?« Polewoi drückte die Urinflasche an sich, als sei sie etwas ungeheuer Wertvolles. »Da schmuggeln Sie ein Stück Himmel in das Lager, und der eine hat drei Bissen Huhn, der andere kocht sich ein Ei, ein anderer läßt ein Stück Schokolade in der Mundhöhle zergehen, und einige bestaunen ihr Klümpchen Schmalz, bevor sie es auf ihre Scheibe Brot schmieren oder unter die Suppe rühren – und da ist plötzlich ein Mensch, sieht aus wie wir, atmet wie wir, spricht unsere Sprache, ist elend wie wir alle, der Hunger schreit ihm wie uns aus den Augen, und dieser Mensch sagt: ›Ha, ich habe was entdeckt! Hühner und Speck und Eier und Quark bringt ihr heimlich ins Lager und freßt es im Dunkeln wie die Ratten. Ich hab's gesehen! Vergeßt nicht, daß auch ich einen Mund habe zum

Schlucken und, wenn's sein muß, zum Reden.« Und das kleine Stück Himmel, Abukow, was Sie uns gebracht haben, das bißchen Sattsein wird zu einer Todesdrohung. Ich frage Sie: Was hätten Sie getan?« Polewoi winkte ab, bevor Abukow eine Antwort fand. »Warum frage ich überhaupt, Genosse? Wer immer satt ist, wer im Rahm schwimmt – wie kann er die Gefühle und die Gedanken eines Menschen begreifen, für den eine Handvoll Mehl mit etwas Zucker eine königliche Mahlzeit ist? Ein Hühnerknöchelchen mit etwas Fleisch und Haut daran, man könnte davor niederknien ...«

»Nur vor Gott kniet man nieder«, sagte Abukow und sah dabei die Tschakowskaja an. »Warum schützen Sie die Verurteilten, Larissa Dawidowna?«

»Ist das ein Verhör, Genosse?« fragte sie steif zurück.

»Ja!«

»Aha! Aha!« rief Polewoi mutig. »Jetzt ist es heraus! Geben Sie Alarm, Genosse! Eine gute Falle war das. Gratulation, eine bestialische Falle – würdig der Hölle, in der wir leben. Doch bevor die Verhöre beginnen, sei gesagt: Die Ärztin Larissa Dawidowna hat keine Ahnung von diesen Dingen. Sie weiß nichts von den Lebensmitteln.«

»Sie weiß nur, daß der Genosse Poljakow mit einem Hühnerbein ermordet wurde. Und sie redet davon, es könnte auch ein Stückchen von einer Wildente sein, gefangen, gebraten und gegessen draußen im Sumpf.« Abukow blickte von der Tschakowskaja zu Professor Polewoi. Kalte Abwehr schlug ihm entgegen. Gefrorene Gesichter. »Wollen wir nicht endlich ehrlich zueinander sein?« sagte er und knöpfte sein Hemd auf. Aber die Hand behielt er noch flach vor der Brust.

»So hat es bei mir angefangen, als man mich geholt, mich verhaftet hat.« Polewoi schüttelte den Kopf. »Sei ehrlich, Professor, gib zu, was wir schon wissen. Wirst es dann leichter haben mit allen Behörden, die sich um dich kümmern werden. Immer der gleiche Ton, die gleichen Worte. Ich war ehrlich! Und was ist daraus geworden? Zwanzig Jahre Zwangsarbeit in Sibirien. Drei Jahre habe ich rum, siebzehn noch vor mir. Sehen Sie mich an! Kann ich noch siebzehn Jahre Taiga erleben? Warum zwanzig Jahre? Warum nicht sofort: Tod! – Und nun stehen Sie da, Abukow, und sagen zu uns: Seid ehrlich! Muß man da nicht lachen? Noch einmal ehrlich sein? Noch eine Verurteilung obendrauf?« Polewoi schüttelte wieder den Kopf, daß seine weißen Haare flogen. »Ich bin schon tot, Abukow ... bitte, keine Mühen mehr! Unser Land braucht noch unsere winzige Arbeitskraft, nur darum dürfen wir alle weiterleben!«

»Das war eine gute Rede, Georgi Wadimowitsch«, sagte Abukow fast feierlich. »Verzeiht mir alle, daß ich ein anderes Gesicht trug, um zu prüfen, ob ihr fähig seid, die Wahrheit zu verkraften. – In eurer Mitte gab es einmal einen Freund, den ihr Pjotr nanntet . . .«

»Er . . . er ist lange tot . . .«, sagte Polewoi heiser. Sein Blick irrte zu Larissa Dawidowna. Die Tschakowskaja hatte sich besser im Griff; sie lehnte sich Abukow gegenüber an die Wand und schlug mit der Spitze ihres linken Stiefels den Takt eines Liedes, das nur sie im Inneren hörte.

»Wie gut Sie informiert sind, Genosse«, sagte sie kalt.

»Pjotr war ein Priester.« Abukows Stimme senkte sich noch mehr. Im gleichen Augenblick zuckte er zusammen. Vom Lager klang die Salve eines Maschinengewehrs herüber.

Polewois Augen weiteten sich, er begann zu zittern. »Das kann er doch nicht machen«, stammelte er. »Das kann Rassim doch nicht . . . Larissa Dawidowna, er kann doch nicht einfach in die Menge schießen!«

»Ich bin zu euch gekommen, um Pjotrs Stelle einzunehmen«, sagte Abukow und atmete schwer. Es blieb bei der einen Maschinengewehrsalve. Die Stille war lähmend, wie nach einer Hinrichtung. »Habt Vertrauen! Und glaubt mir: Was jetzt da draußen geschieht, habe ich nicht gewollt.«

Er nahm die flache Hand von der freiliegenden Brust und zog das Hemd etwas auseinander. Polewoi und die Tschakowskaja starrten ihn an, blickten auf seine nackte Brust und auf das in Silber geprägte kleine Kreuz, das ihm an einer dünnen Kette um den Hals hing. Plötzlich ging ein Beben durch beider Körper; es war, als hielten sie den Atem an.

»Victor Juwanowitsch . . .«, stammelte Polewoi und mußte mehrmals schlucken. »Gott im Himmel, wer bist du?«

»Ich bin gekommen, um eure verwaiste Gemeinde zu übernehmen.«

»Ein . . . ein Priester ist er . . .«, sagte die Tschakowskaja. Es machte ihr Mühe, das Wort im Zusammenhang mit Abukow auszusprechen. In das unaussprechliche Gefühl von Freude und Befreiung mischte sich die Bitterkeit der Erkenntnis, daß alles, was beim Anblick Abukows tief in ihrem Herzen in Wallung geraten war, verdrängt und vergessen werden mußte. Ein Priester! Ein Mann wie Abukow . . . Ein Mann! Ein Priester! Unmöglich, das jetzt zu trennen, so plötzlich, so gemein brutal: Kein *Mann* – nur ein Priester. Nur . . . ?

»Ja.« Abukow knöpfte sein Hemd wieder zu und zog die Jacke darüber. »Jetzt bin ich endlich völlig bei euch.«

»Und . . . und du bleibst?« Polewoi sah ihn mit sorgenvollen Augen an.

»Solange ihr mich braucht, Brüder.«

»In alle Ewigkeit, Victor Juwanowitsch.«

»So wird es sein.« Abukow lauschte nach draußen. Über das Lager tönten die Lautsprecher, aber man konnte die Worte nicht verstehen. Es war anzunehmen, daß Rassim sein Ultimatum stellte: Die Mörder sollen sich stellen, oder es hagelt Repressalien. »Ich habe gesehen, daß Pjotr nur wenig tun konnte als Sträfling.«

»Die Gemeinde hat er hier aufgebaut. Und wir hatten unsere Gottesdienste. Wir haben gebetet. Wir haben Gottes Wort gehört. Davon wurden wir nicht satt – aber es war Trost. Wir haben die Kunst gelernt, mit Trost den Hunger zu neutralisieren.« Polewoi stellte die Urinflasche neben sich auf die Erde und fuhr sich mit beiden Händen durch das weiße Haar. »Du bist mit Hühnern, Schmalz und Eiern gekommen. Das ist ein doppeltes Wunder.«

»Und habe gleichzeitig einen Toten erzeugt.«

»Das bedrückt dich, Victor Juwanowitsch?«

»Meine Aufgabe ist es, Leben zu erhalten.«

»Der Auftrag Gottes wird sich nie verbinden lassen mit den Gesetzen des Lagers«, sagte Polewoi ernst. »Das wirst du noch von *uns* lernen müssen, Bruder. Wie Gott später darüber richten wird, wenn wir vor ihm stehen – daran denken wir jetzt nicht. Wir leben diesen Tag in der Hoffnung, auch den nächsten Tag zu überstehen – das allein ist unser Denken. Und wir beten, daß Gott uns die Kraft gibt, diesen heißen Sommer und den kommenden Winter durchzuhalten. Dieses Jahr, nächstes Jahr, ein Jahrzehnt. Du ahnst nicht, wie der Mensch am Leben hängt, wenn er es stündlich verlieren kann. Jeden Abend, wenn wir auf unserer Pritsche liegen, überströmt uns ein seliges Gefühl: Geschafft! Diesen Tag hast du noch gelebt. Und die Nacht gehört auch dir. Herr im Himmel, gönn uns auch den morgigen Tag. *Das* ist unser Gebet. Und um diesen neuen Tag kämpfen wir!«

»Mit Mord?«

»Auch damit!« Polewoi faltete die Hände vor der Brust. »Du wirst es lernen. Noch viel wirst du lernen. Kommst aus dem Himmel in die Hölle, das ist ein Sprung über alle Sterne hinweg.« Er atmete tief und blickte hinüber zu der Tschakowskaja. Auch sie hatte die Hände gefaltet. Bleich war ihr Gesicht, kantiger als sonst, und sehr viel älter, als habe sie plötzlich Jahre übersprungen. Auf einmal, blitzartig, erkannte Polewoi ihre Qual und hatte tiefes Mitleid mit ihr. Nur Hilfe konnte ihr keiner mehr bringen. Das Leben ist hundsgemein, dachte er. Da spürst du nun die vielen kleinen Wunder der Liebe, mein Töchterchen, und gleichzeitig heißt es auf alles verzichten, was dein Körper ersehnt. Ein Priester ist er . . . Larissa Dawidowna, es sei dir erlaubt, zu verzweifeln.

»Wir sind glücklich, daß du gekommen bist!« sagte Polewoi mit erstickter Stimme. »Gib uns deinen Segen.«

Abukow schlug schnell das Kreuz. Er hörte Stimmen, die näher kamen. Das Geschenk der einsamen Minuten war aufgebraucht. Er stieß sich von der Tür ab; Professor Polewoi ergriff wieder seine Urinflasche und lief ein paar Schritte weg in den Gang hinein; die Tschakowskaja knöpfte ihren Arztkittel auf, zog ihn aus und hängte ihn über den linken Arm. Die grünbraune Uniform, auf ihren schönen Körper zurechtgeschnitten in der Schneiderei des Lagers, stand ihr gut.

Mit einem Knall schlug die Tür gegen die Wand: Rassim stürmte ins Hospital und grunzte zufrieden, als er die Tschakowskaja noch im Vorraum sah.

»Arbeit bekommen Sie, meine Liebe!« schrie er enthusiastisch. »Natürlich hat niemand von der Bande mein Ultimatum beachtet. Keiner weiß was, keiner hat was gesehen, gehört oder gerochen! Sie sollen behandelt werden, wie sie es verdienen: Das ganze Lager bleibt angetreten stehen, bis sich die Mörder melden. Die Nacht über, den ganzen Tag, die nächste Nacht und, wenn's sein muß, die ganze Woche. Ohne Essen, ohne Trinken. Bis ich eine Meldung habe. Ich bekomme sie mürbe wie Tatarenfleisch, das schwöre ich Ihnen, mein Engelchen! Rufen Sie ruhig in Moskau an . . . das hier ist eine Revolte, und für den Fall einer Gefangenenrevolte habe ich Sondervollmachten. Selbst wenn sie alle umfallen wie blutleere Wanzen: Ein Rassim gibt nicht nach!« Er holte tief Luft. »Wollen Sie ins Lager, zarte Ärztin, um die Umfallenden zu versorgen?«

»Man wird sie mir bringen«, sagte die Tschakowskaja und versuchte den Haß in der Stimme zu verbergen.

»Irrtum!« Rassim brüllte vor Freude. »Mein Befehl lautet: Liegenlassen! Den Engel von Sibirien müssen Sie schon am Ort spielen.« Plötzlich, jetzt erst, bemerkte er Abukow, der in der Türecke stand. »Unser Theatergenie! Unser neuer Stanislawski! Los, lauf raus, sieh dir *meine* Inszenierung an! Ein totaler Bühnenerfolg: Der Chor der 1200 Stimmlosen. Was willst du hier noch mit deinem dämlichen Schiller?«

Mit gesenktem Kopf verließ Abukow das Hospital. Draußen schallte ihm Musik entgegen. Aus den Lautsprechern dröhnten Marschmelodien über das Lager. Von allen Wachttürmen strahlten die Scheinwerfer. In ihrem gleißenden Licht standen die Blöcke der Sträflinge – eine dunkle Masse aus Lumpen, Gliedern und Köpfen.

Ein schmerzhaftes, zermürbendes Schuldgefühl lähmte Abukows Bewegungen. Er blieb stehen, spürte das Klopfen seines Herzens bis in die feinsten Nerven und unterlag für wenige Augenblicke dem Zweifel, ob er der richtige Mann für die ihm übertragene Aufgabe sei.

Den Bereich der Sträflinge betrat Lagerkommandant Rassim nur äußerst selten. Um die Baracken zu inspizieren, die Werkstätten, die Küche oder das Magazin – dafür hatte er seine Offiziere, die sich des täglichen Kleinkrams annahmen. Wenn er mit Jachjajew Schach spielte, erfuhr er ohnehin alles, was aus dem Lager berichtenswert war. Um so mehr kümmerte er sich um das Hospital, denn hier sah er die Quelle aller Unannehmlichkeiten. Ein Sträfling steckt voller Tricks, sobald es darum geht, sich vor der Arbeit zu drücken. Gewiß, man konnte sagen: Das ist sein gutes Recht, alles zu versuchen, was sein Leben leichter macht. Gefährlich für den gesamten Einsatzplan wurde es jedoch, wenn die Ärzte auf diese Tricks hereinfielen und das von Rassim festgelegte Höchstmaß an Kranken weit überschritten.

Mit Ärzten hatte Rassim von Anfang an seine Qual gehabt. Während er aus anderen Lagern erfuhr, wie reibungslos dort alles ablief und daß die morgendliche Selektion ein Vergnügen war wie Blumenpflücken, mußte er sich im eigenen Lager mit einem Dr. Semlakow – dem Vorgänger von Larissa – herumschlagen, der jeden Krankgemeldeten peinlich genau untersuchte und mindestens wöchentlich einmal nach neuen Betten schrie und die medizinische Versorgung als unzureichend reklamierte. Dr. Semlakow schrieb lange Berichte nach Tjumen und Perm, sogar an die Zentralverwaltung nach Moskau, aber er erhielt nie eine Antwort. Eine Antwort war auch nicht möglich, weil Rassim die gesamte Post vor der Verladung in den Lastwagen nach Surgut noch einmal durchwühlte und die Eingaben von Dr. Semlakow aus dem Verkehr zog. Die Folgen kennt man: Semlakow beging völlig zermürbt Selbstmord.

Aber auch der Chirurg Dr. Fewraljow – der Vorgänger von Dshuban Kasbekowitsch – rieb sich auf, wenngleich nicht an der Arbeit. Da sein Fachgebiet die gynäkologische Chirurgie war, mit der er in einem Männerlager nichts anfangen konnte – sehen wir von den wenigen Weibchen ab, die in der Verwaltung eingesetzt waren, wie etwa die Chefköchin Leonowna –, gehörte auch die medizinische Betreuung des nahe gelegenen Frauenlagers zu seinem Aufgabenbereich. Einmal in der Woche hielt er dort eine Ambulanz ab und operierte. Das genügte! Fewraljow, ein Hüne von Kerl, wohl er einzige, der es mit dem Stier Rassim aufnehmen konnte, schlug sich ein Jahr lang verzweifelt mit einer Syphilis herum, bis die Krankheit ihn derart aushöhlte, daß die zentrale medizinische Verwaltung ihn in ein Sanatorium an den Aralsee bringen ließ. Dort verlor sich seine Spur. Briefe, die Rassim ihm schrieb, kamen mit dem Vermerk: »Empfänger hier nicht zu ermitteln« wieder zurück.

Waren schon diese Ärzte dem Kommandanten Rassim wie eine Strafe des Himmels erschienen, so brach das Schicksal geradezu elementar über ihn herein, als Dr. Owanessjan sich bei ihm meldete: in einem eleganten Blaufuchspelz und nach Parfüm duftend. Rassim schnüffelte wie ein Hund, hieb dann die Faust auf den Tisch und schrie: »Ich kann Sie nicht riechen! Hinaus!«

Am Abend machte Dshuban seine erste Visite in der chirurgischen Abteilung. Dabei entdeckte er den hellblonden Sträfling Jossip Kusmanowitsch, der sich zwei Zehen abgefroren hatte, und untersuchte ihn in einer Privataudienz. Natürlich erfuhr Rassim so etwas sofort; er stürzte ins Hospital, fand einen sehr fröhlichen Dr. Owanessjan in einem seidenen, bestickten Kimono vor, allerdings allein im Zimmer, und mußte sich in zitternder Wut anhören, wie Dshuban sagte:

»Ich sehe, es ist hier nicht üblich, vor dem Eintritt ins Zimmer anzuklopfen. Morgen werde ich meine Türschlösser auswechseln und einen Innenriegel anbringen. Wo kann ich Ihnen helfen, Genosse Kommandant? Was darf ich Ihnen wegschneiden?«

Kaum war Dr. Owanessjan im Lager JaZ 451/1 eingetroffen, folgte der zweite Schicksalsschlag für Rassim: Genau drei Tage später meldete sich Dr. Larissa Dawidowna Tschakowskaja. Die Zentralverwaltung für ärztliche Versorgung arbeitete erstaunlich schnell.

»Mir ist unbekannt, welche Verbrechen gegen den Staat ich begangen habe«, klagte Rassim wenig später in dem Offizierskasino nach etlichen Gläsern Wein. »Zwei Ärzte solchen Kalibers! Bewache ich Strafgefangene, oder bin ich selbst ein Verdammter?«

Der schlimmste Tag im Lager war für Oberstleutnant Rassim jedoch der Tag, an dem man einen Toten fand, dem jemand einen Hühnerknochen in die Kehle gepreßt hatte. Im gleißenden Licht der Scheinwerfer erschien der Kommandant im Inneren des Lagers und baute sich vor den angetretenen Häftlingen auf.

Mit einem langen Blick streifte er die zerlumpten, hohläugigen Kolonnen, und zweitausendfünfhundert Augen starrten ihn, wie er festzustellen glaubte, voll Feindschaft an. Genau genommen waren es zweitausendvierhundertvierundneunzig Augen – sechs Häftlinge hatten während ihrer Strafzeit ein Auge verloren.

»Ein Mord ist hier geschehen!« sagte Rassim, nachdem ihm Leutnant Sotow ein Mikrophon gereicht hatte, das mit den Lautsprechern rund um das Lager verbunden war. Die Stimme hallte weit und donnergleich über Baracken, Werkstätten, Garagen und Verwaltungsgebäude bis weit in die Dunkelheit hinein. »Der Genosse Poljakow wurde gewaltsam mit einem Hühnerbein erstickt. Ich spare mir die sinnlose Mühe, das Lager durchsuchen zu lassen, und frage euch: Sind die Täter bereit, sich freiwillig zu melden?«

Als niemand antwortete, hob er kurz die Hand. Das Maschinengewehr vor ihm knatterte los und fegte eine Salve über die Köpfe der Sträflingsblöcke hinweg. Nur wenige duckten sich oder zogen den Kopf ein. Die Mehrzahl stand gerade und unbeweglich und starrte geradeaus auf Rassim.

»Wir können es auch zehn Zentimeter tiefer«, sagte Rassim kalt. »Und ich verantworte es vor allen Instanzen. Es gibt Sondergesetze für Revolten, und dieser Vorfall ist eine Revolte. Ehe sich die Täter nicht melden, rührt sich keiner von euch von der Stelle! Es ist Befehl gegeben, auf jeden zu schießen, der seinen Platz verläßt!«

Er überblickte noch einmal die 1200 stummen, starrgesichtigen Männer, wartete schweigend zwei Minuten, um anzudeuten, daß er den Tätern Gelegenheit gab, vorzutreten – dann hob er die Schultern und sagte laut zum Abschied: »Welch eine feige Bande!« Mit weitausgreifenden Schritten verließ er den inneren Lagerbereich.

Leutnant Sotow, der das Nachtkommando übernommen hatte, schaltete das Mikrophon aus. Es knackte ein paarmal in den Lautsprechern, und dann begann die Marschmusik. Hallend tönte sie über das ganze Lager; die stampfenden Rhythmen hämmerten auf die Köpfe der Sträflinge. Man wußte: Das würde jetzt so bleiben, stundenlang, tagelang. Knallende Musik aus allen Ecken. Märsche, Volkslieder, Opernmusik, Sinfonien – das Tonbandarchiv der Lagerverwaltung war bestens sortiert. Und man wußte auch: Eine Stunde lang war die Musik erträglich, nach drei Stunden zuckten die Hirnnerven, nach sechs Stunden kam der Schmerz, der den ganzen Körper durchzog, nach zwölf Stunden war jeder Ton ein Hammerschlag auf den Kopf, nach zwanzig Stunden kroch der Wahnsinn in einem hoch. Nach vierundzwanzig Stunden schrie man mit oder lag auf dem Boden und stopfte sich die Ohren mit Erde zu.

Langsam ging Abukow auf das große, offene Tor des Lagers zu. Hier standen dichtgedrängt die Zivilangestellten und beobachteten die angetretenen 1200 Häftlinge. Traten die Mörder vor?

Wurden sie verraten? Wann fielen die ersten um vor Schwäche?

Auch der unheimlich fette Gribow mit seiner Geliebten Leonowna stand herum, ebenso der Leiter der Autowerkstatt, der Genosse Nikita Borisowitsch Rakscha, der Leiter der Schreinerei, der Vorsitzende der Schneiderei und die Genossin Pulkeniwa, die für die Wäscherei verantwortlich zeichnete. Nicht zuletzt der geradezu winzige Genosse Sakmatow, der sich bei starkem Wind überall festhalten mußte, als sei grober Seegang, sonst wäre er umgeblasen worden – und ausgerechnet er war, man soll's nicht glauben, Chef der Schmiede. Wenn er einen Hammer ergriff und hochhob, glaubte man an Wunder. Er war ein Künstler und entwarf herrliche barocke Ziergitter, die von neun Häftlingen geschmiedet wurden und die Sakmatow – so klein, so haushoch raffiniert! – in Surgut und auch in Tjumen verkaufte. Sogar in Swerdlowsk tauchten Sakmatow-Ziergitter auf. Im geheimen war der Winzling schon ein reicher Genosse.

Kurz vor dem Tor stand auch Mustai Jemilianowitsch. Er sah Abukow kommen, atmete tief auf und vertrat ihm den Weg. Dabei legte er beide Hände flach auf seine Brust.

»Väterchen . . .«, flüsterte er.

»Halt den Mund und komm mit!« sagte Abukow grob.

»Soeben habe ich es erfahren. Wie gelähmt bin ich . . .«

»Kein Wort mehr, Mustai!«

»Mit mir hast du keine Sorge, ich bin Mohammedaner. Bin nie übergetreten. Aber was soll das heißen, Väterchen? Ist man erst einmal verdammt, haben wir alle nur einen Gott, zu dem wir sprechen können. Ob Allah oder euer Christus – der Himmel ist immer über uns.« Er hielt Abukow am Ärmel fest, als dieser weitergehen wollte: »Wohin, Brüderchen?«

»Einen Blick ins Lager will ich werfen.« Abukow griff nach der Hand Mustais. »Ohne meine Hühner wäre das nicht geschehen. Ein schreckliches Gefühl, schuldig zu sein. Ich komme hierhin, um zu helfen – und was wird daraus? Ein mörderisches Chaos!«

»Nur schweigen kannst du jetzt«, sagte Mustai und hielt Abukow noch immer fest. »Alles andere nützt keinem und schadet nur noch mehr. Schluck es einfach herunter.«

»Was?«

»Das Gefühl von Schuld! Wer hier gelandet ist, bereut nichts, was er tut. Alles hat nur ein Ziel: Überleben! – Das wirst du alles noch lernen, Victor Juwanowitsch. Viel mußt du lernen, um in Sibirien leben zu können. Das Wort deines Gottes ist ein Schluck Wasser – mehr nicht. Am Tag sind die Bäume der Taiga und die Sümpfe stärker, und in der Nacht hast du genug zu tun mit den Schmerzen deiner Knochen. Vergiß alles, was du als Priester in einem normalen Leben gelernt hast.«

»Wir alle haben ein Gewissen, Mustai!«

»O du Eierkopf – verzeih, Väterchen!« Mustai hakte sich bei Abukow unter. »Habt ihr nicht ein Gebot: Du sollst nicht stehlen? Haha, und was hast du getan, nicht einmal, immer, wenn du mit deinem Kühlwagen Nummer 11 ankommst? Den sowjetischen Staat hast du beklaut, hast mit Gribow halbe-halbe gemacht – natürlich nur, um deine Hälfte den Ärmsten der Armen weiterzugeben. Aber bleibt alles nicht trotzdem ein Diebstahl? Ein Priester stiehlt . . . sieh an, wie schnell man sich an sibirische Verhältnisse gewöhnen kann! Schlägt dein Gewissen, wenn du fünfzehn Hühnerchen und Schmalz und Butter und Quark unter den Zaun schiebst?«

»Hier ist durch mich ein Mensch getötet worden, Mustai!«

»Ein Verräter, kein Mensch«, sagte Mirmuchsin kalt. »Sag bloß keinem hier, daß ein Verräter wie ein Mensch zu behandeln ist. Deck deinen Gott zu, wenn so etwas vorkommt! Du kannst für ihn beten, aber du wirst ihn nie vor den anderen retten können.«

Sie gingen langsam zum Tor und trafen dort auf den fetten Gribow, der vor innerer Ergriffenheit laut schnaufte. »Ha!« schrie er, als er Abukow kommen sah. »Da ist er! Da ist der Genosse, der bezeugen kann, daß genau die Zahl der Hühner im Kühlhaus hängt, die er mit seinem Wagen angeliefert hat. Victor Juwanowitsch, zeig die Transportpapiere! Verdächtigungen schlägt man mir hier um die Ohren . . . mir zuckt das Herz! Will man mir doch anhängen, daß die Hühnchen aus meinem Lager kommen. Ersticken will ich an jedem Knochen, der aus meinem Haus kommt. Hier, Genossen!« Gribow zeigte auf Abukow. »Das ist der Zeuge! Der ehrenwerte Abukow. Ihm müßt ihr glauben!«

»Es stimmt«, sagte Abukow zu den Offizieren, die sich zu ihm umwandten, »Kasimir Kornejewitsch hat damit nichts zu tun. Ich habe die Hühner gebracht und gegen Quittung abgeliefert. Man braucht nur nachzuzählen.«

»Zählt, Genossen!« schrie Gribow und bebte wie ein vulkangeschüttelter Berg. »Zählt! Nicht ein Hautfetzchen fehlt da. Wie soll ich wissen, woher die Hühner kommen, mit denen man staatstreue Genossen erstickt?«

Die Offiziere umringten Abukow und grinsten breit, denn Mustai hatte sich bei Abukow untergehakt, als suche er in dieser kritischen Lage Schutz bei ihm. Da sie ihn ja für einen Idioten hielten, nur brauchbar, um Limonade zu brauen, grinste er zurück, schnitt Grimassen, ließ die Augen rollen und sagte fröhlich: »Kann's nicht sein, daß das Hühnerbeinchen von einem Offizierstisch gefallen ist?«

»Rinderbraten gab es heute!« rief ein Oberleutnant.

»Weiß ich, was die hohen Genossen Offiziere zu sich nehmen? Wie oft war Victor Juwanowitsch mit seinem Zauberwagen hier? Na? Laßt uns nachrechnen. Was hat er nicht alles aus Surgut gebracht! Malen könnte man es und dann das Bild ablecken. Und wo sind all die Köstlichkeiten geblieben, na? Habe ich je ein Hühnchen zwischen den Zähnen gehabt, ein Stückchen Schokolade gelutscht, den Quark von den Fingern geleckt, Salz auf ein Schmalzbrot gestreut und Gott dabei gelobt? Nichts, Genossen, nichts! Drei Eier hat man mir bewilligt und dazu gesagt: Friß sie nicht – laß sie dir vergolden. So ist das hier! Und plötzlich erstickt jemand an einem Hühnerbein – sagt selber: Wo kann es denn herkommen, wenn nicht vom Teller der Offiziere?«

Ein großes Gelächter gab es, Mustai zog Abukow aus dem Kreis der Offiziere und schob ihn weiter zum Tor. »Manchmal ist es ein Segen, ein Idiot zu sein«, flüsterte er. »Eigentlich solltest du schon unter der Erde liegen . . .«

»Was sagst du da?« Abukow blieb abrupt stehen. »Erklär das genauer.«

»Ich wollte dich umbringen. Erdrosseln! Mit einer Seidenschnur. In Tjumen, als wir nebeneinander im Bett lagen.«

»Du . . . du hättest . . . wieso denn das?«

»Alle glaubten sie, du seist ein Spitzel des KGB. Sie dachten: Er stellt Fallen. Bringt Fleisch und Schmalz und Marmelade und steckt sie dem General zu, um später einen Beweis unserer Schuld zu haben. Wer ist der Unbekannte, fragten sie, der da aus Tjumen kommt und Reichtümer verteilt? Kann nur ein Jäger sein, der den hungernden Vögeln Leimruten legt . . . Und da habe ich versprochen: Wenn dem so ist, Brüder, erdrosele ich ihn! Meinen Freund Victor Juwanowitsch bringe ich um, so wie man früher die Verurteilten in Samarkand und Taschkent zu Tode brachte – mit einer Seidenschnur.« Mustai klopfte gegen seinen Rock und sah Abukow strahlend an. »Hab sie noch in der Tasche – deinetwegen! Und nun erfahre ich, daß du ein Priester bist . . .«

Sie standen jetzt im Tor, blickten in das Lager hinein und sahen die Menschenblöcke im gleißenden Scheinwerferlicht stehen. Drei schwere Maschinengewehre waren aufgebaut worden, von den Wachttürmen I und II richteten sich ebenfalls die Läufe von automatischen Waffen auf die Häftlinge, und eine Reihe von Soldaten mit entsicherten Maschinenpistolen bildeten einen weiten, drohenden Bogen zu beiden Seiten des Tores. Es war ein Bild des Schreckens.

Dr. Dshuban Kasbekowitsch Owanessjan hatte die Obduktion abgeschlossen und an Rassim gemeldet:

»Der Genosse Poljakow starb durch einen Bruch der Halswirbelsäule, ausgelöst durch einen Schlag mit einem stumpfen Gegenstand. Das Geflügelbein wurde ihm erst hinterher, also nach Eintritt des Todes, in den Rachen gerammt. Der Tod trat vor etwa drei Stunden ein. Poljakow litt ferner an einer Lungentuberkulose mit zwei offenen Herden in der linken Lunge und an einer Urethritis posterior, was sehr verwunderlich ist. Der Ernährungszustand war erstaunlich gut im Vergleich zu anderen Strafgefangenen . . .«

Es war ein Obduktionsbericht, den Rassim so nicht hinnahm. Mit dem Papier in der Hand rannte er hinüber zum Hospital und stöberte Dr. Owanessjan auf, wie er gerade die zerschnittene Leiche in einer Zinkwanne wegschaffen lassen wollte. Einer der Träger war Professor Polewoi.

»Was soll das hier?« schrie Rassim sofort und schwenkte den Bericht. »Wollen Sie den so abgeben? Amtlich?«

»Natürlich. Er entspricht voll der Wahrheit. Wenn Sie selbst sehen wollen, Genosse Kommandant.« Dshuban winkte, die Träger setzten die Zinkwanne ab und zogen die Decke weg.

Rassim blickte zur Seite. »Der Ernährungszustand ist unwichtig!« rief er.

»Er gehört in jeden Obduktionsbericht. Die Ausführungsbestimmungen gerichtsmedizinischer Obduktionen schreiben vor, daß . . .«

»Wir sind hier nicht in Leningrad, sondern in Nowo Wostokiny!« Rassim hob den Bericht hoch über seinen Kopf. »Und hier: Was heißt verwunderlich?!«

»Ich betrachte es als sehr verwunderlich, wenn ein Mann in einem Straflager an Urethritis posterior erkrankt.«

»Wieso ist das ein Wunder? Was ist das, diese Ure . . .«

»Ein Tripper!« sagte Dr. Owanessjan mit sichtbarer Wonne. »Nach der ganzen Sachlage kann es nur ein fortgeschrittener Tripper sein, Genosse Kommandant. Poljakow muß sich vor etwa sechs Wochen infiziert haben. Bestimmt nicht an einem Hühnerknochen – also nenne ich das sehr verwunderlich . . .«

»Wichtig allein ist doch«, entgegnete Rassim heiser, »daß man Poljakow das Genick gebrochen hat. Man hat ihn erschlagen. Der Hühnerknochen ist nur eine zusätzliche Demonstration. Danach könnte es nur ein Mörder sein.«

»Möglich!« Dr. Owanessjan zog aus der Tasche einen Flacon mit Parfüm und besprühte sich die Hände. Ein schwerer süßer Duft zog durch den Raum. Rassim kniff die Lippen zusammen, drehte sich mit Schwung um und rannte aus dem Zimmer. Dshuban folgte ihm, traf in der Eingangshalle auf Larissa Dawidowna und nickte ihr zu:

»Wohin gehen Sie mitten in der Nacht?«

»Ins Lager. Es wird nicht lange dauern, und die ersten fallen um.« Die Tschakowskaja knöpfte ihren Uniformrock zu. Auf den grünen Kragenspiegeln leuchteten die goldenen Symbole des medizinischen Dienstes und auf den Schulterklappen die vier Sterne des Kapitäns. Es sah aus, als ginge sie zu einer Parade.

»Sie wollen Rassim ärgern, ist es so?« Dr. Owanessjan wiegte den Kopf. »Erwarten Sie, daß er Ihnen erlaubt, die Ohnmächtigen zu untersuchen oder gar abzutransportieren? Solange sich der Täter nicht meldet, läßt der Kommandant niemanden ran.«

»Das kann er nie verantworten. Spätestens bei Sonnenaufgang wird er die Aktion abbrechen.«

»Wollen wir es hoffen, Larissa Dawidowna. So wie jetzt habe ich Rassim jedenfalls noch nie gesehen. Warten Sie einen Augenblick, ich hole nur meinen Rock und begleite Sie . . .«

Schon von weitem sah Larissa, wie Abukow mit Mustai vom Lagertor her über den Platz kam, und wieder empfand sie das schmerzhafte Zucken an ihrem Herzen bei den mahnenden Gedanken: Er ist ein Priester! Vergiß, daß er ein Mann ist. Sieh sein Kreuz und nicht die Brust darunter.

Ihr Schritt wurde langsamer, zögernder, aber da Owanessjan an ihrer Seite ausschritt, mußte sie mithalten, und jeder Meter, den sie Abukow näher kam, steigerte den Schmerz in ihrem Herzen. Dann stand sie vor ihm, ihre Blicke kreuzten sich. Seine jetzt sehr ernsten Augen schienen sie zu bitten: Hilf mir!

»Es war einwandfrei ein Sühnemord«, sagte Dshuban Kasbekowitsch. »Der Hühnerknochen ist nur eine Art Signalflagge: Wer etwas weiß wie Poljakow und den Mund nicht hält, der endet ebenso! – Die Frage ist: *Was* wußte Poljakow? Ich glaube, wir müssen mit einem sehr entschlossenen Rassim rechnen.«

»Schwierigkeiten wird er bekommen«, sagte die Tschakowskaja. »Wie ein Khan aus früheren Zeiten kommt sich Rassul Sulejmanowitsch vor. Alleinherrscher in den Wäldern! Aber an diesem Anspruch wird er scheitern.«

Noch einmal blickte sie Abukow tief in die Augen, riß sich dann los und ging zum Lagertor und den Soldaten, die sich dort versammelt hatten. Dshuban Kasbekowitsch sah ihr nach und seufzte laut. Nicht Larissa Dawidownas Schönheit ergriff ihn so, sondern die Ahnung, daß der untergründige Kampf zwischen Rassim und der Tschakowskaja auch ihm eine unruhige Zeit bescheren würde.

»Völlig aus der Art fällt sie«, sagte er und legte den Arm um Abukows Schulter. Dabei drückte er ihn leicht. Es war eine zärtliche Geste, und Abukow ließ es widerwillig geschehen. Doch als Dr. Owanessjan ihm vorschlug, bei ihm noch ein Gläschen Wein zu trinken, lehnte er höflich ab.

»Ich muß morgen zurück zur Zentrale. Eine beschwerliche Fahrt. Da muß man munter und frisch sein. Stellen Sie sich vor, mir klappen die Lider zu und ich fahre den kostbaren Kühlwagen in einen Sumpf oder gegen eine Zeder. Als Sabotage könnte man das sogar auslegen. Diese Folgen, Genosse Arzt! Heben wir es auf – ich komme ja wieder.«

Dr. Owanessjan nickte glücklich, erkannte die Argumente an, streichelte Abukow kurz über den Rücken und lief dann der Tschakowskaja nach. Abukow holte tief Luft, als habe ihn das Parfüm Dshubans schon halb betäubt.

»Väterchen, gefährlich ist das, was du da machst«, flüsterte Mustai.

»Ich weiß es, mein Lieber.«

»Wenn Dshuban sich in dich verliebt, mußt du deine Hose mit Stacheldraht umwickeln. Er wird hundert Möglichkeiten ersinnen, um mit dir allein zu sein.«

»Ich kann mich wehren, Mustai.« Abukow blickte hinüber zu dem hellerleuchteten Lager, über das in voller Lautstärke aus den Lautsprechern die Marschmusik dröhnte. Die Tschakowskaja hatte jetzt das Tor erreicht, sprach mit den dort stehenden Offizieren und schob Leutnant Sotow, der ihr anscheinend das Betreten des Lagers verwehren wollte, mit beiden Händen schroff zur Seite. Sotow warf sich daraufhin herum und rannte zu dem Wachhaus, sicherlich um Rassim anzurufen.

»Ich brauche Dshubans Hilfe«, sagte Abukow in diesem Augenblick.

»Dshuban! Wo könnte er dir helfen?« fragte Mustai entgeistert.

»Bei der Gründung des Theaters!«

»O Mond, hast du sein Gehirn gelähmt? – Du hast das blödsinnige Theater noch immer nicht aufgegeben?!«

Abukow lächelte und hakte sich nun seinerseits bei Mirmuchsin unter. »Komm, laß uns noch ein paar Stündchen schlafen. Und wenn du einmal ganz hell im Kopf bist und denken kannst, dann begreife, daß man für die Bühne zwar irgendwelche Stücke einstudiert, daß man dabei jedoch hinter den Kulissen beten kann!«

Mit einem Ruck blieb Mustai stehen und ließ den Mund offen.

»Väterchen . . .«, stammelte er dann entgeistert. »So etwas . . .!«

»Ja.«

»Dein Theater wird eine Kirche sein . . .«

»Gelobt sei Gott – Mustai hat einen lichten Moment!«

»Wirf mir nicht vor, daß ich nicht so raffiniert denken kann wie ein Priester. Ein einfacher, schlichter Mensch bin ich. Ha!« Er blieb erneut stehen und griff Abukow an die Jacke. »Ihr Christen werdet beten und singen, und irgendwo wird das übereinandergelegte Holz, das ihr Kreuz nennt, hängen – was aber habe ich? Victor Juwanowitsch, wenn du deine Kirche baust, bekomme ich auch eine Nische fürs Gebet?«

»Natürlich, Mustai.«

»Eine Nische nach Osten, nach Mekka?«

»Von hier aus sind im Osten die Straflager am Baikalsee, bei Kolyma und an der Lena.«

»Im Osten ist immer Mekka, Väterchen!« sagte Mustai milde. »Man muß rund um die Erde denken.«

»Wo betest du jetzt?« fragte Abukow.

»In meiner Limonadenfabrik. Komm, sieh es dir an . . .«

Sie überquerten den großen Platz, betraten den Komplex des Magazins und blieben vor der verriegelten Tür des Anbaus stehen, in dem Mustai seine Limonaden mischte. Er schloß auf, stieß die Tür zurück, ein schwerer süßlicher Geruch wehte ihnen entgegen, es roch atemberaubend nach Früchten, die in Gärung übergegangen sein mußten. Abukow zögerte.

»Keine Sorge«, lachte Mustai und ging voraus. »Nichts explodiert. Der Geruch entströmt einem neuen Sud. Ich experimentiere.« Er verschloß hinter sich wieder die Tür und schaltete erst dann das Deckenlicht an. Ein paar große Aluminiumkessel standen auf Holzböcken, eine uralte Kühlmaschine rumorte an der Hinterwand, ein langer Tisch mit vielen Gläsern voll bunter Flüssigkeiten nahm die andere Wand ein. Das wichtigste aber war eine gußeiserne Handpumpe, hellrot lackiert. Mit einem kunstvollen, mehrfach gedrehten Schwengelgriff. Mustai blieb mitten im Raum stehen, genoß stolz die Verwunderung von Abukow und klopfte dann liebevoll auf die Pumpe, so wie ein Liebhaber seinem Weibchen auf den Hintern tätschelt. »Ich habe sie mitgebracht aus Samarkand«, sagte er. »Über hundert Jahre ist sie alt, aber sie zieht wie keine zweite. Drei Schläge, und schon sprudelt das beste Wasser aus der Tiefe. Bei der Limonade ist's wie beim Tee: Auf das Wasser kommt es an! Zwölf Meter habe ich gebohrt, da kam ein Wasser, Brüderchen, so klar, so silberhell, sag ich dir . . . Als ich das erste Glas gegen die Sonne hielt, dachte ich: Nanu, ist nichts gekommen? Kein Wasser war zu sehen. Und dann drehte ich das Glas um und war auf einmal ganz naß. Wasser, das man nicht sehen kann – so klar kommt es aus diesem Brunnen!«

»Und was stinkt hier so?« fragte Abukow. Der Geruch legte sich schwer auf seine Lungen.

»Birnen!« Mustai rieb sich die Hände und blinzelte listig. »Kommt da ein Transport mit Birnen an. Aus Tobolsk. Nicht in Kisten, nicht in Säcken – einfach so. Wie Rüben oder Kohlköpfe. Waren eine Woche unterwegs, bei dieser Sonne! Was für ein Anblick . . . Der Saft tropfte über Achsen und Räder, und es stank einen halben Werst voraus, als der Wagen ins Lager fuhr. Ein einziger Matsch, die schönen Birnchen. Ha, da hättest du Rassim sehen sollen! Wie der Satan hat er getobt, und der arme Genosse Fahrer schrie immer wieder zurück: ›Macht mich nicht dafür verantwortlich! Ich fahre bloß. Mit dem Verladen habe ich nichts zu tun. Das ist eine andere Brigade. Meine Aufgabe ist: Abliefern der Ladung in Nowo Wostokiny. Habe ich das nicht korrekt getan, Genossen? Kann ich dafür, daß die Birnen ein Matsch sind? Wendet euch an die Verlader. Mein Befehl lautet nur: Bring die Ware hin! Was wäre in der Welt los, wenn wir für alles verantwortlich sein müßten? Also – hier ist die Ladung Birnen! Wer räumt ab?‹ – Hat das ein Gebrüll gegeben! Rassim befahl, den Wagen in die Luft zu sprengen, aber natürlich hat das keiner getan. Was kann das Wägelchen dafür, daß es faulende Birnen trägt? So ist das nun mal mit der Planwirtschaft. Wer sich wundert, hat viel Zeit. Aber da bin ich gekommen.« Mustai klopfte gegen seine Brust. »Bevor ihr die Birnen auf den Mist kippt, habe ich gesagt, sprecht mit mir. Keiner will sie haben, heimatlos sind sie – ich nehme sie zu mir. Steht etwas dagegen? Und der Fahrer sagte: ›Erwähne das Wort Birnen nicht mehr. Keinen Ton mehr davon. In drei Stunden bin ich wieder weg aus eurem Höllenloch. Lieber im Wald schlafen als bei euch!‹ Ja, und nun sind die Birnen hier, gestampft zu Mus, und gären vor sich hin. Einen Birnenschnaps werde ich daraus brennen, daß dir bei jedem Schlückchen die Hose beult! Rassim hat es erlaubt. Ich warte nur noch auf den Brennapparat. In der Schmiede bauen sie ihn zusammen.«

»Ich sehe, du hast eine Sonderstellung«, sagte Abukow.

»Dafür bin ich ein Idiot.« Mirmuchsin grinste breit. »Und jetzt sollst du Allah sehen.« Er schob einen wandhohen, schmalen, weiß lackierten Schrank zur Seite. Es war ganz leicht, er lief auf unsichtbaren Rollen. Niemand hätte geglaubt, diesen Schrank so einfach wegschieben zu können.

Hinter dem Schrank hatte Mustai einen kleinen alten Gebetsteppich an die Wand genagelt mit dem typischen Motiv der Gebetsnische. Das war alles, aber für Mustai ersetzte es die riesige, mit den herrlichsten Kacheln verkleidete Medresenmoschee von Samarkand. ·

»Ich bin glücklich, das gesehen zu haben, Mustai Jemilianowitsch«, sagte Abukow mit bewegter Stimme. »Du wirst im Theater eine eigene Nische bekommen, wo du deinen Teppich hinlegen kannst.«

Mustai umarmte Abukow, küßte ihn dreimal und schob dann seinen Schrank wieder vor Allahs geheime Wand. Sie verließen die Werkstatt und setzten sich nebenan auf die Betten in Mirmuchsins Wohnung. Die Marschmusik aus den Lautsprechern draußen dröhnte auch zu ihnen hinein, sie war überall und lag wie ein vibrierendes Dach über der ganzen Gegend. So gesehen bestrafte Rassim alle, auch sich selbst, denn für den Schlaf fehlte die Stille.

»Was kann man tun?« fragte Abukow nach einer Weile. Mustai hatte in zwei großen Tonbechern duftenden kalten Kwaß gebracht.

»Wo willst du was tun?« Mustai blickte zum Lager hin. »Ihnen helfen? Unmöglich.«

»Sie werden einer nach dem anderen umfallen. Es wird vielleicht sogar Tote geben.«

»Wie ein welkes Blatt wird man sie ansehen, dann lädt man sie auf einen Karren und fährt sie weg zu der Rodung, wo sie begraben werden. Namenlos. Nur auf der Liste steht der Name, und den streicht man durch. So einfach ist das.« Mustai schüttelte den Kopf. »Nein, helfen kannst du jetzt nicht. Dein Gott und mein Gott sind schwach gegen Rassim.«

»Nicht lange mehr!« sagte Abukow mit einem feierlichen Ton in der Stimme. Er war so voll Kraft, daß Mustai zusammenzuckte. »Das schwöre ich dir, Mustai Jemilianowitsch – ich werde dieses Leben am Rande der Menschlichkeit erträglicher machen!«

»Welch großes Wort!« Mustai winkte ab und nahm einen langen Schluck Kwaß. »Victor Juwanowitsch, du wirst es nicht einlösen können . . .«

Drei Stunden standen die Sträflinge, und noch war keiner umgefallen.

Sie standen vier Stunden, und neun zerlumpte Gestalten knieten in den Reihen und pumpten keuchend die Luft in ihre Lungen. Die neben ihnen Stehenden faßten sie unter die Achseln, rissen sie wieder hoch und hielten sie fest.

Den Kopf hoch, Brüderchen. Die Augen zu den Maschinengewehren. Die Muskeln zittern, die Adern brennen, die Knochen glühen . . . Denk an etwas Fernes, an etwas Schönes, träum dich weg von diesem Platz, diesen Scheinwerfern, dieser Musik, die dich zerfrißt. Was schreien die Lautsprecher jetzt? Die fünfte Sinfonie von Tschaikowsky. Erinnere dich doch . . . der Konzertsaal im Kulturpalast von Rostow. Es spielt das Sinfonieorchester unter Leitung von Anatoli Alexandrowitsch Iwantschenko. Solist: Der berühmte Pianist Vitali Semjonowitsch Lepkin. Das 1. Klavierkonzert von Beethoven. Dann Tschaikowsky. Du sitzt in der fünften Reihe, seitlich links, ein guter Platz, kannst den Dirigenten im Profil sehen und wie er beim Dirigieren die Augen schließt, völlig entrückt, versunken in die herrlichen Töne, und du stößt Alewtina, deine Frau, an und blinzelst ihr zu. Welch ein Erlebnis, dieses Konzert. Und wunderschön sieht sie aus, Alewtina, deine Frau. Im schwarzen Haar hat sie eine silberne Stoffblume. Das festliche Kleid aus Kunstseide liegt eng um ihren Körper. Welch wohlgeformte Brüste sie hat, und wie schlank ist der Hals, und ihre Lippen lächeln glücklich. Und nun schließt auch sie die Augen, als das Adagio beginnt, diese unbegreifliche Zärtlichkeit im Spiel der Geigen und Celli. Du lehnst dich zurück, blickst an die goldgestuckte Decke und zuckst zusammen, weil das Programm in deinem Schoß knistert. Du bist der angesehene Architekt Genosse Maxajew, nach dessen Plänen man das Sportstadion von Taganrog gebaut hat. Überall gern gesehen, überall geehrt, ein schönes Leben hast du erreicht, Genosse. Hast eine schöne Frau, drei Kinderchen, eine Wohnung in Rostow, eine kleine Datscha am Asowschen Meer, darfst in den bevorzugten Prominentenläden kaufen . . . O klammere dich fest an dieses Leben!

Fünf Stunden. Die ersten waren umgefallen. Keiner hob sie mehr auf und stützte sie – man ließ sie liegen. Zusammengekrümmt lagen sie über den Füßen der noch Stehenden oder lang hingestreckt, wenn sie aus der ersten Reihe gefallen waren. Die meisten röchelten mit offenem Mund, das Gesicht nach oben, aber es lagen auch welche da mit dem Gesicht im Staub und saugten mit jedem Atemzug ein Stück pulverisierter Erde ein.

Aus den Lautsprechern dröhnte fröhliche Musik. Die Fledermaus von Johann Strauß. Ein heller Bariton sang in deutscher Sprache: »Brüderlein und Schwesterlein woll'n wir alle sein, stimmt mit mir ein . . .«

Und die Sonne ging auf über den Sümpfen und dem unendlichen grünen Meer der Wälder. Nur kurz war das Morgenrot, das flüssiges Gold über die Taiga goß, ein Aufzucken erwachenden Lichts – dann war die Sonne da, weißlich und rund, sofort heiß und gnadenlos, wie alles in diesem Land gnadenlos war: die Ströme nach dem Eisbruch, der Boden nach dem Tauen, die Wölfe im Hungerfrost. Und der weite Himmel, der Eiseskälte und Sonnenglut schickte.

Gegen sieben Uhr morgens – die Hitze war schon erdrückend,

aus den Wäldern stieg der Dunst hoch, die Sümpfe stießen faulig riechenden Nebel aus – erschien Oberstleutnant Rassim am Lagertor. Er war frisch rasiert und trug ein leuchtendweißes Hemd unter der Uniformjacke. Das war gegen alle Kleidervorschrift, denn das militärische Sommerhemd hat einen grünerdigen Ton – aber es sah geradezu feiertäglich aus, so, als ginge Rassim zu einem Fest. Die Lautsprecher ließen wieder Marschmusik über das Land dröhnen.

Zwischen dem Lager und dem Hospital hatte sich seit einer Stunde ein reger Verkehr entwickelt. Fünf Tragen waren ständig unterwegs, um die Zusammengebrochenen, deren Zustand ernst war, wegzuschaffen in das Lazarett. Larissa Dawidowna ging seit zwei Stunden durch die Reihen, kniete neben den Ohnmächtigen, hörte ihren Herzschlag ab, schob die Augenlider hoch und bezeichnete dann mit lauter, heller Stimme die Elenden, die wegzubringen seien. Dem Kommandierenden der 2. Wache, Oberleutnant Lyssikow, der Leutnant Sotow abgelöst hatte, erklärte sie: »Wenn Sie mich an meiner ärztlichen Pflicht hindern, bekommen Sie in aller Öffentlichkeit Ohrfeigen. Vor dem Militärgericht in Swerdlowsk sprechen wir uns dann weiter. Wollen Sie, Genosse Lyssikow? Also – aus dem Weg!«

Lyssikow ließ es nicht darauf ankommen, vor den Häftlingen und den Soldaten geohrfeigt zu werden. Der Tschakowskaja war das zuzutrauen, also schien es klüger, im Augenblick nachzugeben. Warten wir ab, was geschieht, wenn der Kommandant erscheint. Rassim zu schlagen, das würde auch für Larissa Dawidowna unmöglich sein.

Nun rannte Rassim über den großen Platz, baute sich auf dem Weg zum Hospital auf und hielt den Transport der fünf Tragen mit den vom Staub überzogenen Zusammengebrochenen auf.

»Zurück!« brüllte er. »Sofort zurück! Wollt ihr wohl ins Lager laufen! Wollt ihr hineingepeitscht werden?«

Die Krankenträger stellten die Tragen ab und blieben stehen. Sie blickten an Rassim mit stierem Blick vorbei ins Leere.

»Das ist eine Revolte!« keuchte Rassim und lief blutrot an. »Ha! Das ist nun wirklich eine Revolte! Jetzt gilt das Ausnahmegesetz!« Er stürmte weiter, stieß eine Gruppe Offiziere am Tor zur Seite und stürzte brüllend in den Halbkreis der Soldaten. Ein unbeschreiblicher Gestank schlug ihm entgegen. Da niemand sich von seinem Platz rühren durfte und nur das Umfallen gestattet war, hatte man im Laufe der langen Stunden den letzten Rest von Scham und Würde verlieren müssen. Wer sein menschliches Bedürfnis nicht mehr zurückhalten konnte, der riß seine Hose auf oder ging in die Hocke.

Rassim hielt die Luft an. Er starrte auf das schreckliche Bild, sah die gelben Gesichter seiner Maschinengewehrschützen, die dieser Höllenvision am nächsten standen, und verfolgte sprachlos die Tschakowskaja, die ungerührt, scheinbar gefeit gegen alles Grauen, von Mann zu Mann ging, ihn abhörte, den Puls fühlte und dann laut rief: »Hospital!«.

»Oberleutnant Lyssikow!« schrie Rassim und spürte ein Würgen im Hals, denn beim Schreien mußte man Luft holen und den unerträglichen Dunst einatmen. Gleichzeitig winkte er zu den drei Maschinengewehren. Die Schützen rissen die schweren Waffen hoch und rannten im Laufschritt weg aus der unmittelbaren Zone des Grauens. Allein blieb Rassim stehen. Lyssikow flitzte heran und baute sich vor ihm auf.

»Genosse Kommandant!«

»Wer hat erlaubt, daß die Genossin Ärztin durch die Reihen geht und selektiert?«

»Sie selbst hat es sich erlaubt.« Lyssikows Nasenflügel blähten sich. Jetzt wird sich's zeigen, ob die Tschakowskaja nachgibt, dachte er. Du guter Himmel, was wird, wenn sie auch Rassim eine Ohrfeige androht? Es ist anzunehmen, daß er sie auf der Stelle erschießt. Wie war das vor zwei Stunden mit dem Genossen Jachjajew. Der kam ans Tor, starrte auf die Ärztin und rief ihr zu: »Was Sie da tun, Larissa Dawidowna, ist Sabotage!« Und was hatte sie zurückgerufen? »Kümmern Sie sich um Ihre eigene Tür, Jachjajew. Da liegt der Dreck zu Haufen!« Daraufhin war der Kleine fast in die Luft gesprungen und abgewetzt.

»Wer hat hier das Morgenkommando?« schrie Rassim und ballte die Fäuste.

»Mir wurden öffentliche Ohrfeigen angedroht, Genosse Kommandant. Im Interesse der Offiziersehre hielt ich es für klüger, es darauf nicht ankommen zu lassen.«

»Sie . . . sie wollte Ihnen . . .«, keuchte Rassim und ließ seine Augen rollen.

»Ja.«

»Genossin Tschakowskaja!« brüllte Rassim.

Larissa Dawidowna hob den Kopf, wechselte einen kühlen Blick mit Rassim und winkte ab. Sie beugte sich über einen Ohnmächtigen, zog ihm das schmierige Hemd von der eingefallenen, knöchernen Brust und setzte das Stethoskop auf.

Rassim zögerte zwei Sekunden. Hinter ihm, von der Seite und vor ihm starrten Hunderte von Augen auf ihn. Seine Macht bekam einen nie mehr zu schließenden Riß, wenn er jetzt nicht so handelte, wie es alle von ihm erwarteten.

Er überwand den Ekel, der seinen Magen in einen Kreisel verwandeln wollte, drückte viel Kraft in seine Beine und stapfte auf die Häftlinge zu. Als er die ersten Reihen erreicht hatte, fielen wieder drei Männer um.

Sofort war die Tschakowskaja da und kniete sich neben einen der Ohnmächtigen, untersuchte ihn kurz und rief hell: »Hospital!«

»Nein!« sagte Rassim gepreßt.

»Wenn Sie es schon als Ihre Aufgabe betrachten, wertvolle Arbeitskraft sinnlos zu zerstören«, erwiderte sie völlig ruhig, »so ist es meine Pflicht, dafür zu sorgen, daß die ausgefallenen Männer so bald wie möglich wieder einsatzfähig sind.«

Rassim wölbte die Unterlippe vor. O je, dachte er. Was bist du doch für ein Teufelchen, Larissa Dawidowna! Laut sagte er: »Wie lange stören Sie hier schon?«

»Von Beginn Ihrer Aktion an . . .« Die Tschakowskaja erhob sich und winkte den beiden Trägern, die unschlüssig am Tor warteten. Voll Angst, von Rassim in den Strafblock gesteckt zu werden, rührten sie sich nicht von der Stelle.

»Gehört es zu Ihren Vergnügungen, Rassul Sulejmanowitsch, daß ich den Mann mir selbst auf die Schulter lade und abschleppe? Die Freude gönne ich Ihnen . . .«

Sie bückte sich, aber Rassim hielt sie fest und drückte sie hoch.

»Genossin . . .«

»Lassen Sie mich los!« zischte die Tschakowskaja. Von einer Sekunde zur anderen hatte sie sich verändert. Ihre schrägen Augen glühten, die Lippen waren ein messerdünner Strich, ihre Stimme war schneidend geworden. »Sie belästigen einen Kapitän der Roten Armee!«

»Ein Wunder: Die Tschakowskaja besinnt sich darauf, im soldatischen Dienst zu stehen!« Rassim ließ sie sofort los und knirschte mit den Zähnen. »Seit acht Stunden sind Sie auf den Beinen? Legen Sie sich hin!«

»Erst wenn der letzte Mann, der Hilfe braucht, versorgt ist.«

»Wo ein Ermordeter ist, ist auch ein Mörder. Auf ihn warte ich – und so lange wartet das ganze Lager mit!«

Sie hob die Schultern, als wolle sie andeuten, das ist dein Problem, ging um Rassim herum und winkte wieder den beiden Trägern. Zögernd kamen sie näher, die Trage zwischen sich, immer darauf wartend, daß Rassim sie anbrüllte und wegjagte. In der zweiten Reihe des III. Blockes, vor dem er stand, fielen wieder drei Männer um. Die Sonne hatte sich nun voll über die Wälder geschoben und schleuderte ihren gleißenden Brand auf die Jammergestalten. Rassim wandte sich ab. Er konnte das Würgen nicht mehr zurückdrängen.

»Achten Sie auf Ihren Schritt, Genosse Kommandant!« sagte die

Tschakowskaja verkniffen. »Es wäre unter Ihrer Würde, sich mit Häftlingsscheiße zu besudeln . . .«

Rassim schwieg. Wenn Larissa Dawidowna ihren fraulichen Charme verlor und ordinäre Ausdrücke gebrauchte, war es sinnlos, weiter mit ihr zu sprechen. Er kannte das nun seit langem: Zum erstenmal hatte er es erfahren, als er – die Tschakowskaja war gerade drei Wochen im Lager und richtete ihre Wohnung ein – des Nachts einfach in ihr Zimmer kam in dem Glauben, einem Kerl wie Rassul Sulejmanowitsch könne keine Frau widerstehen. Es war gut geheizt im Raum, Larissa Dawidowna lief herum in einem knappen rosa Höschen und einem schmalen Spitzenbüstenhalter. Was Wunder, daß Rassim mit der Zunge schnalzte und mit einer schmerzhaften Schwellung zu kämpfen hatte.

»Wer nicht das Schlüsselchen im Schloß dreht, muß damit rechnen, geöffnet zu werden!« rief er fröhlich und zweideutig. Aber zu weiteren Auslassungen kam er nicht, denn die Tschakowskaja schleuderte ihm einen Hammer, mit dem sie gerade einen Bildernagel eingeklopft hatte, nahe am Kopf vorbei – dann griff sie nach einem langen Messer und hielt es ihm entgegen.

»Komm her, du Bock!« sagte sie. Ihre Augen glitzerten dabei; sie sah wie ein Zauberwesen aus dem Märchen aus. Nur das Messer, das in ihrer Hand wippte, störte das schöne Bild. »Ein kleiner Schnitt, und du bist für alle Zeit befreit!«

Natürlich hatte es Rassim auf dieses Duell nicht ankommen lassen. Aber bevor er das Zimmer verließ, hatte er noch allerlei Beschimpfungen über sich ergehen lassen müssen, wobei Bastardschwengel und Hurenlümmel noch die vornehmsten Ausdrücke waren. Von da an vermied er es, Larissa Dawidowna, die nur auf den ersten Blick so zart erschien, bis in die Seele zu reizen. Man sprach nur noch dienstlich miteinander. Und wenn es wirklich einmal zu einem privaten Plausch kam, erzählte man von Büchern oder Schallplatten.

Jetzt wartete Rassim, bis die beiden Träger den Ohnmächtigen auf die Trage gelegt hatten. Er hinderte sie auch nicht daran, daß sie fortliefen, zum Tor hinaus, zum Hospital, wo sie auf die anderen Tragen stießen, die Rassim gestoppt hatte und die noch immer auf weitere Befehle warteten. Zu allem Unglück erschien jetzt auch noch Dr. Owanessjan, fröhlich, beschwingten Schrittes, einem erfrischenden Bad entstiegen, eingecremt und parfümiert. Auch Abukow und Mustai standen im Tor und sahen erschüttert auf das höllische Bild.

Dshuban Kasbekowitsch prallte vor dem Gestank, gegen den er wie gegen eine Mauer lief, entsetzt zurück, zog ein seidenes Taschentuch aus dem Rock und drückte es gegen sein Gesicht. Die

Tschakowskaja winkte ihm zu, aber er reagierte nicht darauf. Seine ästhetische Seele versank in Übelkeit.

Von den 1200 Häftlingen standen zu dieser Stunde noch knappe vierhundert. Die Sonnenglut brannte sich in ihre ungeschützten Köpfe, während aus den Lautsprechern der Chor der Rote-Armee-Garnison von Smolensk zu hören war. Er sang frische Volkslieder, vom »Reiter in der Steppe« bis »Mein Mädchen Olga hat ein rotes Kleidchen . . .«.

Rassim wandte sich ab, ging hocherhobenen Hauptes zum Tor zurück und winkte Oberleutnant Lyssikow.

»Sie bleiben stehen!« sagte er dumpf. »Machen Sie mir Meldung, wenn der letzte dieser Halunken im Dreck liegt.«

Es zeigte sich gegen zehn Uhr am Vormittag, daß Rassims Aktion nicht so glatt und unbemerkt zu Ende zu führen war, wie er angenommen hatte. Ein Hubschrauber knatterte über die Baumwipfel, ging tiefer, umkreiste den Lagerbereich und landete dann auf dem großen Platz vor der Kommandantur. Rassul Sulejmanowitsch und seine dienstfreien Offiziere standen im Eingang des Gebäudes, auch Jachjajew war aus seinem Büro gekommen. Der Hubschrauber, erdbraun gestrichen und nur mit einer roten Nummer versehen, war keine Militärmaschine, sondern gehörte zur Planungsabteilung der Pipelinebau-Einsatzleitung. Mit ihm flogen die Ingenieure die Trasse ab, oder sie benutzten ihn als Taxi zwischen den einzelnen Baugruppen und dem Büro in Surgut.

Jachjajews Herz machte einen Sprung, als erst Chefingenieur Morosow aus dem Hubschrauber kletterte und hinter ihm, mit wehenden Haaren, die schöne Novella Dimitrowna. Sie sprang auf den Boden, ein Windstoß hob ihren Rock, ein weißes Höschen trug sie, so knapp wie ein Strich zwischen den weißen Schenkelchen. Schnell drückte Novella den Rock wieder über ihre schlanken Beine und lief kokett, auf hohen Stöckelschuhen, ein paar Schritte von den sich noch träge drehenden Rotorblättern weg.

»Wer ist denn das?« knurrte Rassim und blickte dabei Jachjajew an.

»Der Chefingenieur Wladimir Alexejewitsch Morosow.«

»Das Weibsstück meine ich! Morosow kenne ich doch.«

»Novella Dimitrowna Tichonowa, die Sekretärin.«

»Die kennen Sie, natürlich, die kennen Sie, Mikola Victorowitsch!« sagte Rassim voll Spott. »Wo so ein Rock weht, schnüffeln Sie wie ein geiler Hund. Will man meine Truppe verrückt machen? Was fällt Morosow ein, sie mitzubringen? Sehen Sie sich das an: Kurzes Röckchen, eine Bluse zum Durchgucken, trippelt

daher wie eine Henne, kann kaum gehen in den hohen Absätzen.
Ja, wo sind wir denn hier?« Er blickte sich nach seinen Offizieren
um und grinste böse. »Alle plötzlich mit Glotzaugen! Meine Herren, welche Krankheit hat Sie überfallen?«

Morosow kam näher, während Novella Dimitrowna um den
Hubschrauber herumging und sich zum Lagertor wandte. Von
dort kam Abukow zurück, von der Erschütterung und einem
neuen Schuldgefühl niedergedrückt. Der Anblick der in Dreck
und Kot liegenden, ohnmächtigen Männer – jetzt schon über
achthundert – war nicht mehr zu ertragen. Zum erstenmal begriff
er, daß ein Mensch fähig sein kann, ohne Reue einen anderen
Menschen umzubringen, mit den eigenen Händen. Rassim zu töten, wäre – und Abukow erschrak als Priester zutiefst über solche Gedanken – auch für ihn in diesen Minuten eine Freude gewesen.

Mitten auf dem Platz trafen sie aufeinander: Novella Dimitrowna
blieb stehen und streckte Abukow beide Hände entgegen. Ihre
tiefblauen Augen strahlten in echtem Wiedersehensglück. Wie
ein Püppchen aus Porzellan sah sie aus, mit Rouge auf den Wangen, roten Lippen, nachgezogenen Augenbrauen, Lidschatten
und getuschten Wimpern.

»Wie schön, Sie zu sehen, Victor Juwanowitsch!« rief sie und
drückte seine Hände an ihre Brüste. Jeder andere Mann hätte sofort die Finger darum geschlossen – Abukow nickte nur und zog
seine Hände zurück.

»Sie erinnern sich an mich?« fragte er. Sein Lächeln sollte Freundlichkeit sein – für Novella war es wie ein zärtliches Streicheln.

»Wie können Sie das fragen? Ich habe viel an Sie gedacht. Zuletzt,
als Sie mit Ihrem Kühlwagen bei uns waren, haben Sie von Ihrem
Theater erzählt. Das hat mich beschäftigt. Ich möchte mitspielen –
und wenn's nur eine ganz kleine Rolle ist. Ein Tablett herumtragen oder eine Fahne schwenken: Ich mache alles!«

Morosow hatte unterdessen Rassim erreicht und streckte den
rechten Arm zum Lager aus:

»Was ist denn hier los, Genosse Kommandant?« rief er aufgeregt.
»Wir warten an der Trasse auf die Brigaden, aber niemand
kommt! Wie können wir das Soll erfüllen, wenn Sie die Arbeitskräfte wie Trockenfische in die Sonne legen? Von oben hab ich's
genau gesehen . . . Geben Sie mir einen Rat, wie ich das begründen soll, wenn ich der Zentrale melde: Am Freitag kein Einsatz
des Lagers 451/1?!«

»Vergessen Sie für einen Tag diese Nummer, Wladimir Alexejewitsch!« antwortete Rassim grollend.

»Wie könnte ich? An der Trasse XVI ruht die Arbeit völlig, das muß gemeldet werden. Und was wird morgen sein? Sollen diese ausgetrockneten Lappen auch nur ein Steinchen hochheben?«

Vom Fenster ihres Untersuchungszimmers im Hospital beobachtete die Tschakowskaja, wie sich Abukow und Novella Dimitrowna begegneten und wie die kleine Hure – so nannte sie sofort die Tichonowa – Victors Hände auf ihre Brüste drückte. Aha, so muß man es machen, dachte sie mit Bitterkeit und aufsteigender Wut. Sich anbieten wie ein Bissen Honigkuchen.

Seit einer Stunde war sie wieder im Hospital und überwachte die Behandlung der vom Lagerplatz abtransportierten Sträflinge. Polewoi und neun Krankenpfleger bemühten sich um sie. Das Knattern des Hubschraubers hatte Larissa ans Fenster gelockt, und nun sah sie, wie dieses Mädchen mit dem kurzen Rock, der dünnen Bluse und den hohen Stöckelschuhen so völlig ohne Scham sich Abukow anbot.

Die Tschakowskaja trat vom Fenster zurück und zog ihren Uniformrock an. Sie wollte das fremde Hürchen besichtigen. Es war ihr, als wenn jedes Wort, das sie dachte, in ihrem Hirn knirschte. Soweit kommt es noch, dachte sie wütend und voller Eifersucht, daß du Abukow zu verführen versuchst.

Nicht hier! Nicht unter meinen Augen! Abukow ist ein Priester, du angemaltes Ferkelchen – aber das weißt du nicht und wirst es nie erfahren. Nimm die Krallen von ihm, Kätzchen! Wenn wir sündigen wollen, dann ist das *mein* Paradies!

6

Morosow war ein Mensch, der wenig sprach, aber um so mehr
nachdachte. Seitdem er von Perm zunächst nach Kungur und
dann nach Tjumen versetzt worden war – immer verantwortlich
für eine große Streckenführung der Gaspipeline –, wunderte ihn
nichts mehr, als er den Abschnitt Surgut übernommen hatte, dieses Höllengebiet aus Urwald und Sumpf, Tausenden kleinen Tai-
gaseen und ebenso vielen kleinen Wasserläufen. Ein Land, das
die Jäger liebten, bevor die Techniker und Arbeiter kamen und es
verfluchten. Überall Wasser, Wald und Sumpf. Wenn nach den
langen, harten Wintern endlich der Schnee schmolz, konnte er
nur über unzählige Bäche in den wild verzweigten Ob oder die
Protaka Tuganskaja abfließen. Zum großen Teil sammelte sich
das Wasser in den Seen, oder es versumpfte das Land. In den Boden absickern konnte es nie – denn nach 50 Grad Kälte blieb der
Frost permanent im Boden. Es taute nur die Oberfläche auf.
Höchstens vierzig Zentimeter vermochte die Sommerwärme ein-
zudringen, dann traf sie auf einen Eispanzer, den niemand mehr
zersprengen konnte.
Hier griff der Mensch mit Dynamit ein, fetzte die Erde auf, um die
Erdgasrohre versenken zu können. Oft aber, über Tausende von
Kilometern hinweg, von Yamal und Urengoy bis zu den großen
Umschlagpumpstellen von Tjumen und Tawada, resignierte auch
der Mensch und verlegte die Gasleitung über dem Boden. Eine
gigantische Schlange mit Stützpfeilern und Stoßdämpfern, einer
in sich schwingenden Basis und Kühlelementen an jedem Pfeiler;
denn nun mußte man umgekehrt denken: Kam die Sommerhitze,
mußte der Boden unter der Gasleitung vereist werden, um ein
Absinken und damit Durchbrechen der schweren Rohre in sump-
fig werdenden Boden zu verhindern.
Morosows Aufgabe als Chefingenieur war es, alle diese Schwierigkeiten zu überwinden und die Pipeline termingerecht nach
Plan durch Taiga und Sumpf zu führen, über Flüsse hinweg und
über das verfluchte Seengebiet. Das bedeutete den harten, von
vielen Enttäuschungen begleiteten Kampf der Technik gegen ein
Land, das noch nie eines Menschen Fuß betreten hatte, mit Aus-

nahme der nomadisierenden Pelztierjäger auf ihren Reitrentieren.

Morosow hatte ein Heer von Arbeitern und Maschinen zur Verfügung, modernste Schwimmbagger und Sumpfraupen, Ungeheuer von Bulldozern und Erdschauflern, schwere Lastwagen und Geschwader von Hubschraubern. Ihm unterstanden Ingenieure und Techniker, Facharbeiter und Spezialisten aller Baurichtungen – aber sie alle wären ständig in Verzug oder überhaupt nicht von der Stelle gekommen ohne den Einsatz der kostenlosen Ameisen: der Strafgefangenen. Im strengen Winter nutzte kein Bulldozer mehr; ab 20 Zentimeter Bodenfrost packte die schärfste Zahnschaufel nicht, kippten an Abhängen die Caterpillars aufs Dach, standen die riesigen Schaufelbagger hilflos herum, die nur Erde bewegen, aber keinen Dauerfrostboden aufreißen konnten. Da gab es nur eine einzige Rettung: Sträflinge marschierten heran, wie seit Jahrhunderten mit Brecheisen, Spitzhacke und Schaufeln bewaffnet. Jetzt mußten sich die Jammergestalten in das ewige Eis wühlen, sie sprengten die Trassenführung, hieben die Rohrgräben aus, entzündeten in dem aufgebrochenen Boden Tausende kleiner Feuer, wärmten die Erde auf und rissen mit ihren knochigen Händen Meter um Meter das Bett für die Gasrohre in den nie tauenden Untergrund.

Aber auch im heißen Sommer, wenn die Bagger und Schaufler besser vorankamen, war der Einsatz der Strafgefangenen wichtig und unentbehrlich: Die Schneisen mußten durch die Taiga geschlagen, Straßen und Brücken durch und über das Sumpfgebiet geführt werden. Es galt, neue Barackenstädte zu bauen, Magazine, Lagerhallen, Garagen für die wertvollen Maschinen, Werkstätten, Montagehallen und sogar feste Wohnhäuser, in die einmal die Streckenwärter mit ihren Familien einziehen sollten. Das alles gehörte zu den Aufgaben der Straflager, in Chefingenieur Morosows Gebiet von Surgut also der Lagergruppe JaZ 451. Man konnte sich nach Plan keinen einzigen Tag Ausfall leisten. Es stand nur soviel Zeit zur Verfügung, wie man es in Moskau am grünen Tisch errechnet hatte, und das war wie ein heiliges Gebot. Das Jahr 1984, in dem das siribische Erdgas vom Anfang der Leitung in Ushgorod bis nach Europa fließen sollte, war – von Morosows Kenntnis der Dinge aus gesehen – so greifbar nahe, daß es ihn im Nacken juckte, wenn er Monate vorausdachte und sich fragte: Wie ist das zu schaffen?

Es war deshalb keine Unhöflichkeit, sondern die Angst um Termine, als Morosow bei der Ankunft im Lager JaZ 451/1 angesichts der in der Sonnenglut ohnmächtig umfallenden Arbeitssklaven dem Kommandanten Rassim grußlos entgegenrief:

»Was ist denn hier los?«

»Kommen Sie erst mal herein, Genosse!« antwortete Rassim, nachdem er sich Morosows Klage angehört hatte. »Es gibt Situationen, die . . .«

»Es gibt nur ein Soll, das ich erfüllen muß!« unterbrach ihn Morosow grob. Er blickte sich um. Die Offiziere, die ihn umringten, sahen ihn aus stumpfen, regungslosen Gesichtern an. Auch der kleine, dicke Jachjajew, der mit schwerem Atem beobachtete, wie sich die süß anzusehende Novella Dimitrowna in den Arm dieses widerlichen Abukow hängte, warf einen Blick auf ihn, der kalt war und glotzend wie von einem Frosch.

»Was geht hier vor?« fragte Morosow noch einmal, ohne die Kommandantur zu betreten, obwohl Rassim einladend in der offenen Tür stand. »Statt die Brigaden zur Arbeit zu schicken, lassen Sie sie im Lager stehen. In der prallen Sonne! Wie lange schon?«

»Es werden jetzt gut zehn Stunden sein«, sagte Rassim freundlich.

Morosow riß den Mund auf. »Das . . . das ist ja Mord . . .«, stotterte er entsetzt.

»Genau das ist es! Hier ist ein Mord geschehen. Im Lager! Ein Genosse, der auf dem Weg der Besserung war, ist umgebracht worden. Der Mörder soll sich melden, oder man soll den Mörder ausliefern. Das ist nicht geschehen – bis jetzt nicht. Die Leute werden so lange auf ihrem Platz bleiben, bis der Schuldige sich gemeldet hat.« Rassim sah Morosow voller Trotz an. »Halten Sie jetzt den Mund, Genosse. Ich will von Ihnen keine Kritik! Von keinem! Das hier ist meine Sache!«

»Sie vernichten das ganze Lager, Rassul Sulejmanowitsch!« Morosow blickte hinüber zu den Palisaden. Er konnte nicht sehen, was sich dahinter abspielte, aber er konnte es ahnen nach dem, was er aus dem Hubschrauber gesehen hatte. »Wieviel stehen denn noch?«

»Das wissen wir gleich.« Rassim winkte, ein Leutnant verschwand in der Kommandantur, rief von dort bei der Torwache an und kam schnell wieder zurück:

»Schätzungsweise noch 49. Sie halten sich zu Paaren oder zu dritt gegenseitig fest.«

»49 von 1200«, sagte Morosow rauh. »Worauf warten Sie noch, Rassim?«

»Auf den Mörder.«

»Mit dieser Methode bekommen Sie ihn nie.« Morosow atmete schwer. »Ich möchte ins Lager gehen und jedem die Hand drükken. Kameradschaft bis zum Krepieren – wo gibt es die noch?«

Jachjajew verzog sein Gesicht, als habe man ihm zwischen die

Beine getreten. Er hatte nur zwei Probleme, mit denen er fertig werden mußte: Einmal sah er, wie Novella Dimitrowna, das zarte Schwänchen, dem Saukerl von Abukow einen Kuß auf die linke Wange gab. Zum zweiten machte Chefingenieur Morosow gefährliche Bemerkungen, die er – Jachjajew – als politischer Kommissar nicht überhören durfte. Auch ein Mann mit der gegenwärtigen Machtfülle Morosows stand auf einem tönernen Podest, das unvermutet zerspringen konnte. Das beste Beispiel war der ehemalige General Tkatschew. Kommandierte vor zwei Jahren noch ein Armeekorps – und jetzt? Schlägt Fichten- und Zedernstämme in der Taiga oder trägt Bahnschwellen von den Waggons zur Baustelle. So schnell kann sich ein Leben in Rußland ändern – einer einzigen Bemerkung wegen.

»Sie sehen das völlig falsch, Wladimir Alexejewitsch«, sagte Jachjajew warnend zu Morosow. »Keine Helden sind das, sondern erbärmliche Halunken. Bringen einen treuen Mann um und haben hinterher nicht mal den Mut, für diese Tat die Verantwortung zu übernehmen. Feiglinge alle, auch wenn sie ihre Mäuler zukneifen und umfallen. Außerdem gewinnen sie einen arbeitsfreien Tag . . .«

»So kann man es auch sehen, Genosse Jachjajew.« Morosow stülpte die Unterlippe vor, als wollte er den Kommissar anspukken. Dann blickte er auf den noch immer in der Tür wartenden Rassim und betrat die Kommandantur. In Rassims Zimmer waren sie allein; da Rassul Sulejmanowitsch keinen aufgefordert hatte mitzukommen, war ihnen auch niemand gefolgt. Rassim setzte sich in seinen Ledersessel, spreizte die Beine, stützte die Hände auf seine Schenkel und saß da wie ein Tyrann auf seinem Thron. Morosow bot er keinen Stuhl an – er liebte es, anderen Menschen das Gefühl zu vermitteln, eine völlig unwichtige Person zu sein, ein klägliches Wesen vor dem großen Rassul.

Morosow empfand es nicht so. Er lehnte sich neben der Tür gegen die mit einer kitschigen Tapete bespannte Wand – bunte Sommerblumen und blühende Gräser auf blauem Grund – und steckte die Hände in die Hosentasche. Das ärgerte Rassim maßlos, aber er wartete zunächst ab.

»Kann man uns hier hören?« fragte Morosow.

»Nein.« Rassim hob die Augenbrauen. Sein turkmenisches Gesicht war wie aus Stein. »Wäre es unangenehm?«

»Für Sie bestimmt, Genosse Kommandant.«

»Oha! Eine versteckte Drohung, Wladimir Alexejewitsch?«

»Nur Feststellungen. Sie sabotieren den Arbeitsablauf an der Pipeline.«

»Man sollte Worte erst überlegen, ehe man sie ausspricht«, sagte

Rassim mit erstaunlicher Ruhe. »Draußen am Bau bestimmen Sie, Genosse Morosow – *hier* bin ich der Kommandant. Was Sie auch sagen möchten: Es ist schade um die Luft, die Sie ausstoßen und verbrauchen. Ich habe einen Mord im Lager, und den wischen Sie nicht weg mit Ihrem Plansoll. Ich handele präzise und auf dem Boden des Gesetzes.«

»Sie sind dabei, 1200 Menschen arbeitsunfähig zu machen.«

»Nur einen Namen brauchen sie zu nennen, dann normalisiert sich alles wieder. Aber sie stehen da, kneifen den Mund zusammen, verdrehen die Augen, lassen sich in den Dreck fallen. Das ist stumme Revolte. Soll ich etwa nachgeben – ich, Rassul Sulejmanowitsch? Das kann niemand verlangen, am allerwenigsten Sie.«

»Die Zentrale in Moskau wird es verlangen.«

Rassim zog den Kopf ein. Moskau war weit, aber trotzdem überall. Ihm war klar, daß dieser Vorfall im fernen Surgut in der Zentralverwaltung des GULAG vielleicht so ernst genommen werden würde, daß man eine Untersuchungskommission an den Ob schickte. Das wiederum würde bedeuten, daß man vieles entdecken konnte, was nicht ganz den Richtlinien einer Lagerführung entsprach. Das war zum Beispiel der heimliche Kurierdienst zwischen dem Lager 451/1 und dem Frauenlager im Wald, der die hübschesten und noch kräftigsten Mädchen für jeweils ein paar Stunden herbeischaffte, um das Herz der Offiziere zu erfreuen. Das allein würde genügen, um in Moskau den Namen Rassim auf der Personalliste rot zu umranden.

»Sie wollen also eine Meldung machen?« fragte er grollend.

»Ich muß es, Genosse.«

»Wieso müssen Sie?«

»Mir fehlt jetzt ein ganzer Tag vom Plansoll. Und ich befürchte, es werden mehrere Tage werden, ehe die Arbeitsbrigaden vom JaZ 451/1 wieder voll einsatzfähig sind. Wie soll *ich* das verzeichnen in meinen Listen? Wie kann *ich* das verantworten?!« Morosow wiegte den Kopf, als überdenke er ein schweres Problem. »Sie müssen unbedingt Ihren Mörder finden – ich muß meine Termine einhalten. Jeder korrekt auf seinem Gebiet, so soll's doch sein, nicht wahr? Ich komme ins Stocken, also muß ich das melden! Die Notwendigkeit sehen Sie doch ein?«

»Und wenn wir uns verständigen, Genosse Morosow?«

»Wo soll das hinführen? Sie haben einen harten Schädel, Rassim – und ich einen aus Stahl. Das wissen Sie nur noch nicht. Uns beiden täte es gut, das nicht auszuprobieren.«

»Also doch eine Erpressung!« schrie Rassim.

»Nur Ehrlichkeit, Genosse Kommandant.« Morosow lächelte verhalten. Wenn er könnte, dachte er, würde er mich jetzt aus dem

Zimmer treten. Wer hätte das gedacht: Rassim kann sich beherrschen! »Sagen wir es so: Ich werde in meinen Bericht eintragen: Zwei Tage kein Einsatz der Lagerbrigaden wegen Reihenuntersuchungen im Hospital. Verdacht auf Typhusinfektion. – Das wäre glaubhaft in diesem Sumpfgebiet. Sie müßten sich dann nur mit Ihren Ärzten abstimmen, daß die Typhusuntersuchungen auch in deren Büchern stehen.« Morosow stieß sich von der Wand ab. Rassim glühte innerlich vor Wut, aber er behielt seine erstaunliche Ruhe. »Das wäre zum Beispiel eine perfekte Zusammenarbeit.«

»Und Sie glauben, ich mache da mit?!«

»Ja! Oder schlagen Sie etwas Besseres vor?«

»Ich will den Mörder haben!« brüllte Rassim auf. »Den verdammten Mörder! Und ich will wissen, wie nicht registrierte Hühner ins Lager der Sträflinge kommen!«

»Es ist bedauerlich, daß wir aneinander vorbeireden«, sagte Morosow und wandte sich zur Tür. »Ich werde jetzt einen Blick ins Lager werfen, um meinen Bericht sachlich vervollständigen zu können.«

»Sie haben morgen Ihre Brigaden an den Röhren!« knirschte Rassim und ballte die Fäuste.

»Übermorgen: Ich kann keine kraftlosen Halbleichen gebrauchen. Ich brauche Hände, die zupacken – nicht Hände, die verdorren. Sie werden Mühe haben, in einem Tag diese Männer wieder zum Kriechen zu bekommen.« Morosow faßte an die Türklinke. »Womit kann ich rechnen, Rassul Sulejmanowitsch?«

»Machen Sie schnell die Tür hinter sich zu, damit Sie nicht noch weiter meine Umgebung verpesten.« Nun war er wieder der altgewohnte Rassim, und es tat ihm unendlich wohl, Morosow seine ganze Verachtung ins Gesicht zu schleudern. »Und noch eins, Morosow: Wir sind unter uns!«

»Ja?«

»Diese Minuten vergesse ich Ihnen nie.«

»Das will ich hoffen!« sagte Morosow hart.

»In mir haben Sie jetzt einen Feind. Ahnen Sie überhaupt, was das bedeutet?«

»Ich überlasse Sie ganz Ihrer Freude, mit Rachegedanken zu jonglieren.«

»Wir Turkmenen haben einen Spruch: Hast du einen Feind, so iß keinen Bissen mehr, bis er begraben ist. – Wie gefällt Ihnen das?«

»Miserabel, Rassim! – Warum wollen Sie elend verhungern? Das gönne ich Ihnen nun doch nicht.«

»Auch Sie sind nicht allmächtig!« sagte Rassim keuchend. »Ein ganz kleiner Floh sind Sie, und es wird den Daumen geben, der

Sie zerdrückt! Luft! Ich bekomme keine Luft mehr, wenn ich Sie ansehe. Gehen Sie hinaus!«

Morosow tat Rassim nicht den Gefallen, zu antworten oder sichtbar beleidigt zu sein. Im Gegenteil, er hob nur die Schultern, als bedaure er sein Gegenüber, klinkte die Tür auf und verließ das Kommandantenzimmer. Im Flur stieß er auf Jachjajew, der ihm gerade recht kam.

»Ich muß Sie sprechen, Wladimir Alexejewitsch«, sagte der Politkommissar.

Morosow blieb stehen. »Sie auch?« fragte er mit verhaltenem Ärger.

»Unbedingt!«

»Unter vier Augen?«

»Es kann auch hier sein«, winkte Jachjajew ab. »Ihre Bemerkung vorhin – gefährlich ist so etwas!«

Chefingenieur Morosow entgegnete: »Eine Frage! Was haben Sie als verantwortlicher politischer Kommissar getan, um diesen Skandal da draußen zu verhindern?«

»Kommen Sie mir nicht so, Morosow! So nicht!« schrie Jachjajew aufgebracht.

»Es gäbe da noch mehr Fragen, Jachjajew.« Morosow nickte dem kleinen Dicken ermunternd zu. »Also los: Was wollen Sie mir sagen?«

»Woher nehmen Sie Ihre Frechheit, Morosow?«

»Gegenfrage: Woher nehmen Sie den Schweinebraten und die Pralinen für die Genossin Tichonowa?«

»Das kann ich beweisen!« brüllte Jachjajew und rang nach Atem.

»Sie Glücklicher! Vergessen Sie es nicht, wenn man Sie einmal danach fragen sollte.«

Jachjajew röchelte vor Wut, aber er ließ Morosow passieren, ohne ihn weiter zu belästigen. Warte nur, dachte er voll Ingrimm. Warte nur, mein Freundchen! Auch eine tausendjährige Eiche geht jämmerlich ein, wenn man Salzsäure an ihre Wurzel schüttet. Ich werde dich in Säure baden, du hochnäsiger Stier! Nur keine Eile . . . Jachjajew spielt mit der Zeit, und er bricht dir das Kreuz, wenn du am wenigsten damit rechnest. Was bist du schon? Ein Chefingenieur! Was ist das? Ein Rädchen im Getriebe, das man auswechseln kann. Nichts ist unersetzbar. Wieso nimmt sich jeder so wichtig und ist doch ein Nichts, ein Staubkorn, das verweht? Ob die Welt einen Morosow hat oder nicht – ändert sie sich deshalb? Dreht sie sich anders um die Sonne? Nur keine Hetze, Wladimir Alexejewitsch . . . Sibirien wird auch dich verschlucken.

Morosow trat hinaus auf den großen Platz vor der Kommandantur und blickte hinüber zum Lagertor. Rassim mußte per Telefon ein Kommando gegeben haben, denn ein Zug Militär rückte ins Lager ein, die Musik aus den Lautsprechern brach ab, dafür ertönte eine Stimme: »Alles wegtreten! Zurück in die Baracken!« Dann knackte es wieder, und die Musik begann von neuem, über das Lager zu plärren. Die Romanze für Violine von Beethoven, gespielt von David Oistrach.

Morosow wischte sich mit beiden Händen über das schweißnasse Gesicht, schüttelte sich, als sei er ein Hund, der aus dem Wasser kommt, und eilte mit langen Schritten zu dem Lagertor.

Morosows junge Sekretärin Novella Dimitrowna hatte den Anblick der gequälten Sträflinge nicht ertragen können. Abukow bemerkte, wie sie fast in Ohnmacht fiel, und führte die völlig Entsetzte weg vom Lager. In diesem Augenblick erreichte die vom Hospital herbeigeeilte Larissa Dawidowna Tschakowskaja die beiden.

Die Ärztin keuchte etwas von dem schnellen Lauf. Schweißperlen glitzerten auf ihrer Stirn, auf dem schmalen Nasenrücken und auf der Oberlippe. Der heiße Tag hatte sich nun voll entfaltet; wolkenlos und blaßblau war der Himmel, an dem die Sonne klebte wie ein gleißendes Brennglas.

Larissa Dawidowna atmete ein paarmal tief durch. Abukow kam, die Tichonowa an sich gedrückt, direkt auf sie zu. Der Blick aus Larissas Augen verhieß nichts Gutes. Strichdünn waren ihre Lippen. Und die Backenknochen drückten sich spitz durch die Haut. Sie musterte Novella Dimitrowna wie eine Stute, die auf dem Marktplatz zum Verkauf steht; es war ein beleidigender Blick voll abschätzender Hochmütigkeit. Dann sah sie Abukow an, als wollte sie ihn fragen: »Was bist du nun – ein Priester oder ein Mann?«

»Hat zarte Nerven, wie man sieht«, sagte sie laut und voller Angriffslust. »Kommt da herangeflogen und denkt vielleicht, hier gäbe es ein fröhliches Tänzchen. Man macht sich hübsch mit Schminke und Puder, Stöckelschuhen und luftigen Kleidchen wie zu einem Landausflug, bei dem man die Männer aufreizen kann. Sehen wir uns doch mal die Sträflinge an, meine Lieben! Ein Blick in den großen Käfig. Kein Zoo ist interessanter, sag ich dir . . . was soll's auch, einen Löwen kennt man, einen Elefanten, ein Kamel, einen Büffel, ein Nilpferd – aber hier hast du etwas Besonderes vor dir, was man nicht alle Tage besichtigen kann. Ha! Sieh dir dort den Mann an! Wankt herum wie ein Betrunkener, torkelt in den Knien, kann sich kaum bewegen vor Hunger und

Schwäche – nein, ist das schön! Und der da, zum Brüllen ist's, drückt eine Schubkarre vor sich her, und drinnen liegt ein anderer Mensch, und aus seinem offenen Mund dringt lautes Stöhnen. Welch ein Spielchen! Und da, zwischen den Baracken, fegen mit Fetzen bekleidete Gerippe die Erde mit Reisigbesen. Sag ich es nicht: Lustiger geht's zu als bei den Affen!«

Novella Dimitrowna starrte mit weiten, kindlichen Augen auf die Tschakowskaja, plötzlich würgte sie und krümmte sich nach vorn. Abukow mußte sie mit beiden Händen festhalten.

»Mir ist schlecht«, stammelte sie. »Oh, schlecht ist mir! Der Magen kommt mir nach oben . . .«

Die Tschakowskaja musterte sie wieder mit einem harten Blick. Das dünne Blüschen, das die Brust hindurchscheinen ließ; der kurze Rock, die Schatten auf den Lidern, die leuchtend rot geschminkten Lippen – lebt man so da draußen an der Trasse? Hier sieht die Welt anders aus, mein Täubchen. Nur einen Blick hast du darauf geworfen, und schon ist dir speiübel! Kotz dich aus, na, ziere dich nicht – Abukow wird dir das Köpfchen halten und die Brüstchen massieren. Ist ein bemerkenswerter Mann, nicht wahr?

Abukow blickte Larissa betroffen an. »Was sollen diese Reden?« fragte er. »Sie bricht mir zusammen!«

»Dann halte sie gut fest. Der Herr liebt die Gefallenen . . .«

»Larissa!«

»Hier ist ein Straflager, aber kein Puff!«

»Die Genossin Tichonowa ist die Sekretärin des Chefingenieurs Morosow.«

»Wie aufschlußreich!« Larissa Dawidownas Stimme war voller Spott. »Braucht man in den Verwaltungen jetzt Modepüppchen für die Schreibmaschinen?«

Aus Eifersucht war Larissa ungerecht. Natürlich lebte Novella draußen an der Pipeline ganz anders. Wenn sie mit Morosow und den anderen Ingenieuren in den hochrädrigen Geländewagen die riesigen Baustellen abfuhr, trug sie genauso wie alle ausgebeulte, schmutzige Hosen, deren weite Beine sie in klobige Gummistiefel steckte. Im Winter sah man nur ihr Gesicht als hellen Fleck aus der dicken Steppkleidung herausschauen. Oder sie war eingemummt in einen Wolfspelz mit Kapuze. Allerdings: An den Sonntagen im Sommer lief sie herum wie in der Stadt. Da konnte sie ganz knappe Shorts tragen, hochhackige Schühchen und dünne Blusen. Da ließ sie ihr Haar frei wehen oder band es mit bunten Seidenbändern fest; ein paarmal hatte sie es sogar zu Zöpfen geflochten, was ihr beinahe ein rührend kindliches Aussehen verlieh – wären nicht die wohlgeschwungenen Hüften gewesen und der unübersehbare, aufreizende Busen.

Kein Neid, Genossen! Gönnt doch Novella Dimitrowna diese kleinen, harmlosen Modevergnügungen. In Wirklichkeit gab es beim Bau der Pipeline gar keinen Sonntag, weil nämlich die Woche durchgearbeitet wurde. Die Baubrigaden waren so eingeteilt, daß sie einmal im Monat einen freien Sonntag hatten – auf die anderen Ruhetage wurde der großen Aufgabe zuliebe »freiwillig« verzichtet. Man tat es für die Eroberung Sibiriens. Morosow hatte dank seines pausenlosen Einsatzes, der seine Kollegen einfach mitriß, schon den Orden »Roter Stern« bekommen, als er noch einen großen Abschnitt im Gebiet von Kungur leitete.

Novella war da anders, eine regelrechte Individualistin war sie: Sie lebte nach dem Kalender. War da Sonntag angegeben, dann war eben Sonntag! Sie badete sich am Morgen, shampoonierte ihr Haar, kleidete sich festlicher, schminkte sich und verbrauchte mehr Parfüm. Morosow sah sie an solchen Tagen an, schnupperte und sagte: »Was, schon wieder Sonntag? Die Zeit rast!«

Lange hatte es gedauert, ehe die Ingenieure an der Trasse in den Konstruktionsbüros und in den Verwaltungen begriffen, daß eine luftige Bluse oder ein enger Rock bei Novella Dimitrowna noch lange nicht eine Aufforderung darstellte, nun auch die zur Schau freigegebene Haut einfach anzufassen. Es gab da genau neun Genossen, die von der Tichonowa kräftig geohrfeigt worden waren, als sie Offenherzigkeit mit Unmoral verwechselten und sich wie balzende Auerhähne benahmen. Es hatte deswegen sogar Prügeleien in den Baracken gegeben, Strafversetzungen und Ehedramen – ja, zweimal war Novella von grundlos eifersüchtigen Ehefrauen bespuckt und mit Obst beworfen worden, nur weil die Männer Fotos, die ohne Wissen Novellas gemacht worden waren, in ihren Taschen herumtrugen. Die ahnungslose Tichonowa konnte schließlich nichts dafür, wenn ein braver Familienvater verzückt auf die Rückseite der Fotografie schrieb: Mit ihr im Bett – das vorweggenommene Paradies!

Ein paarmal hatte man Morosow nahegelegt, sich von seiner Sekretärin zu trennen, aber jedesmal sagte er: »Sie ist tüchtig, umsichtig, klug, eingearbeitet – ich finde keine bessere. Sie bleibt! Wenn meine Ingenieure Probleme haben, sollen sie sich kastrieren lassen. Ich habe keine Probleme.«

Das war deutlich und machte weitere Diskussionen überflüssig. Einmal im Monat flog Novella mit dem Hubschrauber nach Tjumen und kaufte ein. Es war das einzige Vergnügen, das man sich von seinem hart erarbeiteten Geld in Sibirien gönnen konnte. Sie kaufte neue Kleidchen, Make-up, Puder und Lippenstifte, zarte Unterwäsche und Nylons, Modeschmuck und Parfüm – es gab ja alles in den neuen Geschäften und Selbstbedienungsläden, vor deren Angebot die Menschen in den Städten jenseits des Urals ergriffen die Hände gefaltet hätten. Kam Novella dann nach Surgut zurück, ging einmal über die Hauptstraße, knirschten die anderen Frauen mit den Zähnen und wünschten ihr die Hölle an den schönen Leib.

»Sie ist schön wie eine Elfe, aber kalt wie ein Eiszapfen!« sagte man von ihr. Wie kann ein Weibchen mit solch erotischer Ausstrahlung so mit Eisen gepanzert sein? Wider die Natur ist das. Da muß es ein unbekanntes Geheimnis geben . . .

Doch Novella war nicht kalt, nicht gefühllos. Das zeigte sich jetzt, als sie vor Abukow und Larissa schockiert zusammensank und von Übelkeit übermannt wurde. Abukow hielt sie fest und starrte die Tschakowskaja an, die gerade mit groben Worten die hilflose Novella noch zusätzlich gepeinigt hatte.

»Warum helfen Sie nicht?« sagte er laut.

»Ich habe 1200 todkranke Patienten. Für ein kotzendes Mädchen habe ich keinen Platz.«

»Lassen Sie sie, Victor«, stöhnte Novella Dimitrowna und lehnte sich gegen Abukow. »Schon besser geht's mir. Viel besser . . . Können wir in den Schatten gehen?«

»Am besten ist das Matratzenmagazin«, sagte die Tschakowskaja giftig. »Da ist jetzt niemand, und man hat Liegemöglichkeiten genug.«

»Wir werden darüber noch miteinander reden!« meinte Abukow ruhig, faßte Novella fester um die Hüften und zog sie mit sich fort zum Hospital. Nach einigen Metern schien er es sich anders zu überlegen, schwenkte seitlich ab und schleppte sie hinüber zum Zentralmagazin des fetten Gribow.

Mit zusammengezogenen Augen blickte Larissa Dawidowna ihnen nach, trat dann mit den Stiefelspitzen in den Boden, wirbelte den gelben Staub auf und benahm sich wie ein angebundenes Pferd, das ausbrechen will. Dann warf sie sich mit einem Ruck herum, stapfte zum Lagertor und blickte über den Appellplatz.

Die letzten noch stehenden Sträflinge hatten sich weggeschleppt, aber noch über zweihundert Ohnmächtige lagen verkrümmt am Boden in der Glut der Sonne. Härtere Gemüter als Novella konnten da von Ekel und Entsetzen geschüttelt werden.

Die Tschakowskaja stand fast eine Minute regungslos am Lagertor. Drei Offiziere gesellten sich zu ihr, sprachen sie an, redeten auf sie ein – aber sie schien kein Wort zu verstehen und reagierte nicht. Plötzlich löste sie sich aus der Erstarrung und ging zurück.

Vor dem Hospital traf sie auf Chefingenieur Morosow. Er rauchte nervös eine Papyrossi und hatte der Hitze und der Erregung wegen sein Hemd bis zum Gürtel aufgeknöpft.

»Sind Sie der Chefarzt hier?« fragte er, als die Tschakowskaja an ihm vorbeigehen wollte.

»Ja!« Sie blieb stehen und betrachtete seine breite, haarige nackte Brust. Ein verrückter Gedanke sprang sie an: Paß auf, Victor Juwanowitsch Abukow! Mach die Augen auf! Wäre es dir wirklich gleichgültig, wenn ich vor Morosow mein Bett aufdecke? Könntest du zusehen, wie ich ihn mit meinen Armen zu mir ziehe? Und zusehen wirst du, warte es nur ab!

Sie lächelte Morosow an, ihre schrägen Augen blitzten.

»Wann . . . wann sind die Männer wieder einsatzfähig?« fragte der Ingenieur.

»Ich weiß es nicht, Genosse.«

»Der Kommandant sagt: übermorgen.«

»Rassul Sulejmanowitsch ist ein witziger Mensch!«

»Er meinte es ernst.«

»Dann ist er ein Heiliger, der Wunder vollbringen kann. Ich rufe ihn gleich an und werde ihn auffordern, sofort damit zu beginnen.« Sie warf den Kopf in den Nacken, zeigte ihre schönen Zähne und wölbte die Brust heraus. »Kommen Sie mit zu mir, Genosse?«

»Ich bin Chefingenieur Wladimir Alexejewitsch Morosow . . .«

»Das weiß man doch.« Sie lachte wieder mit einem girrenden Ton. »Was hat man nicht schon alles von Ihnen gehört! Stammt von Ihnen nicht die Idee der ›Unterwassermethode‹, nach der Sie die Pipeline als eine Art riesigen Gummischlauch unter den großen Flüssen hindurchführen wollen?«

»Nein, das ist der Plan von Wladimir Pelepenko.«

»Ich wußte es doch – es war ein Wladimir.« Die Tschakowskaja legte den Arm um Morosows Schulter. Eine herrliche Genugtuung war es ihr, daß gerade jetzt, am Eingang zum Zentralmagazin, Abukow sich noch einmal umdrehte und zu ihr hinblickte. Novellas Kopf lag an seiner Schulter, sie schien das Abschleppen zu genießen. O du Hurenaas, dachte Larissa. Begreif trotz aller Dummheit, wie gefährlich es werden kann, mich zur Feindin zu haben. Du ahnst nicht, was dich erwartet . . .

»Kommen Sie herein, Wladimir Alexejewitsch!« sagte sie und lachte völlig sinnlos. »Wir wollen gemeinsam überlegen, was getan werden kann.«

In ihrem Untersuchungszimmer angekommen, rief sie sofort Rassim an. Morosow stand am Fenster und sah zu, wie die Wachkompanie aus dem Lager marschierte. Die Aktion war beendet – sie hatte über tausend Menschen gepeinigt, aber nicht den Mörder gebracht.

»Der Genosse Chefingenieur ist bei mir«, sagte Larissa Dawidowna ins Telefon und knöpfte dabei ihren Uniformrock auf. Morosow trat sofort hinter sie und streifte ihn von ihren Schultern. »Er will seine Arbeitsbrigaden wiederhaben. Was soll ich ihm sagen?«

»Er soll Sie am Arsch lecken, meine Süße!« knurrte Rassim in den Hörer.

»Das ist nicht mein Geschmack, Rassim. Darf ich ihn zu Ihnen hinüberschicken?«

»Vielleicht hilft Dshuban Kasbekowitsch aus?« brüllte Rassim. »Welch ein Aufhebens! Übermorgen hat er seine Kolonnen.«

»Dann beantrage ich die Lieferung von dreihundert Handkarren oder fünfzig Lastwagen.«

Einen kurzen Augenblick schwieg Rassim. Es war so, als schüttele er sich und starre entgeistert gegen die Zimmerdecke. Nein, so etwas – die Tschakowskaja hat sich betrunken!

»Endlich!« sagte er dann zufrieden.

»Was heißt endlich?«

»Sie haben den Segen des Wodkas erkannt, Larissa Dawidowna.«

»Ich brauche die Fahrzeuge, um die Entkräfteten zur Pipeline zu fahren«, fuhr die Tschakowskaja kühl fort. »Dort lasse ich sie auskippen wie Säcke, und Morosow soll sehen, was er mit ihnen anfangen kann.«

»Die Leute haben einen Tag Zeit, sich zu erholen!« schrie Rassim wütend. »Wo sonst gibt es das? Übermorgen um fünf Uhr früh stehen die Brigaden zum Abmarsch bereit, oder ich klopfe jeden einzelnen aus dem Bett!«

Er warf den Hörer hin, und auch die Tschakowskaja legte auf. »Ich kann Ihnen gar nichts versprechen, Wladimir Alexejewitsch«, sagte sie und zuckte die schmale Schulter. »Aus ausgedörrtem, rissigem Leder kann man keine Schuhe mehr machen ... Wann fliegen Sie zurück?«

»Sofort, Genossin Chefärztin.« Morosow wich irritiert dem lokkenden Blick ihrer Augen aus. »Warum fragen Sie?«

»Ich trage da ein paar bescheidene Wünsche mit mir herum.« Sie winkte ab. »Erledigt!«

»Wenn ich sie vielleicht doch erfüllen könnte, Genossin?«

»Es wäre schön gewesen, gemeinsam zu essen und einen ganzen Tag zu verbummeln. Dann hätte ich gern Ihren Arbeitsbereich gesehen, Wladimir Alexejewitsch: die Trasse, die Rohrmontage, wie Sie wohnen und wie Sie leben. Wissen Sie, wann ich das letztemal in Tjumen war? Im April! Ich komme aus dem Lager nicht heraus. Man ist hier fast selbst eine Gefangene.«

»Wir haben alle zuwenig Zeit«, sagte Morosow und blickte an der Tschakowskaja vorbei. Die Nähe dieser schönen, verführerischen

Frau versetzte ihn in eine noch nie erlebte Unsicherheit. »Da glaubt man überall draußen, in Sibirien spiele Zeit keine Rolle – welch ein Irrtum! Ein Jahrzehnt ist zu kurz, um ein Gebiet zu erobern, über das man mit einem Hubschrauber eine halbe Stunde fliegt. Larissa Dawidowna, ich muß heute wieder an der Baustelle sein. Aber ich nehme Sie gern mit.«

»Heute nicht. Meine Kranken . . .«

»Sagen Sie einen Tag, an dem ich Sie abholen lassen soll . . .«

»Ich gebe Ihnen Nachricht, Morosow.«

Sie ging zu einem weißlackierten Blechschrank, schloß ihn auf und holte eine Flasche grusinischen Kognak heraus. Morosow blinkerte mit den Augen und schnalzte mit der Zunge.

»Ich trinke wenig, fast nie«, sagte sie. »Meinen Grusinischen bekommen nur beste Freunde zu Gesicht.«

»Sie rechnen mich dazu, Larissa Dawidowna?«

»Ich hoffe, daß Sie sich als guter Freund erweisen.« Sie setzte sich neben den mit einem weißen Gummituch bezogenen Untersuchungstisch und klemmte die Kognakflasche zwischen ihre Schenkel. Ihre dunklen Augen waren unruhig. »Ich bin umgeben von zweitausend Menschen und doch so allein wie auf einer unentdeckten Insel.«

»Wie kann ich Ihnen helfen, Larissa?« Er trat näher und stand nun dicht vor ihr. Sie blickte wieder auf seine breite behaarte Brust unter dem offenen Hemd, roch seinen herben Schweiß und blähte die Nasenflügel. Verrückt bist du, dachte sie; was ist bloß in dich gefahren, Larissanka? Stoß ihn weg. Sofort stößt du ihn weg! Aber sie sagte: »Kümmern Sie sich um mich, Morosow.«

»Wenn ich es kann . . .« Über sein Gesicht glitt ein Zucken.

»Sie können.« Den Kopf hob sie und schlug dabei beide Hände um die Flasche, als wolle sie das Glas zerdrücken. »Küssen Sie mich, Wladimir Alexejewitsch . . . Küssen Sie mich sofort!«

Er tat es. Und wunderte sich nicht einmal darüber, daß ihre Lippen so kühl waren, als habe sie gerade Eiswasser getrunken.

Am Abend gab es eine dickere Kartoffelsuppe als bisher. Sogar faseriges Fleisch schwamm darin; die Sträflinge fischten es aus der Brühe, legten es auf die Handfläche und bestaunten die Fleischbröckchen, beschnupperten sie und gaben sich dann dem Genuß hin, jedes Faserchen einzeln in den Mund zu stecken, über die Zunge rollen zu lassen, den Gaumen damit zu streicheln und es erst dann hinunterzuschlucken.

Vorher aber hatte es zwei Stunden lang ein großes Geschrei gegeben. Nina Pawlowna, die Küchenleiterin, war bei ihrem dicken

Freund Gribow erschienen und hatte sich schwer auf einen Stuhl gesetzt.

»Eine dicke Suppe wird verlangt mit Fleisch«, sagte sie. »Kartoffeln habe ich genug, das Fleisch mußt du rausgeben.«

»Genügen fünf Pfund?« fragte Gribow ahnungslos. »Wir haben zwölf Offiziere. Fünf Pfund in die Suppe geschnitten, das sieht gut aus. Braucht nicht jeder gleich ein Pfund zu fressen.«

»Zwölf?« sagte die Leonowna und tippte sich an die Stirn. »Kasimir Kornejewitsch – ich brauche Fleisch für 1300 Portionen . . .«

Das war der Augenblick, wo Gribow spürte, wie eine flache Welle Blut in sein Gehirn spülte. Er schlug die flache Hand vor die Stirn, keuchte und rollte mit den Augen. »Wer . . . wer hat das befohlen?« fragte er.

»Die Genossin Tschakowskaja.«

»Wie kann sie über das Essen bestimmen? Das ist nicht ihre Aufgabe. Sie soll sich um die Drückeberger kümmern, um die Kranken von Beruf – genug hat sie da zu tun. Die Genossin Ärztin verteilt Essen! Ha, wo kommen wir denn hin? Und du machst auch noch einen Buckel und sagst: So soll es sein, Genossin, was? Nicht ein Gramm mehr gebe ich heraus.«

»Die Kommandantur hat es bestätigt, Kasimir Kornejewitsch«, sagte die dicke Leonowna mit deutlichem Bedauern.

»Sie hat . . . ?« Gribow riß die Augen voll Entsetzen auf. »Sie hat . . .«

»Ja. Nicht glauben wollte ich es, wie jetzt du. Gehe also hinüber zu Rassim, lasse mich melden und frage: ›Ist das wahr mit der dicken Kartoffelsuppe?‹ Und er antwortet: ›Ja!‹ Frage ich weiter: ›Mit Fleischeinlage?‹ Schreit er mich an: ›Mit Fleisch!‹ Frage ich zum drittenmal: ›Bestimmt ist's ein Fehler, daß ich keinen Kalender habe. Was ist los? Ein hoher Feiertag? Ist Stalin wieder auferstanden?‹ Und was macht Rassim? Er wirft mir ein Buch an den Kopf und brüllt: ›Verschwinde, du gerupftes Vieh! Suppe mit Fleisch!‹ Ich wie der Blitz aus dem Zimmer, hinüber zur Verwaltung. Sage dort: ›Der Genosse Kommandant befiehlt Kartoffelsuppe *mit* Fleisch! Das muß ich schriftlich haben. Gribow ist ein ordentlicher Mensch, gibt nur heraus gegen Quittung!‹ Sie holte einen Zettel aus der Schürzentasche und warf ihn Gribow zu. »Hier ist er. Anforderung von 30 Pfund Suppenfleisch . . . Das sind pro Kopf ganze zehn Gramm.«

Gribow stöhnte und vergrub den Kopf in seine Hände. »Eine Katastrophe ist das. Dreißig Pfund . . . Woher nehmen?«»Im Kühlhaus liegen doch . . .«

»Sie sind versprochen! Bereits verkauft! Am Samstag soll ich sie liefern. Nach Tobolsk sollen sie gehen . . . Ein Weltuntergang!«

»Du hast nicht einen Krümel Fleisch mehr?«

»Nur für die Offiziere.«

»Dann nimm das!«

»Und wenn es Rassim gefällt, am Sonntag ein großes Essen zu geben? So eine Ahnung habe ich. Er wird die Ingenieure einladen, um sie zu besänftigen.« Gribow schluchzte auf. »Ich bin ein gebrochener Mensch.«

»Wir werden Hühnchen backen.«

»Aber wenn er einen Braten will?«

»Das ist ein Ausweg.« Nina Pawlowna erhob sich und klopfte Gribow auf den gebeugten Rücken. »In die Suppe kochen wir Hühner. Sind Hühner kein Fleisch, na?«

Am Abend gab es also Suppe mit Fleischfasern, und es war völlig gleichgültig, ob es Rindfleisch oder Hühnerfleisch war. Gribow stand selbst neben den Kesseln in der Küche, als die Essenträger aus dem Lager anrückten und die Küchenhilfen mit großen Kellen die Suppe in die Kanister löffelten.

Sein Herz zuckte schmerzlich zusammen, als er sah, wie schnell sich die Suppenkessel leerten. Tröstend allein war, daß er für diese Sonderzuteilung einen Anforderungsschein der Lagerverwaltung hatte. Mit ihm konnte Abukow in Surgut beim Leiter der Verpflegungszentrale, dem Genossen Smerdow, vorsprechen und den Lagerbestand wieder auffüllen lassen.

Auch Kommandant Rassim ließ es sich nicht nehmen, in der Küche zu erscheinen, in der dicken Suppe zu rühren und einmal kräftig in sie hineinzuspucken. Bei einigen hundert Litern machte das kaum etwas aus, und es war für ihn wichtig als Symbol.

Im Hospital saß die Tschakowskaja allein in ihrem Wohnzimmer, eingehüllt in einen seidenen usbekischen Kaftan und unter dem Stoff nackt. Ihre Nerven flimmerten noch immer, wie winzige elektrische Schläge durchzog es ihren schönen Körper. Ihre Lippen zitterten wie im Frost, und wenn sie die Hände hob, hätte man hinspringen mögen, um sie festzuhalten, so flatterten sie.

Rassim, der – aus der Küche kommend – nach einem kurzen Anklopfen eintrat, sah sie verwundert an. Was ist hier passiert, dachte er sofort. Das ist eine andere Tschakowskaja! Trotzdem sagte er zunächst das, wozu er gekommen war:

»Ihre Schützlinge schmatzen jetzt dicke Suppe. Über dem Lager liegt ein Klang wie über einem großen Saustall. Wenn nachher Hunderte von Fressern rülpsen, werden sich die Dächer heben! Zufrieden?«

»Danke«, sagte die Tschakowskaja mit halbierter Stimme.

»Sind Sie krank, Larissa Dawidowna?«

»Ja.«

»Ernsthaft?«

»Es wird schlimmer, wenn ich Sie ansehen muß.«

»Das beruhigt mich.« Rassim grinste. »Bei soviel Gift in Ihrem Körper kann sich keine Krankheit entwickeln. – Bekomme ich einen Hospitalbericht?«

»Wir haben neununddreißig Hitzeschlagfälle und neunundachtzig lebensbedrohliche Erschöpfungen mit Kreislaufzusammenbrüchen.«

»Das hört sich besser an als erwartet.« Rassim ließ seinen Blick über die Tschakowskaja wandern. Sie ist nackt unter der Seide, erkannte er. Nun ja, ein heißer Abend ist's. Und wie man weiß, liebt sie es, außerhalb der Dienstzeit ihren Körper kaum zu bedecken. Trotzdem ist sie heute anders als sonst. Wie soll man das erklären – nur eine Empfindung ist's. »Dann haben wir ja Hoffnung« – er suchte in seinen Taschen nach einer Zigarette –, »daß übermorgen die Brigaden ausrücken können und Morosow den Mund hält.«

»Vielleicht.« Die Tschakowskaja hob die Hand, sie zitterte noch immer. »Was suchen Sie da?«

»Eine Papyrossi. Wenn Sie gestatten, Genossin . . .«

»Nein! Ich gestatte nicht. Gehen Sie!«

»Sie sind merkwürdig verändert, Larissa Dawidowna.«

»Ich bin wie früher!« schrie sie plötzlich mit heller Stimme. »Zum Teufel, gehen Sie endlich!«

Rassim wiegte den Kopf ein paarmal hin und her, betrachtete noch mal den von der dünnen, anschmiegsamen Seide bedeckten schlanken Körper und verließ wortlos das Zimmer. Die Tschakowskaja blieb sitzen, hob plötzlich die Schultern, und wieder durchlief ihren Leib ein heftiges Schütteln und Frieren.

Zwei Stunden lang hatte sie unter der Dusche gestanden und in der Wanne gelegen, um Morosows Geruch aus ihren Poren zu waschen; seinen Schweiß, in dem sie sich wie ein silberner Fisch gewunden hatte; seine Hände, die sich in ihr Fleisch eingegraben hatten; seine Lippen, die überall auf ihrer Haut rote Saugflecken hinterlassen hatten – und nach zwei Stunden wußte sie, daß es vergeblich war. Daß auch ein Dampfbad in der Banja sie nicht mehr reinigen konnte. Daß Morosow in ihr blieb und daß es ihre Schuld war, die sich nie wieder löschen ließ. Ihre Flucht vor Abukow und ihre Rache an Abukow. Wie recht hatte Rassim: Eine andere war sie geworden!

Sie hockte in ihrem Sessel, hatte die Hände gegen den verschenkten Schoß gepreßt und stierte ins Leere. Vier Spiegel hingen in ihrer Wohnung, und sie hatte sie mit Handtüchern verhängt. Sie konnte sich nicht mehr ansehen. Sie ekelte sich vor sich selber.

Novella Dimitrowna hatte es gepackt, es war ein nervlicher Zusammenbruch. Nur mit Mühe gelang es Abukow, Novella in die Wohnung von Mustai zu zerren und dort auf das alte Sofa zu legen.

Sie würgte noch immer. Mustai hielt ein Handtuch unter kaltes Wasser, wrang es aus und legte es ihr über die Stirn. Sie zuckte zusammen, schloß die Augen, streckte sich und lag dann regungslos.

»Ich verbrenne innerlich«, stotterte Mirmuchsin und raufte sich die Haare. »Rassim, dieser Höllenhund! Wie kann man hier noch helfen? Was sind hier noch Gebete wert, Väterchen . . .«

»Nenn mich nicht Väterchen!« Abukow zog Mustai vom Sofa weg in eine Ecke des Raumes. »Das Wort kann tödlich sein.«

»Da draußen fallen sie um. Fallen wie vertrocknete Fliegen von der Wand. Hunderte! Und wir stehen hier herum, starren Löcher in die Luft und wissen nicht, was wir tun sollen. Ja, ich bringe ihn um. Irgendwann und irgendwo lauere ich ihm auf und bringe Rassim um. Einen angespitzten Pfahl stoße ich ihm ins Gedärm und nagele ihn auf der Erde fest. Und während er brüllt und sein Blut verdampft, werde ich neben ihm hocken und auf der Hirtenflöte blasen: Verirrt hat sich ein Lämmelein, ihm folgt ein grauer Wolf . . .«

»Und was wird sich ändern? Nichts. Ein neuer Kommandant wird kommen, das ist alles.« Abukow lehnte sich gegen die Wand und behielt Novella im Blick. Sie schien noch immer bewußtlos zu sein. Trotzdem senkte er die Stimme, als er weitersprach: »Weshalb hat sich der Mörder nicht gemeldet?«

»Warum sollte er? Er hat es getan, um die anderen zu schützen.«

»Es hätten Hunderte sterben können!«

»Schweigend wären sie gestorben – ist das nicht heldenhaft?«

Abukow schwieg. Es hatte keinen Sinn, Mustai zu erzählen, daß es durchaus nicht heldenmütig war, für fünfzehn Hühner den Tod von vielen Menschen hinzunehmen. Er hätte es nie verstanden. Aber Abukow nahm sich vor, seine erste Predigt unter das Motto zu stellen: Sind wir Helden? – Er wußte schon jetzt, daß man von dem neuen Priester sehr überrascht sein würde.

Auf dem Sofa regte sich Novella Dimitrowna. Sie hob den Kopf, hielt das nasse Handtuch auf der Stirn fest und blickte sich um.

»Victor . . .«, rief sie mit schwacher Stimme. »Victor Juwanowitsch, wo sind Sie?«

»Hier, Novelluschka.« Er trat an das Sofa, ging in die Hocke und blickte sie an. Sie lächelte, das Glück strahlte aus ihren Augen. Ihre Hand tastete über sein Gesicht und blieb in seiner Nackenbeuge liegen. Dort streichelten die Fingerspitzen zart seine Haut.

»Sie müssen verzeihen«, sagte sie erschöpft. »Ich habe so etwas noch nie gesehen.«

»Ich auch noch nicht.«

»Werden sie alle das überleben?«

»Ich weiß es nicht. Niemand kann das in diesem Augenblick sagen.«

»Ich werde das erzählen. Überall werde ich das erzählen. Überallhin werde ich Briefe schreiben, an jede Zeitung, an alle Verwandten und Bekannten!«

»Und dann wird eines Tages das KGB Sie abholen, ein Gericht wird im Schnellverfahren das Urteil sprechen, wegen Staatsgefährdung und Defaitismus wird man Sie zu zehn Jahren Sibirien verurteilen. Und ganz schnell stehen Sie dann auch in einem Lager in der Sonne, bis Sie umfallen . . .«

»Soll man über das alles schweigen, Victor? Können *Sie* das? Sind wir denn Feiglinge?«

»Im Grunde unserer Herzen – ja! Jeder Mensch ist ein Feigling. Nur Ereignisse, denen er nicht mehr auszuweichen vermag, machen einen Menschen zum Helden. Die größten Helden sind die unfreiwillig dazu Getriebenen.« Er legte die Hand über Novellas Augen und dann auf ihre rechte Wange. Ihr Kopf war kühl. Unter seiner Berührung dehnte sie sich, wölbte die Brust, daß die Spitzen durch den dünnen Blusenstoff traten. »Wollen Sie etwas trinken? Marakuja-Limonade, frisch hergestellt?«

»Das wäre gut.«

Sie blickte Abukow nach, wie er ein Glas holte, aus einer Kühlkanne die Limonade eingoß und zu ihr zurückkam. Als er sich über sie beugte, schnellten plötzlich ihre Arme hoch, umschlangen seinen Hals und zogen ihn mit unwiderstehlicher Kraft zu sich herunter. Ihr Körper bäumte sich ihm entgegen, er mußte sich irgendwo abstützen, spürte unter seiner flachen Hand ihre feste Brust und konnte ihr nicht entgehen. Wie in einer Zwinge saß er, im Nacken drückten ihn ihre Arme herunter, von unten stieß ihr Leib nach ihm. Er ließ das Glas mit Limonade fallen, um die andere Hand freizubekommen, aber das nützte ihm nichts mehr – ihre Lippen hatten ihn erreicht und preßten sich auf seinen Mund. Als er den Kopf zurückziehen wollte, schlug sie wild ihre Zähne in seine Unterlippe und biß sich fest. Der Schmerz war wie ein scharfer Schnitt; er spürte warmes Blut, das über sein Kinn in Novellas geöffneten Mund tropfte. Ihre Zunge leckte brennend über die Wunde.

»Verrückt bin ich«, stammelte sie. »Ich weiß es, ich weiß es. O Victor, was ist los mit mir? Ich werde sterben ohne dich, einfach wegsterben, mich auflösen wie ein Tropfen in der Sonne . . . Victor, o du blutest ... Halt den Kopf still, ganz still ... ich trinke dein Blut ... ich trinke dein Blut ...«

Hinter ihnen klappte leise die Tür zu. Mustai hatte das Zimmer verlassen. Du Feigling, dachte Abukow. Schleichst dich davon. Jetzt hättest du mir helfen können. Von seiner aufgebissenen Lippe zuckte der Schmerz bis in den Kopf. Novellas Zunge schnellte über seinen Mund, über das rinnende Blut, über sein Kinn. Völlig von Sinnen war sie, helle Laute stieß sie dabei aus, der kurze Rock war weit hinauf zu ihren Hüften gerutscht, beengte nicht mehr ihre Beine, und so hob sie die schlanken Beinchen hoch und umklammerte Abukow auch damit wie ein vielfüßiger Käfer.

Am Nachmittag flogen Chefingenieur Morosow und Novella Dimitrowna mit dem Hubschrauber zurück zur Baustelle in der Taiga. Morosow war blendender Laune, winkte nach allen Seiten, ehe er einstieg und sich auf seinem Sitz anschnallte. Novella sah noch sehr blaß aus, zog den Kopf etwas ein und kletterte ihrem Chef nach in die Maschine. Erst als sich der Hubschrauber knatternd in die Luft hob, warf sie einen Blick auf das Dach des Magazins. Sie preßte die Hände zusammen, bis die Finger weiß wurden, lehnte den Kopf weit zurück und schloß die Augen.

Abukow saß vor Mustais Waschbecken und kühlte seine aufgebissene Lippe. Eine Gewaltbehandlung mit Wodka hatte er abgelehnt.

»Feigling!« sagte er bitter. »Bist einfach rausgelaufen.«

»Was sollte ich da noch tun, Victor Juwanowitsch?« rief Mustai beleidigt. »Du warst in ihrem Griff wie ein Kaninchen in Adlerklauen.«

»Mit meiner Lippe werde ich vierzehn Tage Mühe haben.«

»Mit dem anderen ein ganzes Leben ...«

»Es gab nichts ›anderes‹!«

Mustai hob die Schultern und grinste unverschämt. »Man muß es glauben! Du hast ihr wirklich widerstanden? Dann pflege dein Lippchen gut, Victor Juwanowitsch – ist ja dann das echte Blutopfer eines Märtyrers. Glaubst du nicht, daß selbst dein Gott dich für einen Idioten hält?«

Es war ein Augenblick, in dem Abukow bedauerte, daß ein Priester nicht nach einer Holzlatte greifen und mit größter Freude zuschlagen darf.

Am Abend besuchte er Larissa Dawidowna. Sie öffnete ihm erst nach mehrmaligem Klopfen und nachdem sie durch die Tür gefragt hatte, wer draußen stünde. Noch immer trug sie ihr langes, seidenes Usbekengewand und darunter nur ihre nackte Haut. Abukow bemerkte es nicht – er war viel zu wütend und vielleicht auch zu unerfahren. Dafür bemerkte Larissa sofort seine geschwollene Unterlippe und die Bißwunde. Ihre Augen wurden katzengleich.

»Kommen Sie wegen einer Heilsalbe, Genosse?« fragte sie steif und voll Ironie. »Hoffentlich war's keine Schlange, deren Gift schon in Ihnen steckt.«

»Ich bin nicht hier, um mir dumme Reden anzuhören«, entgegnete Abukow erregt. »Du hast dich nicht benommen wie eine Ärztin!«

»Das müssen Sie mir sagen, ausgerechnet mir?« schrie sie plötzlich. Eine Wildheit brach aus ihr heraus, die Abukow betroffen machte. »Verlangt man, daß ich von deinem Täubchen jedes Federchen einzeln unters Mikroskop halte? Sie war nicht etwa krank, sie kotzte nur beim Anblick der Wahrheit!«

»Sie wurde sogar ohnmächtig . . .«

»In Ihren Armen! Wie gut gespielt war das! Ein wenig Übelkeit, die Beinchen zittern, man läßt sich stützen, hängt schlaff in den Händen, die Brüstchen schmiegen sich den Fingern an. Fühlen Sie es noch immer, Victor Juwanowitsch? Zum Bett haben Sie das gierige Hürchen getragen, es hing an Ihnen, es zog Sie zu sich herunter – und als sie zubiß, haben Sie endlich gemerkt, daß Sie auch ein Mann sind . . . Wie widerlich! Wie ekelhaft! Und nun stehen Sie da mit einer Lippe wie ein Mops und haben die Frechheit, mich eine schlechte Ärztin zu nennen!«

Abukow schüttelte den Kopf, setzte sich schwer auf das Sofa und erkannte erst jetzt Larissas bebende Nacktheit unter der dünnen Seide.

»Was ist los mit dir?« fragte er rauh. »Völlig verändert bist du . . .«

»Noch vieles wird sich hier ändern! Vieles!« schrie sie mit ihrer hellen Stimme. »Heute war ein Tag der Geburt!«

»Das sollte näher erklärt werden . . .«

»Sie werden es nie begreifen. Ausgerechnet *Sie* nicht!«

»Ich weiß nur, daß du eine gläubige Christin bist.«

»Was weiß man schon?« Sie ging an ihm vorbei, ihr seidener Kaftan streifte sein Gesicht, der Duft eines süßlichen Parfüms umgab ihn einen Augenblick, fremdartig, auf eine ihm bisher unbekannte Art lockend. Ein Duft, den man festhalten wollte oder dem man nachfolgen mußte. Abukow hielt den Atem an, starrte auf die braun gestrichenen Holzdielen und hörte nur, wie sich Larissa Dawidowna in einen ihrer Sessel warf. Das Holz knirschte, es klang wie ein leiser Schrei. »Was ist beständig in diesem Leben? Nicht mal die Moral eines Priesters.«

Abukows Kopf zuckte hoch. Die Tschakowskaja lag mehr im Sessel, als daß sie saß. Die Beine hatte sie weit von sich gestreckt, entblößt bis zu den Schenkeln. Das Kleid klaffte auseinander, ihr krauslockiges schwarzes Dreieck hob sich deutlich von der weißen, glänzenden Haut ab. Sie hatte die Augen geschlossen und die Arme ausgebreitet, als habe man sie weggeworfen und sie sei so im Sessel hängengeblieben.

Abukow erhob sich und ging zum Fenster. Als er mehrmals schluckte, spürte er, daß sein Rachen plötzlich wie ausgetrocknet war. »Es ist besser, wir reden morgen weiter«, sagte er mit kratziger Stimme.

»Hat sie so vor dir gelegen, das bemalte Schweinchen?« sagte die Tschakowskaja und rieb die nackten Fersen über die Dielen. »Oder war sie noch breiter, die Beine noch mehr auseinander?« Er hörte, wie sie mit den Zähnen knirschte, dann raschelte die Seide, und ihre Stimme wurde dumpfer, als sie weitersprach: »Vielleicht war sie völlig nackt, riß sich alles herunter . . . oh, was tut man nicht alles in einem Schock . . . und was für einen Schock hatte sie, bis in die Zehenspitzen . . . alles trieb er auseinander, und dann lag das brave Priesterlein auf dem Hürchen, und es biß ihm die Lippe blutig, so gut konnte es der geweihte Mann . . .«

»Wenn du nicht still bist« – knirschte Abukow und zog den Kopf zwischen die Schultern –, »komme ich zu dir!«

»Ja, komm, komm . . .« Ihre Stimme flatterte wie ein Vogel. Er hörte in seinem Rücken noch einen dumpfen, rutschenden Laut, aber er wagte nicht, sich umzudrehen. »Auf dem Boden liege ich . . . Weißt du, wie schön es auf den Dielen ist? Was ist denn bloß ein Bett, so ein weiches, schwammiges Bett – auf den Dielen mußt du es machen! Da gibt es kein Wegdrücken, da ist es hart unter dir . . . Warum kommst du nicht? Ich habe einen schöneren Körper als sie . . . Was hat sie mit dir getan? Dagelegen wie eine Katze? Wie billig, Victor Juwanowitsch, billig wie ihr Parfüm, billig wie ihre Schminke, billig wie ihr gebleichtes Haar . . . eine ganz miese, schäbige Hure, das ist sie!«

»Wenn ich mich umdrehe und zu dir komme«, sagte Abukow langsam und mit schwerer Zunge, »werde ich etwas tun, das mir Gott verzeihen möge; ich werde dich so lange prügeln, bis du vernünftig bist!«

»Nur zu, du gebissenes Väterchen, nur zu!« Ihre Worte gingen in ein helles Keuchen über, mit den Fäusten trommelte sie auf die Dielen, aber sie blieb auf dem Boden liegen, Arme und Beine gespreizt, als habe man sie dort festgenagelt. »Schlag mich! Nimm den Riemen vom Haken, leih dir von Rassim eine Peitsche, tritt nach mir, zerstampfe mich, reiß mir die Haut in Fetzen herunter . . . Schreien werde ich vor Wonne, daß die Scheiben klirren. Aber morgen früh um fünf marschieren tausend Mann an die Gasrohrleitung, und wer nicht gehen kann, wird kriechen, und wer nicht kriechen kann, wird von den anderen gezogen werden . . . Es wird keine Kranken mehr geben – nicht mehr bei Larissa Dawidowna Tschakowskaja!«

Abukow atmete schwer. Er drehte sich nun doch um. Sah Larissa auf dem Boden liegen. »Steh auf!« sagte er heiser.

»Nein! Komm zu mir!« Sie wand sich wie eine Schlange und bäumte ihm ihren Leib entgegen. »Bin ich schöner als sie? Sag, bin ich schöner?«

»Auf jeden Fall bist du schamloser. Benimm dich nicht wie eine Verrückte.«

»Ich bin verrückt!«

»Du willst tatsächlich alle gesund schreiben . . . all die mißhandelten, gefolterten, halbtoten Häftlinge?«

»Ja! Wer hindert mich daran? *Du* nicht. Und in Tjumen wird man in die Hände klatschen und sagen: Sieh an, Larissa Dawidowna hat die Notwendigkeit der Zeit erkannt. Alles im Einsatz, keine Drückeberger mehr. Der Genosse Morosow wird in seinem Abschnitt als erster fertig sein. Dank der vorbildlichen Arbeit der Lagerärztin Tschakowskaja ist der Bauabschnitt Surgut zum Musterabschnitt geworden. Und man wird mich ehren und in den Zeitungen abbilden und mir den Titel ›Heldin der Arbeit‹ verleihen . . .« Sie lachte hell, mit einem hysterischen Ton, spreizte die Beine noch weiter und stieß den Unterkörper hoch in die Luft. »Soviel Ehre – und alles nur, weil ein Priesterchen einem Hürchen unterlegen ist!«

»Du willst Hunderte verrecken lassen?« schrie Abukow verzweifelt. »Verdammt! Steh auf und zieh dich an!«

»Wenn ich aufstehe, Victor Juwanowitsch«, sagte sie gefährlich ruhig – »ist das die Entscheidung. Ganz langsam werde ich mich erheben. Zuerst auf das rechte Knie – das sind die normalen gesunden Arbeitsbrigaden. Dann auf das linke Knie – das sind die noch Gehfähigen im Lagerinnendienst. Das Aufstützen mit dem linken Fuß – es bedeutet, jeder wird aus dem Bett geworfen, der noch den Namen Lenin aussprechen kann. Der rechte Fuß – ab in die Taiga! Professor Polewoi und General Tkatschew werden zum Bäumefällen abkommandiert. Und stehe ich erst auf beiden Beinen – dann wird die ganze christliche Gemeinde hinausgefahren werden in die Sümpfe. Sobald ich meinen Kittel wieder anziehe, wird das Lager leer sein, wird es im Hospital keinen Sträfling mehr geben, der nicht an der Trasse arbeitet . . .«

»Und wann komme ich an die Reihe?« fragte Abukow, der an Larissas Augen erkannte, daß alles, was sie sagte, blutiger Ernst war; kalt wie ein Raubtier sah sie ihr Opfer an. »Wenn du das Kleid zuknöpfst – heißt das: Faßt ihn, er ist ein Priester? Oder wenn du dir die Haare kämmst: Schlagt ihm den Schädel ein; er ist gekommen, eine neue Gemeinde zu gründen?«

»Dich werde ich nie verraten!« rief die Tschakowskaja, während ihre Hände über Leib und Brüste strichen und ein Lächeln über ihr Gesicht glitt, schrecklicher als alle Worte bisher. »Nie! Ich will sehen, wie du zusammenbrichst unter der Last, tausend Menschen retten zu können, und es doch nicht tust. Kannst du das überleben? Kann man das ertragen? Dort tausend Menschen – hier eine Umarmung! Wieviel wert ist das Keuschheitsgelübde eines Priesters? Überleg es dir, Victor Juwanowitsch . . .«

Abukow schloß die Augen, warf sich herum und rannte aus der Wohnung. Hinter sich hörte er das gellende Lachen der Tschakowskaja; ein hohes, irres, nervenaufreibendes Lachen, das auch noch um ihn blieb, als er auf den großen Platz stürzte, sich dort an die Wand des Hospitals lehnte und die Hände faltete.

Gott, hilf mir, schrie es in ihm. O mein Gott, hilf . . . sie meint es ernst! Sie schickt morgen tausend Sterbende in die Taiga und in die Sümpfe. Nicht die Hälfte wird zurückkommen!

Mein Gott, was soll ich tun?

Es war ausgerechnet Jachjajew, der Abukow über den Weg lief. Die Stimmung in der Kommandantur war so mit Zündstoff geladen, daß der politische Kommissar es für klüger hielt, sich nicht in weitere Diskussionen über die erfolglose Strafaktion verwickeln zu lassen. Er war sowieso von Beginn an einer anderen Meinung gewesen und hatte sie Rassim auch mitgeteilt: Kein großer Schauauftritt, sondern gelassen abwarten, bis sich ein Informant meldet. Den Mord hinnehmen und schweigen – das verunsichert auf die Dauer auch den nervenstärksten Menschen. Jachjajew war sich sicher, daß unter 1200 Hungernden mindestens einer nicht die Kraft besaß, an vollen Kochkesseln vorbeizugehen oder den Duft aus der Küche zu ertragen. Er kannte das aus Erfahrung: Meist kamen diese Verräter aus den Reihen der kriminellen Sträflinge, selten, ja fast nie aus dem stummen geschlossenen Block der Politischen. Verständlich, denn so ein Bursche, der nichts weiter getan hatte, als ein Geschäft auszuplündern, und der überhaupt jeden Politischen für einen Riesenidioten hielt – warum Hunger und Elend auf sich laden, Krankheit und Tod, nur um einer blöden Idee willen – so ein Krimineller also wird jede Gelegenheit wahrnehmen, um sein Los zu erleichtern. Er wird sagen:

»Genosse Kommissar, verstehen Sie mich recht – ich bin ein verdammter Mensch, ich habe mich schuldig gemacht, ich büße hier,
und ich klage ja auch nicht . . . aber weil ich nun schon einmal
schuldig war, möchte ich nicht neue Schuld auf mich laden, indem ich ein verwerfliches Wissen verschweige . . .«
Und Jachjajew pflegte in solchen Situationen immer mit scheinbar väterlicher Güte zu antworten: »Genosse, man sieht, die Besserung hat bei Ihnen schon eingesetzt. Reden Sie frei, keiner hört
uns hier. In den Innendienst werden Sie versetzt, keine Qual
mehr bei den Rohren oder in den Wäldern, auch die Werkstätten
brauchen gute Hände . . . also, was ist?«
Es war noch nie ein Besucher von Jachjajew weggegangen, ohne
sich mit der Preisgabe von Lagergeheimnissen ein erträglicheres
Leben zu erkaufen.
Nur Zeit muß man haben, verkündete Jachjajew schlau. Ruhe be-
wahren. Auch bei einem Mord. Gerade bei einem Mord!
Für solche Verzögerungstaktik hatte der Lagerkommandant keinerlei Verständnis. »Nichts soll ich tun?« hatte er fassungslos gebrüllt. »Was verlangen Sie da, Mikola Victorowitsch! Man muß
diesen Kerlen zeigen, wer die Macht besitzt. Worauf soll ich warten, Genosse? Zerbrechen muß man sie. Die Knute – das verstehen wir Russen am besten. Es hat immer überzeugt, seit Jahrhunderten. Sie können ja warten, wenn Sie das wirklich für richtig
halten – ich jedenfalls handle!«
Nun war Rassims Aktion gegen die Sträflinge eine unerwartete,
elende Niederlage geworden. Er erkannte das natürlich, wollte es
aber nach außen hin nicht wahrhaben. Wehe, wenn man ihn darauf ansprach! Morosow hatte es getan, und seitdem lief Rassim
rot an, wenn er nur daran dachte.
Daß er sich auch mit Jachjajew auseinandersetzen mußte, löste
bei ihm ein tiefes zorniges Brummen aus. Am liebsten hätte er
sich die Ohren zugehalten, als der Politkommissar sagte: »Wäre
es das Ziel der Regierung, die Staatsfeinde zu liquidieren, brauchten wir keine Lager. Um die Erhaltung der Arbeitskraft geht es
uns. Wenn die Internierten auch für die öffentliche Ordnung eine
Gefahr darstellen, so sind sie immer noch dafür gut, dem Fortschritt des Sozialismus auf andere Art zu dienen, zum Beispiel
eben hier in Surgut durch die Arbeit an der Gasleitung. Den Funken Hoffnung, daß sie überleben können und daß vielleicht alles
einmal besser wird – diesen Funken Hoffnung müssen wir ihnen
lassen, weil sie sonst resignieren, renitent werden und unbrauchbar sind für uns . . .«
Nach vielem Hin und Her sah Jachjajew ein, daß es sinnlos war,
Rassim zu überzeugen. Der Kommandant war Soldat und nur

Soldat. Für ihn gab es Schlag und Gegenschlag und sonst nichts. Der Erfolg mußte sofort sichtbar werden. Einen Weg hintenherum kannte er nicht.

So war die Situation, als der Politkommissar plötzlich Abukow gegenüberstand. »Sie kommen aus dem Hospital?« fragte Jachjajew. »Was gibt es da? Ist die Genossin Tschakowskaja ansprechbar?«

»Ich fürchte – nein.« Abukow klopfte seine Taschen ab und zuckte dann bedauernd die Schultern. »Haben Sie eine Papyrossi für mich, Genosse Kommissar?«

»Bedienen Sie sich, Victor Juwanowitsch.« Jachjajew hielt ihm eine Packung unter die Nase. »Erregt sehen Sie aus . . .«

»Ein vernünftiger Mensch, der noch ein Stückchen Herz in der Brust trägt, soll sich nicht aufregen bei dem, was geschehen ist? Haben wir kein Mitleid? Nein, alles Verbrecher sind es, die da drüben eingesammelt worden sind. Wären sie sonst hier, wenn es anständige Bürger wären? Aber es sind doch Menschen! Oder sehen Sie das anders, Genosse Jachjajew? Handelt es sich um irgendwelche unbekannten Wesen? Dann sollte man es draußen an den Lagerzaun schreiben, auf eine große, weit sichtbare Tafel: ACHTUNG! DAS SIND KEINE MENSCHEN, AUCH WENN SIE SO AUSSEHEN! – Dann weiß wenigstens jeder sofort, wie er sich zu verhalten hat . . .« Abukow sog gierig an seiner Zigarette. Er hatte sich nie viel aus dem Rauchen gemacht, in seiner Jugend nicht und nicht in Rom. Wenn er eine Zigarette oder ein Zigarillo annahm – Monsignore Battista rauchte mit Vorliebe lange dünne Zigarillos mit einem Strohhalm in der Mitte –, dann hatte er nur aus einer Art Höflichkeit mitgeraucht und nie begriffen, warum ein Mensch davon süchtig werden konnte.

Erst hier, in Sibirien, packte ihn die erschreckende Erkenntnis, daß dieses körperlich und seelisch aufreißende Leben in Taiga und Sumpf erträglicher werden konnte mit dem in Papier zusammengerollten, brennenden Tabak. Sehr schnell hatte er gelernt, den beißenden Rauch von Machorka, diesem grob geschnittenen Rippentabak, sogar in die Lunge zu inhalieren. Anfangs hatten Hustenanfälle ihn durchgerüttelt, reagierten die plötzlich gegerbten Stimmbänder mit Heiserkeit, mußte er nach zehn Papyrossi sogar einen Tag im Bett liegen mit einem Kopf, der zu zerspringen drohte. Er hatte gedacht: Nun bist du vergiftet, nun krepierst du hier auf einer Holzpritsche und hast noch nichts geleistet für deinen Auftrag. Aber sein Körper hielt die Schlacht gegen den Tabak durch. Als Abukow wieder aus dem Bett kroch, zündete er sich sofort wieder eine Papyrossi an, sog gierig den Rauch ein und fühlte sich verteufelt wohl dabei.

Es war Sibiriens erster Triumph über Victor Juwanowitsch Abukow.

Jachjajew wartete, bis Abukow den Qualm dreimal aus seinem Mund gestoßen hatte, und beobachtete ihn dabei wie ein Pferdekäufer, dem man das Gäulchen vortraben läßt.

»Sie kennen die Genossin Tichonowa?« fragte er unvermittelt. Abukow nickte. Und wie ich sie kenne! Brennt höllisch in der Wunde, der Zigarettenqualm. Auch das wird ein Problem werden, dachte er: Zwei Frauen gebärden sich wie wilde Katzen. Jeder andere Mann, dem so etwas widerführe, würde sich an die Brust trommeln vor Freude. Victor, mein Bester, würden sie sagen, gratuliere. Eine für den Tag, eine für die Nacht – wer hat das schon? Bist ein Glückspilz, zum Teufel! Und was für Weibchen das sind – eine toller als die andere. Da mußt du dich pflegen, Brüderchen, viel Eier essen, Sahne schlürfen und rohen Fisch verspeisen; fällst sonst in die Knie, haha . . . Und ich müßte ihnen antworten: Ihr seht das alle falsch. Ein großes Problem wird das werden, sie abzuwehren wie anspringende Wölfe.

»Ja!« Abukow inhalierte wieder einen Zug. »Ich kenne die Tichonowa.«

»Gut?« fragte Jachjajew lauernd.

»Was verstehen Sie unter gut?«

»Der Gedanke käme Ihnen nie, mit Novella Dimitrowna ins Bett zu gehen?«

»Nein!« Abukow musterte den kleinen dicken Kommissar. So ist das also, mein fettes Schweinchen, dachte er überrascht und erfreut zugleich. Warum reden wir drum herum? »Novella ist ein hübsches Mädchen, aber ich habe andere Sorgen, als ihr den Rock hochzuheben.«

»Ich muß Ihnen etwas sagen, Abukow.« Jachjajew legte ihm die Hand auf den Arm. Unwillkürlich durchlief ein Schauer den Körper Abukows; er mußte daran denken, daß diese Hand auch Verfügungen unterschrieb, die über Leben und Tod entschieden. »Schon als ich Sie das erstemal ins Lager kommen sah, empfand ich Sympathie für Sie. Ein dämliches Gefühl für mich, Victor Juwanowitsch. Ich finde nie einen anderen Menschen sympathisch. Ich habe keine Freunde – die einen hassen mich, die anderen heucheln Freundlichkeit, weil sie mich brauchen. Genau durchschaue ich sie! Sie haben Angst vor mir. Ich sage: mit Recht! Und da kommen   Sie, Abukow, und ich finde Sie sympathisch. Wie kann man das erklären?«

»Vielleicht ist es das, daß ich einen Kühlwagen mit dem für diese verfluchte Gegend wertvollsten Inhalt fahre?«

»Ein kluger Mensch sind Sie außerdem auch noch!« sagte Jachjajew und lächelte breit. »Haben Sie etwas Zeit für mich?«

»Jetzt? Soviel Sie wollen, Genosse.«

»Kommen Sie zu mir? Wir spielen eine Partie Schach und trinken einen guten Wein. Ich weiß, daß Sie ein guter Spieler sind; daß Sie Rassim besiegt haben, hat sich sofort herumgesprochen. Wollen wir doch mal sehen, ob Sie auch mich schlagen!«

Ein langer Abend wurde es. Jachjajew holte tatsächlich einen guten Krimwein aus dem Schrank und erwies sich als ein harter Schachspieler. Abukow tat ihm den Gefallen und verlor die erste Partie. Der kleine Dicke war begeistert, rieb sich die Hände und kam dann endlich zum Kern der ganzen Freundlichkeit:

»Sie sind ein freierer Mensch als ich, Abukow«, sagte er. »Mein Lebensraum ist eng: Surgut und das verfluchte Lager hier! Genau betrachtet ist mein Dasein wie eine Verbannung. Das Leben draußen in der Welt kommt nur durch das Radio, durch die Zeitungen und das Telefon zu mir herein. Wann kann ich mal nach Tjumen fliegen? Zweimal im Jahr, zum großen Lagebericht. Sie aber kommen öfter nach Tjumen, ist es so?«

»Das hängt von vielen Neuerungen ab«, erwiderte Abukow vorsichtig. »Meine Strecke ist sonst nur Surgut–Nowo Wostokiny. Genauso eingepreßt in einen engen Raum. Und das im größten Teil dieser Erde, in Sibirien! Aber ich könnte öfter nach Tjumen oder sogar nach Perm fliegen; es bedarf nur des Wohlwollens von Oberstleutnant Rassim.«

»Schon wieder Rassim! Was hat er mit Ihnen zu tun? Sie unterstehen ihm in keiner Weise. Er gehört zum Militär, Sie sind Zivilist.« Jachjajew hob die Augenbrauen. Seine Fischaugen quollen etwas vor. »Hat er versucht, Ihnen Befehle zu erteilen? Was hat er befohlen? Wollte er über den Kühlwagen verfügen?« Jachjajew atmete schwer. Wenn Abukow das bestätigte, hatte er Rassim in der Hand.

»Aber nein!« Abukow stellte die Schachfiguren wieder auf für ein neues Spiel. »Ich hatte da eine Idee, und mit dieser Idee war ich schon beim Kulturbeauftragten in Tjumen und bekam nach langen Vorträgen einige Empfehlungen mit, die mir große Hoffnungen machten. Es liegt an Rassim, ob man die Ideen verwirklichen kann.«

»Ich weiß.« Jachjajew lehnte sich enttäuscht zurück. »Das Lagertheater.«

»Sie haben schon davon gehört?«

»Merken Sie sich eins, Abukow: Was im Umkreis von einigen hundert Werst geflüstert wird, das höre ich! Und was ich nicht unmittelbar höre, das flüstert man mir ins Ohr.« Jachjajew grinste geschmeichelt, als er Abukows beifälligen Blick sah. »Ich habe es von Mustai gehört, von Gribow, von Nina Pawlowna und natürlich auch von Rassim. – Geben Sie es zu, Victor Juwanowitsch: ein total irrer Plan! Theater in einem Totenhaus! Am Tage wird bis zum Umfallen geschuftet und gehungert, und am Abend stehen die gleichen Jammergestalten auf einer Bühne und vor bunten Kulissen und spielen ›Die Jungfrau von Orleans‹!«

»Oder singen die Oper ›Fürst Igor‹ . . .«

»Mit großem Orchester . . .«

»Wie es sich gehört. Unter den Sträflingen gibt es Spieler für jedes Instrument.«

»Kann man vielleicht Posaune durch die hohle Hand blasen?«

»Man könnte es. Die Phantasie ist grenzenlos. Es könnten hundert Musiker auf selbstgeschnitzten Flöten blasen, auf leere Kürbisse trommeln, gegen Blechdeckel schlagen und mit den Lippen die Geigen nachahmen – man wird ihnen verzückt zuhören und im Ohr den Klang eines Sinfonieorchesters haben. Besser allerdings sind richtige Instrumente, und die kauft man unbehindert in Tjumen. Ich habe mich selbst davon überzeugt. Ich habe vor den Schaufenstern gestanden. Ich war in den Geschäften, wo man Stoffe kaufen kann für die Kostüme, Pappen und Farben für die Kulissen, Noten und Textbücher . . . es ist alles zu haben, wenn Rassim nur sagen würde: Macht, was ihr wollt, mit eurem Theater! Dann fliege ich sofort nach Tjumen.«

»Und wer soll den Blödsinn bezahlen, he?«

»Heißt es nicht, jeder Inhaftierte, der arbeitet, bekommt einen Lohn? Ich weiß, daß auch in der Verwaltung von JaZ 451/1 Lohnlisten geführt werden. Das ist Gesetz!«

»Man sollte es nicht für möglich halten!« Jachjajew stützte sich auf den Tisch. »Ein so kluger Mensch – und lebt wie auf einem Baum. Gesetz ist auch, daß die Verwaltung des Lagers bezahlt wird. Wer ernährt den fetten Gribow? Wer drückt der fleißigen Leonowna die Rubelchen in die Hand? Wer sorgt dafür, daß Sakmatow, der Schmied, nicht seine Eisenspäne fressen muß, sondern eine schöne, dicke Kascha bekommt? Und glaubst du, der Genosse Rakscha von der Autowerkstatt gibt sich damit zufrieden, daß er singen darf: ›Wir sind die neuen Pioniere, wir schaffen eine neue Welt‹?, während ihm der Magen knurrt? Wer bezahlt die Kosten für die Kleidung? Wer die Verpflegung der Sträflinge? Sie bestimmt nicht. Ich? Wie käme ich dazu! Die anderen Arbeitenden? Das gäbe ein Geschrei, daß die Sterne vom Himmel fallen. – Wer also bezahlt das ganze Lagerleben? Der Sträfling selbst mit seinem Arbeitslohn. Er bezahlt täglich das Vorrecht, leben zu können, wie jeder andere auch, der sein Essen, seine Miete, seine Kleidung, sein Licht und seine kleinen Freuden bezahlen muß. Abukow, wo kämen wir hin, wenn der Staat auch noch seine Verbrecher mit Steuergeldern ernährt und unterstützt? Sind wir im dekadenten Westen? Da werden die, die ihre Mitmenschen bestehlen und betrügen, verletzen und ermorden, bestraft mit reichlichem, gutem Essen – oft besser, als Hunderttausende ehrliche Bürger es sich leisten können. Sie wohnen in Zellen mit Gardinen und Radio, Büchern und Fotos an den Wänden, können lesen und schreiben, haben ihre Sportplätze und liegen an warmen Tagen im Gras und lassen sich von der Sonne streicheln. Nur Weiber haben sie nicht, aber auch diese Qual hat man erkannt, und es gibt Vorschläge, ob man die armen Häftlinge nicht einmal im Monat mit Frauen zusammenbringen kann. So was nennt man Humanismus!« Jachjajew hatte sich sehr erregt, trank ein Glas Wein mit einem Zug leer und unterdrückte ein heftiges Rülpsen. Sein Bauch zuckte zweimal auf. »Soll das bei uns auch so werden, Victor Juwanowitsch? Hier muß ein Verbrecher noch für seine Tat büßen und kann sich nicht damit herausreden, ihn plage ein Säuglingstrauma, weil er aus der Flasche trinken mußte und nicht von der Mutterbrust!« Jachjajew klopfte mit der Faust auf den Tisch. »Hier wird gestraft, Abukow! Das Streicheln der Verbrecher überlassen wir neidlos dem Westen.«

»Sie bekommen also keinen Lohn für den Gasrohrbau?« fragte Abukow, als Jachjajew fast erstickte nach so langer Rede.

»Zehn Prozent! Neunzig Prozent kostet ihr Leben. Im Durchschnitt behalten sie zwischen 10 und 15 Kopeken pro Tag!« Jachjajew grinste breit. »Die sammeln sie und können sich einmal im Monat im Magazin etwas kaufen. Papyrossi, Seife, Würfelzucker, ein Stück Dauerwurst, Kekse, Marmelade, Gewürzgurken, sogar Rasierklingen. Wenn sie sich damit die Kehle durchschneiden, ist es ihr freier Wille. Verbrecher, die sich selbst richten, gibt es allerdings selten.«

»Aber die Politischen, Genosse Kommissar . . .«

»Das sind die Schlimmsten, die mit dem schielenden Blick nach Westen! Abukow, erklären Sie mir, warum diese Verrückten die westliche Morschheit unbedingt in die Sowjetunion importieren wollen? Was ist im Westen denn so paradiesisch? Die Läden, die von Waren überquellen, als sei jedes Geschäft ein riesiger Hefeteig? Sie können nur ein Hemd tragen, ich kann nur ein Hemd tragen – warum müssen es über tausend verschiedene Muster sein? Es soll im Westen über 400 Sorten Brot geben – haben Sie jemals geklagt, wenn Sie satt waren, daß Sie nur ein Weißbrot oder ein Schwarzbrot gegessen haben? Ich sehe, Sie haben gute, kräftige

Schuhe an, damit kommen Sie überall durch – vermissen Sie feinstes Ziegenleder in italienischer Handarbeit?«

»Dr. Owanessjan wird es bestimmt vermissen, Mikola Victorowitsch.«

»Dshuban Kasbekowitsch!« Jachjajew winkte ab. »Wer nimmt ihn ernst? Nein! Kein Bedauern gegenüber den Politischen! Wir brauchen keinen westlichen Konsumozean, in dem wir nur alle ertrinken würden – aber die da drüben brauchen unser Erdgas, um ihren unaufhaltsamen Selbstmord anzuheizen. Sie werden das Gas bekommen, und wir werden dasitzen und sie beobachten und warten . . . warten . . . bis sie an ihrem Überfluß erstickt sind.« Jachjajew verschluckte sich an seinem Speichel, hustete heftig und starrte dann Abukow wie entgeistert an. »Ja, was ist denn das? Sind Sie gekommen, um einen Lehrgang in Politik mitzumachen? Victor Juwanowitsch . . .« Jachjajew beugte sich über den Tisch und blinzelte Abukow zu: »Wenn der Irrsinn des Theaters tatsächlich verwirklicht werden sollte, sind Sie oft in Tjumen . . .«

»Das ist fast sicher. Was muß nicht alles beschafft werden?«

»Haben Sie das Modegeschäft in der Kubanskaja gesehen?«

»Ich habe davorgestanden und bin dann hineingegangen, weil ich mich für einen Frack und ein Abendkleid im Fenster interessierte. Das kaufen fast nur Künstler, sagte man mir.« Abukow blinzelte über den Tisch zurück. »Daran erkennt man, Genosse, wie wichtig die Kunst in unserem Leben ist! Alle Türen öffnen sich . . .«

»Das ist es!« Jachjajew lehnte sich zurück und blickte gegen die Zimmerdecke. »Man soll seine Ohren nicht logischen Argumenten verschließen. So wäre es denkbar, daß man ein luftiges modernes Kleidchen als Theaterkostüm einkauft . . .«

»Und bei einem Winterstück braucht man Pelze«, sagte Abukow leichthin.

»Könnten Sie sich an die Kleidergröße der Genossin Tichonowa erinnern?«

»Jederzeit. Ich sehe ihren herrlichen Körper sofort vor mir, wenn ich an sie denke.«

»Jetzt weiß ich, warum Sie mir sofort sympathisch waren«, meinte Jachjajew, goß neuen Krimwein ein und hob sein Glas Abukow entgegen. »Mit Ihnen kann man sprechen wie mit sich selbst. Verständnis überall! Sprechen wir doch Ihren Theaterplan genauer durch . . .«

Abukow trank sein Glas leer und schloß dabei die Augen. Von innen her brannten sie ihm. Das Tor ist auf, dachte er glücklich. Wir werden im Lager eine Kirche haben mit den Kulissen eines Theaters. Wir werden singen und beten können in bunten Kostümen. Ein Kreuz in Sibirien . . .

7

Wieder in Surgut, saß Abukow trübsinnig in seinem Zimmerchen im Genossenschaftshaus, starrte gegen die Wand, auf den Kunststoffboden oder gegen die gekalkte Decke und fragte sich zum ungezählten Male, ob Larissa ihre Drohung wahr machte und die von Kommandant Rassim bis zum Zusammenbruch gequälten Sträflinge hinaus in die Wälder und Sümpfe jagte. Er aß kaum etwas, und wenn ihn jemand ansprach: »Hallo, Brüderchen, so trüb? Sonntag ist's! Komm mit, im Haus des Volkes spielt die Militärkapelle. Tanzen kann man! Was Beine hat – vor allem, was Röcke trägt – versammelt sich da. Bist doch ein strammer Kerl, Victor Juwanowitsch. Kein Jucken in der Hose?« . . . dann schüttelte Abukow den Kopf und antwortete: »Geht allein. Irgend etwas mit meinem Magen ist los. Als wenn ich einen Stein verschluckt hätte. Geht ohne mich. Viel Spaß, liebe Freunde!«

»Gieß dir zweihundert Gramm Wodka hinein, und alle Steine lösen sich auf«, lachten die anderen. »Ein paarmal kräftig furzen, das hilft! Und dann kommst du nach. Ich sag dir, die schönsten Hürchen von Surgut triffst du heute im Volkshaus . . .«

Abukow befolgte den Rat und kaufte in der Kantine fünfhundert Gramm Wodka. Er setzte die Flasche an den Mund und trank. Die ersten drei Schlucke schienen ihn zu verbrennen und zu zerreißen; fast fiel er von der Pritsche, riß den Mund weit auf und saugte die Luft ein, als sei er gerade einer Schlinge entronnen. Der vierte Schluck glitt dann von ganz allein durch die Kehle, und der fünfte tat gut, schmeckte sogar und breitete sich wohlig in seinem Inneren aus. Dann spürte er, wie der Alkohol in seinen Kopf stieg und das Gehirn angriff und wie die Welt und alle Probleme leichter, übersichtlicher und weniger dramatisch wurden.

Das ist gut, dachte Abukow. Mein Gott, wieso ist das gut? Bin ich zum Säufer geboren und habe es nie bemerkt? Fünf tiefe Schlucke Wodka, und die Welt wird erträglich? Wo bin ich hingekommen? Er warf sich auf den Rücken und war froh, daß die vier Fahrer, die auf dem gleichen Flur ihre Zimmer hatten, zum Tanzen weggegangen waren. Abukow bewohnte diesen Raum erst seit zwei Tagen. Bei seiner Rückkehr aus dem Lager JaZ 451/1 hatte man ihm in der Transportzentrale gesagt: »Mein lieber Abukow, endlich haben wir ein schönes Zimmer für dich. Kannst raus aus dem Schlafsaal. Wohnst jetzt im Genossenschaftshaus. Der Genosse vor dir im Zimmer ist strafversetzt nach Tobolsk. Mann, hatte der einen Tripper! Zuletzt sah seine Kanone aus wie 'n Rohrkrepierer. Das hätte man ja noch behandeln können – aber der Bursche hat neunzehn Weiber angesteckt. Neunzehn, Genosse! Da wurde er untragbar. Weg nach Tobolsk. Nun hast du das Zimmerchen.«

Abukow nickte wortlos, bezog sein Zimmerchen, legte die Matratze zum Lüften aus dem Fenster und dachte bei allem, was er tat, immer nur: Larissa! Tut sie es wirklich? Opfert sie Hunderte von Menschen einer wahnsinnigen, völlig sinnlosen Eifersucht wegen? Werden am Montag tausend schwankende Gestalten erbarmungslos in die Sümpfe getrieben?

Gleich heute morgen hatte er Gribow im Lager angerufen. Es dauerte lange, bis er ihn am Telefon hatte, denn alles lief über die zentrale Lagervermittlung. So einfach kann man kein Straflager anläuten, und der Genosse am Schaltkasten fragte dann auch streng: »Wer ruft da an? Was wollen Sie? Den Genossen Gribow sprechen? Nennen Sie Ihren Namen, und sagen Sie, woher Sie jetzt anrufen.«

»Hier spricht Abukow, der Fahrer von Kühlwagen 11. Gib mir sofort Gribow an die Strippe, oder ich pinkle bei der nächsten Lieferung in eure Quarkwanne . . .«

Dann hatte er Gribow endlich am Telefon, sagte freundlich: »Guten Morgen, mein liebster Kasimir Kornejewitsch!« – und erhielt einen Fluch zur Antwort. Gribow lag noch neben der drallen Nina im Bett, Sonntag war's ja, man konnte sich räkeln und sich ein deftiges Morgenspäßchen mit der immer willigen Nina Pawlowna leisten. Das Magazin war geschlossen, die Lagerküche arbeitete unter Aufsicht des strafgefangenen Bäckers Tschalap – eines breitgesichtigen, gelblichen Tschuktschen, der genauso aussah, wie man die Urasiaten in den Kinderbilderbüchern zeichnete–, und so konnte sich Gribow im Bett und auf Nina wälzen, ohne auf die Uhr zu blicken. Da, gerade da, rief Abukow an. Wen wundert's, daß Gribow fluchte, als seien seine Stiefel voll Wasser.

»Kannst du Mustai holen?« fragte Abukow höflich.

»Nein! Hast du keinen Kalender und keine Uhr? Heute am Sonntagmorgen . . .«

»Was hat das mit Mustai zu tun?«

»Alles!« Gribow keuchte, weil Nina Pawlowna, das Aas, ihn streichelte, wohl wissend, daß er jetzt am Telefon zu keiner Gegenwehr fähig war. »Ich kann nicht nackt zu ihm laufen.«

»Du liegst noch im Bett?«

Ein Juchzer, den Nina in diesem Augenblick ausstieß, ließ Abukow im fernen Surgut erkennen, daß ein Sonntagmorgen bei Gribow nicht aus einem Gottesdienst oder frühsportlichen Übungen bestand.

»Sei ein guter Freund und hol ihn . . .« sagte Abukow milde. »Bitte Nina um Verzeihung, aber ich muß Mustai sprechen. Wichtig ist's!«

Gribow hatte noch einmal kräftig geflucht, auf Ninas Hand geschlagen, die ihm keine Ruhe ließ, war aus dem Bett gehüpft und hinüber zu Mustai gerannt, in einem gestreiften Bademantel und einem breitgestreiften Schlafanzug, wie ihn Millionen Russen tragen. Es gibt in Rußland zwei Sorten von Uniform: die der Soldaten – und die Schlafanzüge. Im Schlaf sind alle Proletarier gleich.

Mustai erschien mit dick verquollenen Augen am Telefon. Er hatte bis in die Nacht hinein ein höllisches Gebräu aus selbstgebranntem Kartoffelschnaps ausprobiert, im Verhältnis 1:1 gemischt mit Walderdbeerlimonade und einen Schuß Moosbeerenlikör. So einen Trunk konnte man nur schwer überleben. Außerdem hatte er davon geträumt, daß er in Abukows Theater mitspielen würde; in diesem dusseligen Stück, wo eine Schwindsüchtige so lange singt, bis sie Blut spuckt. Er hatte sich auf der Bühne gesehen, wie er »Mimi! Mimi!« schrie und dabei dachte: Hättest du nicht gesungen, du dämliche Ente, lägst du nicht tot auf dem Rücken. Jetzt mußte er sich erst wieder in der Wirklichkeit zurechtfinden, als er am Telefon stand.

»Was ist im Lager los?« fragte Abukow, als sich Mustai meldete.

»Nichts!« antwortete Mustai noch halb in den Fängen seines Gebräus und seiner Träume. »Es wird gehungert und gestöhnt. Was soll sich in Rußland in zwei Tagen ändern? Frag in zweihundert Jahren wieder an . . .«

»Hat Larissa ihre Drohung wahrgemacht?«

»Welche Drohung?« Mustai riß die brennenden Augen weit auf. »Womit hat sie gedroht?«

»Sie will keinen mehr krank schreiben.«

»Das wird sich morgen zeigen, Victor Juwanowitsch. Wann hat sie das gesagt? Wissen es die anderen? Ist sie verrückt geworden?«

»In einer Krise steckt sie«, sagte Abukow vorsichtig. »Man muß sie beobachten. Auch sie hat nur Nerven . . .«

»Und da wird sie plötzlich zur Bestie?«

Wird sie das? dachte Abukow schweren Herzens und starrte gegen die Wand. Habe ich versagt? Durfte ich sie allein lassen, als sie nackt auf der Erde lag? Durfte ich einfach das Zimmer verlassen, wortlos, voller Verachtung, aber auch voller Angst vor der eigenen Schwachheit? Wäre es nicht sinnvoller gewesen, ihren Anblick zu ertragen und mit ihr zu beten: Gott, verzeih mir diese Stunde, und gib mir den Verstand wieder . . .?

Abukow atmete tief auf. Schmerzhaft überlief ihn der Zweifel, ob Gott ihm in dieser Stunde noch Halt gegeben hätte. Mit Entsetzen spürte er: Auch Beten hatte Grenzen. Alle Moraltheologie zerfiel für ihn plötzlich zu leeren Worten vor der Leidenschaft der Tschakowskaja. Welchen Rat würde jetzt der weise Monsignore Battista in Rom geben? Bleibe keusch, wie es dein Gelübde vorschreibt? Auch wenn ich dadurch tausend Menschen in den Tod schicke? War *das* Gottes Wille?

»Was . . . was hat sie gestern getan?« fragte Abukow mit schwerer Zunge.

»Im Lager war sie, mit zehn Sanitätern, und ist durch die Blocks gegangen«, antwortete Mustai. In seiner Stimme lag tiefe Bedrükkung. »Jeder hat eine halbe Portion mehr zu essen bekommen.«

Gribow schrie aus dem Hintergrund: »Das waren zweihundert Pfund weiße Bohnen zusätzlich, außer Plan . . . Sag Victor Juwanowitsch, ich muß vier Sack weiße Bohnen haben! Kommt er nächste Woche?«

»Kommst du nächste Woche?« wiederholte Mustai.

»Der Einsatzplan wird erst am Montagmorgen festgelegt. Ich weiß es nicht.« Abukow setzte die Flasche Wodka an den Mund und trank drei gewaltige Schlucke. Mustai hörte es trotz der Entfernung und sagte: »O Brüderchen, du säufst! Ist es wirklich so arg?«

»Gib mir Nachricht, Mustai, was Montag früh geschieht. Gib sofort Nachricht.«

»Wohin?«

»Ins Gewerkschaftshaus. Dort habe ich jetzt ein Zimmer.«

»Vornehm! Vornehm!«

»Hinterlaß, wenn Larissa verrückt spielt, nur den Satz: Der Onkel ist krank . . . Dann weiß ich Bescheid.«

»Und du kannst dann helfen? Von Surgut aus?«

»Nein.«

»Wozu also den Onkel krank werden lassen?« fragte Mustai, und seine Stimme war wie verkrampft. »Sag bloß nicht, daß du für alle Seelen beten willst. Was haben sie davon? Ich bin kein Christ, ich bin ein Moslem, aber ich sage dir: Nichts haben sie davon! Wenn sie im Sumpf verrecken und Milliarden Mücken über sie herfallen oder wenn neben den gefällten Baumstämmen ihr Herz versagt – denkst du wirklich, es wird leichter, wenn sie wissen, daß du für sie betest? Mir wär's nicht leichter, das sag ich dir, wenn ein

Mullah neben mir stünde, in dem Augenblick, wo man mir den Kopf abhaut. Dir bleibt nur eins zu tun: Sauf weiter, Brüderchen!« Mustai blickte auf und blickte in das völlig ratlose, fette Gesicht von Gribow. Der eisige Schreck fuhr ihm in die Beine bei der Erkenntnis, daß er ja nicht allein gewesen war.

»Wer betet da?« fragte Gribow völlig verstört. »Was ist denn das? Sprichst von Christen . . . Ja, du liebe Güte – Victor Juwanowitsch betet?«

»Das sagt man so, Kasimir Kornejewitsch«, stotterte Mustai und wußte nicht, ob es überzeugend klang. »Larissa Dawidowna will alle Kranken gesund schreiben, das hat Abukow erfahren. Und nun sagt er: Betet für sie. Hat ein weiches Herz, unser lieber Freund Victor Juwanowitsch . . . so ein weiches Herz . . .«

Gribow nickte. Mustai war zufrieden, klopfte dem Koloß auf die fette Schulter und verließ befreit das Magazin.

Nun ging der Sonntag vorüber. Abukow saß auf einem Stuhl in seinem Zimmerchen und blickte hinaus auf die belebte Straße mit den sonntäglich gut gekleideten Menschen, die in ihrer luftigen Sommerkleidung aussahen, als promenierten sie am Schwarzen Meer und nicht im tiefsten Sibirien an den Ufern des Ob. Oder er lag auf seinem Bett und grübelte. Oder er lief wie ein im Käfig gefangener Tiger im Haus hin und her.

Gegen Abend noch einmal im Lager anzurufen, das wagte er nicht. Statt dessen soff er die fünfhundert Gramm Wodka bis zum letzten Tropfen, leckte noch den Flaschenhals ab und fiel wie ein Klotz aufs Bett. Bevor ihm die Sinne schwanden, empfand er ein Gefühl des Wegschwebens. So schön muß Sterben sein, dachte er selig, und sein letzter Gedanke war: Monsignore Giovanni Battista, was für Idioten seid ihr doch in Rom . . .

Am Montag, beim Morgengrauen, stand Abukow dem Genossen Transportleiter gegenüber, dem vor ständigem Ärger magenkranken Lew Konstantinowitsch Smerdow. Abukow war der erste Fahrer, der sich meldete – die anderen hatten Mühe, den Sonntag abzuschütteln, duschten sich noch kalt und dachten an die nächtlichen Stunden der Liebe.

»Mein lieber Victor Juwanowitsch«, sagte Smerdow, gähnte, kratzte sich zwischen den Beinen und stieß dann pfeifend Luft aus, »immer voran, immer einsatzbereit, immer freudig am Aufbau des Staates. Heute geht's auf eine verdammte Strecke. Machst sie zum erstenmal, deshalb warne ich dich. Die Fahrt geht nach Tetu-Marmontojai. Kein Begriff, was? Frag die anderen Genossen; die halten sofort ihre Hosen fest und fressen im voraus zehn Eier.« Smerdow grinste breit, aber so, als müsse er wie ein Märtyrer Freude über seinen Tod zeigen. »Es geht ins Frauenlager, Abukow!«

»Von mir aus«, sagte Abukow leichthin. Sein Herz aber schlug schneller. Aus allen Berichten, die man in Rom vorliegen hatte und die er und Monsignore Battista immer wieder durchgesprochen hatten, konnte man entnehmen, daß der unglückliche Bruder Pjotr nie die Gelegenheit gehabt hatte, bis ins Frauenlager vorzudringen. Es war Neuland . . . »Ich habe davon gehört. Achthundert Verurteilte.«

»Achthundert?« schrie Smerdow und rollte die Augen. »Fast zweitausend sind es. Vollgestopft bis unter die Sparren. Die Baracken quellen über vor Weiberleibern! Das hat man noch nie gesehen: Wohin man blickt: Brüste und Schenkel. Hast du schon mal den Finger in ein Schmiedefeuer gesteckt? Ein Vergnügen ist es gegen das, was passiert, wenn die einen Mann in die Hände bekommen. Frag Valerian Petrowitsch Utiaschwili, den Georgier in deiner Brigade. Der hat's erlebt, der hat's hinter sich. Seitdem weigert er sich, ins Frauenlager zu liefern. Lieber aufgehängt werden, schreit er sofort, wenn er das hört. Utiaschwili lieferte Kartoffeln ab und war so unvorsichtig, einen Blick in die Wäscherei zu werfen. Schwupp, war er weg. Haben ihn mit einem Ruck hineingezogen, den Mund mit einem Handtuch zugestopft, und vier Weiber haben ihn weggetragen zum Lager der schmutzigen Wäsche. Haben ihn auf die weichen Berge geworfen, ja, und dann . . .« Smerdow seufzte tief und kratzte sich wieder zwischen den Beinen. ». . . die Hölle brach auf, mein lieber Abukow. Überall Brüste, Bäuche, Unterleiber. Im Ruckzuck war Valerian Petrowitsch nackt, er brüllte, aber der Handtuchknebel stak ja zwischen seinen Zähnen, und da blieb er . . . Was soll ich sagen? Als man Utiaschwili nach drei Stunden vorsichtig hinter der Wäscherei ins Gras legte, war er wie von Raubtieren zerbissen, besinnungslos und so zugerichtet, daß die Genossen Ärzte in Surgut sich berieten, ob man ihm nicht eine Penisplastik machen sollte. Abukow, ich habe den Armen besucht – so etwas von einem zugerichteten Mann hält man nicht für möglich!« Smerdow verdrehte die Augen und seufzte wieder tief. »Und nun mußt du hin, mein lieber Victor Juwanowitsch. Gibt keinen Ausweg, jeder muß mal ran. Ihr werdet mit zehn Wagen fahren. Man hat angerufen, das Magazin ist fast leer. Ich warte immer bis zum letzten Augenblick.« Smerdow hob väterlich belehrend den Zeigefinger. »Also, Abukow: Nie in die Nähe von mehr als zwei Weibern kommen! Ab drei bist du verloren . . .«

»Keine Sorgen«, sagte Abukow und bemühte sich, frech zu grinsen. »Was auch passiert – ich bin nun vorbereitet und gut in Form.«

»Diese Jungen!« stöhnte Smerdow und wischte sich mit beiden Händern über das leidende Gesicht. »Der saftigste Baum hält nicht stand, wenn hundert Säue daran knabbern.«

Das Beladen der Lkw ging schnell, nachdem alle Mitarbeiter eingetroffen waren. Am längsten dauerte es bei Abukow. Sein Kühlwagen Nummer 11 mußte unter Ausnutzung aller Ecken und Winkel mit den begehrtesten Lebensmitteln beladen werden. Mit Fleisch, Butter, Quark, Käse, Wurst, Schinken, Hühnern, Schokolade und allem, was verderblich war, vor allem jetzt in dem ungewöhnlich glühenden Sommer. Aber nach zwei Stunden stand die Kolonne bereit, der Leiter des Konvois ging die Wagenreihe entlang und benahm sich, als schreite er eine Ehrenformation ab.

Abukows neuer Beifahrer, ein Usbeke mit dem Namen Safar Witaliwitsch Chakimow, bohrte in der Nase und scharrte mit den Füßen am Kabinenblech. Er war schon dreimal im Frauenlager gewesen und hatte das Glück gehabt, jeweils nur ein Mädchen schnappen zu können. Er verschwand mit ihr irgendwo hinter einem Stapel Holz. Beim letzten Besuch hatte er dann erfahren, daß er bei seinem ersten Weibchen Vater würde, und das Mädchen war vor ihm in die Knie gefallen, hatte seine Beine umschlungen und gestammelt: »Ich danke dir, ich danke dir!« Er fand das idiotisch, bis er erfuhr, daß Schwangere aus dem schweren Einsatz im Wald hinausgezogen wurden und Aussicht auf frühere Entlassung hatten. Seitdem hatte sich Chakimow vorgenommen, an jedem Einsatz im Frauenlager freiwillig teilzunehmen, um – edel, wie er war – bei jedem Besuch einem Mädchen die vorzeitige Freiheit zu schenken.

Smerdow ahnte nichts von diesem sozialen Einsatz Safars und nannte ihn einen Perversen. Jedesmal zuckte er nervös zusammen, wenn sich Chakimow mit einem lauten »Hier!« freiwillig für die Höllenfahrt meldete. »Er muß einen Hammer wie ein Wisent haben«, sagte er einmal betroffen, »sonst könnte er es nicht aushalten. So ein kleiner, schlitzäugiger Rammler! Da sagt man immer, die Schmächtigen könnten ihn durch ein Nadelöhr stecken! Von wegen!«

»Wir sollen drei Tage im Frauenlager bleiben«, sagte Safar Witaliwitsch jetzt glücklich. Das bedeutete für ihn drei »Befreiungen«.

»Wo schlafen wir da?« fragte Abukow und starrte auf die Rückseite des Wagens vor ihm. Sein Kühlwagen Nummer 11 bildete den Schluß. Das war die schlechteste Position, denn die neun Wagen vor ihm wühlten den Weg auf und machten ihn teilweise fast unpassierbar – er mußte dann sehen, wie er zurechtkam. Auf der

Landkarte hatte er gesehen: Das Frauenlager Tetu-Marmontoyai lag einsam inmitten von Taiga und Sumpf in einem eigenen Seengebiet mit über fünfzig größeren oder kleineren Tümpeln. Nur eine einzige Straße führte dahin, die aber auch im Winter einigermaßen befahrbar war. Dort müßte die Einsamkeit vollkommen sein. Eine Hölle mit zweitausend Teufeln, sagte Smerdow, aber ohne Schwänze – darum sind sie wild darauf.

»Offiziell schlafen wir in der Halle II der Autowerkstatt«, beantwortete Chamikow Abukows Frage und blinzelte freudig.

»Und wo ›inoffiziell‹?«

»Auf der schönsten Matratze der Welt, Brüderchen. Weich und warm . . . und duftend. Ob du's glaubst oder nicht: Sie stellen sogar ihr eigenes Parfüm her. Aus Waldblüten und Kräutern. Wenn die sich damit den Körper einreiben, wirst du verrückt.«

»Du auch?«

»Ich lecke sie jedesmal ab, von oben bis unten. Eine hat wie Tannenhonig geschmeckt.«

Abukow gab Gas, als der Wagen vor ihm anfuhr, und rollte ihm nach. Unwillkürlich mußte er an Larissa Dawidowna denken, auch wenn er sich gegen das Gefühl wehrte, das ihn bei diesem Gedanken überkam. Die Erinnerung an ihren Anblick war nicht zu verwischen, obwohl er ihren nackten Körper nur aus den Augenwinkeln und für den Bruchteil einer Sekunde gesehen hatte. Wie eingebrannt in ihn war das Bild des glänzenden Leibs auf den Dielen, und dazu ihre helle, kindliche Stimme mit den grauenhaftesten Worten, die Abukow je gehört hatte: Tausend Seelen sind verloren, wenn du nicht zu mir kommst!

Und er war geflüchtet.

Jetzt hat sie die Selektion im Lager beendet, dachte er. Jetzt ist entschieden, ob sie ihre schreckliche Drohung wahrgemacht hat und Rache nahm, weil ein Priester seinem Keuschheitsgelübde treu geblieben ist.

Abukow beugte sich über das große Lenkrad, seine Augen brannten, er orientierte sich nur an der Rückwand des voranfahrenden Wagens und sah nicht, wohin er fuhr. Neben ihm begann Chakimow fröhlich zu pfeifen, als sie Surgut verlassen hatten und eintauchten in die Wälder nördlich des Ob. Später sang er sogar mit einem hellen Tenor, der sehr gut klang. Es waren Lieder seiner usbekischen Heimat, in denen immer wieder die Steppe wiederkehrte, der heiße Wind von den südlichen Wüsten und das Schnauben der Pferdeherden aus den grenzenlosen Weiten.

Safar Witaliwitsch war einer der wenigen, die sich freuten, nach Tetu-Marmontoyai zu kommen, zu den zweitausend höllischen Weibern.

»Stimmt es, was man da erzählt?« fragte er nach einiger Zeit, als Abukow keine Anstalten machte, gesprächiger zu werden oder wenigstens mitzusingen. Der Weg in den nördlichen Wald- und Sumpfbezirk war weit. Solange die Straße noch so gut war, kam man schnell voran, aber nach der Brücke über den Fluß Agan kam man auf eine Route, die der Taiga mühevoll abgerungen war; man mußte oft im Schritt fahren, um bei den tiefen Unebenheiten nicht umzukippen. Im Winter war das einfacher, da war alles glatt und gefroren, sauber wie eine Asphaltstraße, und man mahlte sich durch den Schnee mit einem gewissen Gefühl der Sicherheit. Das hier war ein Winterland, deshalb wurden die kurzen Sommer oft mehr verflucht als der klirrende Frost. Wir werden glatt zehn Stunden fahren, dachte Abukow. Wer das dreimal in der Woche macht – wie es manchmal vorkam –, der hat bald Hornhaut auf dem Hintern.

»Was erzählt man?« fragte Abukow, als Chakimow eine Pause einlegte.

»Von dir! Du willst ein Theater gründen?«

»Ja. Bis auf den Genossen Kommandant sind alle begeistert. Sogar Kommissar Jachjajew. Das will was heißen!«

»Gratuliere, Victor Juwanowitsch. Man sieht's wieder: Keine Idee ist zu verrückt, um nicht Wahrheit zu werden. Sogar der Bolschewismus . . .«

Abukow hütete sich, darauf zu antworten. Er kannte Chakimow noch nicht lange genug, war ihm nur zweimal im Vorübergehen begegnet und jetzt zum erstenmal mit ihm zusammen. So kann man einen prüfen, dachte Abukow. Vorsicht, mein Lieber. Er war von dem hier üblichen Verhalten, bei politischen Fragen immer wachsam zu sein, bereits angesteckt. So sah er Chakimow nur kurz an und blickte dann wieder auf die Straße. Erwarte keine Antwort, mein lieber Safar Witaliwitsch: Über Bolschewismus kannst du mit mir nicht diskutieren.

»Nächste Woche fliege ich nach Tjumen zum Kulturbeauftragten der Region«, sagte er statt dessen. »Er muß alles genehmigen.«

»Es wird also etwas?« rief Chakimow erfreut.

»Sicherlich. Ich bin ein zäher Bursche.«

»Braucht ihr einen Tenor? Ich möchte mitspielen. Ist das möglich?«

»Ich höre mir deine Stimme an, wenn alles genehmigt ist«, sagte Abukow ausweichend. Man muß ihn beobachten, dachte er dabei. Scharf beobachten. Mein lieber Safar Witali witsch, so leicht ist es bei mir nicht, als Spion einzusickern. Ich weiß es ja gut genug, wie man so etwas macht.

Nach fünf Stunden wurde eine Mittagsrast eingelegt. Die zwanzig Fahrer entzündeten ein Feuer, wärmten in einem Aluminium-kessel eine Linsensuppe aus Dosen auf und verzehrten dazu jeder ein halbes frisches Brot aus dem Wagen 3, der randvoll mit duftenden Laiben gefüllt war. Man hockte neben der Straße, lehnte sich gegen die dicken Fichtenstämme und rauchte zum Nachtisch eine Papyrossi. Abukow lag im halbhohen Farn und starrte in den weißblauen, heißen Himmel.

Larissa, dachte er und war unfähig, etwas anderes zu denken. Larissa Dawidowna, es *war* ein Fehler, wegzulaufen. Hab Mitleid mit mir und schick die Männer nicht in den Tod. Bitte, hab Mitleid.

Im Gegensatz zu dem Straflager JaZ 451/1 der Männer war das Frauenlager Tetu-Marmontoyai nicht durch drei Sperrgürtel gesichert und von der übrigen Welt abgeschlossen.

Das war auch nicht nötig. Frauen entscheiden sich weniger leicht zur Flucht als Männer, und außerdem war es fast unmöglich, daß eine Frau ein Gebiet überwinden konnte, das im Umkreis von 500 Werst nur aus Sümpfen und Urwäldern bestand. Im Norden ging es in die baumlose, flache, allen Witterungen schutzlos ausgesetzte Tundra über. Nach Westen, Osten und Süden war nichts als unendliche Taiga, waren wilde, ungezähmte Ströme, Tausende von Seen, unzählige Wasserläufe, steinige Schluchten und ein völlig menschenleeres Land. Als Flüchtender darin zu überleben hätte bedeutet, härter zu sein als die undurchdringliche Rinde der frostgestählten Bäume.

Wenn man die Winterroute, die nahe an der Tundragrenze hinauf zum Pyakayo-See führt, in Richtung Nordosten verläßt und eine schmale, in den Wald geschlagene Straße weiterfährt, von der man glaubt, sie müsse im Nichts enden, öffnet sich plötzlich die einsame Gegend, und staunend sieht man ein gewaltiges gerodetes Gebiet, auf dessen Grundfläche eine ganze Mittelstadt Platz hätte. Hier hatten Sträflingsbrigaden monatelang in Zehn-Stunden-Arbeitstagen das Feld aus dem Urwald geschlagen, hatten die dazwischen liegenden Sumpfniederungen trockengelegt, Drainagen gezogen, Abflußgräben gegraben und Versorgungsleitungen verlegt. Es gab ein eigenes Wasserpumpwerk und eine eigene Stromaggregatstation. Ein mit Öl betriebenes Heizwerk – die großen Öltanks lagerten am Rand des Kahlschlags – war nur ein Provisorium. Pläne lagen vor, Tetu-Marmontoyai an die Elektrizität von Surgut anzuschließen. Es gab sogar schon die Genehmigung aus Moskau, aber es fehlten noch die Hochmasten für die Leitungen und die Zwischentrafo-Stationen.

Man kam also aus dem dichten Wald heraus und sah plötzlich einen Gebäudekomplex mit drei hohen Schornsteinen, mit flachen, langen Lagerhallen, zweistöckigen Steinhäusern, hölzernen Baracken, festgewalzten und mit Kies befestigten Straßen, einen Sportplatz und drei fabrikähnliche Bauten. Inmitten dieser Häusersammlung stand auf einem großen Platz ein hoher, hölzerner Turm, auf dessen Spitze eine rote Fahne flatterte. Auf dem Dach eines zweistöckigen Hauses, das offensichtlich die Verwaltung beherbergte, leuchtete der rote Sowjetstern in den Himmel. Genau wie auf dem Moskauer Spasskiturm leuchtete dieser Stern auch des Nachts. Er war der ganze Stolz des Kommandanten Oberst Belgemir Valentinowitsch Kabulbekow. Ein Kasache war er, dieser Kabulbekow, klein, fast zierlich, mit bemitleidenswürdigen krummen Reiterbeinen, die er aber keineswegs versteckte, sondern im Gegenteil durch das ständige Tragen von Reithosen und Stiefeln noch betonte. »Ich bin auf dem Pferd geboren«, sagte er immer, wenn er die Blicke auf seine krummen Beine bemerkte. »Meine Mutter stieg nur aus dem Sattel, um mich hinausschlüpfen zu lassen. Dann wickelte sie mich in ein Tuch, schwang sich wieder in den Sattel und ritt meinem Vater nach, der gar nicht gemerkt hatte, daß ich geboren war. So ist das bei uns!«

Und noch etwas erfüllte Kabulbekow mit großem Stolz: Alles, was man sah – die gewaltige Rodung, die Leitungen, die Häuser und anderen Bauten, die Werkstätten und Fabriken – hatten »seine Weiber« gebaut. Natürlich waren Fachleute gekommen, Maschinensetzer, Ingenieure, Elektriker, Wasserbauexperten: Aber die meiste Arbeit, vor allem die gröbste und dreckigste, das Mauern und Sägen, Graben und Hämmern, sogar das Schweißen und Montieren, hatten die Frauen getan. Zuerst waren die Holzfäller-Brigaden gekommen. Dann entstand das eigene Sägewerk. Aus der Zeltstadt wurde die Barackenstadt mit Werkstätten und Wäscherei und einem kleinen Hospital. Im ganzen Aufbau war es der normale Typ einer neuen sibirischen Siedlung. Ungewöhnlich war es eben »nur«, daß zuerst fünfhundert, später achthundert und jetzt zweitausend Frauen diesen Fleck verzweifelten Lebens in die Wildnis setzten.

Zweitausend Frauen, bewacht von einer einzigen Kompanie Rotarmisten und zwanzig Aufseherinnen. Was gab es schon zu bewachen? Wer in Tetu-Marmontojai eingeliefert worden war, lebte von da an jenseits der Menschen in einer eigenen Welt. Auf einer Insel inmitten grüner Einsamkeit. Die einzigen, denen man ab und zu begegnete, waren Herden wilder Rentiere oder herumstreifende Pelztierjäger vom Stamme der Chanten und Mansen. Sie verdrückten sich schnell wieder in den Wald, wenn sie die

Frauenkolonnen sahen. Sie lebten frei und ungehindert, aber sie wußten aus den Pelzsammelstellen in der Taiga, den Faktoreien, daß es Strafgefangene waren, Verbrecherinnen, wie man ihnen sagte, und daß man gut daran täte, ihnen nicht zu nahe zu kommen. Der Ärger, den man bekommen konnte, war größer als das kurze Vergnügen, solch ein Weibchen im Moos oder Farnkraut zu lieben.

Die Transportkolonne wurde mit Sehnsucht erwartet. Ein paarmal fuhren die Wagen an Arbeitsbrigaden vorbei. Zum erstenmal sah Abukow nun diese Frauen, jetzt im Sommer in weiten, leichten gelbgrünen Hosen und dünnen Blusen. Einige arbeiteten sogar mit nackten Brüsten. Sie fällten Baumstämme für das Sägewerk, transportierten sie mit Traktoren ab, beluden die gewaltigen Tieflader, lenkten diese Motorkolosse, rissen die Stümpfe und Wurzelballen aus und planierten den Boden. Zehn Stunden am Tag taten sie nichts anderes als ihre männlichen Leidensgenossen. Nur einen Vorteil hatten sie: Die Norm war nicht so hoch, das Essen reichlicher, und sie waren – man glaube es oder nicht – zäher als die Männer. Außerdem kamen sie nicht wie die männlichen Sträflinge schon halbtot nach Sibirien, zermürbt von monatelangen Verhören und Folterungen, dem Aufenthalt in Irrenhäusern, von Elektroschocks und medikamentösen Behandlungen. Nein, die Frauen hatte man verhaftet, verurteilt und einfach abgeschoben nach Sibirien; manche so schnell, daß sie erst begriffen, wo sie waren, als man ihnen eine Axt oder eine Motorsäge in die Hand drückte und sie hinaus in den Urwald karrte.

»Sie sind wie die Katzen«, sagte Oberst Kabulbekow einmal, »zäh, unberechenbar, tückisch und gefährlich sanft. Man begreift sie nie, die Weiber!«

Die Wagenkolonne hielt vor dem Steingebäude mit dem Sowjetstern auf dem Dach und wurde sofort umringt von unzähligen Frauen. Sie hatten Lagerdienst, fegten die Straßen und betreuten die Blumengärten, mit denen die Baracken umgeben waren. Oder sie arbeiteten in den Gemüsebeeten, die der Kommandant hatte anlegen lassen, um Spinat zu züchten und einen armseligen, krüppeligen Blumenkohl. Viele kamen auch von den Werkstätten herübergelaufen, ölverschmiert, dreckig, in sackähnlichen Gewändern – aber es waren jedenfalls Frauen, und Chakimow schnalzte mit der Zunge, stieß Abukow in die Seite und rollte mit seinen Schlitzaugen.

»Paß auf, Victor Juwanowitsch«, sagte er mit flatternder, erregter Stimme. »Paß auf beim Aussteigen. Die greifen dir sofort zwischen die Beine, blitzschnell, wie wenn ein Chamäleon die Zunge vorschnellen läßt.«

»Ich bleibe hier sitzen!« Abukow starrte durch die Scheibe auf die Frauen, die um seinen Wagen herumstanden wie hungrige Raubtiere. Genauso fühlte er sich: belagert von Raubkatzen, die darauf warteten, daß er seinen sicheren Führerstand verließ. Sie winkten ihm zu, lachten, klopften gegen die Karosserie und die Fenster, riefen ihm etwas zu, was er nicht verstand, und eine Frau hob ihren Kittel, zeigte ihm ihren blanken Unterleib, riß dann die Bluse auf und ließ ihre kräftigen Brüste hin und her pendeln. Die anderen Frauen kreischten vor Vergnügen.

»Sie kennen dich nicht«, stotterte Chakimow und legte seine Hände wie schützend über seinen Schoß. »Du lieber Himmel, hat die ein Geläut . . .«

»Ist denn keine Bewachung hier?« fragte Abukow betroffen. »Da sollen wir hinaus?«

Von den beiden doppelstöckigen Steinbauten gegenüber, die als Kaserne der Wachkompanie dienten, kamen jetzt zehn Rotarmisten mit langen Lederpeitschen. Sie ließen die Schnüre durch die Luft knallen. Die Frauen kreischten hell und stoben auseinander, verteilten sich nach allen Seiten und stellten sich an den Hauswänden auf.

»Wie in einem riesigen Raubtierkäfig«, sagte Abukow mit heiserer Stimme. »Genau so.«

»Anders geht es nicht.« Safar Witaliwitsch öffnete jetzt die Kabinentür und sprang auf die Straße. Die Rotarmisten bildeten vor den Lastwagen eine Kette, die Peitschen schlagbereit. Von den Frauen flogen Schimpfworte herüber, Fäuste drohten, einige hatten ihre Blusen ausgezogen und stemmten mit den Händen ihre Brüste empor. Hurensöhne und Tripperböcke waren noch die mildesten Ausdrücke, die Abukow aus dem Stimmengewirr heraushören konnte.

»Man könnte sie erschießen, ohne daß es sie aufregen würde«, sagte Chakimow und wischte sich den Schweiß vom gelben Gesicht. Es mußten mindestens 35 Grad Hitze sein, die Luft war dick und wie ein flimmernder Vorhang. »Aber die Peitsche . . . das ertragen sie nicht. Die Lederschnur zerstört ihre Schönheit. Auch als vergessene Sträflinge hier in Sibirien sind sie immer noch eitel und bleiben es.«

Oberst Kabulbekow trat jetzt aus der Kommandantur, wie immer in Reithosen und Stiefeln und stolz auf seine Reiterbeine. Er begrüßte den Transportführer, überblickte die zehn Lastwagen, erkannte als letzten den Kühlwagen Nummer 11 und kam zu Abukow und Chakimow.

Safar Witaliwitsch stand sofort stramm und legte die Hand an die schweißnasse Stirn. Er kannte den Kommandanten ja gut und wußte, wie er solche Demonstrationen schätzte. Abukow blieb an die Karosserie seines Wagens gelehnt und blickte Kabulbekow erwartungsvoll an.

»Sie sind zum erstenmal hier?« fragte der Oberst und musterte Abukow scharf. »Den Kühlwagen fahren Sie! Eine Vertrauenssache!«

»Es muß wohl so sein, Genosse Oberst«, erwiderte Abukow vorsichtig.

»Haben Sie uns gute Sachen mitgebracht?«

»Alles, wovon man in Moskau oder Nowgorod nur träumt.«

»So ist es richtig!« Kabulbekow lachte etwas schrill. »Das gehört sich so, wenn man in Sibirien ist. In einer Stadt kann jeder leben, aber hier, das ist eine Auszeichnung. Eines guten Lohnes ist das wert!«

Er warf einen Blick auf den großen Kühlaufbau des Wagens, schnalzte mit der Zunge, als röche er schon ein gebratenes Huhn oder einen saftigen Schweinebraten, und ging zurück zur Kommandantur. Chakimow wartete, bis er außer Hörweite war, und stieß dann Abukow in die Rippen.

»Hast du das begriffen?« flüsterte er.

»Was?«

»Mit einem Zaunpfahl hat er gewunken.«

»Mit einem Zaunpfahl?«

»Victor Juwanowitsch, sei kein kleiner Idiot. Kabulbekow weiß genau, wie leicht man sich bei einem ganzen Wagen voll Hühner und Fleisch verzählen kann.«

»Kabulbekow auch?« Abukow stieß sich vom Wagen ab und ging hinüber zu den anderen Fahrern, die sich beim Wagen 1 versammelten. »Er sieht so anständig aus . . .«

»Ist die Lust auf ein Stück Braten unanständig?« Chakimow schüttelte den Kopf. »Der Oberst ist der beste Kommandant, den ich bisher kennengelernt habe, und ich fahre seit vier Jahren in der Transportbrigade. Kenne genug andere Lager. Das schlimmste ist dein Stammlager mit dem Satan Rassim! Hier gibt es so etwas nicht wie in 451/1. Zweitausend Weiber hat Kabulbekow unter der Knute, zweitausend Hyänen, sage ich dir – aber er betrachtet sie als Menschen. Wo findet man das noch?« Chakimow blinzelte Abukow an und legte den Arm um seine Hüfte. »Wenn's möglich ist, Victor Juwanowitsch, schenk ihm heimlich einen saftigen Braten. Er wird's dir nie vergessen . . . So einer ist Belgemir Valentinowitsch.«

Vom Magazin her war unterdessen der Verwalter gekommen, ein langer, dürrer Mensch, ganz das Gegenteil zum fetten Gribow. Geradezu verhungert sah er aus. Aber das war nicht seiner Ehrlichkeit zuzuschreiben, sondern einem Gallenleiden, das allen Medikamenten widerstand. Wenn Martynow, so hieß der Arme, das Fleisch nur roch, wurde ihm übel. Dagegen konnte er Käse und Milchspeisen in so rauhen Mengen verdrücken, daß man eine eigene Molkerei im Lager gebraucht hätte – aber wer vermochte hier eine Kuhherde durch das mörderische Klima von Winter und Sommer zu bringen? Die Hauptarbeit im Magazin leistete denn auch eine Frau, die Begnadigte Olga Michaelowna Gasmatowa, und die war nun wirklich dick wie ein Faß und machte kein Geheimnis daraus, daß Fressen eines der schönsten Dinge im Leben ist.

Die Gasmatowa war gefürchtet. Sie war selbst zehn Jahre lang Häftling gewesen, verurteilt wegen Totschlags an einem Liebhaber – das war seinerzeit in Kasan geschehen, und die Olga, schwarz, schlank und rassig, galt damals als das beste Hürchen der Stadt. Ursprünglich zu lebenslanger Haft verurteilt, hätte sie eigentlich ihre Strafe bis zum Ende absitzen müssen; jedenfalls sah sie keinen Ausweg – bis plötzlich aus Anlaß des Jahrestages der Revolution der Strahl der Gnade auch auf die Gasmatowa fiel. Das Lebenslänglich wurde in 15 Jahre umgewandelt. Und als sich Olga Michaelowna, vom Glücksgefühl aufgeblasen wie ein Ballon, mit dieser Aussicht auf baldige Befreiung abgefunden hatte, kam ein Genosse vom GULAG zu ihr, legte ihr ein Schriftstück vor und sagte: »Unterschreib das, du Hurenaas, und pack deine Sachen!«

»Keine Begnadigung mehr?« stotterte Olga voller Angst. »Warum denn?«

Dann las sie das Papier und erfuhr, daß man sie ab sofort begnadigt habe, daß sie nun frei sei. Nicht ganz frei – das regelte ein Schlußsatz. Er befahl ihr, den Rest ihres Lebens in Sibirien zu verbringen. Nur unter dieser Bedingung sei sie dann »frei«.

Die Gasmatowa unterschrieb natürlich, packte ihre wenigen Sachen, verließ das eingezäunte und bewachte innere Lager der Sträflinge, überquerte den großen Platz mit dem Fahnenturm, betrat die Kommandantur, ließ sich bei Oberst Kabulbekow melden und sagte:

»Ich bin begnadigt. Ich bin frei. Eine vollwertige Genossin. Die Genossin Gasmatowa bittet den Genossen Kommandanten, sie in der Verwaltung zu beschäftigen. Ich habe mich so an alles hier gewöhnt, ich will nicht weg. Wohin sollte ich gehen? Sibirien ist überall Neuland – meine Heimat ist jetzt hier, nach zehn Jahren.«

Es dauerte ein halbes Jahr, bis die Zentrale in Perm endlich die Erlaubnis gab und die Gasmatowa als Lagerarbeiterin anstellte. Gehalt 150 Rubel – das war ein Vermögen. Wo konnte man sie denn ausgeben? Am meisten freute sich der Verwalter Martynow. Er machte die Gasmatowa sofort zu seiner Stellvertreterin.

Und damit begann die Tragödie für das Frauenlager. Denn es gibt nichts Schlimmeres als einen begnadigten kriminellen Häftling, der plötzlich zum Herrscher über seine ehemaligen Genossen wird. Bekannt mit allen Tricks, die er ja selbst einmal angewandt hatte, war es nun unmöglich, dem Magazin heimliche Portionen zu entlocken. Die Gasmatowa hing wie eine Spinne im Netz, fraß sich kugelrund, wog aber bei den Zuteilungen so peinlich genau ab, daß selbst die Chefköchin maulte:

»Halt wenigstens beim Wiegen den Atem an, dein Atem wiegt schon ein paar Gramm. Himmel, puste nicht auf die Waage!«

»Dann wollen wir mal sehen, was gekommen ist!« sagte Martynow jetzt nach Ankunft des neuen Lebensmitteltransports freundlich. »Genossen, haltet eure Listen bereit. Fangen wir mit den Kartoffeln und den Teigwaren an. Wer hat sie?«

»Wagen Nummer vier . . . Wagen Nummer sechs . . .«

Chakimow legte den Arm wieder in Abukows Hüfte und zog ihn weg. »Wir kommen zuletzt dran, das kenne ich«, sagte er. »Der Kühlwagen ist immer der letzte, meist wird es Abend, weil es dann weniger Augen gibt. Die ganze Welt ist nur Beschiß – warum leugnen das bloß alle?«

Eine halbe Stunde war Abukow allein.

Drei Wagen wurden nun von Frauen entladen, die Säcke und Kisten in die Lagerhalle schleppten, Körbe und Kartons auf die Schulter stemmten, weit nach vorn gebeugt mit ihren schweren Lasten von den Wagen zum Lager tappten – hin und her, eine nie abreißende Kette, ein lebendes Transportband. War eine Frau allein zu schwach, faßte eine andere mit an, wortlos und geduldig, während die Fahrer herumstanden, lachten, die Weiber musterten, sich über ihre Körper unterhielten, der einen in den Hintern kniffen, der anderen in die Brust, der dritten unter den Rock und gemeine Reden führten.

»Wenn ich dich zu fassen kriege, reiß ich dir den Schwanz aus«, sagte eine noch stämmige Frau, die sich gerade einen Kartoffelsack auf die Schulter schieben ließ, zu dem Fahrer des Wagens Nummer vier. »Bleib mir bloß weg mit deiner Affenschaukel!«

Die Fahrer brüllten vor Lachen. Noch war es hell, noch konnte man mutig sein. Sobald die Nacht kam, war es Selbstmord, sich außerhalb des Hauses blicken zu lassen. Was die Weiber sagten, das war nicht bloß so dahergeredet; jeder kannte den Fall des armen Genossen Schukowskyi, der nur mal Luft schnappen wollte im Freien – er kehrte nicht ins Haus zurück und wurde den nächsten Morgen am Waldrand gefunden, kastriert und tot.

Dies war das einzige Mal, daß Belgemir Valentinowitsch Kabulbekow nicht stolz auf sein Lager war, sondern lange darüber nachdachte, ob er nicht seinen berüchtigten Kollegen Rassul Sulejmanowitsch Rassim vom Männerlager JaZ 451/1 zum Vorbild nehmen sollte. Aber dann brachte ihm der Lagerchor ein Ständchen mit Liedern aus seiner kaukasischen Heimat, und sein Herz schmolz dahin.

Abukow ging langsam hinüber zum Hospital des Frauenlagers. Es zog ihn fast magisch dorthin, als rufe ihn eine stumme Stimme und ziehe ihn heran. Er betrat das Gebäude und sah sich in der kleinen Eingangshalle um. Hier glich fast alles dem Hospital von JaZ 451/1, nur war es so still, als sei das Haus verlassen, und überall blitzte es vor Sauberkeit. Der Boden, die Wände, die Fenster, die Decke – alles weiß lackiert und gepflegt. Im Männerlager war das Hospital wie ein Bienenhaus, raus und rein ging es, man lärmte, schrie, schimpfte, fluchte – ein Chaos gegen die Stille und Sauberkeit in diesem Haus.

Frauen, dachte Abukow ... es war ihm sogar, als schwebe in der Luft ein süßlicher Duft von Parfüm. Keine hastenden Sanitäter, kein brüllender Dshuban Kasbekowitsch, kein Jachjajew, der von Zimmer zu Zimmer wieselte, um zu kontrollieren, ob auch alles tatsächlich bettlägerig war.

Erst als Abukow schon über fünf Minuten unschlüssig dagestanden hatte, kam ein Mädchen in einem weißen Kittel den langen Gang hinunter zur Eingangshalle. Sie hatte kurze, struppige blonde Haare, ein rundes Gesicht mit einer Stupsnase, lange schlanke Beine und bewegte sich lautlos über den Kunststoffboden. Als sie Abukow bemerkte, winkte sie ihm freudig zu, beschleunigte ihre Schritte und fiel ihm, als sie vor ihm stand, plötzlich um den Hals, küßte ihn auf beide Wangen, legte den Kopf an seine Schulter und flüsterte ihm ins Ohr:

»Endlich sind Sie gekommen, Väterchen. Wie glücklich sind wir ...«

Abukow war erstarrt.

»Sie irren ... irren sich, Genossin ...«, sagte er steif. Es gibt höllische Fallen, in die man hineinfällt. »Ich bin Fahrer der Transportbrigade Surgut.«

»Sie sind Victor Juwanowitsch Abukow«, flüsterte sie und blieb mit ihrem Kopf an seiner Schulter.

»Ja ...«

»O segne mich, Väterchen! Ist das ein Tag! Der Himmel war uns gnädig ... Sie sind gekommen!«

»Ich verstehe überhaupt nichts.« Abukow sah über den Kopf des Mädchens hinweg gegen die Wand. Der weiße Lackanstrich blendete ihn fast infolge des Sonnenlichts, das durch die Fenster fiel. »Wer bist du?«

»Lilit Iwanowna Karapjetjan.« Sie glitt mit dem Kopf tiefer, ergriff plötzlich seine rechte Hand und küßte sie. Schnell zog er sie zurück, blickte sich nach allen Seiten um, aber sie waren allein. Tief atmete er auf.

»Ich komme aus Eriwan«, sagte sie. »War dort an der Oper die Erste Flötistin im Opernorchester.«

»Blond und aus Eriwan?« fragte Abukow vorsichtig.

»Meine Mutter stammt aus Moldawien. Sie ist hellblond.« Der Kopf lag wieder an seiner Schulter. »Warum vertraust du mir nicht, Väterchen? Wir alle wissen, daß du einmal kommen würdest.«

»Wer ist: Wir alle?«

»Die Gemeinde von Tetu-Marmontoyai.«

»Mein Gott! Ihr habt eine Gemeinde? Das wußte ich nicht, das weiß keiner.«

»Darauf sind wir stolz, Väterchen.« Lilit Iwanowna hob den Kopf. Ihre braunen Augen, die sie vom Vater hatte, glänzten fiebrig. »Neunundvierzig Frauen sind wir . . . von zweitausend. Das ist wenig.«

»Schon *ein* Gebet bringt Gottes Gegenwart«, sagte Abukow leise und legte seine Hand segnend auf ihre blonden struppigen Haare. »Wer hat euch gesagt, daß ich gekommen bin?«

»Wir wußten es.« Lilit löste sich von Abukow und lehnte sich gegen die weiße Lackwand. Ihr Gesicht glühte jetzt vor innerer Erregung. »Sie rief uns sofort an. Am Telefon hatte gerade Margarita Nikolajewna Lusatkaja Dienst und fiel fast auf die Erde vor Freude. Und sie kann was vertragen – sie ist Schauspielerin.«

»Wer hat angerufen?« fragte Abukow.

»Sie . . . die Ärztin Tschakowskaja . . .«

»Larissa Dawidowna?«

»Ihre Stimme soll wie Glocken geklungen haben, sagt Margarita. Und sie hat gesagt: ›Wartet ab, bereitet alles vor, macht euch auf ein Fest bereit: Victor Juwanowitsch wird auch zu euch kommen. Den Kühlwagen Nummer 11 fährt er.‹«

»Das war unvorsichtig«, sagte Abukow betroffen. »Welch ein Leichtsinn! Weiß man denn, ob ich immer die Nummer 11 fahre? Man kann auch wechseln.«

»Damit haben wir gerechnet. Als die Kolonne ankam, haben wir die Fahrer von Nummer 11 genau beobachtet. Der eine, kleine Gelbe konnte es nicht sein, den kennen wir, es ist der geile Safar

Witaliwitsch – aber da war der Neue gekommen, groß und blond, so wie ihn uns Larissa Dawidowna beschrieben hat. Nur Sie konnten das sein, Väterchen, kein anderer. Was hat sie gesagt: ›Wenn man ihn sieht, scheint plötzlich in der Nacht die Sonne . . .‹«

»Das hat sie gesagt?« Abukows Stimme klang wie verstaubt.

»Genau mit diesen Worten.« Lilit Iwanowna strahlte ihn an. »Und es ist richtig. Wie lange bleiben Sie bei uns, Väterchen?«

»Man sagte uns: zwei Tage. Wir sollen mit den anderen neun Wagen Balken und Holzplatten mitnehmen.«

»Werden Sie mit uns eine Andacht halten?«

»Wenn es möglich ist.« Abukow faltete die Hände, und sofort glitten auch Lilits Hände ineinander. »Ich kenne hier noch nichts, ich will euch nicht in Gefahr bringen.«

»Anastassija Lukanowna Lasarjuk wird für alles sorgen. Keine Sorge, Väterchen. Uns überrascht man nicht.«

»Wer ist Anastassija?«

»Die Vorbeterin unserer Gemeinde. Aus Moskau kam sie hierher, vor zwei Jahren. Man sagt, sie sei die Geliebte eines Ministers gewesen und nach Sibirien verbannt worden, weil sie zuviel gehört habe. Sie spricht nicht darüber, und keiner fragt sie danach. Eine von Hunderttausenden ist sie, eine ›tote Seele‹, eine von uns. Nur nachts träumt sie manchmal von einer Datscha mit kunstvoll bemalten Holzwänden und einer Troika, die mit ihr durch einen Schneewald fährt . . .«

»Du arbeitest im Hospital?«

»Ich helfe im Labor. ›Wer Flöte blasen kann, kann auch durch Glasröhrchen pusten‹, hat der vorige Lagerarzt, Dr. Lessiwitz, zu mir gesagt. Ein lustiger Mensch. Er starb an Krebs; drüben am Wald liegt sein Grab mit einem großen Grabmal aus Holz. Wir haben auch vier Bildhauerinnen im Lager.« Lilit stieß sich von der Wand ab. Hinten im Gang klappte eine Tür, eine ältere, grauhaarige Frau erschien – auch sie im weißen Kittel – und verschwand wieder drei Türen weiter. Vorher sah sie Abukow kritisch an, und Abukow deutete eine leichte Verbeugung an. »Die Chefärztin . . . kein Vergleich zu Dr. Lessiwitz. Spricht kaum, lacht nie und ist sehr streng bei ihren Selektionen. War auch einmal Häftling, oben in Magadan, in den Kohlegruben. Ist erst neununddreißig Jahre alt und sieht aus wie sechzig. Anastassija sagt, sie komme nicht darüber hinweg, daß neben ihr Hunderte Kameradinnen starben, sie aber leben blieb. Man weiß gar nichts über sie. Aber Oberst Kabulbekow küßt ihr jedesmal die Hand, wenn er sie begrüßt. Erst haben wir darüber gelacht, jetzt verstehen wir ihn.« Lilit sah Abukow mit ihren leuchtenden braunen Augen voll tiefer Freude an. »Hier ist alles anders als in den anderen Lagern, Väterchen. Hier ist eine Hölle, in der gesungen wird.« Abukow nickte, wandte sich ab, und sie verließen zusammen das Hospital. Vor der großen Magazinhalle luden die Frauenkolonnen noch immer die Säcke und Kisten aus und schleppten sie ins Haus. Und auch die gemeinen Zurufe gab es noch immer und die an den Barakkenwänden wartenden, lauernden Raubtiere mit ihren gierigen Augen. Ein paar Rotarmisten patrouillierten hin und her, die langen Lederpeitschen in den Fäusten.

»Ich werde predigen, daß die Lust des Fleisches nicht das Höchste im Leben ist«, sagte Abukow heiser.

»Das ist hier der falsche Text, Väterchen. Man wird Sie nicht verstehen.«

»Habt ihr nichts anderes in Kopf und Herz?«

»Nein, nichts anderes«, sagte Lilit Iwanowna. Es war kein Funken Scham in diesen Worten, es war alles so natürlich. »Nichts sonst . . . Wovon soll man sonst träumen?«

In Kommandant Rassims Männerlager JaZ 451/1 wurde der Montagmorgen voller Angst erwartet wie ein Weltuntergang. Die Selektion der Kranken durch die Tschakowskaja begann. Auch Rassim wollte dieses Ereignis nicht versäumen, stand gegen seine Art schon beim Morgengrauen auf und kam dennoch zu spät, was ihn maßlos ärgerte. Jachjajew war schon früher da und stand im Vorraum des Hospitals herum. Sein dicker Körper schien voll erregter Aktivität. Den ersten Krach hatte der politische Kommissar schon mit Professor Polewoi hinter sich. Denn der vor seiner Verurteilung so prominent gewesene Sträfling Polewoi war die halbe Nacht auf den Beinen gewesen und hatte nicht nur den Kranken im Haus warmes Salzwasser zu trinken gegeben. Nun wanden sie sich alle in den Betten, kotzten Blechschüsseln und Eimer voll. Im Hospital schallte aus jedem Zimmer das Würgen und Spucken, das Ächzen und Stöhnen, und Jachjajew war bei seinem Eintritt geradezu zurückgeprallt.

»Was ist denn das?« hatte er gebrüllt. »Was ist hier los?«

»Vielleicht eine Epidemie«, hatte Polewoi gerufen und rannte mit vollen Eimern heraus. »Eine geheimnisvolle Infektion. Die Luft ist voller Bakterien.«

Jachjajew, wie jeder Russe mit einer höllischen Angst vor Ansteckung gesegnet, blieb entsetzt im Vorraum stehen und schrie nur zurück:

»Wenn das wieder einer deiner schmutzigen Tricks ist, Georgi Wadimowitsch, wird dafür gesorgt, daß du morgen die Bäume impfst . . .«

Auch Rassim stutzte, als er den Lärm aus den Hospitalzimmern hörte, und blickte Jachjajew fragend an.

»Sie kotzen!« Jachjajew verzog sein Gesicht voller Ekel. »In jedem Zimmer. Alles kotzt. Auch viele andere im Lager. Benehmen sich, als müßten ihnen die Därme aus dem Hals kommen.«

»Und warum?« brüllte Rassim. Er ahnte Komplikationen, und wie immer versuchte er seine Sorge mit seiner ungeheuren Bullenstimme zu verdrängen.

»Wer weiß das? Bakterien . . .?«

»Hier? Eine Infektion?!«

»Möglich. Warum nicht?«

»Das würde bedeuten, daß mein Lager eine einzige Isolierstation wird!« Rassim holte tief Luft, blähte den mächtigen Brustkorb und wurde hochrot im Gesicht. »Wo ist die Tschakowskaja?« Seine Stimme wurde gewaltig. »Larissa Dawidowna! Hierher!«

Unsinnig war es natürlich, so zu schreien, wie es auch völlig sinnlos war, einer Tschakowskaja solche Befehle zu geben. Jachjajew hob die fetten Schultern, Rassim schnaufte wie ein wilder Eber, schlug die Fäuste zusammen und rannte den linken Gang hinunter zu Larissas Wohnung. Er sah noch, daß jenseits der Vorhalle Dr. Dshuban Owanessjan verstört, aber elegant wie immer, im wie maßgeschneiderten Kittel (er *war* maßgeschneidert in der Lagerschneiderei!) in einem der Zimmer verschwand, begleitet von einem wild gestikulierenden Professor Polewoi.

Diesmal klopfte Rassim an Larissas Tür und wartete, bis er ihre Stimme hörte. »Wer da?«

»Rassul . . .«

»Kommen Sie rein, Genosse Oberstleutnant.«

Die Tschakowskaja rumorte nebenan in ihrem Schlafzimmer herum, als Rassim in das Wohnzimmer und zum Fenster ging. Draußen dämmerte der neue Tag herauf. Der Himmel war in rotgelbe Streifen zerrissen. Auf den Baumkronen des Waldes lag ein violetter Dunst. Ein ergreifendes Farbspiel, das fast plötzlich, als wenn man eine Lampe ausknipst, verlöschen würde, sobald die Sonne über den Horizont brach, ein paar Minuten goldgelb, dann weißlich und gnadenlos. Der diesjährige Taigasommer war ein Elend. Selbst verrunzelte chantische Pelztierjäger, die ja nun wirklich mit der grandiosen Natur in Einklang lebten, konnten sich nicht erinnern, einen solchen heißen Sommer erlebt zu haben. »So wird auch der Winter werden«, sagten sie. »Richtet euch ein auf den großen Frost.«

»Was haben Sie zu bringen, Rassul Sulejmanowitsch?« fragte die Tschakowskaja. Sie kam aus dem Schlafzimmer, erst halb angezogen, und Rassim sah bestätigt, daß sie eine wunderbare, feste, aufreizende Brust besaß; gerade so groß, daß sie in seine Hand passen würde. Sie trug nur ein enges, durchsichtiges Unterhemd, dagegen hatte sie schon die Uniformhose und Stiefel an. Der Uniformrock mit den breiten Schulterstücken eines Kapitäns (Hauptmanns) hing über einer Stuhllehne. Sie hatte die Haare mit einem roten Stirnband zurückgebunden und ihr schmales, helles Gesicht mit den hochangesetzten Backenknochen mit einer dicken Cremeschicht bedeckt. Rassim sah das zum erstenmal und riß den Mund auf.

»Das ist ja schrecklich!« sagte er betroffen. »Larissa Dawidowna, leiden Sie unter einer Hautkrankheit? Seit wann? Habe das nie bemerkt . . .«

»Das ist eine Schönheitscreme«, sagte sie leichthin und holte aus einem Wandschrank ihre hellolive Sommermilitärbluse.

»*Was* ist das?« japste Rassim. »Meine Ohren klingen . . .«

»Eine Nähr- und Straffungscreme, Genosse. Wenn man zweiunddreißig ist, sollte man beginnen, auf seine Haut zu achten.«

»Du liebes bißchen. Sie machen Schönheitskosmetik, bevor Sie zu den Saukerlen gehen und sie in die Sümpfe schicken? Larissa Dawidowna, Sie zwingen mich dazu, Sie etwas sympathisch zu finden. Sie zeigen Ansätze von Perversität; wir können uns näherkommen. Kremt sich mit Schönheitssalbe ein und lebt in einem Straflager! Was habe ich bloß um mich: einen schwulen Chirurgen, einen geilen Kommissar und nun auch noch eine Chefärztin, die ihre Falten jagt! Da sage einer, wir hätten nichts zu bieten.«

»Was wollen Sie von mir, Rassul Sulejmanowitsch? Warum sind Sie gekommen?«

»Nicht, um in Ihr durchsichtiges Hemd zu gucken.« Er zeigte mit dem Daumen über seine Schulter: »Wissen Sie, daß Ihr ganzes Hospital und auch andere im Lager kotzen?«

»Ja. Es wurde mir gemeldet.« Sie zog die Bluse an und knöpfte sie sittsam bis zum Hals zu.

»Und das regt Sie nicht auf?«

»Nein.«

»Wenn es eine Infektion ist . . .? Eine Epidemie? Ansteckungsgefahr? Mikola Victorowitsch deutete so etwas an.«

»Wenn Jachjajew so enorme medizinische Kenntnisse besitzt, sollten Sie sich voll Vertrauen seinem Rat beugen.«

»Eine klare Auskunft will ich!« brüllte Rassim erregt. »Sie sind Ärztin, aber ich bin der Kommandant.«

»Das hat noch nie einer angezweifelt.«

»Verantwortlich für das Lager bin ich! Nicht Sie, Larissa Dawidowna. Wenn wir eine Infektion haben, bedeutet das Qua-

rantäne, nicht wahr? Soll ich tausend Mann an die Trasse schikken, tausend Infizierte, und die anderen Genossen an der Gasleitung gefährden? Sollen wir den ganzen Abschnitt verseuchen?«
Rassim holte tief Luft. »Alles hängt von Ihrer Diagnose ab!« Er
hob die Faust und drohte wild. »Aber das sage ich Ihnen, Larissa:
Kommen Sie ran und verlangen eine Quarantäne, dann alarmiere
ich Tjumen und lasse eine ärztliche Spezialistengruppe einflie-
gen!« Er setzte sich schwer auf das Sofa und wartete, bis die
Tschakowskaja nun auch ihre Uniformjacke übergestreift hatte.
Nun war sie korrekt angezogen und trotz des militärischen Aus-
sehens ein rassiges Weib. Was glauben Sie, was die Kotzerei bedeutet?«
»Das wird eine Reihenuntersuchung ergeben.«
»Was vermuten Sie, Larissa Dawidowna?«
»Sibirien ist ein jungfräuliches Land. Vor allem das Gebiet, in dem
wir leben. Wer weiß, was der Boden nährt, was in den Pflanzen
wächst, was in den Bäumen hängt, was der Wind mit sich trägt?
Hunderte unerforschter Krankheiten können es sein. Alles ist
Neuland, Urland, voller Geheimnisse. Es kann hier Bakterien
oder Viren geben, denen wir zum erstenmal begegnen und denen
wir hilflos gegenüberstehen.«
Rassim wischte sich über die Augen und knurrte tief. Plötzlich erkannte er, wie hilflos dieses unfaßbare Land einen Menschen machen konnte. Ein Urland, dachte er. Das ist ein gutes Wort. Wir leben hier in einem anderen Erdzeitalter.
»Es kann aber auch nur eine harmlose Darminfektion sein«, sagte
die Tschakowskaja. »Man wird sehen . . .«
Sie wischte sich die dicke Cremeschicht mit einem Handtuch ab,
warf es in die Ecke und zog dann vor dem Wandspiegel Augenbrauen und Lippen nach. Fasziniert sah Rassim ihr zu.
»Das glaubt mir keiner«, sagte er rauh. »Meine Lagerärztin geht
zur Selektion wie zu einer Modenschau oder einem Tanzfest! –
Ich habe noch eine Frage.«
»Wir können gehen, Genosse Kommandant«, sagte die Tschakowskaja kühl. »Die Transporter fahren in einer Stunde auf. Bis
dahin muß ich die Krankmeldungen durchgearbeitet haben. Es
liegen dreihundertundvierundzwanzig vor . . .«
»Wieviel?« Rassim zuckte hoch und begann wieder zu brüllen.
»Alles Kotzende? Doch eine Epidemie? Ich sperre sofort das Lager!«
»Sie können sich selbst überzeugen, Rassul Sulejmanowitsch . . .«
Rassim zögerte. Der Gedanke, sich unter einige hundert Infizierte
zu begeben und dann selbst angesteckt zu werden, war kein An-

laß, nun besonders heldenhaft zu sein. Man hat eine große Aufgabe für das Vaterland zu erfüllen. Der Auftrag, die Trasse für die Gasleitung auszuheben, ist eine gewaltige vaterländische Tat. Das ganze Projekt käme ins Stocken, wenn die Kraft eines Rassim durch einen dummen Virus gebrochen würde und der Motor dieses verdammten Straflagers einen Riß bekäme.

»Ich erwarte Ihre Meldung, Genossin Chefärztin«, sagte er knapp und stand vom Sofa auf. »Es ist nicht nötig, daß ich mir einige hundert Kotzende ansehe.«

Die Tschakowskaja lächelte ihn an. Er verstand dieses verfluchte maliziöse Grinsen der rot geschminkten Lippen, und wäre sie ein Mann gewesen, hätte er jetzt voll in das Gesicht hineingeschlagen. So straffte er sich nur, stieß die Tschakowskaja bewußt flegelhaft an der Tür zur Seite und verließ als erster ihre Wohnung.

Im Vorraum stand noch immer Jachjajew und atmete auf, als er die Lagerärztin und den Kommandanten sah.

An diesem Morgen zeigte sich, daß niemand Larissa Dawidowna Tschakowskaja wirklich kannte. Man kannte nur ihren Körper, ihre Stimme, ein paar geistige Ansichten – aber ihr Herz, ihre Seele, ihre Gedanken kannte man nicht.

Zwei Tage lang hatte das Lager Zeit gehabt, sich von Rassims Strafaktionen zu erholen. Die 1200 Sträflinge hatten – gegen alles Geschrei und Gezeter des Magazinverwalters Gribow, der am Sonntagabend so mitgenommen war, daß er sich mit Gallenschmerzen bei Dr. Owanessjan meldete – jeweils die anderthalbfache Portion Essen erhalten. Vor allem aber hatte die Tschakowskaja angeordnet, daß die Lagerinsassen mit viel Eiweiß versorgt wurden, um Kraft in die Muskeln zurückzubringen und den totalen körperlichen Verfall aufzuhalten. Gribow hatte seine gesamten Quarkvorräte aus dem großen Kühlhaus opfern müssen und weinte fast, als er die Wannen hinüber zur Küche tragen ließ, wo sie in die Barackenportionen aufgeteilt wurden.

»Brot und Quark!« zeterte Gribow und rang die Hände. »Morgen gibt's vielleicht Schokoladenpudding mit Eiercreme! Wo sind wir denn hier? Na, frage ich, wo denn? Im Hotel Rossija oder im Kurhaus Sokol in Sotschi? Sind das denn nicht alles Gauner und Verbrecher und Volksverräter? Oder sehe ich das falsch? Habe ich andere Linsen in den Augen? Da sitzen sie herum und fressen dicke Quarkbrote und schmatzen wie die Säue!«

Aber es zeigte sich, daß es sinnvoll gewesen war, die Anordnungen der Tschakowskaja zu befolgen und ihr nicht zu widersprechen. Die Männer erholten sich in diesen zwei Tagen sichtlich gut, wenn man es als gut bezeichnen kann, daß sie wieder aufrecht gehen konnten und nicht auf allen vieren herumkrochen wie Tiere.

Bei den Kranken zeigte es sich merkwürdigerweise, daß nur die Politischen von dem geheimnisvollen Virus befallen waren, dazu einige wenige Kriminelle, vor allem Genossen, denen man Wirtschaftsverbrechen vorwarf, Unterschlagungen oder Fälschungen der Soll-Listen. Und dann waren da noch ein paar ganz Arme aus den Reihen der Bibelforscher und der Baptistensekte, die in Sowjetrußland als besonders staatsgefährlich angesehen wurden. Die anderen Strafgefangenen, vom kleinen Dieb bis zum Totschläger, vom Straßenräuber bis zum Sexualstraftäter, schienen von der plötzlichen Krankheit verschont geblieben. Sie starrten fassungslos auf ihre sich krümmenden, würgenden und kotzenden Kameraden, begriffen dann aber sehr schnell die Lage und suchten verzweifelt nach einer eigenen Methode. Man einigte sich, zunächst die Wirkung des neuen »Virus« auf die Tschakowskaja abzuwarten.

Zusammen mit Dshuban Kasbekowitsch, Professor Polewoi, dem früheren Chirurgen und jetzigen Sträfling Wladimir Fomin und zehn Sanitätern betrat die Tschakowskaja das Lager. Schon das verhieß nichts Gutes – einen solchen Aufwand hatte sie bei noch keiner Selektion betrieben. Mit weit ausgreifenden Schritten ging sie zur ersten Baracke, trat die Tür ganz gegen die Wand, obwohl der Barackenälteste sie schon weit genug aufhielt, und blieb nach drei Schritten im Mittelgang stehen. Polewoi hob ratlos die Schultern, als der Barackenälteste ihn fragend anstarrte. Zu beiden Seiten des Ganges keuchten und röchelten die Kranken auf ihren Pritschen. Es roch widerlich sauer und legte sich auf die Lunge. Man hätte selbst würgen können.

»Nicht genug Eimer haben wir, Genossin Chefärztin«, sagte der Älteste. »Verzweifelt sind wir.«

Die Tschakowskaja beachtete ihn mit keinem Blick. Sie ließ ihre Augen über die Pritschen gleiten, und dann lächelte sie. Wirklich, sie lächelte, die Mundwinkel verschoben sich, und es war ein merkwürdiges, drohendes, kaltes Lächeln, das keiner, der es sah, schön finden konnte.

»Alles raus!« sagte sie mit ihrer klaren hellen Stimme. Sie brauchte nicht zu schreien, man verstand sie bis in den letzten Winkel der Baracke. »Alle! Auf dem Platz antreten. Alle arbeitsfähig . . .«

»Genossin«, stammelte hinter ihr Professor Polewoi entsetzt. »Genossin Chefärztin, sie krümmen sich vor Schmerzen . . .«

»Arbeitsfähig!« wiederholte sie laut.

»Sie kotzen sich die Mägen aus. Sind schwach wie Würmer . . .«

»Auch der schwächste Wurm kann noch kriechen und bohrt sich in die Erde«, sagte sie kalt. »Genau das sollen sie tun! Arbeitsfähig.«

Sie wandte sich an die Sanitäter, hob zwei Finger und rief: »Zwei Mann sorgen für die Räumung des Blocks!« Dann drehte sie sich um, stapfte an dem fassungslosen Polewoi vorbei und verließ die Baracke.

Nun wußte man, wozu sie zehn Sanitäter mitgenommen hatte. Die Selektion des gesamten Lagers dauerte keine halbe Stunde. Von Baracke zu Baracke ging es, und überall gab es nur das eine Wort: »Arbeitsfähig!« Dann blieb jeweils ein Sanitäter zurück, der alles hinaus auf den großen Appellplatz jagte und dann unter den Betten, im Waschraum und in den Toiletten nach Verstecken suchte.

Schon nach der dritten Baracke hatte Oberstleutnant Rassim die unglaubliche Meldung entgegengenommen: Die Tschakowskaja bezeichnet alle als arbeitsfähig.

Rassim zog seinen Rock wieder an und rannte hinüber zum Lager. Leutnant Sotow, mit dem er gerade den Dienstplan durchsprechen wollte, folgte ihm. An der neunten Baracke hatten sie die Tschakowskaja eingeholt. Sie trat gerade hinaus ins Freie, während im Inneren des Hauses ein großes Geschrei angestimmt wurde. Sie schien es gar nicht zu hören. Rassim starrte sie ungläubig an. Auf dem großen Platz rannten jetzt die Insassen der anderen, bereits selektierten Baracken zusammen und stellten sich appellmäßig auf.

»Träume ich, Genossin?« sagte Rassim ratlos.

»Sie sollten jubeln, Rassul Sulejmanowitsch.« Ihr Blick flog über die heranlaufenden, elenden, zerlumpten, verhungerten, schwankenden Gestalten. »Warum jubeln Sie nicht? Das ganze Lager ist arbeitsfähig!« Aus den Baracken wurden jetzt von ihren Kameraden diejenigen Kranken angeschleppt, die nicht gehfähig waren. Kraftlos schleiften ihre Füße durch den Staub. »Alle! Mehr wollten Sie doch nicht!«

»Larissa Dawidowna, was ist los mit Ihnen?« fragte Rassim vorsichtig und trat nahe an sie heran. Leutnant Sotow ging hinüber zu den bereits angetretenen Blocks. Jenseits der Holzpalisaden hörte man den Motorenlärm der auffahrenden Transporter, die die Brigaden zur Erdgas-Trasse bringen sollten. »Ich kenne Sie nicht wieder!«

»Wer kennt mich denn?« Als sie ihn jetzt voll anblickte, zuckte er fast zurück. Die Augen eines Tigers, dachte er erschrocken. Kalt, mitleidlos, mörderisch. Vor diesen Augen ist jedes Wort umsonst, jede Frage, jede Antwort.

Sie ließ Rassim stehen, ging hinüber zur letzten Baracke und trat wieder die Tür gegen die Wand. Hier waren ausschließlich Kriminelle untergebracht.

Die Tschakowskaja stutzte. »Kein Magenkranker?« rief sie.

Der Barackenälteste wieselte herbei, stand stramm und grinste breit. Er war ein Lebenslänglicher, weil er eine Sowchose um zehntausend Liter Sonnenblumenöl betrogen hatte. In zwei Jahren. Man hatte ihn monatelang streng verhört, aber er hatte nie gesagt, wo er die eingehandelten Tausenden von Rubeln versteckt hatte.

»Kein Kotzer, Genossin Chefärztin!« sagte das Wiesel. »Die Krankheit ist an uns vorbeigegangen. Wir liegen ja auch mit unserer Baracke ganz hinten.«

Die Tschakowskaja schwieg. Sie sagte nicht ihr gefürchtetes »Arbeitsfähig«, sondern sah Professor Polewoi an, der bleich, um Jahre gealtert, hinter ihr stand und die Welt nicht mehr verstand. Wenn der Himmel eingestürzt wäre – er hätte sich weniger entsetzt als über die Wandlung von Larissa Dawidowna.

»Die Baracke hat Lagerdienst. Die ganze!« sagte sie endlich. »Ich werde dem Genossen Kommandanten berichten.«

Das Wiesel verdrehte die Augen vor Glück. Die Sträflinge hinter ihm an den Pritschen atmeten laut und heftig. Professor Polewoi holte tief Luft und schwankte der Tschakowskaja nach, die wieder ins Freie trat. Die Sonne stand jetzt an den Baumwipfeln, es war bereits heiß und schwül.

»Töchterchen . . .«, stotterte Polewoi. Sie waren jetzt allein, auf dem großen Platz standen die Blocks der Elenden, das Tor zum Ausgang stand weit offen, die Transportwagen warteten. »O Töchterchen, was ist denn los? Bist du wahnsinnig geworden? Sie werden wie die Fliegen sterben . . . wie die Fliegen . . . Warum vernichtest du uns? Erklär es mir, bitte. Sag ein vernünftiges Wort. Gibt es keinen Gott für dich? Nun, wo Victor Juwanowitsch gekommen ist und wir wieder einen Priester haben.«

»Du bist ein alter Mann, Georgi Wadimowitsch«, sagte sie mit plötzlich veränderter, rauher Stimme. »Ein kluger, alter Mann, ein Genie vielleicht – aber *das* verstehst du nicht.«

»Was, Töchterchen?«

»Wie soll ich dir das erklären? Nie wirst du es begreifen. Gehen wir!«

»Es bleibt dabei?« stammelte Polewoi.

»Was?«

»Alle arbeitsfähig?«

»Alle!«

»Die Kranken, die man schleppen muß . . .«

»Auf die Wagen!«

»Töchterchen . . .« Plötzlich weinte Polewoi, wirklich, ihm rannen die Tränen über Runzeln und Bart. Lautlos weinte er, ohne einen Ton, ohne Schluchzen. »Warum? O warum? Sag doch ein Wort! Warum?«

Die Tschakowskaja schüttelte den Kopf, ließ den alten weinenden Mann stehen und ging mit weiten Schritten zum Appellplatz. Unter ihren hohen Stiefeln staubte der Boden. Dr. Owanessjan, der nach der vierten Baracke erschüttert zurückgeblieben war – wohl mit dem Gedanken, wer nicht dabei ist, kann auch nicht schuldig sein –, kam ihr entgegen und war wie Rassim entsetzt über den Blick aus ihren Augen.

»Larissa Dawidowna . . .«, sagte er stockend.

»Ja?« fragte sie hell. Wie ein Pistolenschuß klang es.

»Sie kennen mich, ich bin ein Patriot, ein guter Kommunist bin ich auch, und ich hasse diese Bande von Staatsverbrechern und bin dafür, daß man sie bestraft, so hart es geht. Aber ich bin auch Arzt. Und Sie haben einige Kranke hinausgejagt, die . . .«

»Sie sind ein Schwachkopf, Dshuban Kasbekowitsch«, sagte die Tschakowskaja fast milde. »Kümmern Sie sich weiter um Ihre italienischen Schuhe und Ihre duftenden Taschentücher, aber lassen Sie meine Kranken aus dem Spiel.«

»Larissa Dawidowna, bei Ihnen im Kopf ist etwas ausgeklickt«, rief Owanessjan. »Legen Sie sich hin!«

»Ich war nie gesünder als jetzt.« Sie sah Dshuban an. »Ich bin Ihre Vorgesetzte. Sorgen Sie dafür, daß alle auf die Wagen kommen. Alle! Nur die Baracke 12 und die Fieberkranken im Hospital bleiben hier.«

Sie ging mit schnellen Schritten aus dem Lager, vorbei an Oberstleutnant Rassim, der sich hütete, sie jetzt anzusprechen und aufzuhalten. Ein Raubtier im Sprung ist nicht mehr zu bremsen.

Langsam folgte ihr Professor Polewoi. Er weinte noch immer, und er wunderte sich, woher er aus seinem ausgetrockneten Körper noch die Tränen nahm.

Die Wagenkolonne war abgefahren, das Lager war leer, die glücklichen Insassen der Baracke 12 standen nun allein auf dem Appellplatz und warteten auf Befehle. Lagerdienst – das bedeutete Ausruhen und gutes Essen.

Mustai Jemilianowitsch hatte mit sprachlosem Entsetzen die Selektion verfolgt, hockte jetzt bei dem fetten Gribow im Magazin und raufte sich die Haare. Fröhlich war allein Gribow, weil die Lage sich normalisierte. Schluß mit den Sonderrationen, es gab wieder den alten Fraß. Zwei Tage hatten sie sich vollgefressen, das war nicht gut. Das juckte ihnen zwischen den Beinen. Sie mußten wieder ins normale Leben zurückgeführt werden. »Hier ist kein Kurort«, sagte er.

Das war sein beliebtestes Wort: Kurort. Damit verband sich bei ihm ein ungeheurer Luxus, Faulenzerei, ein maßloses Fressen und Saufen, bis der Bauch weh tat. Man muß das verstehen, denn Gribow war nie zur Kur gewesen. Er kannte nur die Bilder in den Zeitschriften, von Sotschi, von Jalta, von der Schwarzmeerküste. Herrliche bunte Fotos mit wogenden Palmen, weißen Sandstränden, rassigen Motorbooten, schmucken Segeljachten, überquellenden Büfetts unter geflochtenen Strohdächern und fröhlichen Menschen, die auf der Promenade vor Schlössern und Parks spazierengingen. Welch eine Welt des Luxus im Urlaub, im Kurort. Gribow sparte auf solch einen Urlaub hin. Sobald er 2000 Rubel ergaunert und vor allem übrig hatte, um sich dort zusätzliche Freuden leisten zu können, wollte er den Antrag stellen, in ein Sanatorium in Sotschi eingewiesen zu werden.

»Die Tschakowskaja ist verrückt geworden«, stöhnte Mustai. »Wie anders ist es zu erklären?«

Gribow saß bei seinem zweiten Frühstück, das aus vier gebratenen Eiern, Speck und einem dicken Pfannkuchen bestand, den ihm Nina gerade gebracht hatte. Dazu trank er grusinischen Kognak, ohne zu ahnen, daß er so üppig in der Kur niemals leben würde.

»Endlich hat sie einen klaren Blick!« sagte er und schmatzte an seinem Pfannkuchen. »Mustai Jemilianowitsch, man könnte glauben, du hast Mitleid mit den Verbrechern. Soll Nina dir ein paar Eierchen braten?«

»Ich muß telefonieren«, sagte Mirmuchsin und dachte: Erstick an deinem Fressen, du Dicksau. Platz auseinander! Wenn's nicht die anderen auch treffen würde, sollte man dich anzeigen. Anonym. Das reicht. Das KGB lebt von den anonymen Anzeigen . . .

»Kann ich dein Telefon benutzen?«

»Nimm es!« sagte Gribow. »Wen willst du anrufen?«

»Das Gewerkschaftshaus in Surgut.«

»Gibt es eine Gewerkschaft für Limonadenpanscher?« fragte Gribow wonnevoll.

»Es gibt eine Gewerkschaft für Schweinemast. Ich melde dich an, Kasimir Kornejewitsch.«

Gribow lachte dröhnend, rülpste laut und rieb sich die breiten Hände. »Ha, so ein zweites Frühstück, das belebt.«

Mirmuchsin mußte lange warten, bis er endlich – über die Vermittlung der Kommandantur – den Verwalter des Gewerk-

schaftshauses in Surgut am Apparat hatte. Der Genosse kannte
Abukow, lobte ihn als stillen, guten Menschen, der nicht soff und
keine Weiber aufs Zimmer mitnahm, seine Wohnung immer auf-
räumte und nie Streit mit anderen anfing. Ein angenehmer Genosse. Hat man selten. Die meisten an der Trasse sind rauhe
Kerle, die immerzu um sich beißen wollen.

»Hinterlaß ihm eine Botschaft, Genosse Verwalter«, sagte Mirmuchsin. »Sag ihm, Mustai Jemilianowitsch hat angerufen. Sein
Onkelchen ist krank, kränker, als man erwartet hatte. Eine Katastrophe! – Das wäre es, Genosse.«

»Keine gute Nachricht für Abukow«, sagte der Verwalter in Surgut voll Mitleid. »Was hat denn das Onkelchen?«

»Im Kopf hat er's! Reißt ganze Wände ein.«

»Ein armer Mensch. Vertrauen Sie mir, Mustai Jemilianowitsch.
Ich werde es Abukow schonend beibringen. Wie ist's bei Ihnen?«

»Die Sonne scheint!« antwortete Mustai und legte auf. Nun weiß
er es, dachte er. Aber was kann er tun? Nichts! In Sibirien ist ein
Mensch wie die Tschakowskaja der alleinige Gott – nicht der aus
seiner Bibel; der hat nur schöne kluge Worte . . . sie aber schickt
tausend Mann ins Verderben. Da liegt die Macht, Abukow. Nicht
im Gebet!

Zwei Stunden nach der Abfahrt der Transporter stiefelte die
Tschakowskaja in das Dienstzimmer von Oberstleutnant Rassim.
Er saß am Schreibtisch, füllte irgendwelche Formulare aus und
hob erstaunt den Kopf. Zu einer Frage kam er gar nicht, denn sie
sagte schon an der Tür:

»Rassul Sulejmanowitsch, ich brauche einen Jeep.«

Rassim starrte sie ungläubig an. Es war das erstemal, daß sie überhaupt ein Fahrzeug verlangte. »Einen Jeep?«

»Wir haben vierzehn Stück davon.«

»Ich weiß. Was wollen Sie damit? Können Sie überhaupt fahren?«

»Natürlich. Bekomme ich einen?«

»Wollen Sie um Ihr Hospital Karussell fahren?« Rassim lachte
dumpf, es sollte ein Witz sein, aber er wußte sofort, daß es ein
schlechter Spaß war. Die Tschakowskaja sah nicht danach aus, als
ob sie jetzt Witze vertragen könnte. »Einen Ausflug wollen Sie
machen? Unsere Gegend hat wenig Reize.«

»Große sogar. Ich will zur Trasse fahren!«

»Aha!« Rassim sprang auf. Sie ist wirklich irr geworden, dachte er
betroffen. Zuerst streichelt sie die Gefangenen, dann jagt sie alle
in die Hölle und will hinterherfahren, um zu genießen, wie sie
krepieren! Nichts Schrecklicheres gibt es als maßlose Weiber.
Aber sie soll sich austoben. Sie bekommt ihren verdammten Jeep.

»Gehen Sie zu Unterleutnant Sminow: er teilt die Wagen ein. Wollen Sie allein zur Trasse fahren?«

»Ja.«

»Den Weg kennen Sie?«

»Nein.«

»Larissa Dawidowna, das ist keine Fahrt über den Newski-Prospekt, das ist ein Abenteuer für eine Frau. Kein Wort mehr . . . Sie fahren nicht allein. Leutnant Sotow gebe ich Ihnen mit. Nur unter der Bedingung bekommen Sie den Jeep.«

»Wenn's sein muß.« Die Tschakowskaja hob die Schultern. »Das ist ein ganz neuer Zug an Ihnen, Rassul Sulejmanowitsch: Sie machen sich Sorgen um mich! Ich bin verwirrt . . .«

Sie drehte sich um und verließ mit knarrenden Stiefeln das Zimmer.

»Aas!« sagte Rassim leise und aus voller Überzeugung. »Du verfluchtes Dreckstück. Wenn man doch in deinen Kopf sehen könnte . . .«

Sie erreichten die Trasse nach drei Stunden Fahrt durch den Urwald auf einer von den Sträflingen schnurgerade in die Taiga geschlagenen Straße. Zuerst sahen sie die Arme der riesigen Rohrverlegungskräne, dann kamen ihnen auf der Hauptstraße Traktoren, Raupenfahrzeuge, mächtige Schlepper und Schaufelbagger entgegen. Und schließlich lag vor ihnen die kleine neue Stadt aus beweglichen Baracken, Wohnwagen und Häusern in Schnellbauweise, in denen die Facharbeiter und die Ingenieurgruppen wohnten. Diese sauberen Holzhäuser konnte man vorzeigen, falls ausländische Journalisten jemals in die einsame Gegend geflogen wurden, denn hier bemerkte man nirgendwo die sogenannten »Erdgas-Sklaven«, über die sich der Westen so aufregte. Man sah es den Häusern nicht an, daß auch sie von Sträflingen erbaut worden waren, bevor die Facharbeiter – die darin wohnen sollten – mit einem Schwarm von Hubschraubern eingeflogen wurden.

Leutnant Sotow hatte es nicht zugelassen, daß Larissa Dawidowna das Steuer übernahm. »Sie mögen einen starken Willen haben, Genossin Kapitän«, hatte er gesagt, »aber ich auch! Unmöglich für mich, daß neben mir eine Frau sitzt und fährt!«

Auf dem ganzen Weg hatte Sotow dann versucht, ein Gespräch in Gang zu bringen. Er prallte an der Tschakowskaja ab, als sei sie ein stählernes Denkmal, gegen das man mit der Hand schlägt. Erst als sie in das neue Dorf einfuhren, sagte sie:

»Zur Planungsabteilung, Genosse Leutnant. Wissen Sie, wo das ist?«

»Der Genosse Morosow?«

»Ja.«

»Natürlich.« Der Jeep hoppelte über die unebene staubige Straße, fuhr an der langgestreckten Stolowaja vorbei, dem Versammlungshaus und der Kantine, und hielt vor einem Fertighaus mit einer hohen Funkantenne auf dem Dach. Die Fenster waren geöffnet. Man sah, wie an der Decke breitflügelige Ventilatoren die heiße Luft umwälzten. Es war, als ob dieses Land aus Sumpf und Wald jetzt glühte und zu einem Klumpen gebacken wurde.

»Da ist es!« sagte Sotow.

Die Tschakowskaja nickte, erhob sich, stellte sich in den Jeep und reckte den Hals. Ihr Blick flog über die offenen Fenster, und dann sah sie, was sie suchte: In der Sonne leuchteten sie ab und zu auf, die blondroten Haare von Novella Dimitrowna Tichonowa. Morosows hübsche Sekretärin saß an einer Schreibmaschine und war konzentriert beschäftigt.

»Ja, wir sind da!« sagte die Tschakowskaja und sprang aus dem Jeep. »Ich entlasse Sie als Bewacher, Leutnant. Für die nächsten Stunden brauche ich Sie nicht.«

Es war, als wenn man einen Hund wegjagte, und Sotow fuhr schnell davon.

8

Morosow hatte es sich gemütlich gemacht, saß zurückgelehnt in einem Holzsessel, aß eine Scheibe Brot, belegt mit rohem Schinken, und trank dazu aus einem hohen Blechbecher kalten Tee mit Zitrone. Trotz des Ventilators an der Decke war es drückend heiß im Raum, die Luft roch faulig und wie verwest; der Atem der Sümpfe wehte bis hierhin. Morosow hob erstaunt den Kopf, als nach kurzem Klopfen die Tschakowskaja eintrat und in der Tür stehenblieb. Da sie ihre Uniform trug, also offenbar im Dienst waren, ahnte er nichts Gutes, sprang auf und ordnete sein Hemd, das bis zum Gürtel offengestanden hatte.

»Welche Überraschung!« rief er. »Was gibt es? Sie sehen so dienstlich aus.«

»Ich war noch nie an der Trasse. Neugier ist es, Wladimir Alexejewitsch. Ich wollte einmal sehen, wie meine Sklaven arbeiten.«

Morosow hob die Augenbrauen. Es war die einzige Äußerung seines Erstaunens. Vorsicht war geboten. Wem konnte man noch vertrauen? An einigen wenigen Worten waren schon hochgestellte Persönlichkeiten gescheitert und nach Sibirien verbannt worden.

»Sie sagten Sklaven, Larissa Dawidowna?«

»Können Sie sie anders nennen, Genosse Morosow?«

»Es sind rechtmäßig Verurteilte, die ihre Strafe abbüßen.« Morosow kam um den Tisch herum, reichte der Tschakowskaja die Hand und fragte sich, was sie wirklich hier an der Trasse wollte.

»Wo darf ich Ihnen einen Platz anbieten? Nicht gemütlich ist es hier. Ein Zimmer voll Arbeit. Ich habe nur einen harten Stuhl.« Er faltete einige große Karten und Konstruktionspläne zusammen.

»Welch ein heißer Tag! Was wollen Sie trinken? Tee, Fruchtsaft, Birkenwein, Limonade oder einfach nur Wasser?«

»Fruchtsaft.«

»Die Genossin Tichonowa wird ihn besorgen.«

»Ach, das macht sie auch?« Ihre Stimme klang etwas spitz, aber Morosow hörte nicht so genau hin. Er nickte sogar.

»Hier helfen wir uns alle untereinander.«

»Begreiflich. Einspringen in der Not wird eine Spezialität der Genossin Tichonowa sein . . .«

Morosow begriff diese Bemerkung nicht so genau; er war schon aus dem Zimmer gelaufen, hatte nebenan etwas durch eine offenstehende Tür gerufen und kam nun zurück. »Eisgekühlt werden Sie den Saft bekommen, Larissa Dawidowna«, sagte er und überlegte noch immer: Was will sie hier? In Uniform? Neugier ist es nicht . . . wer soll dir das glauben, mein Schwänchen? »Wir haben einen Kühlschrank hier, seitdem wir unsere eigene Trafostation gebaut haben. Sind unabhängig vom Strom aus Surgut! Ah, da kommt der Saft . . .«

Novella Dimitrowna kam ins Zimmer. Sie sah genauso aus, wie die Tschakowskaja es erwartet hatte, um sie abgrundtief hassen zu können: Sie trug kurze Shorts, die ihr schönes, rundes Gesäß umschlossen. Die langen Beine waren nackt und braun gebrannt und staken in hochhackigen Schuhen. Die Bluse war eine Provokation und nur bis zum dritten Knopf zugeknöpft, um einer billigen Phantasie nachzuhelfen, die beim Anblick des Brustansatzes und der durch den Stoff scheinenden Brustwarzen angeregt wurde. Das blondrote Haar trug sie offen, in weichen Wellen bis auf die Schulter fallend. Kurz: Jeder Mann mußte sie schön finden und spürte unter Garantie, wie sein Herzschlag sich beschleunigte. Und Novella wußte das genau und tänzelte aufreizend herein, das Glas in der Hand balancierend.

»Danke«, sagte die Tschakowskaja grob, als sie es entgegennahm.

»Noch einen Wunsch, Genossin Chefärztin?« fragte Novella Dimitrowna freundlich.

Genug, dachte Larissa. Ins Gesicht möchte ich dich schlagen, mitten auf die fröhlichen blauen Augen. Die Haut sollte man dir zerkratzen und dir die Spitzen deiner Brüste abdrehen! Den Kopf scheren . . . wie du wohl aussehen magst ohne Haare, mit einer glatten Kopfhaut? »Nein!« sagte sie laut. Sie wartete, bis die Tichonowa wieder gegangen war, nahm dann einen Schluck des kalten Fruchtsaftes – es war Kirschsaft, dunkelrot und würzig – und trat ans Fenster. In den Gassen des Barackenlagers wimmelte es von Menschen. Arbeiter, Ingenieure. Dazu Motorräder, ein paar Traktoren. Über den Dächern, weit im Hintergrund, sah sie die stählernen Arme der großen Verlegekräne. Riesige, im Sonnenglast flimmernde Ungetüme. »Werden Sie mich herumführen und alles zeigen, Wladimir Alexejewitsch?«

»Eine offizielle Führung, Genossin, oder eine außer Plan?«

»Wo liegt da der Unterschied?«

»Offiziell sehen Sie die Wunderwerke der Technik, die wir hier einsetzen. Die Schwimmbagger Jamal und Samotlor. Den Spezialsumpfschlepper Tjumen. Die phantastische Rohrschweißanlage Sewer, die so präzise die Rohre aneinanderfügt, daß wir bei den elektronischen Kontrollen bisher keinerlei Reklamationen hatten. Die Verlegekräne. Und der Genosse Jelankin, der das Schweißungeheuer Sewer betreut, wird Ihnen erzählen, daß wir mit diesem Gerät den Amerikanern überlegen sind. Wissen Sie, daß man bei Inbetriebnahme der amerikanischen Ölpipeline in Alaska, die man ein Jahrhundertwerk nannte, fast 30 000 undichte Schweißstellen entdeckte? Ein Millionenschaden! Bei uns nicht möglich, Genossin! Nicht auszudenken, wenn in meinem Abschnitt – und das sind immerhin 147 Kilometer – auch nur zehn undichte Stellen aufträten! Ich müßte die Sträflingskleidung anziehen . . .«

Es war die längste Rede, die Morosow je gehalten hatte. Jetzt schien er erschöpft und wartete darauf, daß die Tschakowskaja endlich den Grund ihres plötzlichen Erscheinens an der Trasse offenbarte. Solange Morosow in Sibirien arbeitete – und er kannte ein gutes Stück davon –, hatte er noch nie einen Lagerarzt am Arbeitsplatz der Sträflinge gesehen.

»Das war nun offiziell«, sagte Larissa Dawidowna und trank einen zweiten Schluck Kirschsaft. »Und wie sieht das außer Plan aus?«

»Weniger faszinierend und patriotisch.« Morosow schüttelte den Kopf. »Aber Sie sind doch wegen der grandiosen Technik gekommen, nicht wahr?«

»Nein!« Sie stellte das Glas auf den Tisch und sah Morosow herausfordernd an. Er empfand das jedenfalls so. »Ich bin gekommen der Menschen wegen.«

»Es ist gut, daß *Sie* es sagen, Larissa Dawidowna.« Er trat ans Fenster, schloß es und verriegelte es sogar. Zudem senkte er auch noch die Stimme – Barackenwände sind nicht die dicksten. »Pflichtauffassung und Pflichterfüllung sind zwei hervorragende Tugenden, Fundamente unseres Aufbaues, gewiß – aber man kann sie auch pervertieren. Larissa, was haben Sie mir da an Arbeitsbrigaden herübergeschickt? Was soll ich mit diesen schwankenden Mumien? Sie müssen sich auf die Schaufeln und Hacken stützen, statt sie zu gebrauchen. Sie liegen herum wie Lumpenbündel, und kein Tritt, keine Drohung, kein Gebrüll bringt sie auf die Beine. Die Wachtposten sind verzweifelt . . .«

»Es sind Rassims Soldaten, meine nicht«, sagte sie. »Und es ist die Ware, die Rassim verdorben hat, nicht ich!«

»Ware! Larissa Dawidowna, was ist los mit Ihnen? Warum haben Sie diese Elenden zu mir gejagt?«

»Um sie aus dem Lager zu entfernen und vor Rassim zu schützen.« Sie lehnte sich gegen die mit Karten und Zeichnungen vollgehängte Wand und blickte an die Decke zu dem sich drehenden Ventilator. »Das ist auch die Antwort auf Ihre Frage, warum ich zu Ihnen gekommen bin. Ich möchte Sie bitten, Wladimir Alexejewitsch, für die nächste Woche das Soll zu halbieren und die Männer zu schonen, soweit das möglich ist. Sie können es! Hier redet keiner Ihnen hinein. Im Lager dagegen ist es unmöglich. Da regiert Rassim wie ein neuer Tatarenkhan und würde sich ein zermürbendes Arbeitsprogramm ausdenken. Und vergessen Sie Jachjajew nicht – er kocht über vor Teufeleien wie ein zu voller Suppentopf.«

»Wenn ich ihn sehe, schmecke ich Galle.« Morosow wandte noch immer der Tschakowskaja den Rücken zu. »Ein einziger Schleimbeutel, dieser Mensch.«

»Welch ein herrlicher Vergleich!« sagte die Tschakowskaja anerkennend.

»Fahren wir hinaus in das Gebiet, das für die offizielle Besichtigung gesperrt ist«, sagte Morosow nach einigem Zögern. Man sollte ihr vertrauen, dachte er; es ist nie bekannt geworden, daß sie anders gehandelt hat als korrekt. Natürlich, auch sie tut, was man von ihr erwartet, aber sie ist nicht die Schlechteste. Ganz andere Weiber im weißen Kittel kenne ich da; zum Beispiel die Ärztin im Lager Uporowo am Tobol, die kleine dicke Pikalowa, die ihre schwarzen Haare als Zopf um den Kopf gerollt trug und deren Atem immer nach saurer Milch stank. Mit einer Lederknute ging sie herum, kommandierte: »Die Hosen runter!« und »Nach vorne bücken!« und schlug dann auf die ihr entgegengestreckten Hinterteile: »Arbeitsfähig! Arbeitsfähig!« – Oder die Genossin Migulinskaja, ein Weib, lang wie ein Meßstab, fast zwei Meter; im Lager Nazarowo war sie, nordöstlich von Tjumen. Wer sich bei ihr krank meldete, der wurde – selbst wenn man ihn liegend transportieren mußte – in ein Zimmer gebracht, in dem die Küchenhilfe, eine Freigelassene, nackt herumlief und den Kranken reizte. Richtete sich bei dem Armen trotz aller Schwäche etwas auf, brüllte die Migulinskaja sofort: »Was sieht man da? Will krank sein bis ins Knochenmark, aber Kraft genug zum Vögeln? Arbeitsfähig! Weg mit dem Schwein.« Die Migulinskaja war stolz auf ihre Selektionen. Auf die Unfehlbarkeit des »Schwanzometers«, wie sie ihre teuflische Untersuchungsmethode nannte, war sie gekommen, als im Lager ein Simulant eingeliefert wurde, der angab, blind zu sein. Er wurde von Moskau direkt nach Tjumen verlegt und durchlief Hunderte von Untersuchungen bei Fachärzten. Er widerstand den raffiniertesten Tests, wurde durch niedrige Türen geführt und knallte mit dem Kopf gegen den Balken. Man ließ ihn eine Woche lang hungern und stellte dann in einem Meter Entfernung dicke Schinkenbrote vor ihm hin. Man führte ihn an eine Mauer, baute ein Peleton vor ihm auf, als wolle man ihn erschießen – nichts half: Mit blicklosen Augen starrte er ins Leere, ohne Reaktion, ohne die geringste Reflexion, ohne einen Hauch von Angst, ohne ein winziges Zucken der Mundwinkel. Da gab man es auf, bescheinigte ihm Blindheit und schickte ihn nach Tjumen, in das Lager Nazarowo.

Die Migulinskaja betrachtete den Blinden, verzog spöttisch den breiten Mund und holte die Freigelassene, das Mädchen Anna mit den dicken Brüsten und dem ungewöhnlich breiten und groblockigen Pelz zwischen den Beinen. Und siehe da – dem Blinden stieg es hoch, da war nichts mehr zu bändigen, nichts mehr zu kontrollieren. Es war ihm unmöglich, seine Gefühle zu unterdrücken bei diesem Anblick, den er seit über einem Jahr nicht mehr gehabt hatte.

Der »Blinde« überlebte die »Sonderbehandlung« im Lager nur vier Monate, dann wurde er begraben. Ein Skelett nur noch, zerbrochen von der Arbeit an den eisenharten Baumstämmen der Taiga, in die er zehn Stunden lang hineinhacken mußte. Seitdem gehörte die Methode der Migulinskaja zur Diagnose der Arbeitsfähigkeit. Nur wenige, die sich krank meldeten, überstanden die Prüfung der Küchenhilfe Anna.

All so etwas war von der Tschakowskaja unbekannt. Morosow war geneigt, ihr voll zu vertrauen, sowenig er sie kannte. Wer kannte sie überhaupt? Ein Eispanzer umgab sie, man wußte nur von ihrem Onkel im Zentralkomitee, von dem einflußreichen Unbekannten im Kreml. Aber auch das waren nur Nebel, ebenso ungreifbar die Luft, die man spürte und riechen konnte, von der man wußte, die man jedoch nicht sah.

»Bevor Sie kamen, Larissa Dawidowna«, sagte Morosow und drehte sich vom Fenster weg, »habe ich angeordnet, daß die Brigaden aus dem Lager heute nicht an den Drainagegräben des Sumpfes arbeiten und auch nicht an den Knüppeldämmen. Sie sind eingesetzt zur Planierung der neuen Straße, die zur Trasse II führt. Diese Trasse durchzieht ein Seengebiet von dreiundvierzig Tümpeln. Eine Miststrecke, meine Liebe! Aber einen anderen Weg gibt es nicht. Im Sommer schwimmt alles, im Winter ist es blankes Eis. Die ganze Leitung muß auf Stützen verlegt werden, und jede Stütze muß ein Kälteaggregat haben, um den Boden im Sommer künstlich zu vereisen – sonst sinkt alles ab und die Rohre brechen.«

»Von Technik verstehe ich nichts, ich möchte meine Männer sehen.«

»Fahren wir! Einen Aufruhr wird das geben: Die Genossin Chefärztin am Einsatzort.« Morosow blieb stehen, ging noch mal zum
Fenster, riß es wieder auf und atmete tief, als sei die hereinströ-
mende, faulig riechende Luft ein wahrer Balsam. »Weiß Rassim
von Ihrem Ausflug?«
»Er hat mir einen Jeep und Leutnant Sotow geliehen.«
Morosow hob die Schultern. Das tat er immer, wenn ihn plötzlich
etwas erregte. »Wo ist Sotow jetzt?«
»Ich habe ihn weggeschickt. Wenn ich ein Hündchen brauche,
hole ich mir eines aus Surgut oder Tjumen.«
»Sie mögen Sotow nicht, Larissa Dawidowna?«
»Eher würde ich Wanzen essen, als ihn länger als wenige Minu-
ten in meiner Nähe zu ertragen. Rassim ist ein Satan – aber mit
Hirn, Sotow ist nur sein geistloser Arm. Rassim würde selbst bei
einem scharfen Verhör niemals die Beherrschung verlieren, So-
tow dagegen erfreut es bis in die tiefste Seele, wenn unter seinen
Händen Menschen schreien und wimmern.«
»Larissa, Sie führen gefährliche Reden, wissen Sie das?«
»Nur Sie hören sie, Wladimir Alexejewitsch.«
»Danken Sie Gott dafür.«
»Gott?« Das Gesicht der Tschakowskaja war plötzlich gespannt in
allen Muskeln. »Warum sagen Sie jetzt Gott? Was haben Sie mit
Gott zu schaffen?«
Morosow erwiderte ihren Blick. Er spürte ein heftiges Unbeha-
gen. Sie ist doch gefährlich, durchfuhr es ihn. Mein Vertrauen
flog zu weit.
»Für Sie gibt es keinen Gott, ist es so, Larissa Dawidowna?« sagte
er. »Wenn man das Leben auf Erden betrachtet, kann man das an-
nehmen. Sie haben recht.«
»Ich glaube an Gott!« sagte die Tschakowskaja. Sie sagte es laut
und fest, und Morosow verfluchte sich, weil er das Fenster geöff-
net hatte und man sie bis auf die Straße hören konnte. Sein Kopf
zog sich tief in die Schultern.
»Sie . . . Sie auch? Larissa, jetzt sind wir Verschworene. Aneinan-
dergekettet sind wir. O Himmel, seien Sie vorsichtig. Wer weiß
das noch?«
»Im Lager haben wir eine Gemeinde.«
»Eine richtige Gemeinde?« Morosow warf nun doch wieder das
Fenster zu. »Undenkbar.«
»Wir beten, wir sind leise, wir halten Gottesdienst.«
»Unter Rassims Augen?!«
»Gewissermaßen. Wir treffen uns heimlich in einer Werkhalle
der Schreinerei.« Die Tschakowskaja holte tief Atem. Morosow
ist einer der Unsrigen, dachte sie beglückt. Der Leiter des Ab-

schnittes Nowo Wostokiny gehört zu uns. Herr über 147 Kilometer Erdgastrasse, über eine Armee aus Kränen, Baggern, Raupenschleppern und anderen Maschinen. Herr über tausend Strafgefangene, die diese 147 Kilometer entwässern, aus der Taiga schlagen, planieren, die Stationen bauen. Mehr noch als Rassim Herr über Leben und Tod des Lagers JaZ 451/1, denn zehn Stunden lang täglich sind diese tausend Elenden seinem Befehl unterworfen.

Morosow, Wladimir Alexejewitsch, gehört zu uns! Man soll nie nachlassen, an Wunder zu glauben.

»Wir haben seit einigen Wochen sogar einen neuen Priester«, sagte sie leise. »Pjotr, der frühere, wurde von einer Eisenbahnschwelle erschlagen. Im vorigen Winter.«

»Ihr habt einen Priester? Einen richtigen Priester?« Morosow wischte sich über die Augen. »Einen orthodoxen? Ich bin Katholik.«

»Er hat die katholischen und die orthodoxen Weihen.«

»Wo finde ich ihn?« fragte Morosow heiser.

»Ich nehme an, er wird einmal auch zu Ihnen kommen.«

»Einmal! Ich brauche ihn jetzt!« Morosow war es auf einmal noch heißer, er knöpfte sein Hemd auf und stellte sich unter den wirbelnden Luftstrom des Deckenventilators. »Larissa Dawidowna, wenn Sie wüßten, wie es in mir aussieht! So stark wirke ich, dabei ist alles nur Fassade. Wo kann ich den Priester sehen?«

»Ich werde ihm berichten, daß Sie ein Katholik sind«, sagte die Tschakowskaja ausweichend. Zu schnell riß Morosow seine Maske ab und offenbarte einen Menschen, der einsam schien und nach innerer Kraft jagte. »Dann wird er kommen, das weiß ich. Wie werden Sie staunen, Wladimir Alexejewitsch!«

»Ich kenne ihn?«

Die Tschakowskaja hob die Hand. »Genug der Fragen, Wladimir Alexejewitsch. Lassen Sie uns zu meinen Männern fahren!«

Sie verließen die Baracke durch den hinteren Eingang, wo Morosows Geländewagen stand, eine Spezialkonstruktion aus den sowjetischen Fiatwerken; ein Fahrzeug, für das es keine Hindernisse gab. Morosow klappte trotz der Hitze das Faltverdeck hoch und hakte es ein. Vom Rücksitz holte er zwei großkrempige Strohhüte mit langen Moskitoschleiern und hielt einen der Tschakowskaja hin.

»Setzen Sie das auf, Larissa Dawidowna«, sagte er und stülpte sich selbst den Strohhut über, ordnete das Moskitonetz vor seinem Gesicht und sah nun wie ein Imker aus, der den Bienen den Honig wegnehmen will. »Wir kommen in eine Welt, wo es keine

Luft mehr gibt, nur noch Schwärme von Myriaden Mücken. Das haben Sie noch nicht gesehen.«

»Ich kenne die zerstochenen Körper meiner Männer. Einige quellen auf wie Ballons. Die Arbeitsbrigaden haben keine Moskitonetze im Sumpf?«

»Larissa!« Morosow lachte gequält und setzte sich hinter das Lenkrad. »Tausend Strohhüte mit Netzen – stellen Sie mal diesen Antrag an die Hauptverwaltung. Eine Einweisung zum Psychiater werden Sie erhalten, mehr nicht!«

»Wer macht denen da oben endlich diese Unlogik klar«, rief sie kampfeslustig und setzte sich neben Morosow. »Zu Hunderttausenden transportieren sie die Sträflinge nach Sibirien, weil sie die billigste Arbeitskraft sind, und was tun sie dann? Sie vernichten systematisch diese Kraft! Das ist schizophren.«

»Das ist Methode, Larissa! Man verbindet den Ausbau der Sowjetmacht mit der Liquidierung der Systemgegner. Rußland besitzt noch genug Menschen, die man dazu verurteilen kann, Sibirien zu erobern.«

»Es heißt, für den Bau der Erdgasleitung hätten sich 30 000 junge Freiwillige gemeldet. Ganze Jugendgruppen und Komsomolzenkader. Eine ungeheure Begeisterung für das Projekt durchzöge das Land.«

»Das stimmt.« Morosow ließ den Geländewagen an. »Aber was sind 30 000, wenn man für über 4000 Kilometer Leitung Hunderttausende braucht? Nach dem 5-Jahres-Plan 1981 bis 1985 werden von hier, genau von hier, im Norden von Tjumen aus, in die westlichen Gebiete des europäischen Teils der Union sechs Erdgasfernleitungen verlegt. Das sind 20 000 Kilometer Röhren, 20 000 Kilometer Trasse, 20 000 Kilometer neue Straßen. Allein 450 Kilometer führen durch Felsgestein bei großen Höhenunterschieden. Ich frage Sie, Larissa Dawidowna: Was sind da 30 000 Freiwillige? Wie kann man diesen gigantischen Plan ohne Sträflinge verwirklichen? Zum Glück haben wir genug davon, oder sie sind leicht zu beschaffen.

Es klang bitter und elend. Der Wagen rollte an, fuhr zur Vorderseite der Baracke. Aber bevor Morosow auf den befestigten Weg einbog, mußte er bremsen, denn seine Sekretärin lehnte sich weit aus dem Fenster und winkte ihrem Chef mit beiden Armen zu. Auf ihren Haaren lag Sonnenglanz, und bei dieser vorgebeugten Haltung sah man ungehindert Novellas Brust in der weit aufgeknöpften Bluse.

»Muß sie sich wie eine Hure benehmen?« fragte Larissa böse. »Wer läuft so rum unter lauter Männern?«

»Sie ist alles andere als eine Hure«, protestierte Morosow ahnungslos. Er wußte ja nicht, was Larissa bewegte. »Der Mann, der sie ins Bett zu locken vermag, müßte einen Heldenorden bekommen. So schön sie ist, so widerborstig benimmt sie sich. Statt aus Fleisch und Blut scheint sie aus Metall zu bestehen.«

»Metall rostet, wenn man es nicht putzt.«

Morosow lachte schallend. »Das muß man sich merken! Novella, werde ich nachher sagen, achte darauf, daß du nicht verrostest. Laß dich kräftig reiben! Ins Gesicht wird sie mir springen!«

»Sie ist auch eine Katholikin?«

»Oh! Völlig danebengegriffen, Larissa Dawidowna. Novella ist eine fanatische Atheistin. Ein Produkt der Komsomolzenschulen.«

Die Tschakowskaja nickte unter ihrem breiten Strohhut. Welch eine Mischung, dachte sie fast mit Schadenfreude und bitterem Hohn. Ein Priester und eine Gottlose liegen aufeinander. Der Himmel müßte einstürzen deswegen.

»Wo fahren Sie hin, Wladimir Alexejewitsch?« rief Novella aus dem Fenster. »Sie vergessen, daß in einer Stunde der Hubschrauber aus Tjumen landet. Der Genosse Gebietskommissar.«

»Ich werde pünktlich sein!« rief Morosow zurück. Er ließ den Wagen wieder an und rollte langsam den unbefestigten Weg hinunter bis zu der festgewalzten Straße, die neben der Erdgasleitung entlangführte. »Ein gutes, fleißiges Mädchen«, sagte er, »der lebende Notizblock. Was könnte sie in einer Stadt werden? Aber nein, sie will in Sibirien bleiben. Eine echte Patriotin. Bei den Paraden am 1. Mai oder zum Jahrestag der Revolution trägt sie die rote Fahne.«

Die Tschakowskaja lehnte sich auf dem harten Autositz zurück. Riesige Lastwagen voll ausgebaggerter Erde kamen ihnen entgegen. Sie fuhren zu den Sumpfstellen, die man bereits trockengelegt hatte und nun mit guter Erde auffüllte, um Höhenunterschiede auszugleichen.

»Was würde Novella Dimitrowna tun, wenn sie erführe, daß Sie ein Katholik sind und einen Priester brauchen?« fragte sie.

Morosow hob die Schultern. Sein Gesicht unter dem Moskitoschleier war nur schwach als heller Fleck zu erkennen.

»Schweigen würde sie – meinetwegen.«

»Aha! Sie haben bei ihr im Bett gelegen, Wladimir Alexejewitsch? Leugnen Sie jetzt nicht mehr!«

»Und wie ich leugne!« Morosow lachte jungenhaft. »Sagte ich doch schon: Wer das schafft, bekommt einen Orden.«

Er wird einen Orden bekommen, dachte die Tschakowskaja bitter. Einen aus Blech werde ich ihm machen lassen. In der Werkstatt des Lagers. Von einem Klempner, der dafür zwei Töpfe voll

Kascha bekommen wird. Ein Stern soll es sein mit einem sich spreizenden Vogel. Bunt bemalt das alles. Ich werde Abukow den Vöglerorden selbst an die Brust stecken und ihm dann den Ritterschlag ins Gesicht geben. Sie schloß die Augen, lehnte den Kopf noch mehr zurück und träumte von dieser Stunde.

»Jetzt kommen wir in das Arbeitsgebiet«, sagte Morosow plötzlich und riß damit Larissa Dawidowna aus ihren Gedanken. »Nun wird es härter. Hier gibt es keine vernünftigen Wege mehr, es geht auf Schüttelpisten ins Gelände.«

Die Tschakowskaja sah sich um. Ein Sumpfwald tat sich vor ihnen auf. Urbäume, die auf einem schwammigen Grund wuchsen. Unberührtes Land seit Erschaffung der Erde. Stamm an Stamm, die Rinde von Frost und Hitze zerrissen, aber ein Holz, das wie Eisen war. Nordsibirische Taiga.

Riesige Kräne und Raupenschlepper zogen die gefällten Stämme zu den Sammelplätzen. Schaufelbagger frästen sich in den Boden. Spezialkettenfahrzeuge rissen die Baumstümpfe und Wurzelballen aus der Erde. Und jedesmal war es wie ein Aufschrei des Baumes, wenn knirschend, knackend und brechend die Wurzelstücke aus der Tiefe hervorquollen. Das Herz des Waldes.

Die ersten Sträflinge tauchten auf. Sie standen entlang der Riesenbäume, hieben mit Äxten und langen, gebogenen Macheten die Äste und das Laub ab, säuberten die Stämme und schleppten das Astwerk zu riesigen Haufen. War das Gebiet frei von Wurzeln, zündete man die Reisighaufen an. Wer nachts über diese Waldstücke flog, sah unter sich ein flammendes Mosaik.

Die Tschakowskaja starrte auf die haushohen Laubhaufen. Ein Tag kurz nach der Schneeschmelze in diesem Frühling fiel ihr ein. Da brachte ein Lastwagen zwei Sträflinge ins Lager zurück, zwei Körper voller Brandwunden und in Fetzen herunterhängender, verkohlter Haut. Hoffnungslos war es, und Dshuban sagte es ganz hart: »Wir können uns alles ersparen. Wozu noch Salben? Wozu Infusionen? Da ist kein Leben mehr möglich.«

Er gab den Verbrannten eine Injektion, kurz darauf hörten sie auf zu atmen.

Später sagte Rassim zu der Tschakowskaja: »Den Bericht über die Brandopfer habe ich endlich da. Es waren der Kunstmaler Jemeljanow und Literaturhistoriker Professor Ljubuchin. Fassen sich plötzlich an die Hand und springen gemeinsam in den brennenden Holzhaufen. Schwache Naturen alle, diese Intellektuellen! Sie waren vorher verprügelt worden, weil sie angeblich zu schwach waren, das Reisig wegzuschleifen. Aber stark genug waren sie, um ins Feuer zu springen. Sind alle eine verlogene, hinterlistige Bande.«

»Waren Sie dabei, als das mit dem Feuer passierte?« fragte sie jetzt Morosow.

»Ich war in Surgut, bei einer Ingenieurbesprechung. Wer hätte es verhindern können? Ihr Lebenswille war zerstört. Ljubuchin – hieß er so? – war ein wirklicher Lebenslänglicher, ohne Aussicht auf Gnade. Selbst aus dem Lager schmuggelte er noch Pamphlete gegen die Regierung, und Jachjajew ließ ihn vier Wochen lang in Dunkelhaft sperren mit einem Lautsprecher, aus dem Tag und Nacht Musik erklang und ab und zu Jachjajews verdammte Stimme mit politischen Lehrvorträgen. Nach diesen vier Wochen war Ljubuchin fast wahnsinnig und nicht mehr der Mensch, der er früher einmal gewesen war. Und der Maler Jemeljanow? Nie wieder hätte er nach seiner Begnadigung malen können. Beide Handgelenke waren ihm gebrochen bei einem Unfall im Wald, die Sehnen verkürzt. Krallenfinger hatte er nur noch, gerade eben zu gebrauchen zum Wegschleppen von Reisigbündeln.«

»Ich weiß«, sagte die Tschakowskaja leise. »Er saß manchmal bei mir und weinte. Als man ihn aus dem Feuer brachte, habe ich ihn nicht wiedererkannt – er hatte kein Gesicht mehr.«

Die Waldschneise öffnete sich, ein bereits abgeholztes Sumpfgebiet, so groß wie die Grundfläche einer mittleren Stadt, breitete sich vor Morosow und Larissa aus. Entwässerungsgräben durchzogen den Boden, Pumpen rasselten und transportierten das moorige Wasser in dicken Kunststoffschläuchen zu den nahe gelegenen Seen. Am Rande dieses neu eroberten Landes standen schnell abbaubare Baracken und Schuppen, lagen große Stapel mit Balken und Knüppeln, aus denen man Stege und Wege baute, Benzinfässer und Drainageschläuche, war ein Rohrlager, eine Schmiedewerkstatt, waren Kieshalden, Sand und Berge von herbeigefahrener trockener Erde. Unter einer großen Plane stand »Tjumen«, einer der sagenhaften Sumpfschlepper, die 36 Tonnen Last schleppen können und dabei nur einen Bodendruck von kaum 300 Gramm je Quadratzentimeter aufweisen – der Druck, wie ihn ein mittelgroßer Skiläufer auf seine Ski verteilt. Für »Tjumen« gab es keine Sumpfhindernisse.

Morosow hielt seinen Geländewagen neben dem technischen Wunderwerk an und überließ die Tschakowskaja wortlos dem Anblick, der sich ihr bot: Vor ihr, über den großen Sumpf verteilt, an den Entwässerungsgräben schaufelnd, eingehüllt in Wolken von Mücken, krummrückig, schutzlos gegen Sonnenglut und Moskitobisse, wühlten sich die Sträflinge durch den schwabbelnden Boden, schleppten Bohlen und Knüppel für die Dämme, schleiften Rohre, schoben Karren mit Sand und Erde zum Auffüllen und Befestigen.

Ein Gewimmel von Leibern. Riesenameisen, in Lumpen gehüllt. Lemuren mit menschlichen Gesichtern und Gliedmaßen, von Mückenstichen aufgetrieben, gelbgrau überzogen vom getrockneten, stinkenden Morastwasser.

»Das ist leichte Arbeit«, sagte Morosow und half Larissa beim Aussteigen. »Würde Rassim das sehen, würde er aufschreien: Sie ruhen sich ja aus! – Noch ganz andere Plackereien gibt es. Die Rohrwickler zum Beispiel müssen die Gasrohre mit Asbest und Glaswatte verkleiden; da aber nur zweimal im Jahr Arbeitshandschuhe zugeteilt werden, wickeln die meisten die Rohre mit den bloßen Händen ein.«

»Ich habe dreiundneunzig Fälle von Hauterkrankungen und Lungenschädigungen durch Asbeststaub«, sagte die Tschakowskaja. Die Moskitos fielen über sie her, Schwärme umschwirrten sie, eine Wolke aus Millionen von gelblich glitzernden Leibern mit durchsichtigen Flügeln. »Und bei fast allen Arbeitern fallen die Zähne wegen Vitaminmangel aus.«

»Und dann die Holzfällerbrigaden«, fuhr Morosow fort, »sie haben Motorsägen, nun ja – aber wer kann zehn Stunden lang eine schwere Motorsäge an diese eisenharten Stämme halten, wenn seine Arme dünn und kraftlos sind? Oder die Planierer: Was die Riesenbagger ausgraben, muß verteilt werden, die Gräben müssen bereinigt werden, zweieinhalb Meter tief, 147 Kilometer lang in meinem Gebiet. Und schnell muß das gehen, denn ein Bagger hebt jede Stunde 2000 Kubikmeter Erde aus.« Morosow beugte sich in den Wagen, holte vom Boden eine große Sprühdose und nebelte damit Larissa, dann sich selbst ein. Die Moskitowolke verzog sich und blieb, auf der Stelle schwirrend, einen Meter von ihnen in der heißen Luft stehen. Morosow sprühte noch einmal die Tschakowskaja ein und nickte dann zufrieden.

»Das reicht für eine Stunde. In dieser Glut verdunstet das Zeug zu schnell. Fahren wir weiter?«

»Kann ich nicht näher zu den Männern?«

»Natürlich können Sie das. Aber wozu? Sie sehen nicht mehr als jetzt. Und glauben Sie, Ihr Anblick würde die Leute kräftiger machen? Es hieße doch nur: Sieh an, die Genossin Ärztin; kommt raus, um sich daran zu weiden, wie wir schuften müssen. Kann man es ihnen übelnehmen, daß sie so denken?«

»Gibt es keine andere Arbeit, Wladimir Alexejewitsch? Eine noch leichtere?«

»Nein!«

»Aufräumungsarbeiten . . .«

»Für über neunhundert Mann? Das Ziehen von Entwässerungsgräben ist fast eine Erholung – es sei denn, wir lassen die

Brigaden am Waldrand lagern und halten ihnen politische Vorträge.«

»Das wäre eine Möglichkeit, Morosow.«

»Und irgend jemand würde dann einen Bericht darüber nach Surgut an die Einsatzleitung schicken. Die gibt es weiter nach Tjumen, von Tjumen geht es nach Perm, von Perm nach Moskau. Und plötzlich stehe ich auf der Liste der Unzuverlässigen, die man beobachten muß. Das ist die erste Stufe in den Keller. Den Rang eines Chefingenieurs habe ich – aber was hat das zu bedeuten? Jeder paßt auf jeden auf, und jeder will emporklettern auf der Leiter. Dieses Nachbarschaftsüberwachungssystem ist die raffinierteste Art der Kontrolle: Sie funktioniert immer, reibungslos und lautlos. Jede Schwäche des einen ist der Triumph des anderen, weil Schwäche als Verrat am Aufbau eingestuft wird. Fahren wir lieber zurück!«

Die Tschakowskaja blickte noch einmal über den weiten Kahlschlag, über die gebeugten Rücken, über die Elendsgestalten, die Karren schoben, sich durch die Gräben wühlten, Knüppelwege bauten und Balken schleppten, ausgelaugt von Sonnenglut und fauliger Sumpfluft, zerbissen von Moskitos und angetrieben von den Wachmannschaften, die unter ihren Moskitonetzen wie Rieseninsekten aussahen.

»Es sind ja auch Frauen hier!« sagte sie plötzlich. »Morosow, da hinten arbeiten Frauen am Waldrand.«

»Die Holzbrigade vom Frauenlager Tetu-Marmontoyai. Sie haben einen Außenposten von zweihundertfünfzig Frauen, die für die Holzplattenfabrik und das Sägewerk eingesetzt werden. Seit drei Wochen stoßen unsere Holzfällergebiete aneinander. Ein Fehler der Planungsabteilung in Surgut, wir können da nichts tun. Rassim hat bereits einen Tobsuchtsanfall bekommen, als die Wachen zweiunddreißig Mann überraschten, wie sie sich hinter gefällten Stämmen oder Reisighaufen mit den Weibern vergnügten.« Morosow lachte bitter. »Sie werden Arbeit bekommen, Larissa Dawidowna. In zwei Wochen kommen die ersten Tripperfälle zu Ihnen, in vier Wochen die ersten Syphilitiker. Ich kann's nicht ändern. Also keine Beschwerden bei mir!«

Die Tschakowskaja schwieg. Sie blieb neben dem Wagen stehen, beobachtete die Frauen am Waldrand, sah nun auch über den Wipfeln der Bäume Rauchsäulen in den blaßblauen Gluthimmel steigen. Auch sie verbrennen das Reisig, dachte sie. Die gleiche Arbeit wie die Männer verrichten sie, sitzen auf den Traktoren und schleifen die Stämme weg, beladen mit Kränen und Kettenzügen die Flachwagen, fahren die Laster zum Sägewerk, schieben die Stämme in die Sägegatter, schichten Balken und Bretter zum

Trocknen auf großen Holzplätzen und haben dann noch die Kraft, an den Abenden von Männern und Liebe zu träumen. Wer ist eigentlich das »stärkere Geschlecht«?

»Da steht ja auch Sotows Jeep!« sagte sie und streckte die Hand aus. »Dort! Bei den gestapelten Benzinfässern. Wladimir Alexeje-witsch, fahren Sie mich hin! Leutnant Sotow kann mich zurück ins Lager bringen. Genug hab ich gesehen. Bitte, schonen Sie meine Männer noch bis zum Ende der Woche, soweit das mög-lich ist. Das nicht erfüllte Soll werden sie nachholen, wenn sie wieder besser bei Kräften sind.«

»Sie versprechen etwas, das Sie nie halten können, Larissa Da-widowna.«

»Ich werde Rassim veranlassen, daß die Essensrationen etwas er-höht werden, auch wenn Gribow Sonne, Mond und Sterne an-heult.«

»Wer ist Gribow?«

»Ein fettes, korruptes Schwein von Magazinverwalter. Die beste Voraussetzung, ein Freund von Jachjajew zu sein, auch wenn er ihm die Geliebte weggenommen hat.«

»Die Verhältnisse in Ihrem Lager scheinen vorbildlich zu sein«, sagte Morosow voll Ironie. »Trösten Sie sich mit meiner Erfah-rung, meine Liebe – es ist woanders genauso. Von Natur aus ist der Mensch ein Schuft – nur Erziehung und soziale Stellung er-möglichen es ihm, sich zu verkleiden. Wir alle sind erbärmlich. Und wer ehrlich mit sich selber ist und der Wahrheit nicht aus-weicht . . .«

»Lassen Sie uns fahren, Wladimir Alexejewitsch«, sagte die Tschakowskaja ausweichend. Sie dachte an die letzten Tage, an Abukow, an die schreckliche Szene in ihrem Zimmer. Erbärmlich, hatte Morosow gesagt – das war ein gutes, richtiges Wort. Aber in erbärmlich steckt das Wort Erbarmen. Und Erbarmen ist Hoff-nung. »Ich muß mit Rassim und der Küche gesprochen haben, be-vor die Brigaden wieder ins Lager rücken. Kämpfen werde ich wie eine Wölfin.«

»Sie denken an den Priester, Larissa Dawidowna?« fragte Moro-sow leise, als könne man sie belauschen.

»Wenn er kommt, erzähle ich ihm von Ihnen.«

»Sie wollen mir nicht verraten, wer es ist?«

»Nein.«

Morosow gab es auf, weiter danach zu fragen. Sie stiegen in den Geländewagen, fuhren hinüber zu dem Benzinlager und kamen an einer Häftlingskolonne vorbei, die Knüppelholz in die Karren lud. Larissa erkannte den General Tkatschew, den Schriftsteller Arikin und den Physiker Lubnowitz. Trotz ihrer Vermummung mit Moskitonetz und großem Strohhut erkannten auch sie die Tschakowskaja, vor allem an ihrer Uniform mit den Kapitänsschulterstücken. Sie richteten sich auf, starrten sie an mit großen, fiebrigen Augen, aber sie grüßten sie nicht mehr wie früher, sie lächelten nicht, sie hoben nicht mehr die Hand. Ein Rätsel war sie ihnen geworden nach diesem Montagmorgen.

Nur kurz war diese Begegnung, die Sekunden des Vorbeifahrens, und als sie in den Rückspiegel blickte, sah sie, wie Arikin hinter ihr ausspuckte mit all der Verachtung, zu der er fähig war.

Der Jeep an dem Benzinfaßlager war verlassen. Morosow hielt an, half Larissa wieder aus dem Wagen und blickte sich um. Von Leutnant Sotow keine Spur. Plötzlich hörten sie ein Kreischen mitten aus dem Faßlager, das Klatschen von Schlägen, eine Stimme, die schrie: »Laß von ihr ab, du Schwein!« und dann Sotows brüllende Entgegnung: »Die Hose runter, sag ich dir!«

Mit langen Schritten rannte Larissa durch die Stapelgassen, und Morosow folgte ihr in großer Sorge. Das Kreischen der Frau wies ihnen den Weg, sie bogen in eine Seitengasse ein und erreichten einen kleinen freien Platz inmitten der Faßstapel.

Ein Mädchen, die Haare zerwühlt, kniete auf der Erde, hatte die Hände flach gegen ihre nackten Brüste gedrückt und kreischte, als ziehe man ihr die Haut bei lebendigem Leib ab. Ihre Bluse lag neben ihr, genau wie die derben Schuhe und ein grauer, baumwollener Schlüpfer. Leutnant Sotow stand breitbeinig vor ihr, einen Strick in der Hand, und man sah in den roten, aufquellenden Striemen über den Schultern des Mädchens, daß er damit zugeschlagen hatte. Den erschütterndsten Anblick aber bot ein Mann, dem das Blut aus einer Wunde über das zuckende Gesicht lief und der mit beiden Händen seine Hose festhielt. Auch sein nackter Oberkörper war von Striemen gezeichnet, das Hemd lag zerfetzt neben einer Benzintonne.

Die Tschakowskaja erkannte entsetzt den Juristen Kriwow. Er starrte sie entgeistert an, erkannte sie auch an der Uniform und senkte den blutenden Kopf.

»Welche Hurereien!« schrie Leutnant Sotow. »Liegt da auf einem Weib, statt zu arbeiten. Genossin Tschakowskaja – gehe ich doch ahnungslos hier vorbei, und was höre ich da aus den Benzinfässern? Stöhnen und Flüstern, spitze Schreie und ferkelhaftes Grunzen. Da muß man nachsehen, dachte ich. Und wie ich um die Ecke biege, worauf fällt mein Auge? Einer meiner liebsten Schufte nagelt ein Weibchen auf den Boden. Ist er zur Strafe hier, frage ich, oder zur Lust?« Sotow wandte sich an den armen Kriwow, wollte mit dem Tau noch einmal zuschlagen und fuhr herum, weil die Tschakowskaja mit einem Ruck seinen Arm zurückriß. »Lassen Sie mich los, Larissa Dawidowna! Das hier gehört nicht in den ärztlichen Bereich. Hier ist es meine Aufgabe, für Ordnung zu sorgen.«

Er machte sich aus ihrem Griff frei, warf das Taustück weg und sah Kriwow haßerfüllt an. Bekannt war, jeder im Lager wußte es, daß Sotow alles haßte, was eine akademische Bildung besaß. Da viele Sträflinge zu der verfolgten Intelligenz gehörten, nutzte Sotow jeden Tag die Gelegenheit, seine Abneigung zu beweisen. Die Ursache seines Hasses lag weit zurück. Sotow hatte nie den Wunsch gehabt, in der Roten Armee zu avancieren. Sein Ziel war es vielmehr gewesen, Maschinenbau zu studieren und ein großer Ingenieur zu werden. Aber Wunsch und Neigung sind etwas anderes als Veranlagung und Talent, und hier fehlte es. Sotow kam in Mathematik und Physik nie über eine Vier hinaus – zuwenig angesichts des Ausleseprinzips im Studiensystem der Sowjetunion. Keine Chance, auch nur von einem Platz an der Universität zu träumen. So meldete er sich beim Militär, wurde Berufssoldat. Aber auch hier stockte seine Laufbahn; er blieb beim Grad eines Leutnants hängen. Seine Vorgesetzten schrieben nie Beurteilungen, in denen eine Beförderung befürwortet wurde. Was sollten sie auch schreiben, wenn Sotow seinen Dienst mit hängenden Mundwinkeln verrichtete und als unhöflicher Knoten galt? So war er jetzt 34 Jahre alt geworden, noch immer Leutnant – und seine Versetzung nach Sibirien, in die Hölle der Sümpfe und Urwälder, als Bewacher von Halunken und Vaterlandsverrätern war der Endpunkt seiner flachen Karriere. Er wußte das genau, und sein Haß gegen alle erfolgreichen Akademiker wuchs ins Unermeßliche.

»Die Hose runter!« sagte er mit einer gefährlich milden Stimme. »Zeig der Genossin Chefärztin einmal, wie ein Physiker unter Ausnutzung der biologischen Gesetze vögeln kann. Und du . . .« Er trat gegen das Mädchen, das sich wimmernd krümmte. ». . . steh auf, bück dich nach vorn, weg mit dem Rock. Wie sich's gehört, soll der Hund auf die Hündin steigen.«

»Sotow!« sagte die Tschakowskaja steif. »Genug! Ilja Kriwow, machen Sie, daß Sie fortkommen zu den anderen . . .«

»Er bleibt!« entgegnete Sotow hart. Seine dunklen, großen runden Bärenaugen blickten sie feindselig an. »Im Hospital befehlen Sie . . . hier aber befehle ich allein!« Er trat wieder gegen das Mädchen, sie stöhnte laut. »Aufstehen! Wie die Hunde macht ihr's jetzt. Auf der Stelle . . .«

»Genosse Leutnant«, sagte Morosow heiser, »Ihr Verhalten ist ungesetzlich. Im Paragraph 20 des sowjetischen Strafgesetzbuches steht: ›Eine Bestrafung darf nicht das Ziel haben, körperli-

chen Schmerz zuzufügen oder die Menschenwürde zu beschnei-
den . . .‹ – Stimmt es?«

Sotow starrte ihn an, als habe Morosow ihn in den Unterleib getreten. Dann wandte er sich langsam seitlich zu Larissa: »Genossin Ärztin, nehmen Sie diesen Zivilisten mit! Einen Hirnschaden
hat er. Stellen Sie ihn ruhig, bevor er noch mehr Unsinn zitiert
und ich ihn wegjage.«

Er wirbelte herum, weil Kriwow weggehen wollte, faßte ihn,
schlug ihm gegen die magere, mit Blut besudelte Brust und warf
ihn gegen einen Faßstapel zurück. »Flüchten will er, flüchten, der
Genosse Physiker! Weiß er nicht, was man mit Flüchtenden
macht?« Mit einem Ruck riß Sotow seine schwere Pistole aus der
Ledertasche, die gefürchtete Nagan, drückte mit dem Daumen
den Sicherungsflügel weg und schob den Kopf in die Schultern.

»Hose runter, das Weib bücken nach vorn, und wie die Hunde,
meine Lieben . . .«, kommandierte er, als gebe er auf einem Exer-
zierplatz Befehle. »Wer schämt sich denn hier? Sind wir nicht
großzügig, Herr Dozent: Mit Staatserlaubnis darf gevögelt werden! Paragraph 20 . . . so wird's gewünscht. Keinen körperlichen
Schmerz zufügen! Ist ein Orgasmus körperlicher Schmerz?« Er
hob die Pistole und zielte auf Kriwows Herz. »Steig auf!« sagte er
gepreßt. Kriwows Anblick machte ihm übel vor Haß.

»Sotow!« rief die Tschakowskaja schrill. »Irr sind *Sie*!«

Kriwow sagte laut und mit fester Stimme: »Nein! Nein! Nein!«
Irgend etwas zerriß in Sotows Brust. Irgendwie verließ ihn sein
Verstand. Er hörte und empfand nichts mehr, er sah nur noch das
blutüberströmte Gesicht und den Mund, der dreimal nein ausstieß und seine Macht degradierte. Die einzige Macht, die ihm geblieben war.

Der Schuß war trocken. Die Hand Sotows zuckte vom Rück-
schlag hoch in die Luft. Mit einem Blick in den sonnenüberflute-
ten Himmel fiel Kriwow nach hinten um, riß ein Faß mit sich und
war schon tot, als er die Erde berührte. Das Mädchen fiel auf die
Erde und schrie. Morosow stand erstarrt . . . es war unmöglich,
etwas zu tun. Ein Zivilist kann nichts ausrichten gegen eine Uniform, am wenigsten in Rußland.

Nur die Tschakowskaja reagierte schnell. Mit einem Hieb, den
man ihr nicht zugetraut hätte, schlug sie Sotow die Nagan aus der
Hand, und als er sie verblüfft anstarrte, hieb sie noch einmal zu,
diesmal mit der flachen Hand, und traf voll sein Gesicht.

Sotow stand wie gelähmt. Seine Wange brannte, auf der Erde
wimmerte das Mädchen, der tote Kriwow lag verkrümmt zu seinen Füßen. Morosow, das sah man ihm an, hielt sich selbst wie
mit Ketten fest, um sich nicht auf Sotow zu stürzen.

»Du erbärmliches Schwein!« sagte die Tschakowskaja kalt. »Geh schnell weg, sonst kotze ich dich an.«

Sotow bückte sich wortlos, nahm die Pistole von der Erde, steckte sie in das Lederfutteral an seinem Gürtel, straffte seinen Uniformrock und wandte sich ab. Aber bevor er ging, warf er noch einen Blick auf die Tschakowskaja, der in seinem Haß alles übertraf. Ein Blick war's, der nur noch Zerstörung kannte.

»Mein Gott!« sagte Morosow mit bebender Stimme, als Sotows Jeep hinter dem Faßlager ansprang. So lange hatten sie schweigend und bewegungslos vor dem Toten gestanden. »Was haben Sie da getan, Larissa Dawidowna? O Himmel, seien Sie vorsichtig! Sie haben sich einen erbarmungslosen Todfeind geschaffen.«

Am Mittwoch kam Abukow nach Surgut zurück.

Nachdem er seine quittierten Transportlisten abgegeben hatte, seinen Fahrtbericht und einen Brief des Magazinverwalters Martynow aus dem Frauenlager an den lieben Genossen Hauptverwalter der Lebensmittelzentrale von Surgut, ließ sich Abukow bei dem Transportleiter melden und bat um zwei Tage Urlaub nach Tjumen.

Die beiden Tage und Nächte in Tetu-Marmontoyai hatte er ungefährdet hinter sich gebracht – im Gegensatz zu seinen Fahrerkameraden, die hohläugig und ausgehöhlt in ihre Wagen kletterten und zu Abukow sagten:

»Ein Feigling bist du doch, Victor Juwanowitsch. Drückst dich beim Kommandanten rum, und uns reißen sie die Eier aus!«

Chakimow seufzte grundtief, setzte sich ganz vorsichtig auf den harten Ledersitz des Kühlwagens und lehnte dann den Kopf gegen Abukows Schulter. »Geahnt habe ich das! Immer das gleiche. Kann kaum sitzen, Brüderchen. O diese Höllenweiber! Nicht einen Tropfen Saft habe ich mehr im Rückenmark. Fahr vorsichtig, sonst breche ich auseinander . . .«

Es hatte sich auch in Tetu-Marmontoyai gezeigt, daß die Menschen ungeachtet ihres Aussehens, ihrer Hautfarbe, Haarfarbe und Körperform sich alle gleich sind. Oberst Kabulbekow hatte den ihm bisher fremden Abukow umarmt und an sein Herz gedrückt, als dieser ihm ein paar Pfund Rinderbraten in das Privatzimmer brachte. Der Kommandant versteckte den Schatz sofort in einem Kühlschrank, den er sorgfältig abschloß. Den Schlüssel hängte er an ein Band um seinen Hals.

»Wir einsamen Sibirier müssen zusammenhalten«, meinte er, und seine Schlitzaugen leuchteten vor Freude. »Das Land frißt einen

auf, wenn man nichts zu fressen hat. Mein lieber Victor Juwanowitsch, Sie haben die Probleme lobenswert gut erkannt.«
Während die anderen Fahrer auf Feldbetten in der Autowerkstatt
untergebracht waren, durfte Abukow in der Kommandantur
schlafen, bekam ein eigenes Zimmerchen mit Radio und einem
weiß bezogenen Bett und entging so dem Ansturm der liebes-
hungrigen Frauen. An der Seite von Oberst Kabulbekow besichtigte er den ganzen Lagerkomplex und staunte über die Sauberkeit und Ordnung, die hier herrschte. Es war Kabulbekows ganzer Stolz, solch ein Lager zu führen.
Da gab es die große Schneiderei, in der 1200 Frauen die Arbeits-
anzüge für die Straflager des gesamten Bezirks Tjumen nähten,
Hallen voller Nähmaschinen und Zuschneidemaschinen, Knopf-
löcherstanzen und Bügelautomaten, ein großes Stofflager und
eine Packerei, in der die fertige Kleidung zu Bündeln oder in großen Kartons zusammengelegt wurde. Eine andere Abteilung
stellte Stepphandschuhe her für die langen Wintermonate, watte-
gefütterte Hosen und Jacken, gepolsterte Mützen mit Ohrenklappen und sogar knöchellange Mäntel aus dickem Wollstoff und
mit gerupfter Schafwolle gefüllt. Abukow staunte.
»Welch herrliche Sachen! Wo gehen sie hin?« fragte er.
Kabulbekow sah ihn von der Seite an: »In die Lager.«
»In welche Lager?«
»In alle Häftlingslager des Verwaltungsbezirks Perm und Swerdlowsk. Auch den Bezirk Omsk beliefern wir zum Teil.«
»Dann müssen alle Transporte einen Umweg um Nowo Wostokiny machen«, sagte Abukow, »oder JaZ 451/1 steht auf keiner
Karte. Seit zwei Jahren ist dort kein Steppmantel angekommen.
Genosse Kommandant – woran mag das liegen?«
»Das sind Fragen, die man verschlucken sollte.« Kabulbekow
grinste verhalten. »Victor Juwanowitsch, mein Lager liefert die
schönen Dinge pünktlich nach Plan und Soll. Sie sehen selbst, wie
voll die Magazine sind und wie sich die Sachen stapeln. Und dann
kommen die Lastwagen, holen sie ab, und damit ist meine Aufgabe erfüllt. Auf dem langen Weg von hier bis zu den anderen Lagern sitzen so viel muntere Genossen, daß es fast unmöglich ist,
Kontrollen durchzuführen. Wer auch, frage ich, soll sie machen?
Es käme dabei höchstens heraus, daß die Genossen sich selbst
kontrollieren müßten.« Kabulbekow klopfte Abukow auf die
Schulter. »Überall sitzen nur Menschen, Genosse. Und das Leben
ist so kurz. Weiß man, was morgen sein wird?«
Abukow sah noch die große Wäscherei, das Säge- und Holzverar-
beitungswerk, die riesige Küche, die für 2000 Frauen kochen
mußte, eine Bäckerei, dann Schmiede- und Elektrowerkstätten,

das eigene Elektrowerk und einen Sportplatz. Tatsächlich, es war ein Sportplatz mit einem jetzt von der Sonne verbrannten Rasen in der Mitte und einer Aschenbahn rundherum.

Kabulbekow blähte sich vor Stolz: »Mein neuestes Werk. Existiert seit einem Jahr. In drei Monaten war es fertig. Vierhundert Frauen haben daran gearbeitet. So etwas finden Sie in keinem anderen Lager.«

Abukow nickte überwältigt. »Nirgendwo«, sagte er. »Genosse Kommandant, Sie wünschte man sich in JaZ 451/1.«

»Der Wind trage Ihre Worte sofort in die Taiga, Victor Juwanowitsch!« rief Kabulbekow fast entsetzt. »Ich fühle mich wohl unter meinen zweitausend Weibern! Hyänen sind es, blutdürstige Biester, Halbirre, wenn sie an Männer denken und sich dann gegenseitig belustigen – aber lieber diese zweitausend Sehnsuchtsbomben als hundert von euren Männern! Man muß sie bewundern, diese Weiber; ihr Schicksal tragen sie mit einer inneren Kraft, die selbst mir unerklärbar ist.« Kabulbekow zeigte auf eine junge Frau, die an einem eisernen Schraubstock stand und an einem Metallstück herumfeilte. Einen blauen Arbeitsanzug trug sie, die Haare hatte sie mit einem einfachen Strick zurückgebunden. Ein breitknochiges, wildes Gesicht mit schwarzen, glühenden Augen. »Sehen Sie sich bloß diesen schwarzen Panther an, Abukow!«

»Sie feilt wie ein Mann.«

»Und sie ist die weiblichste von allen Weibern. Fünfzehn Jahre Sibirien. Dschamila Dimitrowna Usmanowa heißt sie. War eine der bekanntesten Huren in Moskau, ein Luxushürchen, ein Teufelchen aus Tadschikistan. Lebte in einer Wohnung mit dicken Teppichen und Fernsehen, einem Marmorbadezimmer und einem Schlafzimmer mit Spiegelwänden und Spiegeldecken. Von allen Seiten sah man sich da. Muß die Männer wild gemacht haben . . . mich würde es irritieren! Na ja . . . Dschamila machte den großen Fehler, weiterzuplappern, was ihr zwei Generale, die jede Woche einmal zu ihr kamen, in ihrem Spiegelbett alles ausgeplaudert hatten. Geheimnisse müssen darunter gewesen sein, Staatsgeheimnisse – man sagt, einer der Generale war Kommandeur eines Atomraketenstützpunktes. Dschamila wurde verhaftet, ihr Prozeß kam nie an die Öffentlichkeit. Eines Tages, bei einem Transport von Stoffen und Nähmaterial, saß auch sie im Wagen zusammen mit dreißig anderen Frauen und meldete sich bei mir.« Kabulbekow lachte leise in sich hinein. »Nach drei Monaten hatten meine sämtlichen Offiziere in ihrem Bett gelegen, und als sie alle kannte – nur die Offiziere, die einfachen Soldaten sah sie nicht an –, wurde sie sittsam wie eine Nonne, machte einen Kursus in der

Schlosserei und stellt jetzt Werkstücke her. Nie hat sie geklagt. Alle zweitausend klagen nicht. Sie sollten einmal am Sonntag hier sein, Abukow; da finden auf dem Sportplatz Wettkämpfe in allen Disziplinen statt.«

»Nur eines fehlt Ihnen noch, Genosse Kommandant«, sagte Abukow, von einer Idee blitzartig getroffen.

»Ich weiß es.« Kabulbekow nickte mehrmals. »Die Banja muß vergrößert werden. Das Badehaus ist viel zu klein . . .«

»Ein Theater fehlt Ihnen«, sagte Abukow betont. »Ein richtiges Theater mit Schauspiel, Operette und Oper.«

Oberst Kabulbekow sah Abukow an, als habe er beim Anblick der feurigen Dschamila seine Hosen heruntergezogen. Dann blinzelte er mit seinen kleinen Schlitzaugen, verzog den Mund zu einem Lächeln und legte den Kopf etwas zur Seite.

»Ein kleiner Verrückter bin ich schon«, sagte er, »aber so verrückt nun doch nicht. Ein Theater . . .«

»Ich werde im Männerlager eine Bühne aufbauen. Schon nächste Woche fange ich damit an.«

»Und Rassim macht das mit?«

»Ihn interessiert das Experiment. Er will es scheitern sehen, um es dann zu zerschlagen. Kennen wir doch, Rassims Gedankengänge.« Abukow holte tief Luft. Bis zur Kehle klopfte sein Herz. »Genosse Oberst, Sie haben alles, was wir brauchen. Eine Schneiderei, die Kostüme und Bühnenbilder herstellen kann. Ein Holzwerk für die Bühnenausgestaltung. Hunderte von Frauen, die gern mitspielen würden . . .«

»Alle 2000 werden mitspielen, auch wenn sie nur auf der Bühne stehen und den Rock heben sollen . . . Abukow, bevor Sie weitersprechen . . .«

»Sie haben hier ein Potential an brachliegenden künstlerischen Kräften, um die Sie das Bolschoi-Theater in Moskau beneiden würde. Sie haben Schauspielerinnen und Sängerinnen, Tänzerinnen und Malerinnen. Und wie bei Fleisch – nur ein Vergleich ist das, Genosse Kommandant – gibt es auch bei den Stoffen Schwund oder Abfall, der sich zu Kostümen verarbeiten läßt.«

»Ein listiger Hund sind Sie, Victor Juwanowitsch«, sagte Kabulbekow und wandte sich zum Gehen. Die schöne Dschamila am Schraubstock hatte aufgehört zu feilen und musterte Abukow mit unverhohlenem Interesse. Er nickte ihr zu. Sie lächelte zurück, ihr breites Tadschikengesicht glänzte, die schwarzen Augen flimmerten. »Gehen wir zu mir, Abukow. Und lassen Sie Dschamila in Ruhe! Einen Mann wie Sie würde sie auffressen, stückweise. Fragen Sie Leutnant Boldyrjow; er mußte bei unserer Ärztin Velta Valerianowna Ratnowa im Hospital behandelt werden, weil ihm das Pantherchen ein daumendickes Stück Fleisch aus dem Bauch gebissen hatte. Er brachte es sogar mit in Papier gewickelt, aber man konnte es ihm nicht wieder einsetzen. Abukow, Vorsicht – so eine ist das Teufelchen Dschamila!«

Sie verließen die Werkstatt, gingen hinüber zur Kommandantur und sprachen erst weiter, als sie in Kabulbekows Zimmer saßen und eisgekühlten Johannisbeersaft tranken.

»Man kann sich auch bei Hühnern verzählen«, sagte Abukow leichthin. »Bei Schweinenacken und Dauerwürsten.«

»Jetzt ist es soweit, daß ich Sie auspeitschen lassen sollte!« Kabulbekow sagte es ebenso leichthin, durchaus nicht drohend. »Victor Juwanowitsch, erkennen Sie doch, daß ich konzentriert nachdenke! Ein Theater, eine Zusammenarbeit zwischen mir und Rassim, Frauenlager mit Männerlager – fast unvorstellbar ist das! Die GULAG wird vor Entsetzen erstarren, wenn sie das erfährt.« Kabulbekow schüttelte den Kopf. »Abukow, das ist technisch nicht durchzuführen. Oder sagen wir es anders: menschlich nicht. Meine Frauen würden also zum Theaterspielen in das Männerlager kommen – können Sie sich das vorstellen?«

»Ja, Genosse Oberst.«

»Wollen Sie Sexualmorde inszenieren?«

»Die Männer werden die Frauen mit größter Hochachtung empfangen. Die Garantie übernehme ich. Wenn Ihre Frauen nicht provozieren und sofort Blusen und Röcke wegwerfen . . .«

»Die Auswahl wird streng sein«, sagte Kabulbekow. »Nur wirkliche Künstler.«

»Sie . . . Sie sagen zu, Genosse Oberst?« stotterte Abukow. So ergriffen war er, daß es ihn für einen Augenblick schwindelig machte. Wie kann ich dir danken, Gott, dachte er. Sieh hernieder, nicht alle Menschen sind schlecht. Es gibt nicht nur Rassims und Jachjajews . . .

»Bringen Sie mir erst alle Genehmigungen, Abukow. Dann werde ich meinen Kollegen Rassim besuchen, mich mit ihm streiten, und es wird sich zeigen, ob Ihr verdammt verrückter Plan zu realisieren ist.« Kabulbekow sah Abukow scharf an. »Mit nicht gezählten Hühnern und Schweinenacken hat das nichts zu schaffen!«

»Natürlich nicht, Genosse Kommandant.« Abukow erhob sich von seinem Stuhl. Er wankte leicht. Das Glücksgefühl zitterte in seinen Beinen. »Noch in dieser Woche fliege ich nach Tjumen zu dem Genossen Kulturbeauftragter.«

Am Nachmittag des zweiten Tages im Frauenlager Tetu-Marmontoyai hatte Abukow noch einmal die Flötistin Lilit Karapjetjan im Hospital besucht und sie im Schreibzimmer gefunden, wo die Krankenkarteien geführt wurden und wo die Schauspielerin

Margarita Nikolajewna Lusatkaja alle schriftlichen Arbeiten des Lazaretts erledigte. Die beiden Frauen waren allein, bekreuzigten sich sofort beim Eintritt Abukows und senkten die Köpfe. »Gott segne dich, Väterchen«, flüsterten sie. »Segne auch uns . . .«
Abukow schlug schnell das Kreuz über ihre Köpfe und lehnte sich dann gegen die Tür, um vor Überraschungen gesichert zu sein. »Viel Neues und Großes wird hier geschehen«, sagte er. »Aber ihr alle müßt mithelfen. Allein kann ich das nicht. Wundert euch nicht über das, was ihr in den nächsten Wochen hören und sehen werdet. So verrückt alles auch aussehen mag – es ist ein Weg zu Gott!«
Abukow blieb eine Stunde im Hospital. Man erzählte ihm, wie sein Vorgänger Pjotr, der an der Trasse arbeitete, heimlich Briefe mit Predigten für die Gemeinde in das Frauenlager geschmuggelt hatte; sie wurden nachts in der Versandhalle der Kleiderfabrik vor den neunundvierzig eingeweihten christlichen Insassen des Lagers verlesen, um dann sofort verbrannt zu werden. Jeden Sonntag hielt Anastassija Lukanowna Lasarjuk, die ehemalige Geliebte des Ministers, einen Gottesdienst ab, man betete zusammen, man sang leise die Lieder, begleitet von der aus einem Weidenast geschnitzten Flöte Lilits, die seltsam weich klang, fast wie eine gedämpfte menschliche Stimme. Nur der Segen fehlte den Gläubigen und das heilige Abendmahl.
Später hatte Abukow bei dem Verwalter Martyrnow und seiner Stellvertreterin gesessen, der Freigelassenen Olga Michaelewna Gasmatowa. Ein seltsames Paar war es, das nicht miteinander schlief, aber auf Gedeih und Verderb verbunden war, weil jeder von dem anderen so viel Untaten wußte, daß es für ein mehrfaches Lebenslänglich ausgereicht hätte. So führte die Gasmatowa zum Beispiel in ihren Verpflegungslisten neunzehn Frauen, die längst gestorben waren. Niemand kümmerte sich darum, denn was die Verwaltung meldete, abgezeichnet von dem ehrenwerten Genossen Martynow, wurde nie bezweifelt. Wo käme man auch hin, wenn man alles nachprüfen wollte. Lenins weiser Satz »Vertrauen ist gut, Kontrolle ist besser« war eine Lebensweisheit, die von den meisten Beamten nicht berücksichtigt wurde. Oberst Kabulbekow ahnte von diesen Dingen nichts. Er lebte in der Vorstellung, daß sein Lager das beste und vorbildlichste der ganzen Sowjetunion sei. Die »Abgangsmeldungen« wurden in der zentralen GULAG-Verwaltung abgeheftet; ein unnötiger bürokratischer Akt, denn niemand kümmerte sich darum, daß im tiefsten Sibirien der weibliche Häftling V/134819 – Anna Jefimowna Semjona – an einer Lungenentzündung gestorben war. Ihr »Abgangsblatt« verstaubte sinnlos im Archiv.

»Sie fahren auch zu JaZ 451/1?« hatte Martynow gefragt, als er mit Abukow eine Zigarre rauchte. Zigarren waren der einzige Luxus, den sich Martynow gönnte. Zigarren aus Taschkent, blondfarbig, würzig riechend, als seien sie mit Parfüm fermentiert worden, aber so schwer im Nikotin, daß ein bestens trainierter Raucher zwei hintereinander vertragen konnte. Martynow schaffte sechs am Tag und begriff nicht, daß sein permanentes Magenleiden dort seine Wurzeln hatte.

»Das Männerlager ist meine Hauptstrecke«, war Abukows Antwort gewesen. »Eine wahre Hölle gegen das Paradies, das ihr hier habt.«

»Man hat gestern einen von ihnen erschossen.« Als Martynow das sagte, saß im Hintergrund die Gasmatowa an ihrem Schreibtisch und füllte die Listen für die neuen Lieferungen aus. Wunschlisten, die jedesmal in Surgut zur Erheiterung von Hand zu Hand gingen: 10 000 Damenbinden. 40 000 Tampons. 4000 Schlüpfer. 360 Büstenhalter, Größen 2–8 sortiert. Einmal hatte – zur Freude aller Eingeweihten – der gelegentlich zu Späßen aufgelegte Magazinleiter Smerdow in Surgut dahinter geschrieben: Dreihundert Zehnerpackungen Präservative. Und siehe da: aus Tjumen, dem Zentrallager des ganzen Bezirks, wurden sie korrekt beliefert. Eine schriftliche Entschuldigung des Abteilungsleiters lag bei: »Mit dieser Lieferung nur 200 Packungen. Der Rest kommt in vierzehn Tagen nach. Anforderung an Swerdlowsk läuft. Bitte, entschuldigt, Genossen . . .« An diesem Tag besoff sich Smerdow, als feiere er Geburtstag.

»Wieso erschossen?« fragte Abukow und sah Martynow erschrocken an. »Wer hat geschossen?«

»Genaues weiß man noch nicht. Beim Holzfäller-Außenlager ist's geschehen. Einen der Halunken hat's erwischt, wie er auf Marianka lag. Ich weiß es vom Hospital, dort ist Marianka vor einer Stunde eingeliefert worden. Hat einen Schock, ist wie von Sinnen, schreit und zittert ohne Unterbrechung, reißt sich die Haare aus und bettelt: ›Erschießt mich auch! Tötet mich! Wie kann ich noch leben!‹ – Die Ratnowa hat ihr eine Spritze gegeben, jetzt schläft sie. Morgen wissen wir mehr. Sicher ist nur, daß man einen erschossen hat.«

Abukow nahm die fertigen Listen an sich, steckte sie in eine Tasche, die er umhängte, verabschiedete sich von Martynow und der Gasmatowa und ging wieder zur Kommandantur. Oberst Kabulbekow hatte seine Uniform ausgezogen, trug einen langen, gestreiften Bademantel aus Frotteestoff und saß in seinem Polstersessel, den er in Surgut für teures Geld gekauft hatte. Ein Wasserglas mit Wodka stand vor ihm auf einem geschnitzten

Tischchen, das er aus seinem Urlaub in seiner Heimat Kasachstan mitgebracht hatte. Sehr ernst war er, starrte vor sich hin und nahm Abukow erst wahr, als dieser sich räusperte.

»Einen Toten hat es gegeben?« fragte Abukow.

»Sie haben es gehört, Victor Juwanowitsch?« Kabulbekow wedelte mit der Hand. »Was ist schon ein Toter? Wer spricht davon? Rassim am wenigsten – im Winter gehört das zu seinem täglichen Brot. Aber mir muß das passieren! Bürstet einer die Marianka und wird dafür erschossen! Soll man sich da nicht aufregen? Welch sinnloser Tod. Wäre ich Rassim, den Schützen schickte ich in Fesseln nach Tjumen. Aber nichts wird geschehen.« Er zeigte auf die Flasche mit Wodka: »Trinken wir, Victor Juwanowitsch, auch Sie haben es nötig. So eng liegen Freude und Tod beieinander; Sie wollen Theater spielen, und die anderen erschießen Menschen. Werfen Sie Ihren Plan in den Sumpf!«

»Dieser Tod macht mich noch stärker, Genosse Oberst!« hatte da Abukow mit fester Stimme gesagt. »Das Theater wird kommen . . .«

Der Genosse Smerdow in Surgut blätterte gerade in seinen Einsatzlisten, als Abukow ihn um die zwei Tage Urlaub nach Tjumen bat, und verzog den schiefen Mund. »Dann fällt der Kühlwagen aus«, sagte er und sah Abukow leidend an. »Wem soll ich das störrische Biest anvertrauen? Nur Sie beherrschen es, Victor Juwanowitsch. Erinnern Sie sich, als Sie das letztemal in Tjumen waren. Da teilte ich den Genossen Neschkanow für Nummer 11 ein. Und was geschieht? Nichts! Der Motor macht bluppblupp und steht. ›Nicht anfassen!‹ habe ich geschrien. ›Keine Werkstatt! Hütet euch davor, ihr Lieben! Mit diesem Ungeheuer kann nur Abukow umgehen, paßt auf . . . er setzt sich rein, dreht wie ihr den Zündschlüssel um, und der Motor wird singen wie eine Opernsängerin!‹ Und was tat er, als Sie zurückkamen . . . er sang! Gut, fliegen Sie nach Tjumen, bringen Sie mir zwei gestreifte Hemden mit, Kragenweite 41, und meiner Frau einen glockig geschnittenen Sommerrock mit Blumen drauf, Größe 48. Sollten Sie eine helle Hose für mich sehen, Abukow, hellgrau oder sandfarben, dann gehen Sie nicht daran vorbei. Ich gebe Ihnen vierzig Rubel mit – nein sechzig! Kaufen Sie gute Sachen. – Sie können den Transporthubschauber nach Tjumen nehmen.«

Abukow bedankte sich und lächelte in sich hinein. Wie kann ein Motor laufen, wenn man ein kleines Schläuchchen abklemmt, dachte er. Ein Kabelchen, das den Stromkreis regelt. Nur ein Handgriff ist's, aber man muß ihn kennen.

Er ging zu seinem Kühlwagen, klemmte das Kabel wieder ab und ließ sich von einem Milchwagen in die Stadt mitnehmen. Im Gewerkschaftshaus hielt ihn der Verwalter fest, der in einem gläsernen Kasten saß und jeden sah, der das Haus betrat oder wieder verließ.

»Ein Anruf für dich, Victor Juwanowitsch!« sagte er. »Aus dem Lager. Dein Onkelchen ist krank. Kränker als erwartet. Eine Katastrophe . . .«

»Danke, Genosse!« antwortete Abukow gepreßt. »Danke dir. Eine schlechte, aber wichtige Botschaft.«

»Gehört Onkelchen zum Lager?« fragte der Verwalter erstaunt.

»Bei den Autowerkern arbeitet er. Hat's am Herzen. Das Klima in den Sümpfen macht ihn kaputt. Nun ist's soweit. Man wird ihn jetzt endlich nach Tjumen zur Erholung schaffen.«

Sie hat's getan, dachte er, als er auf sein Zimmer ging und sich umzog. Er wusch sich, rasierte sich und zog sein weißes Hemd an. Dann packte er eine kleine Leinentasche mit seinem Nachtzeug und betrachtete sich im Spiegel über dem Waschbecken. Sie hat sämtliche Sträflinge in die Wälder und Sümpfe gejagt. Larissa Dawidowna, wie willst du das vor deinem Gott verantworten? Oder gibt es einen Gott für dich nicht mehr . . .?

Die alte Qual der Selbstvorwürfe erfaßte ihn wieder. Was mache ich falsch, fragte er sich. Ist alles, was ich tue, nur ein Irrweg? Bin ich ein Versager?

Mit einem Bus fuhr er hinaus zum Flugplatz, durchlief drei Kontrollen, zeigte seinen Flugberechtigungsschein und kletterte in den letzten großen Hubschrauber, der von Surgut nach Tjumen flog. Mit ihm reisten noch siebzehn Genossen, alles Pipelinespezialisten, Ingenieure und Techniker. Auch ein Kranker war dabei, ein dicker, aufgequollener Mensch, der unter qualvollen Blähungen litt und dem man im Krankenhaus von Surgut nicht helfen konnte.

Wie immer bezog Abukow ein Bett im Arbeitermännerheim, der Durchgangsstation für alle Neuankömmlinge, die Sibirien erobern wollten. In der Kantine aß er einen Sauerbraten mit Nudeln, trank zwei Gläser Kwaß und schlief dann mit wilden Träumen, sah sich mit Larissa im Bett und auf der Erde, auf dem Sofa und im Sessel; sie tobten, als wollten sie sich zerfleischen – aber das Gefühl, das er im Traum empfand, war unbeschreiblich schön.

Der Genosse Kulturbeauftragter, elegant wie immer, in einem blütenweißen Seidenhemd mit kurzem Ärmel, der Hitze wegen diesmal ohne Rock, erkannte Abukow sofort wieder, als er nach einer Wartezeit von einer Stunde vorgelassen wurde. Geduld ist des Russen Seelenschmalz – ohne Geduld hätte es nie ein Rußland gegeben, wie wir es kennen.

»Unser neuer Stanislawski!« rief der vornehme Genosse aus, als
Abukow die Tür hinter sich zuzog. »Der große Theaterleiter! Was
haben Rassim und Jachjajew gesagt? Wieso tauchen Sie noch hier
auf und schreiben mir keine Karte aus einer Irrenanstalt?«

»Jachjajew ist einverstanden, und Oberstleutnant Rassim freut
sich zu beweisen, daß Kultur in einem Straflager das Idiotischste
ist, was die Sonne je beschienen hat.«

»Kann man es ihm übelnehmen, Genosse Abukow? Rassim ist
Soldat, sonst nichts. Seine Geige ist das Gewehr, seine Bühne der
Appellplatz, und wenn er einen Text spricht, ist er nicht von Gorkij, sondern es ist ein Kommando. Eine schwere Aufgabe ist's,
man sieht es immer wieder, Militär und Politiker davon zu überzeugen, daß die Kunst ein Lebenselement ist, das in jedem Menschen schlummert. Ohne Kunst keine Kultur – das ist logisch –,
aber wer versteht auch, daß ohne Kultur jede Politik zum Scheitern verurteilt ist?«

Der Kulturbeauftragte bot Abukow eine Papyrossi an, sah nachdenklich dem Qualm seiner Zigarette nach und wölbte die Unterlippe vor: »So einfach ist das nicht . . .«

»Was, bitte, Genosse?«

»Ihr Theater. Man muß zuerst eine Gewerkschaft der Künstler
gründen. Eine Genossenschaft der Theaterschaffenden. Ohne
diese Organisation ist gar nichts möglich. Oder haben Sie gedacht, Sie könnten so einfach auf die Bretter klettern und Theater
spielen?«

»Das dachte ich wirklich, Genosse.«

»Naiv sei der Künstler, weltfremd und sternengläubig! Mein lieber Victor Juwanowitsch – ohne Gewerkschaft bekommen Sie gar
nichts. Keine staatlichen Zuschüsse, keine Sonderlieferungen für
Kostümstoffe, Dekorationen und Bühnenbilder, keine Perücken,
keine Schminke, keine falschen Bärte, nichts! Gründen wir also
die Genossenschaft. Die Genehmigung erteile ich und melde das
neue Theater beim Kultusministerium in Moskau an. Die werden
Ihnen eine Urkunde schicken, Ihnen viel Glück und Erfolg wünschen. So ist der normale Weg. Und dann . . . Ihre Theatertruppe
wird aus Häftlingen bestehen . . .«

»Natürlich!«

»Ein Häftling ist ehrlos. Ehrlose können nicht Gewerkschaftsmitglieder werden. Eine Ehre ist es, einer Gewerkschaft anzugehören.« Der elegante Genosse sah Abukow traurig an. »Das ist das
erste Hindernis.«

»Was ist das zweite?« fragte Abukow ahnungsvoll.

»Ihr Sträflingstheater muß anerkannt werden als Instrument staatspolitischer Erziehung. Als Teil der Umerziehung der defätistischen Halunken. Es muß dem sowjetischen Aufbau dienen. Es muß Lenins ewige Ideen propagieren.«

»Genau das, Genosse, war der Anlaß, das Theater zu gründen. Durch Kunst den Menschen erziehen. Welch edle Aufgabe!«

»Ich werde alles versuchen, Sie zu unterstützen, Abukow.« Der Kulturbeauftragte beugte sich vor. »Alles muß einen Namen haben. Wie soll die Genossenschaft heißen? Keine Gründungsurkunde ohne Namen.«

»Ein Vorschlag: Theater des Volkes.«

»Ist es nicht. Es ist ein Theater der Verdammten. Das kann man nicht eintragen.«

»Theater des Friedens . . .«

»Machen Sie sich nicht lächerlich, Victor Juwanowitsch! Wo ist im Straflager Frieden? Wir wollen doch keinen Hohn provozieren.«

»Theater ›Die Morgenröte‹ . . .«, sagte Abukow und hielt einen Augenblick den Atem an. »Das klingt poetisch, hoffnungsvoll, politisch. Morgenröte über Sibirien – es könnte ein Wort von Lenin sein.«

»Theater ›Die Morgenröte‹ . . .«, wiederholte der feine Genosse nachdenklich. »Das hat kulturellen Klang. Nicht übel, Abukow. Wirklich, es hat Poesie. Morgenröte ist Anfang, Beginn eines neuen Tages, einer neuen Zeit . . . Gratulation! Dabei bleiben wir!«

Vier Stunden verbrachte Abukow bei dem freundlichen Genossen, man diktierte der Sekretärin die Gründungsparagraphen der neuen Künstlergewerkschaft »Theater Die Morgenröte« und übernahm der Einfachheit halber die Satzungen der Kunstgenossenschaft von Tjumen. Und da, wie festgestellt, Sträflinge keine Genossen sein konnten, trug Abukow außer sich noch Mirmuchsin, Gribow, die Köchin Leonowna, den Leiter der Autowerkstatt des Lagers, den finsteren Rakscha, und die Chefin der Lagerwäscherei, die verhaßte Pulkeniwa, ein. Und dann sagte er mutig: »Ja, und die Ärztin Dr. Tschakowskaja . . .«

»Eine Ärztin ist immer gut.« Der Kulturbeauftragte nickte freudig. »Ein Volk der Arbeiter und Bauern sind wir zwar, aber das Ansehen steigt sofort, wenn ein Akademiker in der Mitte ist.« Er überflog die Liste und nickte noch einmal. »Das genügt. Das erste Brett der Bühne ist gelegt.«

Als Abukow sich nach den vier Stunden verabschiedete, unterdrückte er die Aufwallung, den Kulturbeauftragten an seine Brust zu ziehen und voll Dankbarkeit auf die Wangen zu küssen. »Sie ahnen nicht, Genosse«, sagte er, und es war wirklich nicht zu ahnen, welch ein Doppelsinn in seinen Worten lag, »was dieser Tag für mich bedeutet. Es ist wie ein Lebensanfang . . . es ist Morgenröte! Sehen Sie mich an: So sieht der glücklichste Mann in Sibirien aus.«

»Ein wirklich sympathischer Mensch sind Sie, Abukow«, erwiderte der Kulturbeauftragte und gab ihm die Hand. »Wären Sie das nicht, hätte ich Sie längst hinausgeworfen. Noch viel ist zu tun, mein Lieber, ehe der erste Vorhang hochgeht. Eine Frage habe ich da noch: Wo nehmen Sie die Zeit her?«

»Für den Aufbau muß man auf Schlaf verzichten können.«

»Ein heroischer Satz . . . und Ihnen glaube ich das sogar.«

Am Nachmittag bummelte Abukow durch Tjumen, als habe er federnde Gummisohlen. In seiner Tasche trug er mehrere Schriftstücke, die zwar noch nicht das »Theater Die Morgenröte« als Tatsache dokumentierten, aber ihn dennoch in die Lage versetzten, mit allen Vorbereitungen zu beginnen: mit dem Bau der Bühne in der leeren Autowerkstatthalle; mit der Auswahl der Schauspieler, Sänger, Musiker, Bühnenmaler, Kostümgestalter, Bühnenarbeiter, Beleuchter und Techniker; mit den ersten Besprechungen zu den Proben – und mit dem Kampf gegen Rassim, der sich wie eine Felsenklippe in den Weg stellen würde.

Abukow kaufte die gestreiften Hemden für den Genossen Smerdow, den Glockenrock mit Blumenmuster für die Smerdowa, Größe 48, eine hellgraue Hose für Smerdow – und er kaufte auch noch ein ganz modernes, luftiges, kurzes Sommerkleidchen, Größe 36, für die süße Tichonowa, das Jachjajew ihr schenken wollte. Überrascht entdeckte er einen Buchladen, der unter dem Tisch ungeheure Schweinereien verkaufte: Farbfoto-Magazine aus Dänemark, die – keiner weiß, wie – bis nach Tjumen geschmuggelt worden waren, Großaufnahmen von kopulierenden Paaren – das ist für Gribow, dachte Abukow, und Fotoserien von Homospielen, die Dshuban Kasbekowitsch hell erfreuen würden. Für den heimlichen Schlecker Rassim erstand er eine riesige Pralinenschachtel und eine Flasche Bananenlikör aus Kuba, und Jachjajew brachte er außer dem Kleidchen noch einen neuen Fotoband mit: Die sowjetische Revolution von 1916 bis heute. Schließlich kaufte er für Larissa Dawidowna ein aufklappbares Medaillon, ließ sich bei einem Fotoautomaten ablichten und rahmte sein Porträt, nachdem er es auf das entsprechende Format beschnitten hatte, in das Medaillon.

In Sibirien gab es eben tatsächlich vieles, wonach man in Moskau Schlange stehen würde. Das Neuland hinter dem Ural war das gelobte Land der Sowjetmenschen, war Paradies und Hölle.

Am Freitag in der Frühe kam Abukow gerade zurecht, um sich dem neuen Transport zum Lager JaZ 451/1 anschließen zu können. Er klemmte in seinem Kühlwagen das Kabel wieder an – der Motor sang fröhlich auf –, übernahm die wertvolle, verderbliche Ladung, lieferte bei Smerdow seine Einkäufe ab, wurde umarmt und geküßt und mit »Du bist ein wirklicher Freund!« betitelt und fuhr dann der Kolonne nach, die einen Vorsprung von einer Stunde hatte.

Rückkehr erst am Montag. Der Samstag und der Sonntag blieben für ein Leben im Lager.

Abukow war es, als fahre er nicht Hühner, Fleisch, Fett, Käse und Quark in die Wildnis, sondern als stehe hinter ihm eine Kirche auf den Achsen, die er zu den Verdammten schleppte.

Der Tod des Juristen Ilja Kriwow hinterließ bei Oberstleutnant Rassim nur eine erwartungsvolle Spannung. Die Tschakowskaja war zu ihm gekommen, ganz steif, ein wahrer Racheengel, und hatte leise und mit einem gefährlich drohenden Unterton gesagt: »Ein Verbrechen wäre es, diesmal zu schweigen. Nehmen Sie zur Kenntnis, Rassul Sulejmanowitsch, daß ich eine Meldung mache. Nicht nach Perm, sondern nach Moskau!«

»Wir sollten darüber sprechen, Larissa Dawidowna«, hatte Rassim erstaunlich ruhig erwidert. Aber die Tschakowskaja ließ sich auf kein Gespräch über diesen Fall ein, stürmte aus dem Zimmer und warf die Tür krachend hinter sich zu. Rassim seufzte, sagte laut: »Du hysterische Gans!« und rief Leutnant Sotow zu sich.

»Ein Idiot sind Sie!« schrie er ihn an. »Natürlich war Kriwow genauso wenig wert wie die anderen – aber die Umstände, Sotow, die Umstände! Die Tschakowskaja meldet jetzt nach Moskau: Im Lager 451/1 werden Häftlinge erschossen, weil sie vögeln. Ob man im Kreml dafür Verständnis hat?!«

»Einen Befehl hat er verweigert«, sagte Sotow dumpf. »Rebellion war es! Notwehr kann man es nennen . . .«

Rassim winkte wütend ab und warf Sotow aus dem Zimmer.

Am Waldrand, dort, wo auch Pjotr lag, wurde Kriwow begraben, und Professor Polewoi sprach ein Gebet, als er in der Abenddämmerung, nach seinem Hospitaldienst, schnell zum Grab gehen konnte. Zwischen ihm und der Tschakowskaja herrschte eine tiefe Mißstimmung. Mit traurigen Augen sah er sie an, arbeitete still und wortlos. Sie verzichtete ebenfalls darauf, ein Wort an ihn zu richten. Und auch als bekannt wurde, daß Morosow auf Bitten Larissas die Brigaden schonte, als die Suppe im Lager plötzlich dicker war als vorher und für alle Sträflinge fünfzig Gramm Brot mehr verteilt wurden – auch da gab es keine Verständigung mehr zwischen ihnen, keine Brücke. Einmal nur, als sie beide sich im Badezimmer der Station II begegneten, wo Polewoi gerade eine Anzahl Gläser spülte, da sahen sie sich groß an, und Polewoi sagte mit bebender Stimme:

»Töchterchen, ich verstehe dich nicht mehr!«

»Keiner versteht mich«, erwiderte sie, und ihr Mund verzog sich, als schluchze sie nach innen. »Keiner! Keiner! Niemand begreift, daß ich auch ein Mensch bin . . .«

Am Freitagmittag rollte die Verpflegungskolonne auf den großen Platz vor der Kommandantur. Gribow und Mustai stürzten aus dem Haus, aber der Kühlwagen Nummer 11 war nicht dabei.

»Was ist passiert?« schrie Mustai und enterte den ersten Lastwagen, riß die Tür auf und spuckte dem armen Fahrer fast ins Gesicht: »Wo ist Victor Juwanowitsch? Sag etwas, Genosse! Ist er krank? Ist er versetzt?«

Gribow lief herum wie ein geköpftes Huhn, preßte die Hände auf sein geschundenes Herz und rollte schrecklich mit den Augen:

»Kein Kühlwagen! Was soll ich ohne Kühlwagen? Die Vorräte sind dahin! Genossen, wo ist Abukow?!!!«

»In einer Stunde folgt er!« rief man zurück. »Glaubt es uns, er kommt nach. Ist heute erst aus Tjumen gelandet. Nur Ruhe, Ruhe, Genossen, euer Fleisch bekommt ihr. Wir sind eine zuverlässige Brigade!«

Tatsächlich: Nach knapp einer Stunde rollte Abukow mit seinem Kühlwagen in das Lager. Mustai machte einen Luftsprung und weinte fast vor Freude. Am Fenster des Arztzimmers stand die Tschakowskaja und sah durch die schützende Gardine, wie Abukow aus seinem Wagen kletterte.

Was soll ich ihm sagen? dachte sie. Wird wenigstens er mich verstehen, trotz allem, was geschehen ist?

9

Abukow ließ sich Zeit. Viel Zeit.

Zunächst begrüßte er Mustai Jemilianowitsch, als sei er von einem anderen Stern zurückgekommen. Man umarmte und küßte einander und versicherte in vielen glühenden Worten, welch ein Glück es sei, sich wiederzusehen. Dann kam Gribow, der Dicke, an die Reihe. Er keuchte vor Begeisterung und preßte Abukow an sich, war aber trotz aller seelischen Ergriffenheit noch in der Lage, ihm bei der Umarmung ins Ohr zu flüstern: »Bleibt genug für uns übrig, Brüderchen?«

»Mehr als genug!«

»O Victor Juwanowitsch, wie habe ich auf dich gewartet!« lachte Gribow glücklich. »Kahl gefressen haben sie mich! Seit einigen Tagen bekommt das ganze Lager die anderthalbfache Portion. Ich kratze schon das Mehl und die Graupen aus den Lagerecken. Der letzte Fleischvorrat ist dahin. Und wer hat das durchgesetzt, na? Die Tschakowskaja zusammen mit dem undurchsichtigen Morosow! Angeblich hat die Arbeitskraft nachgelassen, man schafft deswegen das Soll an der Trasse nicht. Das nun liegt Rassim schwer auf der Seele. Wer will schon an die Zentrale gemeldet werden? Kontrollen kommen dann, peinliche Untersuchungen, Kommissionen, die keine Ahnung haben. Auch Jachjajew zuckte zusammen, als Morosow damit drohte. Aber trotz meines fast leeren Lagers kommt Rassim zu mir und sagt so keck daher: ›Morgen, mein lieber Dicker, erwarte ich für die Offiziere eine dicke Basturma.‹ Weißt du, was das ist? Mariniertes Rindfleisch am Spieß. Der Schreck fuhr mir in den Darm – zwei Tage und Nächte lang saß ich auf dem Becken. So hart ist das Leben hier geworden.«

»Ich habe ein ganzes Rinderhinterviertel zur Verfügung, Kasimir Kornejewitsch.«

»Mein Bruder!« Gribow zog Abukow wieder an seine mächtige Brust. »Du bist der Retter der Verzweifelten.«

Abukow dachte an die ausgehungerten Sträflinge im Lager und nickte mehrmals: »Natürlich teilen wir uns das Hinterviertel.«

»Natürlich! Natürlich!« Gribow warf die dicken Arme in die Luft. »Und wie steht's mit den Hühnern?«

»Für jeden zehn Stück.«

»Das ist Musik! Und Fett?«

»Du ein Tönnchen – ich ein Tönnchen. Eingeschmolzene Butter.«

»Und Käse?«

»Jeder zwei Blöcke.«

»Der Himmel leuchtet auf! – Gibt es Sonderzuteilungen?«

»Dreihundert Tafeln Schokolade für das Militär . . .«

»Genügen da nicht zweihundert, mein lieber Abukow?«

»So etwa habe ich auch gerechnet.«

»Wie schön kann das Leben sein, wenn Menschen sich so gut verstehen wie wir, Victor Juwanowitsch.« Gribow hatte sogar Tränen in den Augen. »Fahr in die Magazinhalle. Dort laden wir den Kühlwagen in Zukunft immer aus.«

So kam es, daß Abukow erst seinen Kühlwagen entleerte, den »Schwund« verteilte, sich die offizielle Liste von Gribow bescheinigen ließ und zwei große Kartons zur Seite schob. Gribow musterte sie neugierig, nachdenklich und fragend.

»Für Rassim und Jachjajew«, erklärte Abukow. »Erfüllte Wünsche . . .«

Gribow fragte nicht länger und versteckte seinen Anteil in einem gekühlten Nebenraum, Abukow dagegen ließ seine Portionen im Kühlwagen liegen, verschloß die Ladeklappe und steckte den Schlüssel ein. Genau gesagt: Er hängte ihn sich an einem silbernen Kettchen um den Hals. Gribow grinste breit, faßte Abukow unter und zog ihn mit sich zu seiner Wohnung. Dort wartete schon Nina Pawlowna Leonowa, es duftete herrlich nach Kotlety Poscharskje – das sind Frikadellen aus Hühnerhackfleisch, mit brauner Butter beträufelt. Außerdem gab es eine Romowaja Baba – mit Rumsirup getränkter Kuchen, der in der Backröhre goldbraun aufging. Auf dem weiß gedeckten Tisch stand bereits eine Flasche purpurner Krimwein mit drei Gläsern.

»Victor Juwanowitsch ist gekommen, das ist wahrhaftig ein Fest«, sagte Gribow und drückte Abukow in den Korbsessel, das Prunkstück in seiner Wohnung. »Nina Pawlowna wird uns verwöhnen . . .«

»Für euch habe ich noch etwas gekauft.« Abukow legte die dänischen Bildmagazine auf den so schön gedeckten Tisch. »Wie sie nach Tjumen kommen, weiß keiner, nur besonders vertrauenswürdige Genossen bekommen sie unter dem Tisch, als seien es geschmuggelte Diamanten. Ich dachte, Kasimir Kornejewitsch . . .«

Gribow nahm eines der Hefte, schlug es auf, warf einen Blick auf die erste Doppelseite und bekam einen hellroten Kopf. Mit bebenden Fingern und leicht wackelndem Kopf blätterte er schnell weiter, seine Augen rollten hin und her, dann atmete er tief und warf einen Blick auf Abukow.

»Das ist etwas . . .«, stotterte er. »Oje . . . so etwas! Ninuschka, komm einmal her.«

Die Leonowa kam vom Herd, beugte sich über Gribows Schulter, und auch ihr Gesicht rötete sich.

»Kasimir Kornejewitsch . . . nein, was man so alles fotografiert!«

»Zum Nachtisch!« schnaufte Gribow, schlug das Heft zu und legte beide Hände darauf. »Oje, wird das ein Nachtisch . . .«

Mit einem hellen Kichern rannte die Leonowa zurück zum Herd, zu Hühnerhack und Rumkuchen.

Abukow verabschiedete sich schnell, nachdem man diese Köstlichkeiten gegessen und den Wein getrunken hatte. Gribow erhob sich nämlich, kaum daß er den letzten Bissen verschlungen hatte, stieß den Stuhl nach hinten, griff nach den dänischen Sexmagazinen und winkte mit ihnen der wieder errötenden Nina Pawlowna zu. Er zeigte mit den Heften zum Schlafzimmer und ging voraus, seine Hosenträger bereits von der Schulter streifend. Die Leonowa folgte ihm und band dabei ihre Schürze ab. Abukows Anwesenheit schien die beiden überhaupt nicht zu stören; er verließ Gribows so gastliche Wohnung fast fluchtartig.

Auf dem Weg zur Kommandantur machte er einen Schwenker zu Mustai und fand ihn beim Brauen neuer Limonade. Die uralte Wasserpumpe knirschte und ratterte, aber das Wasser, das sie aus der Tiefe förderte, war kristallklar und ohne jeden Nebengeschmack. Mustai hielt Abukow einen Becher voll hin.

»Das Geheimnis meiner Limonade!« schrie er dabei begeistert. »Keiner macht mir das nach. Mirmuchsins Limonade ist die beste von ganz Rußland. Ehrlich, Brüderchen, hast du schon so ein Wasser getrunken? Wonach schmeckt es? Nach Chlor, nach Schwefel, nach Bittersalz, nach saurem Grund? Nein! Die Zunge badet sich in einem Wasser, das im Urstein gefiltert wurde. Kristallenes Taigawasser!«

»Und daraus machst du eine süße Jauche«, sagte Abukow frech, klopfte Mustai auf den Rücken und setzte sich an den Tisch mit den vielen Gläsern voller Essenzen und anderer Geheimmittel, mit denen Mustai seiner Limonade den besonderen »Mirmuchsin-Geschmack« verlieh. »Was gibt es Neues?«

»Waldmeister und Aprikosen . . .«

»Im Lager, du Idiot!«

»Nichts Neues.« Mustai stellte das Pumpen ein. Das Kreischen verstummte, es war plötzlich unheimlich still. Eine Stille, die sich

rätselhaft aufs Herz legte wie ein schwerer Stein. »Larissa Dawidowna ... wir verstehen sie nicht mehr.« Er hob die Schultern
und setzte sich neben Abukow auf die Holzbank. »Mit dem Professor spricht sie kaum noch, eure christliche Gemeinde ist voll
Sorge. Ein Glück, daß du gekommen bist, Victor Juwanowitsch.
Nicht auszudenken, wenn das passiert wäre, ohne daß ein Priester
ihnen neue Kraft gibt. Alles würde zusammenbrechen.«
»Vielleicht ist es nur passiert, weil ich gekommen bin«, sagte Abu-
kow leise und starrte gegen die Wand.
»Wie soll man das verstehen?« fragte Mustai völlig entgeistert.
»Wer kann das überhaupt verstehen?« Abukow legte den Arm
um Mustais Schulter. »Du bist mein Freund, Mustai ...«
»Vielleicht der einzig wirkliche, den du hast, Victor.«
»Ganz sicher. Der einzige. Das weiß ich.«
»Und ich bin Mohammedaner.«
»Solange wir an eine Allmacht Gottes glauben, sind wir Brüder. –
Mustai, du anerkannter Idiot ...«
Mirmuchsin grinste breit und legte auch seinen Arm um Abu-
kows Schulter. Sie saßen da, als wollten sie gleich aufspringen
und Schulter an Schulter einen kalmückischen Tanz tanzen.
»Ich möchte dir ein Märchen erzählen«, sagte Abukow. »Ein ganz
dummes vielleicht in deinen Augen, aber es ist ja auch nur ein
Märchen. Paß auf! – In einem fernen Land lebte einmal ein Mann,
der schon im Alter von zehn Jahren sein Elternhaus verlassen
hatte, um in einer Gemeinschaft von vielen klugen und geehrten
Männern alles zu lernen, was über die Welt und die Menschen,
den Himmel und die Erde bekannt war. Und als er eines Tages erwachsen war und soviel wußte wie wenige andere, wollte auch er
eintreten in diesen Bund der gottesfürchtigen Männer, der sich
›Kongregation vom Heiligen Kreuz‹ nannte und nach strengen
Regeln lebte. Eine dieser Regeln verbot die fleischliche Lust und
bestimmte, daß jeder Mann, der dem Orden beitreten wollte, das
heilige Gelübde der ewigen Keuschheit leisten mußte ...«
»Und solche Idioten gab es?« fragte Mustai ahnungslos; es lag
ihm fern zu vermuten, daß Abukow über sein eigenes Schicksal
berichtete. »Wie will man klug sein, obwohl man das Schönste am
Leben verdammt: Die Liebe einer Frau? Oder mußten sie Frauen
bewachen? Das gab's auch bei uns, in ganz frühen Zeiten, bei den
Sultanen. Eunuchen nannte man die, denen man die Männlich-
keit einfach wegschnitt.« Mustai winkte ab und schüttelte den
Kopf. »Nichts Neues. Man schnitt also deinem Mann das einfach
weg ...«
»Ein Märchen ist's nur, Mustai«, erklärte Abukow geduldig.
»Nein, man schnitt nichts weg, man verlangte nur den Schwur.

Und der Mann im fernen Land schwur ewige Keuschheit, wurde in die Gemeinschaft der Männer aufgenommen, man weihte ihn, und nun war er der Glücklichsten einer. Er kannte ja von Kind an nichts anderes als diese Männergemeinschaft und ihr Leben im Dienste der Wissenschaften.«

»Welch schreckliches Leben!« unterbrach ihn Mustai wieder. »Ist das ein Leben, je, frage ich? Studiert alle Klugheit, will damit das Leben erforschen und hat keine Ahnung, was Leben wirklich ist. Hierhin sollte er mal kommen, dieser kluge Blinde!«

»So lebte also dieser Mann – im Märchen, Mustai! – in vollem Frieden mit sich und seiner Welt in einer großen, herrlichen Stadt, im Angesicht des Auserwählten, der sich Gottes Stellvertreter auf Erden nannte . . .«

»Ist das ein Märchen voller Verrückter?« fragte Mustai und löste seinen Arm von Abukows Schulter. »Victor Juwanowitsch, es gibt bessere Märchen. Laß dir eins von mir erzählen. Das Märchen von dem Bauern, der zusieht, wie sein Knecht bei der Bäuerin den Teufel herausstößt – ha, das ist lustiger!«

»Eines Tages – Mustai, hör dir das Märchen zu Ende an, bitte! – begegnet dieser Mann mit seinem Gelübde der Keuschheit einer Frau. Einer unbeschreiblich schönen, wilden Frau, und es fährt wie ein Blitz in sein Herz.«

»Nur in sein Herz?« fragte Mustai schnell und grinste breit.

»Mustai! – Der Mann sieht diese herrliche Frau mit Augen, die nach seinem Gelübde Sünde sind. Er träumt von ihr in langen, qualvollen Nächten. Er sehnt sich nach ihr, wenn er allein ist. Und er läuft vor ihr weg, wenn er ihr begegnet. Seine Gedanken zerreißen alle Schwüre. Was bisher der Felsen seines Lebens war, zerbricht in der Flut seiner Gefühle. Er kennt nur noch diese eine Frau. Er zerreißt sich in diesem einen Wunsch, sie zu besitzen – doch steht er ihr gegenüber, und könnte er sie an sich ziehen, dann . . .«

». . . benimmt er sich wie ein Schaf, das bis zum Hals im Wasser steht und jämmerlich blökt . . .«

»So ähnlich, Brüderchen. Fast so . . .«

»Welch ein jämmerliches, schlechtes Märchen! Wo kommt's her? In welchem fernen Land können solche Idioten leben? Und warum erzählst du mir so was? Soll ich den Mann bedauern? Victor Juwanowitsch, dem Mann ist nicht mehr zu helfen, er verleugnet das Leben.«

Mustai griff nach einem Becher Limonade, ließ erst Abukow trinken und leerte ihn dann ganz. »Ist das eine Limonade, was? Waldmeister in einer geheimen Mischung! *So* ist die Wahrheit: Geheimnisvoll und süß – und ein Schwachkopf ist jeder, der nicht davon trinkt und sich daran labt.« Er stellte das Glas zur Seite.

»Wie geht's weiter mit dem Idioten?«

»Das war das Ende.«

»Was?«

»Bis heute – ein Märchen ist's, Mustai! – irrt der Mann herum zwischen Himmel und Hölle und fragt sich, fragt jeden, dem er begegnet, fragt seinen Gott und fragt Sonne, Mond und Sterne, fragt die Blumen auf der Wiese und die Bäume im Wald, fragt die Vögel in der Luft und die Tiere in ihren Höhlen: Was soll ich tun? Wer gibt mir einen Rat? Und so irrt er herum, ruhelos, nie befreit von dem Bild der Frau, das in seinem Herzen leuchtet . . .«

»Ein armer Mann«, sagte Mustai und stand auf. »Warum kann er nicht sehen?«

»Er kann sehen.«

»Nein! Denn wenn er sehen könnte, würde er erkennen, daß alles auf dieser Erde sich liebt: die Vögel auf den Zweigen, die Hirsche im Wald, die Murmeltiere in ihren Erdgängen, die Bären in ihren Höhlen, die Wölfe im Farn – alles liebt sich, denn kahl und leer wäre diese Welt ohne Liebe. Ausgestorben, Victor Juwanowitsch, eine blanke Kugel!« Mustai ging wieder zu seiner Pumpe und holte aus der Tiefe des Taigabodens sein kristallreines Wasser heraus. »Noch nie habe ich ein so dummes Märchen gehört«, sagte er in das Quietschen der Pumpenstange hinein. »Noch nie! Viel Schwachsinnige gibt es in den Märchen, aber dieser Mann ist der Schwachsinnigste von allen!«

»So ist es, Mustai Jamilianowitsch.« Abukow erhob sich von der Holzbank, reckte sich, als habe er alle Muskeln verkrampft, und schlug dann die Fäuste gegeneinander. »Kann ich bei dir schlafen?«

»Immer. Das weißt du doch.«

»Und gib Nachricht an die anderen. Ich möchte sie heute abend in der Schreinerei sprechen.«

»Es wird ausgerichtet. Aber ob sie kommen? Sie haben Angst vor Larissa Dawidowna. Keiner ist mehr sicher, was sie denkt . . .«

Abukow nickte, sehr nachdenklich sah er aus. Er nahm seine zwei Pakete auf und verließ Mustais Limonadenbrauerei. Mit einem Kopfschütteln sah ihm Mirmuchsin nach. Er begriff nicht, warum Abukow ihm dieses schreckliche, dumme Märchen erzählt hatte.

Den Genossen Jachjajew traf Abukow im Kommissarbüro an, wo Mikola Victorowitsch über einigen Protokollen brütete, die ihm große Sorgen machten und die er verbrennen sollte, damit sie nicht in die Hände seiner vorgesetzten KGB-Behörden fielen. Es waren Vernehmungen, die Jachjajew durchgeführt hatte, nach dem Oberstleutnant Rassim mit seinem Strafappell nichts weiter erreicht hatte als eine Lähmung der so nötigen Arbeitskraft.

Jachjajew hatte raffinierter vorgehen wollen als der Kommandant. Psychologisch gewissermaßen. Mit Fangfragen, in denen sich die Verhörten verstricken sollten wie in einem eng geknüpften Netz.

Da hatte er, um nur ein Beispiel zu nennen, den Kriminellen Schimanskow kommen lassen; einen Wegelagerer, der es fertiggebracht hatte, einen Munitionslastwagen der Roten Armee zu klauen, randvoll mit Patronen und zweihundert Maschinenpistolen vom Typ Kalaschnikow. Als man ihn faßte – durch Verrat übrigens –, hatte er bereits alles an Mongolen verkauft, die über den Amur nach Rußland eingesickert waren. Das brachte Schimanskow natürlich die Todesstrafe ein. Aber er war ein kräftiger Bursche, wie für schwere Arbeit geschaffen; vielleicht hatte dies eine Rolle dabei gespielt, daß er zu lebenslanger Zwangsarbeit in Sibirien begnadigt wurde. Im Lager JaZ 451/1 machte er sich sofort nützlich, indem er zwei Kameraden denunzierte, die beim Küchendienst ihre Taschen mit Grieß vollgestopft hatten. Es brachte ihm die Vergünstigung, nicht an der Trasse, nicht im Wald und nicht in den Sümpfen schuften zu müssen, sondern nur im Lagerdienst. Er war verantwortlich für die Sauberkeit der Barackengassen und des Appellplatzes. Er pflegte auch den Blumengarten von Kommandant Rassin und sorgte dafür, daß der Genosse Oberstleutnant immer frische Blüten in seiner Keramikvase stehen hatte. Eine Vase übrigens, die ein Häftling, ein Bildhauer, geformt hatte. Aber diesmal, beim Verhör durch Jachjajew, war es anders: Schimanskow wußte nichts von Hühnchen im Lager. Grandios überstand er jede Fangfrage, auch als Jachjajew ihn anschrie:

»Jetzt bist du erkannt, man hat dich gesehen. Hinter der Wäscherei hast du ein knackiges Hühnerbrüstchen gefressen. Leugne nicht . . . sag die Wahrheit! Ich weiß alles!«

Der gute Schimanskow verdrehte die Augen zur Decke, spreizte die Finger und schrie: »Tot umfallen will ich, wenn ich ein Hühnerbrüstchen gefressen habe!« Er konnte das ohne Furcht sagen, denn es war ein Hühnerbein gewesen, das ihm der Chirurg Fomin mit den Worten überreicht hatte: »Iß . . . damit sitzt auch dein Kopf locker!« Und Lew Porfiriowitsch hatte das Hühnerbein vertilgt, weil ihn genauso wie alle anderen der Hunger quälte.

Jachjajew verhörte ihn lange und gründlich, drohte alle Strafen an – aber er kam bei ihm nicht weiter. Bei drei anderen Kriminellen war es auch nicht viel besser. Eine Mauer des Schweigens, die sich nicht einreißen ließ.

Verständlich, daß Jachjajew nun mißmutig über den peinlich genau angefertigten Protokollen hockte und den Zeiten nachtrauerte, wo man einen Mann wie Schimanskow so lange über einem Bock mit einer Lederpeitsche befragen konnte, bis er alles, was man von ihm erfahren wollte, hinausjubelte. Noch zu Stalins Zeiten war das möglich gewesen – jetzt waren solche Verhöre verboten.

»Ah, Victor Juwanowitsch!« rief Jachjajew, als Abukow eintrat. »Ein Lichtblick in einem beschissenen Leben!« Sein Auge fiel auf das Paket in Abukows Hand. »Sie waren in Tjumen?«

Abukow hob das Päckchen hoch. »Das Kleidchen für Novella Dimitrowna. Größe 36. Ein entzückendes Kleidchen. Das neueste Modell. Raffinierter Schnitt. Eine Schaufensterpuppe hatte es an. Schon bei diesem Anblick konnte man wild werden. Die Tichonowa wird Ihnen um den Hals fallen, Mikola Victorowitsch, und ihr Bettchen aufdecken!«

»Sie sind ein echter Freund, ich wußte es!« sagte Jachjajew genau wie Smerdow in Surgut und sprang auf, kam mit ausgestreckten Händen auf Abukow zu und nahm das Paket in Empfang. »Was haben Sie ausgelegt, mein Lieber?«

»Betrachten Sie es als einen Beitrag zu unserer Freundschaft«, sagte Abukow und lächelte so vertraut, als habe man gemeinsam eine Bank ausgeraubt. »Heute abend, sobald es dunkel genug ist, stifte ich auch noch sechs Tafeln Schokolade, einen großen Rinderbraten und ein Kilo Fett. Außerdem habe ich Ihnen einen neuen Fotoband mitgebracht, von der Revolution bis heute. Ein hervorragender Band für Ihre politischen Lehrstunden im Lager.«

»Ein wahrer Schatz sind Sie, Abukow!« rief Jachjajew enthusiastisch. Er drückte das Paket mit dem Kleidchen an sich und sah Abukow mit hervorquellenden Augen an. »Glauben Sie, daß Novella Dimitrowna dieses Geschenk honoriert?«

»Wenn sie nicht aus Stein ist – ohne Zweifel. Bestehen Sie darauf, daß sie das Kleid sofort anprobiert, dann haben Sie sie ausgezogen vor sich!«

»Eine phänomenale Idee. Wie kann ein Mensch wie Sie nur ein einfacher Lastwagenfahrer sein? Ein Jammer ist das. Solch ein kluger Mensch! Warum hat bis heute keiner Ihre Fähigkeiten entdeckt?«

»Kann sein, das Schicksal hat gewartet, bis ich Ihnen begegne, Mikola Victorowitsch. Sie können viel für mich tun . . .«

»Ich?« Jachjajew war ein wenig verwirrt. »Wie denn?«

»Sie fördern die Künste – das Theater – und damit mich . . . Ich glaube, ich könnte ein großer Schauspieler und Regisseur werden . . .«

»Sie haben in Tjumen etwas erreicht, Abukow?«

»Vieles, Genosse. Der Gründung des Theaters steht nichts mehr im Wege. Es heißt amtlich ›Theater Die Morgenröte‹. Eine Gewerkschaft der Künstler ist bereits gegründet. Alle Papiere habe ich bei mir . . .«

»Ein Teufelskerl sind Sie.«

»Es gibt nur zwei Klippen im sonst ruhigen Wasser: Sie und Kommandant Rassim.«

»Ich nicht!« Jachjajew winkte betont jovial ab. »Mein lieber Victor Juwanowitsch, unsere Freundschaft soll nicht zerbrechen an einem Plan, den ich – gestehen wir es frei – für Unsinn halte. ›Theater Die Morgenröte‹ in einem Straflager. Mit Sträflingen als Akteuren. Aber wenn Tjumen es fördert . . . die Genossen an der Spitze haben den besseren Überblick. Ich bin keine Klippe, Abukow – nicht bei Ihnen. – Trinken wir jetzt einen Kognak!«

Eine Stunde blieb Abukow bei Jachjajew, dann ging er auf die andere Seite der Kommandantur und klopfte bei Rassim an.

»Keine Störung!« brüllte Rassim von innen. »Nur wenn Moskau brennt!«

Abukow klinkte die Tür auf und trat ein. Rassim saß mit Leutnant Sotow am Schachbrett und blitzte ihn mit feuerspuckenden Augen an. »Zwar brennt Moskau nicht«, sagte Abukow unbeeindruckt, »aber ich bringe andere gute Nachrichten aus Tjumen.«

Rassim lachte dunkel. Das waren Reden, die ihm gefielen. Er winkte Sotow zu und scheuchte ihn damit weg wie eine lästige Mücke. Mit einem dunklen, mörderischen Blick auf Abukow verließ Sotow schnell den Raum.

»Kommen Sie näher, Victor Juwanowitsch«, sagte Rassim und lehnte sich zurück. »Was klemmen Sie da unter dem Arm?«

»Einen Gruß aus Tjumen. Ein Kilo beste Pralinen und eine Flasche Bananenlikör aus Kuba. Für Sie, Genosse Kommandant.«

Er legte das Paket auf den kleinen Tisch vor dem Sofa und wartete. Aber Rassim schwieg. Er sagte, im Gegensatz zu Jachjajew, nicht danke, er zeigte keinerlei Freude – er blickte Abukow nur schweigend an, zeigte dann auf den von Sotow freigemachten Stuhl und kippte aus seiner weit zurückgelehnten Haltung wieder nach vorn.

Abukow setzte sich gehorsam und blickte über das Schachbrett. Rassim räusperte sich. »Spielen wir, Victor Juwanowitsch, Sie Satan!«

»Wieso Satan, Genosse Kommandant?«

»Wie ein listiger Teufel kommen Sie daher und wollen mich bestechen. Bei Süßigkeiten bin ich sterblich . . . das wissen Sie natürlich!«

»Ich weiß es«, sagte Abukow ehrlich. Bei Rassim hatte es keinen Sinn, die Rolle des Freundes wie bei Jachjajew zu spielen. Rassim war immer ein Gegner und blieb es, auch wenn man sein Blutsbruder wurde.

»Was wollen Sie von mir?«

»In drei Zügen sind Sie matt, Rassul Sulejmanowitsch.«

»Zum Kotzen ist es! Ich glaube es Ihnen! Mit Ihnen zu spielen, das ist, als ob man Schläge in den Magen bekommt.« Mit einer Handbewegung fegte Rassim die Schachfiguren vom Brett weg zur Seite. Wenn ein Russe so etwas tut, muß er wirklich erschüttert sein. Vier Dinge sind's, die im Leben eines Russen eine bevorzugte Rolle spielen: sein Heimatgefühl, sein Magen, das Schachbrett und das Billardspiel. Ist er mit allen vieren zufrieden, ist sein Leben glücklich zu nennen. »Abukow, was haben Sie in Tjumen gehört? Geht ein Flüstern über mein Lager herum?«

»In Tjumen kennt man JaZ 451/1 nur bei den damit beschäftigten Behörden. Nichts hört man sonst.«

»Aber in Surgut . . .«

»Man spricht über den Tod von Ilja Kriwow. Leutnant Sotow soll ihn erschossen haben, weil er ihn auf einer Frau angetroffen hat.«

»Lüge! Alles Lüge! Kriwow fiel in einem Anfall von Irrsinn den Leutnant an – es war absolute Notwehr. Wir haben Zeugen: Chefingenieur Morosow und die Genossin Chefärztin Tschakowskaja.«

»Wenn dem so ist«, sagte Abukow verhalten, »sollten Sie keine Sorgen haben, Genosse Kommandant. Vor allem das Zeugnis von Larissa Dawidowna hat großes Gewicht.« Er richtete sich im Sitzen auf, als nehme er vor Rassim Haltung an. Rassim starrte ihn fragend an. »Betrachten Sie mich, Rassul Sulejmanowitsch . . .«

»Ist getan! So schön sind Sie wiederum nicht . . . Was soll's?«

»Vor Ihnen sitzt das neue ›Theater Die Morgenröte‹. Der Vorsitzende der neuen Gewerkschaft gleichen Namens.«

»Sie haben es also erreicht. Ein Jammer, daß Sie kein Häftling sind – mit Ihrem Kopf würde ich im Winter das Eis auframmen! Abukow, ich stehe zu meinem Wort. Aber ich stehe auch zu meinem Wort, daß ich Sie mit Peitschen wegjagen lasse, wenn Ihr dämliches Theater die Ordnung in meinem Lager stört . . . Schließen wir diesen Privatpakt?«

»Wir schließen ihn.«

Sie reichten sich die Hand über den Tisch. Rassims Händedruck – er war ja ein Bulle von einem Kerl – war so hart, daß Abukow glaubte, er habe ihm das Blut abgedrückt, als er seine Hand wieder frei bekam. Unter dem Tisch schüttelte er sic, um das plötzliche Gefühl der Lähmung loszuwerden. Rassim grinste.

»Und nun holen Sie die Pralinen, Victor Juwanowitsch! Mir läuft das Wasser im Mund zusammen. Ist auch Nougat dabei?«

»Viel Nougat und Marzipan . . . Und Rumtrüffel . . .«

»Ein Satan, sag ich es doch!« Der Kommandant sah Abukow zu, wie er das Paket holte und die dicke Pralinenschachtel auspackte. Der Anblick der verführerisch auf Goldgrund sortierten Pralinen ließ seine Augen leuchten. Alle Härte verloren sie plötzlich, der sonst gnadenlose Blick wurde geradezu kindlich. »Nur zwei bekommen Sie, Victor Juwanowitsch! Nur zwei! Und ein Gläschen Bananenlikör. Aber wenn Sie glauben, mich damit bestochen zu haben, bauen Sie auf sumpfigen Grund. Mit Peitschen lasse ich Sie fortjagen . . .«

»So soll es sein, Genosse Kommandant!«

Abukow reichte ihm die Schachtel, und Rassim nahm drei Pralinen und steckte sie alle drei auf einmal in den Mund. Noch nie hatte Abukow ein solch verklärtes Gesicht gesehen, und plötzlich fragte er sich, wer der echte Rassim sei: der unerbittliche Eisenfresser oder der kindliche Mensch, der jetzt schmatzte und wieder in die Pralinen griff.

Im Geräteraum erhielt Professor Polewoi von Mustai die Nachricht, daß Abukow die Gemeinde in der Nacht im Versammlungsraum, der Tischlerwerkstatt, sehen wolle.

»Ich will's den anderen berichten«, sagte Polewoi zögernd. »Doch ob sie kommen? Alles hat sich geändert. Die Angst kriecht durch alle Ritzen. Soll etwa Larissa auch kommen?«

»*Alle*, hat Victor Juwanowitsch gesagt. Alle Christen . . .«

»Wer soll ihr das mitteilen?«

»Du!«

»Hinaus wirft sie mich! Niemand kann mehr mit ihr reden!«

»Victor Juwanowitsch wird es können.«

»Dann soll er es ihr auch selber sagen.«

Doch Abukow machte einen dritten Umweg, bevor er Larissa Dawidowna aufsuchte: Er ging zu Dr. Owanessjan. Dshuban Kasbekowitsch saß in seinem Arbeitszimmer vor einer kleinen Leuchtwand aus Milchglas und betrachtete ein Röntgenbild. Seit eindreiviertel Jahren besaß das Hospital eine bescheidene Röntgenanlage, einen einfachen Apparat eines total veralteten Musters, das von irgendeiner Stadtklinik abmontiert worden war und an das Lagerhospital weitergereicht wurde. Für Dshuban war es eine unersetzbare Hilfe, für die Häftlinge ein großer Fortschritt in der

Krankenversorgung des Lagers – denn jetzt konnte niemand mehr behaupten, daß ein trockener Husten vom mörderischen Rauchen getrockneter Farnkräuter herrührte, wenn auf dem Röntgenbild klar zu erkennen war, daß der Arme wirklich eine Tuberkulose hatte. Die einzige Schwierigkeit lag darin, daß Dshuban nicht genug Röntgenplatten-Negative erhielt, denn natürlich klappte der Nachschub nicht. In Swerdlowsk, von der Zentralkrankenhausverwaltung Westsibirien, gingen zwar die Röntgenplatten per Post nach Tjumen ab, aber dort verschwanden sie auf geheimnisvolle Weise. Nur wenige Platten kamen bis Surgut, und von den wenigen erreichte nicht mehr als ein armseliges flaches Päckchen das Hospital von JaZ 451/1. Zum Teil lag dies daran, daß auch das Musterlazarett des Frauenlagers Tetu-Marmontoyai einen Röntgenapparat besaß und Kommandant Kabulbekow sich selbst um den Nachschub kümmerte und den Genossen in Tjumen das Leben schwermachte, wenn eine Lieferung ausblieb oder sich verzögerte.

Dr. Owanessjan drehte sich um, als Abukow eintrat, und sofort glänzten seine Augen.

»Du bist wieder da?« sagte er mit vibrierender Stimme. »Komm her und sieh dir das an. Habe ich vor einer Stunde fotografiert. Weißt du, was das ist?«

Abukow trat an die erleuchtete Mattscheibe heran und sah auf das Röntgenbild. »Es müssen die Lungenflügel sein«, meinte er zögernd.

»Sie sind es.« Dshuban tippte mit dem Zeigefinger auf ein paar dunklere Schatten in der Lunge und legte seinen linken Arm um die Hüfte Abukows. Mit aufsteigendem Widerwillen spürte Abukow, wie der Arm leicht zitterte. Er machte sich steif und abwehrbereit. »Da sitzt es!« sagte Dshuban wohlgefällig, als habe er eine grandiose Entdeckung gemacht.

»Was?« fragte Abukow. Dshubans Arm begann seine Hüfte zu drücken.

»Das Karzinom! Lungenkrebs hat der Bursche. Hustet seit einem halben Jahr und ist jedesmal, wenn er sich krank meldete, als Simulant in die Wälder zu den Fällerbrigaden gejagt worden. Wer ahnt denn so was? Nur weil er jetzt Blut spuckte, habe ich ihn geröntgt. Welch ein Krebs! Die ganze Lunge übersät . . .«

»Und was wird nun aus ihm?«

»Nichts. Das kann ich nicht operieren. Wie soll ich hier eine Lobektomie machen?«

»Er wird also elend sterben?«

Der Chirurg zuckte mit den Schultern. »Wir sind hilflos. Jedenfalls wird er nicht im Sumpf verrecken, sondern in einem weißbezogenen Bett sterben. Ohne Schmerzen, vollgepumpt mit Morphium. Viele werden ihn beneiden.«

Owanessjan knipste das Licht hinter der Milchglasscheibe aus, nahm das Röntgenbild ab und warf es auf einen Tisch, der mit Papieren übersät war. Dabei ließ er den linken Arm um Abukows Hüfte.

»Mein Lieber, haben wir jetzt ein wenig Zeit füreinander?« fragte er. Seine Stimme bebte dabei, als habe auch er Schwierigkeiten mit dem Atmen.

»Nein«, sagte Abukow grausam nüchtern.

»Nicht?« Dshuban sah ihn mit traurigen Hundeaugen an. »Victorenka ... wir sollten gemeinsam ein schönes Abendessen zu uns nehmen, eine gute Flasche Wein trinken und uns näher kennenlernen. Das Leben hier ist so düster.«

»Ich habe Ihnen aus Tjumen etwas mitgebracht, Dshuban Kasbekowitsch. Das wird Sie aufheitern. Wird heimlich verkauft, aber als ich es sah, dachte ich sofort an Sie.« Abukow griff in den Rock und legte das Homomagazin auf den Tisch. Owanessjan warf einen schnellen Blick auf das Titelfoto – es zeigte einen kräftigen jungen, muskulösen Mann in paradiesischer Schönheit –, stieß einen tiefen Seufzer aus und ließ Abukow los.

»An mich hast du dabei gedacht«, sagte er mit sichtbarem Glück.

»O mein lieber Victor ... Wann haben wir Zeit füreinander?«

»Wir werden sehen. Würden Sie, Genosse Owanessjan, bereit sein, meiner neuen Gewerkschaft ›Theater Die Morgenröte‹ beizutreten?«

»Die Morgenröte. Welch ein schöner Name!« Owanessjan starrte noch immer auf das Titelfoto des Magazins. »Wenn du es willst, mache ich mit ...«

»Es wäre uns eine große Hilfe, Dshuban Kasbekowitsch. Ihr Name als Mitglied der neuen Künstlergewerkschaft – ... es würde in Tjumen einen guten Eindruck machen.«

»Besprechen wir das alles bei einem Weinchen!« rief Owanessjan.

»Mein lieber, lieber Victor ... wir werden uns wunderbar verstehen.«

Wie eine Befreiung empfand es Abukow, als er das Zimmer des Arztes verlassen konnte. Draußen im Flur atmete er tief auf. Hinten, im Vorraum, sah er Professor Polewoi stehen, in einem weißen Kittel.

Langsam ging er auf ihn zu und dachte daran, daß nun der letzte Besuch kommen mußte. Abwechselnd heiß und kalt wurde es ihm. Innere Abwehr empfand er und gleichzeitig erwartungsvolle Vorfreude, wenn er an Larissa dachte und an die Stunde, die er verfluchen sollte und die doch in seiner Erinnerung als etwas unbeschreiblich Schönes leuchtete. Zum erstenmal in seinem Leben hatte er einen lockenden nackten Frauenkörper gesehen – nicht nur auf einem Bild, sondern wirklich und wahrhaftig.

Polewoi faltete die Hände, verneigte sich demütig und wartete, bis Abukow das Kreuz geschlagen hatte.

»Es ist alles so schrecklich«, sagte der Sträfling leise. »Wir wissen nicht mehr, was wir tun sollen. Die Angst geht um, daß Larissa uns alle verrät.«

»Hätte sie das gewollt, würdet ihr schon verhört sein und auf dem Weg nach Surgut. Oder Rassim hätte euch von den Hunden jagen lassen mit der Behauptung, eine Gruppe christlicher Revolutionäre habe einen Aufstand versucht. Aber nichts ist bisher geschehen.«

»Gehst du jetzt zu ihr, Väterchen?«

»Ja.«

Polewoi legte die Hand auf seinen Arm: »Sei vorsichtig. Sie hat sich völlig verändert. Kein Wort von uns erreicht sie mehr.«

»Gott hat den Menschen erschaffen mit allen Vorzügen und allen Fehlern«, sagte Abukow. »Man muß es hinnehmen. Ob Freude oder Leid – alles gehört zum Leben.« Er stockte und holte tief Luft: »Auch die Sünde! Was hätte Gott sonst zu verzeihen?«

Mit einem Ruck wandte er sich ab, ließ den verblüfften Polewoi stehen und ging mit langen Schritten zur Wohnung der Tschakowskaja.

Larissa saß im Wohnzimmer auf ihrem Sofa und hatte sich immer und immer wieder gefragt: Kommt Abukow zu mir – oder kommt er nicht? Was soll ich tun, wenn er mich einfach ignoriert, bei Gribow oder Mustai bleibt, mit ihnen ißt, mit ihnen trinkt und ohne die geringste Gewissensqual in irgendeinem Bett ruhig schläft? Wenn er mir durch sein Fernbleiben zeigt, wie unwichtig ich für ihn bin, wie groß sein Ekel vor mir ist nach alldem, was ich ihm angetan habe? Was soll ich dann tun?

Sie fand keine Antwort darauf. Sie spürte nur, daß sich an ihrem leidenschaftlichen Gefühl, an ihrer Liebe nichts geändert hatte und daß jede Minute ohne Abukow die Sehnsucht nur noch größer machte.

Als es an der Tür klopfte, erstarrte sie. Dies war nicht das demütige Kopfen von Polewoi, das mehr einem Hundekratzen glich. Es war auch nicht Rassims Faust – der Kommandant klopfte nur mit den Fäusten –, nein, es war ein zartes Klopfen von gespannten Handknöcheln.

Sie verhielt sich still, gab keinen Ton von sich und preßte die Hände zwischen ihre Knie. Wenn er es ist, o Himmel, wenn er es ist . . . sie fühlte sich wie in einem luftleeren Raum.

Abukow trat ein, nachdem er von innen keinen Zuruf gehört hatte, machte hinter sich die Tür zu und blieb am Eingang stehen. Stumm sahen beide sich an, und ebenso wortlos drehte sich Abukow noch mal um und schloß die Tür ab. Die Tschakowskaja zuckte zusammen, aber als er sich ihr wieder zuwandte, saß sie ebenso steif da wie vorher.

»So ist das nun«, sagte Abukow, kam zum Sofa und stellte sich vor sie. Die Tschakowskaja hob den Kopf, sah ihn an; ihr Gesicht war schmaler geworden in der einen Woche, knochiger, auf eine betörend schöne Art asiatischer und geheimnisvoller.

»Wenn du mich schlagen willst . . .«, sagte sie mit ruhiger Stimme. Sogar die Stimme war anders, klang tiefer, nicht mehr so hell und mädchenhaft.

»Warum sollte ich dich schlagen?« Abukow schüttelte den Kopf. »Nie würde ich eine Frau schlagen.«

»Was willst du hier? Warum quälst du mich? Ich habe es wahr gemacht. Ich habe sie alle in die Wälder und Sümpfe gejagt. Alle!«

»Ich weiß. Und du hast dafür gesorgt, daß sie sich mit Chefingenieur Morosows Hilfe, fern von Kommandant Rassim, an der Trasse ausruhen konnten. Und daß sie im Lager die anderthalbfache Portion Essen bekamen. Sotows Mord ist nicht deine Schuld. Erfahren habe ich, daß du eine Meldung darüber nach Moskau geschickt hast; in Tjumen liegt sie jetzt und bleibt auch da liegen.«

»Das werde ich ändern!« rief Larissa. »Meinen Brief unterschlagen sie? Ist das wahr? Sie halten meine Meldung fest?«

»Du hast der christlichen Gemeinde im Frauenlager mitgeteilt, daß ich gekommen bin«, fuhr Abukow ruhig fort. »Du bist an die Erdgasleitung gefahren, um Morosow zu bitten, die Schwachen am Waldrand ruhen zu lassen. Vielen hat dies das Leben gerettet. Aber nur wenige begreifen das.«

»Du siehst das falsch, völlig falsch«, sagte sie hart, stand auf, drehte ihm den Rücken zu und blickte aus dem Fenster. Aber sie sah nichts; sie blickte in die Weite, ins Leere. »Ich habe sie hinausgejagt, weil ich sie hasse. Euch alle hasse!«

Abukow trat hinter sie. So nahe kam er heran, daß sie seinen Atem in ihrem Nacken spürte. Ihre Nackenhaare sträubten sich, ein Frieren lief durch ihren Körper.

»Man muß es so hinnehmen«, sagte Abukow langsam. Er griff in die Tasche, holte das goldene Medaillon, das er in Tjumen gekauft hatte, heraus und hielt es ihr über der Schulter vor die Augen.

»Was ist das?« fragte sie.

»Für dich habe ich es gekauft.«

»Ein Medaillon?«

»Ja.«

»Man kann es aufklappen?«

»Ja.«

»Und wenn man es aufklappt, ist ein Kreuz darin! – Ich will kein Kreuz mehr.« Und plötzlich schrie sie und ballte die Fäuste: »Ich hasse auch das Kreuz!«

Sie riß Abukow das Medaillon aus der Hand, wollte es gegen die Wand werfen – aber dann nahm sie es mit beiden Händen, öffnete den goldenen Deckel, sah Abukows Bild, seine lachenden Augen, seine lächelnden Lippen, dieses geliebte Gesicht, das immer gegenwärtig gewesen war, wenn sie die Augen schloß . . . es war in ihren Händen von Gold umrahmt; an ihrer Brust konnte sie es tragen, es würde immer bei ihr sein . . .

Sie schloß die Augen, ließ sich nach hinten sinken, er fing sie auf, schlang die Arme um sie und hielt sie fest. Sie spürte seine Hände auf ihren Brüsten, sein Atem wehte über sie, betäubend war das, unerklärlich schön und von einer befreienden Schwerelosigkeit. Ihre Hände hoben das Medaillon zum Mund, sie biß darauf, ihre Zähne schlugen in das Gold. Und während Abukow sie zum Bett trug und ihren Hals, die Schläfen, die Stirn und ihre Augen küßte, weinte sie vor Glück und Erlösung und behielt das Medaillon zwischen ihren Zähnen auch dann noch, als ihre völlige Hingabe ihren Leib zerbarst.

Stunden später saß Abukow allein auf dem Sofa, hatte den Kopf zwischen seine Hände genommen und starrte in die Dunkelheit. Larissa Dawidowna schlief nebenan in einer fast ohnmächtigen Seligkeit.

Mein Gott, dachte er, was habe ich getan? Mein Gott, verzeih mir. Verzeih die Schwachheit eines Menschen . . . es war doch so schön – so himmelweit schön . . .

Irgendwann in der Nacht wachte Larissa Dawidowna auf, und als sei es selbstverständlich und nie anders gewesen, tastete sie zur Seite, um Abukow zu fühlen. Aber der Platz neben ihr war leer. Sie fand den Geliebten im Wohnzimmer. Noch immer saß er auf dem Sofa, aber auch er schlief jetzt, den Kopf weit zurück an die Lehne gedrückt, die Hände auf den Sitzpolstern, als habe er sich hochstemmen wollen, aber dazu nicht mehr die Kraft gehabt.

Eine Weile sah sie ihn schweigend an. Sein nackter Oberkörper glänzte, eine heiße Nacht war es, denn Wald und Sümpfe hatten die Hitze des Tages gestaut und gaben sie jetzt frei wie ein ausstrahlender Backofen. Aus dem Haaransatz rann ihm der Schweiß in winzigen Rinnsalen über das Gesicht, aber er schlief fest. Nur ab und zu flimmerte ein leichtes Zucken über seinen Körper, als seien die Nerven noch nicht völlig zur Ruhe gekommen.

Die Tschakowskaja setzte sich vorsichtig neben ihn, um ihn nicht zu wecken, zog das kurze baumwollene Nachthemd über den Kopf und tupfte ihm damit den Schweiß von Brust und Gesicht. Er dehnte sich etwas unter dieser Berührung, sofort hörte sie auf. Doch er schlief weiter, rutschte nur etwas tiefer und kam dadurch in eine Lage, die unbequem sein mußte, vor allem für seinen Nakken.

Ganz langsam, ganz zärtlich umfaßte sie seine Schultern, drehte ihn zur Seite, brachte ihn in eine liegende Stellung, hob seine Beine auf das Sofa, setzte sich dann wieder, hob seinen Kopf und bettete ihn in ihren Schoß. Abukow schlief weiter, er seufzte nur einmal auf, befeuchtete mit der Zunge seine trockenen Lippen, streckte sich und schob seinen Kopf vollends zwischen ihre Schenkel.

Bewegungslos saß sie da, betrachtete ihn, streichelte sein Gesicht und seine Brust, legte ihre Hand auf sein Herz und spürte beglückt den gleichmäßigen Schlag und das Pulsieren seines Blutes. Mein bist du, dachte sie dabei. Ganz mein. Niemand kann dich mir mehr wegnehmen . . . die Menschen nicht, dein Glaube nicht, Sibirien nicht – nur der Tod. Und gemeinsam werden wir sterben, wenn es sein muß. Ein Körper sind wir geworden, eine Seele, ein Gedanke, ein Schicksal. O Victor Juwanowitsch, eine Liebe ist es ohne Beispiel . . .

Nach einer Stunde etwa zuckte Abukow zusammen, sein Atem wurde lauter, er schlug die Augen auf, sah und fühlte die Geliebte und spürte die Hand, die auf seinem Herzen lag.

»Larissanka . . .«, sagte er leise. »O laß diese Nacht nie zu Ende gehen . . .« Er hob den Kopf, küßte ihre Brust, ließ sich dann zurück in ihren Schoß sinken und war von einem unbeschreiblichen Glück erfüllt. »Wie lange liege ich schon hier?«

»Es gibt keine Stunden mehr, Victorenka . . .« Sie küßte seinen Mund, trocknete mit ihrem dünnen Nachthemd den Schweiß von seinem Gesicht und seiner Brust und seufzte, als er den Kopf drehte und die Innenseite ihres Schenkels küßte.

»Ich . . . ich habe ein Gelübde gebrochen«, sagte er leise, »aber ich fühle mich wie eine Lerche, die der Sonne entgegenfliegt. Ist das nicht schrecklich?«

»Wir haben nichts zu bereuen, mein Liebling. Nichts zu bereuen! Wenn Gott dich der Liebe wegen verflucht, ist er ein böser Gott. Dann sollte man ihn vergessen.«

»O Himmel! Sprich so etwas nicht aus, Larissa . . .«

»Unter die Sonne werde ich mich stellen und es ihm entgegen-schreien. Ich liebe Victor Juwanowitsch, deinen Knecht und Prie-ster! Hör mich an, Gott: Nichts bereue ich! Wenn du das nicht ver-stehst dort oben, dann wende dich ab von uns! Wir brauchen dich nicht!« Sie streichelte wieder sein Gesicht. »Brauchen wir ihn denn, mein Liebling?«

»Ich bin sein Diener und nur des Auftrages wegen, sein Wort in der Knechtschaft und Verfolgung zu verkünden, nach Sibirien gekommen.«

»Kann man nicht lieben wie ein Mensch und trotzdem predigen? Was heißt Gelübde? Diese unmenschliche Vorschrift ist von ei-fernden Fanatikern aufgestellt worden, nicht von Gott.«

»Das Zölibat wurde im Jahre 306 auf der Synode von Elvira be-schlossen.«

»Man sollte nachforschen, ob der damalige Papst impotent war«, sagte die Tschakowskaja hart.

»Es findet seine Begründung in der Bibel. Es steht in Matth. 19,12 und im Brief des Paulus an die Korinther, Kapitel 7, Vers 32–34 . . .«

»Dann streich diese Stellen aus der Bibel weg«, sagte sie und seufzte. »Ich muß dir etwas sagen, Victorenka . . .«

»Ja, mein Liebling . . .«

»Du bist seit sieben Jahren wieder meine erste Liebe. Sieben Jahre . . .« Sie lehnte sich zurück, legte den Kopf weit in den Nak-ken und blickte gegen die Decke. Draußen schob sich die Däm-merung über die Taiga; wie jeden Morgen leuchteten die Baum-wipfel dunkelviolett und zogen sich Streifen über den Himmel.

»Fünfundzwanzig war ich, und Stepan war mein zweiter Mann. Der erste hieß Dmitri; Studenten waren wir in Moskau, beide neunzehn, und wir liebten uns ein Jahr – bis Dmitri eine Ärztin kennenlernte und zu ihr zog. Sie hatte gute Verbindungen zur Universität, und Dmitri bestand später alle Examina mit Aus-zeichnung. Stepan, der zweite, war auch Arzt, Oberarzt in der Lungenklinik von Rybinssk. Als Assistentin kam ich hin, ein schöner großer Mann war er, mit schwarzen Locken, und er lachte immer und war fröhlich. Immer, wenn und wo es möglich war, tanzte er. Wir tanzten sogar im Röntgenraum um das Röntgenge-rät herum, wenn Tanzmusik aus dem Radio klang. Überall, wo er hinging, nahm er sein Radio mit. So einer war Stepan. Nach einem Jahr starb er qualvoll an Knochentumoren. Strahlenschäden . . . er war so leichtsinnig und stand jeden Tag stundenlang im Röntgen-raum vor den kranken Lungen. Damals ging eine Welt für mich unter. Sieben Jahre lang . . . und dann bist du gekommen.«

»Warum erzählst du mir das?« fragte Abukow und zog ihren Kopf zu sich hinunter. Sie blickten sich an, und er sah, wie ernst ihre Augen waren.

»Du wirst der letzte sein«, sagte sie langsam. »Nichts kommt mehr nach dir. Nichts – nur der Tod! *Das* sollst du wissen.« Sie befreite ihren Kopf aus seinem Griff und blickte zum Fenster. »Der Morgen ist gleich da, Victor, mein Leben! Willst du dich fortschleichen? Zwei Augen genügen, und sofort weiß es das ganze Lager. Mir ist es gleichgültig. Ich sage es jedem: Ich liebe Victor Juwanowitsch.«

Als die Sonne über den Wäldern emporstieg, duschte sich Abukow, und die Tschakowskaja seifte seinen Körper ein, massierte ihn unter dem Wasserstrahl, küßte ihn von der Stirn bis zu den Zehen, trocknete ihn ab und benahm sich, als sei sein Weggehen ein Abschied für immer.

Dann war sie allein, betrachtete ihren wassertropfenden Körper in dem großen Wandspiegel, strich mit den Händen über Brust, Bauch und Hüften und verging in Glück und Sehnsucht. »Nun wird alles anders, Larissa Dawidowna«, sagte sie zu ihrem Spiegelbild, und der Spiegel warf ihre leuchtenden Augen zurück. »Wir werden über dieser Hölle den Himmel herunterziehen . . .«

Abukow hatte kaum die Wohnung der Tschakowskaja verlassen, da stieß er auf Dr. Owanessjan. Der Chirurg kam aus einem Krankenzimmer, in dem ein Frischoperierter lag. Der noch diensthabende Nachtpfleger hatte ihn alarmiert, weil am Amputationsstumpf eine Nachblutung aufgetreten war.

Betroffen blieb Dshuban stehen. Wer beim Morgengrauen aus der Wohnung der Tschakowskaja kam, den brauchte man nicht mehr zu fragen, was passiert war. Seine schwarzen Augen flatterten; es war eine ungeheuerliche Enttäuschung für ihn.

»So ist es, Dshuban Kasbekowitsch«, sagte Abukow ruhig und kam näher. »Ja, ich war die Nacht über bei ihr . . .«

»Du hast mich verraten«, antwortete Owanessjan dumpf.

»Ich habe niemals so empfunden wie Sie, Dshuban. Leider ist es mir bis heute nicht gelungen, Ihnen das klarzumachen. Nun sehen Sie es.«

»Warum hast du mir denn das Magazin aus Tjumen mitgebracht?«

»Eine Freude sollte es Ihnen machen. Wir können immer Freunde sein.«

»Ich liebe dich, Victor Juwanowitsch«, sagte Owanessjan leise. In diesem Augenblick konnte man wirklich Mitleid mit ihm haben. »Es . . . es ist hart, das andere zu sehen . . .«

»Mit uns beiden wäre nie etwas möglich gewesen, Dshuban Kasbekowitsch. Bleiben wir trotzdem Freunde?«

Dr. Owanessjan nickte. Sein trauriger Blick glitt über Abukow; es war wie ein Abschied von einer großen Liebe. »Wir bleiben es«, sagte er dann etwas mühsam.

»Und Sie wirken bei meinem Theater mit?«

»Ja, natürlich.«

»Treten der Gewerkschaft der Künstler bei?«

»Auch das.« Owanessjan wischte sich mit der Hand über das Gesicht. Als er sie zurückzog, war er wieder der alte. Es war erstaunlich, wie schnell er die neue Situation beherrschte. »Wie . . . wie ist das denn gekommen zwischen Larissa und dir . . .?«

»Es war unausweichlich, ganz einfach Schicksal. Wie bei Elementen, die miteinander verschmelzen müssen, weil es natürlich ist. Verstehen Sie das, Dshuban?«

»Ja.« Dr. Owanessjan steckte die Hände in die Taschen seines weißen Arztkittels. »Es muß himmlisch sein, so zu lieben und geliebt zu werden.«

Aus dem Zimmer wurde jetzt der Amputierte gerollt, er stöhnte leise. »Ich muß in den OP«, sagte Dshuban. »Wann reden wir weiter?«

»Nach der Selektion. Ich werde die Eintragungsliste für die Gewerkschaft mitbringen.«

Abukow wartete, bis Owanessjan und der Amputierte um die Biegung des Flures verschwunden waren. Als er weiterging, begegnete er Professor Polewoi, der ihn vorwurfsvoll ansah und sagte: »Ich weiß es . . . Diese Nacht habe ich nicht schlafen können. Ich sehe alles . . . Das ist nun das Ende, Victor Juwanowitsch.«

»Der Anfang ist es, Georgi Wadimowitsch. Ein Neubeginn!«

»Die Gemeinde hat auf dich gewartet. In der Schreinerei, wie bestellt. Alle waren sie da. Unter Lebensgefahr, du weißt es. Aber er kam nicht, unser Priester. Bis Mitternacht haben sie gewartet, und dann haben wir gebetet und leise unser Lied gesungen: ›Befiehl, o Herr, den Weg, der unser ist, geleite uns in deine Gnade . . .‹ Und immer noch nicht kam unser Priester, der uns zusammengerufen hatte. Wie konnte er auch kommen? In den Armen von Larissa Dawidowna lag er doch . . .«

»Ich bin ein sündiger Mensch«, sagte Abukow und senkte den Kopf. »Aber ich habe euch deswegen nicht verlassen. Und ich werde es euch beweisen. Behaltet euer Vertrauen.«

»Schwer wird das sein. Sehr schwer, Victor Juwanowitsch.« Polewoi fuhr sich mit gespreizten Fingern durch das abstehende weiße Haar.

»Wir fangen noch heute in der Kraftfahrzeughalle III mit dem Bau der Bühne an. Ich werde versuchen, daß Rassim mir Schreiner freigibt.«

»Und Larissa Dawidowna? Sie ist nicht mehr auf unserer Seite.« Abukow schüttelte den Kopf. »Begreift ihr denn nicht, was sie bisher für euch getan hat? Seid ihr alle blind?«

»Für einen Sterbenden ist ein Tropfen Wasser mehr auf seinen Lippen kaum noch von Bedeutung«, sagte Polewoi dumpf. »Laß erst den neuen Winter kommen – wer wird ihn überleben?«

Er wandte sich ab und ließ Abukow stehen, der mit gesenktem Kopf das Hospital verließ und hinüberging zu Mustai in die Limonadenfabrik. Mirmuchsin saß neben seinem Bett und nahm sein Frühstück zu sich. Knackfrische Brötchen aus der Lagerbäckerei, Butter und gekochten Schinken. Dazu trank er grünen Tee, gewürzt mit Tannenhonig. Er hob den Kopf, als Abukow eintrat, sah ihn kurz an, fand kein Wort der Begrüßung, sondern aß weiter, als sei der andere gar nicht im Raum.

»Gott segne deine Mahlzeit«, sagte Abukow und setzte sich auf das Bett.

Mirmuchsin verzog sein Gesicht, rülpste provokativ, nahm einen Schluck Tee, ließ ihn im Mund kreisen und schluckte ihn erst dann hinunter.

»Eis ist nebenan in der Kühlmaschine«, sagte er unvermittelt.

»Wieso Eis?« fragte Abukow, froh, daß Mustai überhaupt sprach.

»Um deinen Schwanz zu kühlen . . .«

»Willst du unbedingt, daß ich dich ohrfeige?« fragte Abukow und stand auf.

»Versuch es!« Mustai biß in das Brötchen und ließ es zwischen seinen Zähnen knacken. »Im nächsten Limonadenkessel ersäufe ich dich! Und das Getränk verkaufe ich zum doppelten Preis. Jeder wird einen Schluck davon haben wollen, um dich dann symbolisch wegzupinkeln. Wird das ein Geschäft werden!« Mirmuchsin hob die Nase und schnupperte wie ein Hund. »Du stinkst nach Weib. Nach verfluchtem Tschakowskaja-Schweiß . . .«

Das war der Augenblick, in dem Abukow zugriff, Mustai von seinem Stuhl hochriß und ihn gegen die Wand schleuderte, als sei er ein Bündel Stroh. Mirmuchsin krachte gegen das Holz, rutschte an der Wand zu Boden und blieb auf den Dielen sitzen. Das Funkeln in seinen Augen war wie der Blick eines Tigers, bevor er zum Sprung ansetzt.

»Bleib dort, Mustai . . .« Abukow atmete schwer. »Ich habe starke Fäuste. Bei Gott, ich halte sie nicht zurück, wenn du aufstehst. – Willst du mir zuhören?«

»Ich hätte dich doch erwürgen sollen«, sagte Mustai kalt. »Damals in Tjumen. So schön war dein Hals vor mir, und die Schnur juckte in meinen Fingern. Oh, hätte ich's bloß getan! Aber triumphiere nicht. Verräter leben hier nicht lange. Nur ein Aufschub ist's, du Hurenbock. Wenn du's am wenigsten erwartest, hängst du am Baum! Die Zeit läuft uns nicht weg . . .«

»Du wirst es nicht begreifen, Mustai Jemilianowitsch, aber ich liebe Larissa. Mein ganzes Leben ist verändert worden. Auf wundersame Art geändert . . .«

»So mag es sein! Du hast deine Christen verraten. Ihr Leben wird sich ändern . . .«

»Wir werden schon am Sonntag eine Kirche haben und unseren ersten Gottesdienst abhalten«, sagte Abukow fast feierlich. »Auch du bist ein Gründungsmitglied der neuen Gewerkschaft ›Theater Die Morgenröte‹. Du stehst auf der Liste, ebenso wie Gribow, Dshuban Kasbekowitsch, die Leonowa und Morosow. Eine Genossenschaft der Künstler.«

»Ich – ein Künstler?« Mustai schob sich an der Wand hoch. Rücken und Steiß schmerzten ihn. Kraft hat er, der Victor Juwanowitsch, dachte er anerkennend. Wirklich, ein Bursche mit Muskeln. »Das ist verrückt!«

»Eine gute Stimme hast du. Und Hirtenflöte kannst du blasen, stimmt das nicht? Du wirst ein gefeierter Darsteller werden.«

»Ich? Auf einer Bühne? Vor allen Leuten? In die Hosen mach ich mir . . . das wird ein Schauspiel werden!« Er stieß sich von der Wand ab, aber er kam nur einen Schritt vorwärts, denn sofort duckte sich Abukow und schob die Fäuste vor. »Keinen Ton kann ich singen, wenn du mir die Zähne einschlägst.«

»Willst du mich ruhig anhören, Mustai?«

»Es muß wohl sein.«

»Ich liebe Larissa Dawidowna, das ist das eine. Das andere ist: Ich werde helfen, wo es möglich ist. Ich werde Leben retten, wenn ich es kann. Wir werden eine Kirche haben . . .«

»Das erzähl denen, die es angeht – ich bin Mohammedaner. Die anderen glauben dir nicht mehr. Gewartet haben sie auf dich die halbe Nacht. Dann sind sie durch das Loch unter dem Zaun wieder zurückgekrochen ins Lager. Ihr Priester hatte sie verraten . . . Hurte herum, während sie vor Angst froren . . .«

»Es ist meine Schuld, ich leugne sie nicht.« Abukow setzte sich wieder auf Mustais Bett.

»Welch fröhliches Priesterlein bist du«, sagte Mustai giftig. »Seid ihr nicht die, die im Auftrag eures Gottes Sünden vergeben können? Die sich alles erzählen lassen, was der Mensch so tut, und dann sagen: Bete und bereue, und du bist frei von Schuld. – Laß mich lachen, Victor Juwanowitsch. Du willst Sünden vergeben und badest selbst in Sünden! Das ist wie der Wolf, der ein Schaf reißt und zu ihm sagt: ›Sieh, du tust dein Bestes . . . du ernährst einen anderen.‹ Ist so eure Religion?«

»Nach dem Mittag bauen wir die Bühne«, sagte Abukow. Was sollte man auf Mustais Rede antworten? Jedes Wort lag schwer auf seiner Seele. »Kommst du mit?«

»Welche Frage! In deiner Nähe werde ich bleiben wie dein schlechtes Gewissen.« Mirmuchsin kam nun doch näher; die Erregung der ersten Minuten war verdampft. »Was ist zu tun?«

»Geh hinüber zu Nikita Borisowitsch Rakscha und sag ihm, daß die Halle III seiner Werkstatt zum Theatersaal ernannt ist.«

»Ahnt er etwas?«

»Er wartet darauf. Rakscha spielte in Jugendjahren auf einer Laienbühne. Er wird sogar Hauptrollen übernehmen.«

»Auch Nikita Borisowitsch!« rief Mustai klagend. »Auch er ein Verrückter! Wie kann die Welt sich ändern bei soviel Schwachsinnigen . . .«

Abukow griff zu Mustais Teeglas, nahm einen Schluck, steckte sich eine Scheibe gekochten Schinken in den Mund und verließ die Limonadenbrauerei. Vor dem Hospital schoben sich schon die Krankgemeldeten durch die Tür der Ambulanz. Die Selektion hatte begonnen. Hinter einem kahlen Tisch saß die Tschakowskaja, betrachtete die Elendsgestalten, hörte sich ihre Leiden an und entschied über das Schicksal eines neuen Tages.

Oberstleutnant Rassim hatte sich gerade geduscht und lief nackt unter einem breiten Badetuch durch sein Zimmer, als Abukow klopfte.

»Nein!« brüllte Rassim sofort. »Wer es auch ist: Leck mich am Arsch!«

Abukow trat ein. Rassim fuhr wie von der Tarantel gestochen herum und öffnete den Mund zu einem fürchterlichen Gebrüll. Aber als er Abukow sah, sagte er nur gepreßt: »Auch Sie habe ich gemeint!«

»Darum bin ich hereingekommen, Genosse Kommandant.« Abukow lächelte entwaffnend. »Ihre Einladung nehme ich an. Ich sehe, Sie sind frisch gebadet und der Kleidung nach bereit.«

Einen kurzen Moment stutzte Rassim, dann verzog sich sein breites Bullengesicht zu einem Lachen. »Ein frecher Hund sind Sie, Victor Juwanowitsch«, sagte er und rubbelte sich mit dem Badetuch ab. »Was wollen Sie? Mein Dienst hat noch nicht begonnen.«

»Gleich rücken die Arbeitsbrigaden aus. Da benötige ich vorher Ihre Entscheidung. Ich brauche mindestens zehn Schreiner.«

»Rechnet man heute mit soviel Särgen?« fragte Rassim böse.

»Bis zum Mittag ist die Halle III ausgeräumt, dann beginnen wir mit dem Bau der Bühne. Genosse Kommandant, Sie versprachen mir Ihre Unterstützung.«

»Aha! Da haben wir's! Ein Kilo Pralinen und eine Flasche Bananenlikör aus Kuba sollten mich gefügig machen.« Rassim ließ das Badetuch fallen, lief nackt, mit Muskeln vollgepackt wie ein Auerochse, im Zimmer herum und stieg in seine kurze Unterhose. »Noch drei Minuten, Victor Juwanowitsch, und ich hämmere Sie vor die Tür.«

»Es geht um unseren Pakt, Rassul Sulejmanowitsch: Das ›Theater Die Morgenröte‹ spielt, oder Sie jagen mich mit Peitsche und Hund davon. Aber ich muß die Chance haben, spielen zu können.«

»Wieviel?« fragte Rassim knapp.

»Fünfzehn Schreiner wären besser als zehn, Genosse Kommandant. Und die Erlaubnis, vom Holz- und Bretterlager zu entnehmen, was wir brauchen. Zuteilung von Nägeln, Schrauben, Werkzeug und Material aus der Schlosserei und Schmiede.«

»Sie stellen mein Lager auf den Kopf, Abukow! Warum höre ich Sie eigentlich so ruhig an und gebe Ihnen keinen Tritt in den schmalen Arsch?« Rassim zog seine Hose an und stülpte das Hemd über seinen Kopf. Als er wieder auftauchte, sagte er: »Oberst Kabulbekow vom Frauenlager hat mich angerufen. Bei dem waren Sie ja auch und haben ihm den Verstand weggesungen. Sagt er doch zu mir: ›Mein lieber Kamerad, das mit dem Theater ist eine glänzende Idee. Habe hier neun Schauspielerinnen und sechs Sängerinnen, die mitmachen. Ungeheure Talente. Habe sie vorsprechen und vorsingen lassen. Gestehen wir es: Ich freue mich auf Abukows Theater!‹ – Was soll man da antworten, als ins Telefon zu spucken? Kabulbekow! Vergreist er schon? Will mir Weiber schicken – zu tausend Männern! Die schaben sich ja die Hosen durch! Haben Sie ihm den Blödsinn eingeredet?«

»Ich habe es nur zur Debatte gestellt . . .«

»Und Belgemir Valentinowitsch, dieser Verkalkte, tanzt sofort im Kreis herum! Abukow, Sie sind gefährlicher als jeder Dissident. Aber nur ich sehe das. Selbst Jachjajew orgelt mir etwas vor von einem Kulturauftrag, den wir haben.« Rassim zog seinen Uniformrock über und knöpfte ihn zu. »Also: Die Schreiner bekommen Sie und das Material!« Er griff zum Telefon, rief den wachhabenden Offizier an und befahl, aus dem Lager fünfzehn Schreiner freizustellen. »Zufrieden, Sie Gaukler?«

»Irgendwie hat man Sie verkannt, Genosse Kommandant«, sagte Abukow geschmeidig. »Sie haben doch ein Herz.«

»Irrtum, Victor Juwanowitsch. Ich bereite mich nur auf den Tag vor, an dem ich Sie wegpeitsche!« Rassim grinste böse und schnallte sein Koppel mit der dicken Pistole um. »Für jeden Gefallen, den Sie mir abnötigen, ein Schlag. Das wird ein Fest!«

Es klopfte wieder. Rassim brüllte »Ja!«.

Leutnant Sotow trat ein. Sein Gesicht war rot vor Erregung: »Genosse Kommandant, es ist nötig, daß Sie zum Hospital kommen. Die Tschakowskaja hat bis jetzt vierzehn neue stationäre Einweisungen und neunundvierzig Innendienst selektiert. Ich habe protestiert – sie hat sich einen Stiefel ausgezogen und mir an den Kopf geworfen.«

»Ist denn alles verrückt geworden?« schrie Rassim und griff nach seiner Mütze. »Abukow, da haben Sie ein Beispiel: Milde setzen sie gleich mit Schwäche. Oh, sie irren sich alle in Rassul Sulejmanowitsch!«

Er stieß Abukow, der im Weg stand, zur Seite und rannte mit vorgestrecktem Kopf, wie ein Rammbock, aus dem Zimmer.

Was im Hospital geschah, konnte Abukow im Augenblick nicht erfahren. Fünfzehn Häftlinge, die einmal Schreiner waren, warteten vor dem Tor der Halle III und grinsten ihm freudig entgegen. Ihr Sprecher, ein älterer, dürrer Mensch mit hohlen Augen, kam Abukow entgegen, schüttelte ihm die Hand und sagte mit bebender Stimme: »Dank, Genosse. Tausend Dank. Was Sie auch mit uns vorhaben – schlimmer als im Wald kann's nicht sein.«

»Wir werden eine Bühne bauen«, sagte Abukow, als die fünfzehn ihn umringt hatten. »Ja, ihr dürft die Mäuler aufreißen und staunen. Die Halle III wird als Theatersaal umgebaut. Alle Genehmigungen aus Tjumen liegen vor. Ihr werdet die Bühne errichten, die Kulissen herstellen, ihr werdet sie bei den Aufführungen aufbauen und abbauen. An eurer Arbeit liegt es nun, wann wir mit dem Spielen beginnen können. Je schneller ihr die Bühne fertig habt, um so früher geht der Vorhang hoch.« Er griff in die Tasche, faltete ein großes Blatt Papier auseinander und hielt es hin. »Die Zeichnung für die Bühne ist schon fertig. Wir können sofort anfangen.«

»Das ist wie ein Wunder«, sagte der lange, dürre Mensch, nahm die Zeichnung in seine zitternden Hände und begann plötzlich zu weinen. »Ein Wunder . . . Werden wir nie mehr in die Wälder gejagt?«

»Vielleicht.« Abukow schluckte mehrmals, ehe er weitersprach.

Auch ihm machte die Ergriffenheit zu schaffen. »Wenn wir ein richtiges Theater haben, werdet ihr immer gebraucht.«

»Und der Kommandant macht da mit?«

»Es geht um eine Wette. Scheitere ich mit meinem Theater, will er mich auspeitschen lassen.«

»Ein Teufel ist er, ein wahrer Teufel«, sagte einer und spuckte aus.

»Verlaßt mich also nicht!« Abukow sah sich im Kreise um. »An euch liegt es auch, ob alles gelingt. Wann kann das Spielpodium fertig sein?«

»Das einfache Podium? Ohne die Seitenbauten?«

»Ja. Nur der Bretterboden.«

»Morgen abend, Genosse Wundertäter.«

»Morgen ist Sonntag«, sagte Abukow und blickte kurz empor in den Himmel. Sonntag abend . . . das ist eine gute Zeit!« Vom Hospital hörte er Rassims Gebrüll.

Bis zum Nachmittag hatte Abukow keine ruhige Minute. Er war dauernd in Bewegung, tauchte in allen Werkstätten auf und stritt sich mit dem winzigen Schmied Sakmatow über die Dicke der Eisenstangen, die als untere Verstrebungen den Bühnenboden sicherer machen sollten.

»Trage ich die Verantwortung oder Sie, Victor Juwanowitsch, wenn die Bühne zusammenfällt?« schrie der Schmiedezwerg, hüpfte um seinen Amboß herum und erinnerte Abukow an den sagenhaften Mimen aus dem Ring der Nibelungen. »Wieviel stehen da auf dem Boden? Na? Fünf, zehn, zwölf . . .«

»Wenn wir Boris Godunow spielen: hundert.«

»Hundert?« Sakmatow warf die Arme hoch. »Haben Sie ausgerechnet, wieviel Kilogramm da auf einen Quadratzentimeter kommen? Da müssen dicke Streben her, ganz dicke! Muß es unbedingt Boris Godunow sein? Mein ganzes Eisen geht dafür weg!«

Auch der Leiter der Autowerkstatt, Nikita Borisowitsch Rakscha, beschwerte sich. Man hatte ihn tief ins Herz getroffen. »Welch ein Saustall!« hatten die Schreiner gerufen, als sie die leergeräumte Halle betraten. »Da soll eine Bühne hin? Auf diesen öligen Boden? Hier geht es um Kunst, du Achsenschmierer, nicht um Getriebefett.« Rakscha war bis in die Knochen beleidigt, lief mit einer Mördermiene herum und griff sich Abukow.

»Das war eine Autohalle!« brüllte er. »Haben Sie schon Autos gesehen, die kein Öl verlieren? Soll ich auf jede tropfende Stelle den Daumen draufdrücken?«

Doch trotz aller kleinen Widerstände ging die Arbeit gut voran.

Es war erstaunlich, was fünfzehn Schreiner alles leisten können, wenn die Hoffnung sie antreibt, nie mehr in die Sümpfe und Wälder gefahren zu werden – bestand ja damit auch die Aussicht, dieses verdammte Sibirien zu überleben.

Schon bald zeichnete sich das Spielpodium ab, nach Abukows Plan zehn Meter breit – fast von Hallenwand zu Hallenwand – und sieben Meter tief. Eine Spielfläche, um die ihn manches etablierte Theater beneiden würde. Sakmatow schleppte mit neun Mann Eisenstangen heran, die ausgereicht hätten, um bei »Aida« richtige Elefanten auf die Bühne zu führen. Und in der Schlosserei stellte man große Winkeleisen her, um die Seitenwände der Bühne, den Bühnenrahmen und die Führungsbalken für den Vorhang und einen Rundhorizont so gut wie erdbebenfest zu machen.

Für einige Stunden arbeiteten fast dreißig Mann in der Halle III, und Rassim, der am Nachmittag neugierig einen Blick in das »Theater« warf, brüllte über die Köpfe hinweg: »Gut, daß ich das sehe! Sonst wanken sie herum wie die Knochenlosen, aber plötzlich sprühen sie vor Kraft. Merken wird man sich das, ihr verdammten Halunken.«

Am späten Nachmittag bekam Abukow endlich etwas Luft, ging hinüber zu Larissa Dawidowna und setzte sich ermattet auf das Sofa. Sie küßte ihn zärtlich und doch voll Glut, holte Kognak und starken Tee und einen frisch gebackenen Mediwnyk, das ist ein köstlicher Honigkuchen mit Rosinen, Korinthen und feingehackten Walnüssen.

»Wie die Besessenen arbeiten sie«, sagte Abukow glücklich. »Wenn sie so weitermachen, ist der Bühnenboden morgen abend fertig. Dann werden wir ihn ausprobieren.«

Sie sah ihn fragend an und verstand ihn offensichtlich nicht. »Wer soll ihn ausprobieren?«

»Die Gemeinde.« Abukow aß ein Stück Kuchen und trank dazu einen Kognak. »Auch du wirst kommen, nicht wahr?«

»Wenn ihr mich noch haben wollt . . .« Sie setzte sich neben ihn und legte den Kopf an seine Schulter. »Du bist jetzt wirklich der einzige, den ich habe. Rassim hat heute morgen geschworen, sich einen Dreck um meine Untersuchungen zu kümmern. Er will allein bestimmen, wer arbeitsfähig ist. Ein harter Kampf wird's werden, ich will mich in Tjumen beschweren. Und die Gemeinde? Sie traut mir nicht mehr. Ganz allein bin ich, Victorenka. Du bist jetzt alles für mich . . . meine ganze Welt . . .«

Am Abend hielt Abukow den früheren Kybernetikprofessor Polewoi fest und nahm ihn zur Seite. »Morgen abend um acht Uhr versammeln wir uns alle auf der Bühne«, sagte er. »Bis dahin brauche ich alle Namen für eine Liste, auf die ich die Freiwilligen schreibe, die sich als Darsteller gemeldet haben. Jeden muß ich mir anhören und prüfen, dagegen kann niemand etwas einwenden. Ihr werdet das Lager verlassen können zur ersten Probe, wenn ihr auf der Liste steht.«

»Die ganze Gemeinde, Victor Juwanowitsch?« fragte Polewoi zweifelnd.

»Die ganze! Bis das Ensemble steht, werde ich Hunderte prüfen müssen. Die Gemeinde wird immer mitspielen.«

»Ich begreife . . .«, sagte Polewoi. Seine Stimme schwankte leicht. »Gott möge uns alle schützen. – Ich rufe sie für morgen abend zusammen. Die Namen hast du morgen früh.«

Kein Zufall war es, daß Jachjajew gerade im Vorraum des Hospitals stand, als Abukow bis in die Knochen müde zu Larissa gehen wollte, um sich auf ihrem Sofa ein wenig auszustrecken. In der Halle III hämmerten und sägten noch immer die Schreiner, von Mustai mit Limonade gestärkt und von Gribow mit heimlichen Broten beschenkt, denn auch der dicke Kasimir Kornejewitsch hatte bei Abukow seine Leidenschaft für das Theater angemeldet. Wo gibt es einen Russen, der nicht gern Theater spielt?!

»Mein lieber Freund«, sagte Jachjajew gönnerhaft und blinzelte mit seinen Schweinsaugen. »Stimmt's, was man so flüstern hört? Sie und Larissa Dawidowna . . .?«

»Es stimmt«, sagte Abukow ruhig. »Wir lieben uns.«

»Gratuliere!« Jachjajew umarmte ihn sogar, als sei die Tschakowskaja seine eigene Tochter. »Jeder hatte schon Angst, daß sie vergißt, eine Frau zu sein. Ein wahrer Retter sind Sie. Man wird wohl jetzt mit ihr besser reden können, was? Oh, früher war sie kalt wie ein Eiszapfen. Mein lieber Victor Juwanowitsch, es hat sich manches zum Guten verändert, seit Sie hier sind.« Er blinzelte ihm wieder zu und beugte sich vertraulich vor: »Nächste Woche fahre ich zu Novella Dimitrowna, um ihr das Kleidchen zu geben. Wenn ich zurückkomme und die gespreizten Finger hebe, wissen Sie: Sieg! Dann werden wir uns besaufen. Nur wir zwei.«

In dieser Nacht schlief Abukow wie mit Blei gefüllt. Auch der nächste Tag, der Sonntag, war für ihn und für die Bühnenbauer kein Ruhetag. Auch im Lager, in allen Baracken wurde heftig über den Theaterplan diskutiert. Die einen nannten ihn Idiotie, die anderen träumten von zwei, drei Stunden sorgloser Illusion. Große Listen gingen von Block zu Block, in die sich alle eintragen sollten, die sich berufen fühlten, aktiv mitzuwirken. Musiker, Maler, Schneider, Schauspieler, Sänger, Tänzer, Elektriker. – Der Schriftsteller Miron Salomonowitsch Arikin hatte die personelle Organisation übernommen und ließ die Listen kreisen.

Schon gegen Mittag stellte sich heraus, welche Fachleute es im Lager JaZ 451/1 gab: neunundsechzig Musiker aller Instrumentenarten, dreizehn Schauspieler, zwölf Sänger, vier Tänzer, dreiundfünfzig Elektriker oder verwandte Berufe, fünf Schneider, vierundzwanzig Maler, drei Architekten, drei Kunstmaler und sogar einen Souffleur. Er kam vom Theater in Charkow und war zu zehn Jahren verurteilt worden, weil er Flugblätter gegen die Atomrüstung verteilt hatte.

»Fast wie ein Bolschoi-Theater!« rief Jachjajew aus, der als erster die Listen erhielt. »Da sieht man mal, welch ein Potential brachliegt!«

Um acht Uhr abends standen vierundvierzig Männer auf dem Bretterpodium und warteten. So gut es ihnen möglich war, hatten sie sich sauber gekleidet. Ihre Schuhe hatten sie geputzt, die zerlumpten, um die Körper schlotternden Anzüge gebürstet und notdürftig von Flecken gesäubert. In der rechten Ecke der Bühne standen sie zusammen, eine ratlose Herde, die nur wußte: Unser neuer Hirte hat uns gerufen. Was soll nun geschehen?

Abukow betrat die Halle III mit klopfendem Herzen. Er trug sein weißes Hemd und den schwarzen Anzug, und Mustai hatte gesagt: »Völlig verändert siehst du aus. Ein richtiges feines Herrchen. Ja, so haben sie in der Oper gesessen, wo die dusselige Lungenkranke sich zu Tode gesungen hat. Eine Verbeugung muß man vor dir machen . . . wirklich!«

Hinter Abukow betrat die Tschakowskaja den Saal. In einem hochgeschlossenen, blauen, engen Seidenkleid. Hinreißend sah sie aus, wie einem Gemälde entsprungen. Aber als sie in die Halle trat und zum Podium ging, spürte jeder, wie stumme Abwehr ihr entgegenschlug.

Professor Polewoi löste sich aus der Gruppe in der Bühnenecke und kam Larissa und Abukow bis zu der seitlichen fünfstufigen Treppe entgegen, die auf das Podium führte.

»Wir sind vollzählig, Victor Juwanowitsch«, sagte er. »Fünf Brüder liegen im Hospital und sind gehunfähig.« Er stockte, warf einen kurzen Blick auf die Tschakowskaja und fügte dann leiser hinzu: »Deine Gemeinde wartet auf dich, Väterchen . . .«

Abukow umarmte ihn, drückte ihn an sich und stieg dann die Treppe hinauf. Als er auf den Brettern stand, löste sich die Gruppe der Männer auf. Sie kamen auf ihn zu, einzeln, einer hinter dem anderen, senkten stumm den Kopf, ergriffen Abukows Hand und küßten sie.

»Meine Brüder«, sagte Abukow, als der letzte ihn begrüßt hatte. »Die Zeit der Stille und der Nacht, der Einsamkeit und der Hoffnungslosigkeit möge nun vorbei sein. Ich bin gekommen, um

Pjotrs Werk weiterzuführen dank der Kraft, die von Gott kommt. Blickt euch um: Ein Anfang ist gemacht. Das hier wird unsere Kirche sein. Wir werden beten und singen und Gottes Wort hören. Wir werden neue Kinder Gottes taufen und den Sterbenden die letzten Sakramente reichen. Die Beichte wird zu euch kommen und die Vergebung eurer kleinen Sünden. Ein Fels im brandenden Meer der Verfolgung werden wir sein, und ein Licht wird uns leuchten in allem Elend und allem Schmerz. Danket dem Herrn für diese unendliche Gnade. Lasset uns beten . . .«

Er faltete die Hände, und die vierundvierzig verhungerten, knochigen, hohläugigen Männer sanken auf die Knie, falteten ebenfalls die Hände und senkten tief die Köpfe. Polewoi schielte aus den Augenwinkeln zu Larissa Dawidowna. Auch sie war in die Knie gegangen, neben Abukow, hatte die Hände gefaltet und die Augen geschlossen.

»O Herr«, sagte Abukow mit fester Stimme. »Wir danken dir. Segne unsere Gemeinschaft, und gib uns Kraft für alles, was noch kommen mag. Laß uns nicht verzagen, wenn wir meinen, es geht nicht mehr, das Ende sei gekommen. Auch du, Jesus, bist in Gethsemane verzweifelt, aber am Kreuz hast du die ganze Menschheit erlöst. Gib uns einen winzigen Teil deiner Kraft, und wir werden auch Sibirien überleben und diesen fürchterlichen Abschnitt unseres Lebens. Gott im Himmel, blick hernieder auf uns. Wir brauchen dich wie keiner auf dieser Welt.«

Unbemerkt, da alle die Köpfe gesenkt hielten, waren Jachjajew und Rassim in die Halle gekommen. Entgeistert, sprachlos starrten sie auf die Bühne, auf die knienden Männer und auf die Tschakowskaja mit ihren gefalteten Händen. Selbst Rassim brauchte ein paar Atemzüge, bis er Jachjajew in die Seite stieß. Der kleine Dicke zuckte heftig zusammen.

»Träume ich?« knurrte Rassim dumpf. »Die knien und beten, und das schwarze Luder mittendrin! Und Abukow macht den Vorsänger. Ja, was ist das denn?«

Jachjajew zog den Kopf in die Schultern und rannte vorn zur Bühne. Jetzt erst hörte Abukow ihn, drehte sich um und behielt die Hände gefaltet.

»Victor Juwanowitsch!« stotterte Jachjajew fassungslos. Schweiß rann über sein Froschgesicht. »Was soll das denn? Was machen Sie denn da?«

»Die erste Probe«, sagte Abukow und lächelte freundlich. »Wir haben die erste Probe, Mikola Victorowitsch. Es geht los mit dem Theater . . .«

»Mit Knien und Beten?«

»Boris Godunow, Genosse. Der erste Akt. Die Kirchenszene. In drei Wochen proben wir schon mit Musik! Das hier ist der erste Versuch.«

Jachjajew schnappte nach Luft, rannte zurück zu Rassim und fuchtelte mit den Armen.

»Sie proben, Rassul Sulejmanowitsch. Boris Godunow . . .«

»Ich hab's gehört«, sagte Rassim mit verkniffenem Gesicht.

»Dagegen ist nichts zu sagen.« Jachjajew holte seufzend Atem. »Boris Godunow gehört zum sowjetischen Kulturgut. Wird ständig im Bolschoi gespielt. Ohne Musik sieht's nur komisch aus. Ist ja auch die erste Probe. In drei Wochen, Genosse Kommandant . . .«

Rassim nickte düster, lehnte sich gegen die Wand und verschränkte die Arme vor der Brust. Jachjajew wischte sich den kalten Schweiß von der Stirn.

Langsam drehte sich Abukow wieder zu seiner knienden Gemeinde um. Er sah das Zittern ihrer Körper, spürte die heiße Angst trotz der gesenkten Nacken.

»Noch einmal diese Stelle!« sagte er laut. »Mehr Innigkeit, Leute! Ihr müßt immer denken: Da kommt gleich ein neuer Zar. Für den müssen wir beten. In diesen neuen Zar setzt das Volk seine ganze Hoffnung. – Fangen wir an bei der Fürbitte. Noch einmal also . . .«

Er blickte über die bebenden, gesenkten Köpfe und lächelte glücklich. »Herr im Himmel, erhöre uns! Gib uns Kraft für das große Werk, Dich immer zu loben . . .«

Mit fester Stimme sprach er sein Gebet zu Ende. Dann ging er von Mann zu Mann und segnete ihn. Zuletzt blieb er bei Larissa Dawidowna stehen, hob sie an den Schultern von den Brettern empor und küßte ihre vom Angstschweiß nasse Stirn.

Das Kreuz in Sibirien war errichtet. Vor den Augen Rassims und Jachjajews. Und Rassim sagte sogar leise zu Jachjajew: »Sehr eindrucksvoll. Der Bursche ist begabt. Bin gespannt, was er da auf die Bühne stellt. Da wird sogar Verrücktheit interessant.«

Er verließ die Halle, Jachjajew zögerte noch einen Moment, blickte auf die Bühne und verließ dann auch mit einem Kopfschütteln die »Probe«.

Mit einem tiefen Seufzer sank Polewoi gegen den Physiker Lubnowitz. Die Beine versagten ihm.

»Hier war Gott wirklich bei uns«, stammelte er und wurde von den anderen festgehalten. »Wie nahe war unser Ende . . .«

10

Jeder im Lager wußte es nun, daß Abukow und Larissa Dawidowna ein Liebespaar waren. Nichts Heimliches war mehr um sie. Die Wachsoldaten zwinkerten sich zu, bei den Offizieren kursierten Witze, und Dshuban Kasbekowitsch schlich mit einer Märtyrermiene herum und sagte zu Larissa:

»Reden wir klar und offen darüber, meine Liebe: Sie haben mir eine große Hoffnung geraubt. Ich schäme mich nicht, das zu sagen. Victor Juwanowitsch wäre ein Mensch gewesen, der mir dieses verfluchte Sibirien lebenswert gemacht hätte. Ich weiß, Sie haben Verständnis für mich – auch Sie waren ja bis zu Abukows Auftauchen ein Mensch, der immer auf der Suche nach Erfüllung war. Gratuliere, Larissa Dawidowna, Sie haben es geschafft. Hoffentlich ist es von Dauer.«

Und sie hatte geantwortet: »Was sollte denn passieren, Dshuban?«

»Er könnte versetzt werden zu einer anderen Transportbrigade. Zum Beispiel nach Irbit oder Tawda.«

»Dann gehe ich mit.«

»So einfach ist das nicht.«

»In Tawda gibt es zehn Lager, da braucht man auch Ärzte. Ich würde es durchsetzen, Dshuban!«

»Bei Ihren Beziehungen nach Moskau . . .« Owanessjan lächelte schräg. »Sie müssen ein glücklicher Mensch sein mit soviel Freiheit im Rücken . . .«

Die Tschakowskaja schwieg und machte ein freundliches Gesicht, was bei ihr sehr geheimnisvoll wirkte, denn ihre etwas schräg gestellten Augen verengten sich dadurch noch mehr. Das oft kolportierte Gerücht, sie habe einen Onkel im Zentralkomitee der Partei, blieb unwidersprochen. Warum auch dementieren? Zweimal – ganz am Anfang ihrer Tätigkeit im Lager JaZ 451/1 – hatte sie es versucht . . . Rassim hatte da breit gegrinst, mit dem Bullenkopf genickt und geäußert: »Natürlich, natürlich, schöne Genossin! Nichts ist mit dem Onkelchen im Kreml. So was läutet man ja auch nicht in die weiten Lande. Das trägt man mit sich herum wie einen besonderen Paß, in einem Brustbeutel, auf Ihrer bewundernswerten Brust! Nur im Notfall vorzuzeigen. Verstehe, Genossin. Schweigen wir darüber . . .« Und das hatte Larissa dann auch getan – es lebte sich gut mit dem mächtigen Schatten aus Moskau.

Anders war die Reaktion bei Abukows Gemeinde. Nachdem der erste Gottesdienst im Lager – die Probe zu »Boris Godunow« – beendet war, mußten die »Schauspieler« und ein Teil der Handwerker zurück ins Lager. Professor Polewoi, der als einer der wenigen Abkommandierten einen Schlafplatz im Hospital hatte, gehörte zu den Zurückgebliebenen; er half Abukow beim Wegräumen des aus einer Holzkiste bestehenden Altars.

»Eine Frage habe ich noch«, sagte er zögernd und sah sich mehrmals um, als könne man ihn hören.

»Ich kenne sie, Georgi Wadimowitsch.« Abukow stellte die Altarkiste in eine Ecke der halbfertigen Bühne. Er hatte die Blicke seiner Gemeinde sehr gut verstanden.

»Larissa Dawidowna . . .« Polewoi holte tief Luft. »Es ist dein Leben, Väterchen. Niemand soll dir darein reden. Wer hätte auch ein Recht dazu? Am allerwenigsten wir, die wir von einem Tag zum anderen leben und jeden Morgen den Aufgang der Sonne preisen, weil wir ihn noch einmal sehen können. Keiner wird dich anklagen, ein Mensch bist du unter Menschen. Aber was wird Gott sagen? Nicht ich frage das – in deinem Herzen wirst du es selbst immer und immer wieder fragen. Es wird dich quälen, peinigen, mit Schmerz erfüllen und eines Tages zerreißen. Davor haben wir Angst, wir alle. Wir sind ja auch Männer und begreifen, wie herrlich es sein kann, Larissa in den Armen zu halten, ihren Körper zu spüren, ihre Leidenschaft mit allen Poren aufzunehmen . . . Aber du bist ein Priester. Jedes Streicheln deiner Hände über ihren Körper ist eine Wunde mehr in deinem Gewissen. Kannst du das aushalten, Victor Juwanowitsch? Wirst du nicht eines Tages, früher oder später, daran zugrunde gehen? Und was ist dann? Was wird dann aus uns? Allein sind wir dann wieder. Deswegen haben wir alle Angst . . .«

»Ich liebe sie«, setzte Abukow dagegen und nahm auf der Kiste Platz, die sein Altar gewesen war. »Und ich habe mit Gott in langen Nächten schon gestritten . . .«

»Was ist dabei herausgekommen?«

»Ein Waffenstillstand, wenn man so will.« Abukow starrte in die weite, leere Halle. Am anderen Ende arbeiteten noch immer neun Schreiner und sägten die Balken zurecht für den Bühnenrahmen. Auch der kleine Schmied Sakmatow war wieder da und hatte die Winkeleisen für die Verstrebungen angebracht.

Rakscha, der Leiter der Autowerkstatt, wartete auf Abukow an der Tür. Er hatte einen Motor aufgetrieben. Ein uraltes Ding, das er wieder in Gang bringen und auf der Bühne einsetzen wollte, um den Vorhang zu bewegen. Der einzige Fehler war nur, daß der Motor einen Riesenkrach machte. Wie konnte man verhindern, daß jedesmal beim Öffnen oder Schließen des Vorhanges ein gewaltiges Rattern losbrach?

Noch immer sprach Abukow mit Polewoi, der ihn gerade fragte: »Was wird sein, wenn Larissa – möglich ist es ja – aus Sibirien abberufen wird? Wirst du mit ihr gehen? Läßt du uns allein zurück?«

»Nein!« sagte Abukow fest. »Nein! Nie, mein Bruder! Ich bleibe immer bei euch, solange es euch gibt – solange Menschen in diesem Lager Gott brauchen.«

»Darüber hast du mit Larissa schon geredet?«

Abukow schüttelte den Kopf. »Ich glaube, daß sie es weiß . . .«

»Davon bin ich nicht überzeugt«, sagte Polewoi stockend. »Man soll den Glauben nicht strapazieren, Väterchen, wenn es um die Liebe einer Frau geht.«

Er klopfte Abukow auf die Schulter, sah ihn schweigend mit einem langen Blick an und verließ die Bühne. Abukow hätte noch viel sagen können, aber auch er schwieg und blieb in Gedanken versunken sitzen, bis der Genosse Rakscha von der Autowerkstatt zu ihm trat. Mit Sakmatow, dem Schmied, hatte er gerade einen Streit begonnen. Natürlich ging es um den Motor, auf den Rakscha so stolz war.

»Mit Sakmatow ist nicht zu reden!« knurrte er und setzte sich neben Abukow auf die Altarkiste. »Geahnt habe ich es schon immer: Die Hitze seines Schmiedefeuers hat ihm das Hirn verbrannt. Ich stifte einen Motor, und was sagt der Zwerg? ›Zu laut, und außerdem stinkt er! Wir machen hier Kultur und keinen Autoaustausch!‹ Soll man sich das bieten lassen, Victor Juwanowitsch? Was ist Ihre Meinung dazu? Bis wir einen starken Elektromotor bekommen, der den Vorhang bedient, kann *mein* Motor beste Dienste leisten. Stört es denn wirklich so sehr, wenn er vor und nach einem Akt knattert? Dann weiß jeder, auch wenn er geschlafen hat: Aha, wieder ein Stück ist zu Ende!«

»Wir werden den Vorhang – falls wir überhaupt Stoff für einen Vorhang bekommen – zunächst mit der Hand ziehen«, sagte Abukow, »so wie man es seit Jahrhunderten gemacht hat.«

»Und mein Motor?« rief Rakscha sofort beleidigt.

»Den setzen wir woanders ein. Selbstverständlich können wir deinen Motor immer und überall gebrauchen, mein lieber Nikita Borisowitsch.«

Damit war Rakscha zunächst zufrieden, verließ die Bühne, ging an Sakmatow vorbei und spuckte an ihm vorbei auf den Boden.

Der Schmied machte einen Luftsprung, ballte die Fäuste und schrie, Rakscha solle nie mehr in seine Schmiede kommen, dort gebe es für ihn in Zukunft nur fliegende Hämmer!

Da nichts mehr zu tun war, verließ Abukow den Saal und trat hinaus in die helle, warme Nacht. Über dem Lager kreisten die Scheinwerfer. In den Wachttürmen dösten die Wachen hinter den verhängten Maschinengewehren; ein fürchterlich langweiliger Dienst, den man mit Schachspielen aufheiterte – aber wehe, wenn Rassim einen dabei überraschte! Bisher waren unter Rassims Regime nur sechsmal Fluchtversuche unternommen worden, weit weniger als in anderen Lagern – und fast alle waren mißlungen, weil die Suchhunde auch dann jede Spur aufnahmen, wenn der Flüchtige sich in die Sümpfe verkroch oder zur Verwischung der Spur eine Wegstrecke in einem der Flußläufe zurücklegte, bis zu den Schultern im Wasser watend. Und wenn es wirklich mal einem gelungen war, den Hunden zu entkommen, wurde er dennoch nach spätestens drei Wochen ins Lager zurückgebracht, weil der Hunger ihn zwang, die Nähe von Menschen zu suchen. Ein einziges Mal in all den Jahren glückte eine Flucht – und das ausgerechnet drei prominenten Verurteilten, drei Dissidenten, auf die Moskau ein besonders scharfes Auge geworfen hatte: einem Raketenfachmann, einem Völkerrechtler und einem Chemiker. Der letztere war besonders gefährlich; er hatte einer Forschungsgruppe angehört, die sich mit chemischen Kampfstoffen beschäftigte, und sein Wissen um diese allergeheimsten Geheimnisse einer bestialischen Kriegführung hatten in ihm einen solchen Schock ausgelöst, daß er sich eines Tages weigerte, weiter an den Forschungsprojekten der lautlosen Menschenvernichtung mitzuarbeiten. Man hatte ihn zunächst in eine Irrenanstalt gesteckt – der übliche Weg bei prominenten Gegnern –, ihn dort mit Elektroschocks und anderen Mitteln behandelt, dann aber eingesehen, daß man auf diese Weise nicht weiterkam. Eines Tages tauchte er in einem Transport von 247 Sträflingen im Lager JaZ 451/1 auf mit einer Laufkarte, auf der »Strenge Verwahrung und Sonderbehandlung« stand. Das war das Ärgste, was einem hier passieren konnte: als besonders gefährlicher Verbrecher gegen den Staat eingeliefert zu werden. Rassim nahm ihn sich auch sofort vor, beleidigte ihn mit Worten, ohrfeigte ihn dann, gab ihm Tritte in den Hintern und setzte ihn überall dort ein, wo auch der Teufel höchstpersönlich die Arbeit zugeteilt hätte; im Winter zum Beispiel mit der Spitzhacke an der Trasse, wenn die Bagger trotz ihrer Stahlzähne den Dauerfrostboden nicht mehr aufbrechen konnten und einfach abrutschten – da mußten die Menschen ran und sich in die vereiste Erde wühlen.

Jedenfalls wurde, wie gesagt, ausgerechnet dieser Geheimnisträger nach seiner Flucht nicht gefunden. Von der Verwaltung in Tjumen kam ein böser Anruf, der Rassim das Herz bluten ließ. Dann folgte die Aufforderung aus Perm, einen genauen Bericht zu schicken. Und endlich meldete sich auch Moskau und verlangte Auskunft, wieso man aus einem Lager wie JaZ 451/1 überhaupt flüchten könnte. Seitdem benahm sich Rassim so, als seien jede Nacht Fluchtversuche zu erwarten. Dabei war es heller Tag gewesen, als sich die drei erfolgreichen Flüchtlinge auf den Weg in die Freiheit gemacht hatten. Der gefährliche Chemiker tauchte später in der Türkei wieder auf, wurde sofort vom amerikanischen CIA geschnappt und nach Washington gebracht. Dort erzählte er so ungeheure Dinge über den Stand der sowjetischen B- und C-Waffen, daß man ihn auf Nimmerwiedersehen untertauchen ließ; vermutlich arbeitet er jetzt irgendwo unter anderem Namen im Dienste der Amerikaner. Für Rassim war es eine Tragödie, denn er konnte sich leicht ausmalen, daß in Moskau nun hinter seinem Namen eine Bemerkung in den Akten stand.

Abukow blieb in der hellen Nacht stehen, sah hinüber zum Hospital und auf die erleuchteten Fenster von Larissas Wohnung. Ihm war es, als brenne das Gewissen glühende Brandzeichen in seine Seele. Nur noch an Larissa konnte er denken, an ihren Körper, das Hineinsinken in ihren Schoß und an den befreienden Aufschrei, der die Sterne zu erreichen schien. Nichts anderes gab es mehr. Es war eine höllische Qual, die ihn erdrückte: Du bist gekommen als Diener Gottes zu den Ärmsten der Armen, zu den toten Seelen in Sibirien – und jetzt ist der Geist wieder in Fleisch verwandelt, läßt du dich von der Wollust versklaven. Welch ein Verfall, Victor Juwanowitsch! Welch ein Verrat, Pater Stephanus Olrik von der Kongregation vom Heiligen Kreuz in Rom! Wie soll Gott dir das jemals verzeihen?

Er blieb noch eine Weile in der hellen, warmen Nacht stehen. Hörte hinter sich in der Autohalle das Hämmern und Sägen der Schreiner und die schrille Stimme des Schmieds Sakmatow, der grundsätzlich mit jedem Streit anfing, weil er alles besser wissen wollte. Sah, wie hinter dem Fenster von Mustais Zimmer das Licht erlosch und von der Kommandantur der ablösende wachhabende Offizier hinüber zum Wachhaus am großen Einfahrtstor ging. Und sah die Genossin Strepkowa – im Range eines Unterleutnants in der Funkstelle beschäftigt, eine der neun Frauen im Lagerbezirk –, wie sie ein paar Steinchen an das Fenster von Jachjajews Wohnung in der Kommandantur warf und dann durch einen Nebeneingang verschwand. Es war erstaunlich, daß ein so qualliger Mensch wie Jachjajew viele Frauen nicht abstieß, sondern anzog. Was mochte es sein, das ihn begehrenswert machte?

Endlich ging Abukow langsam hinüber zum Hospital, trat ein. Larissa erwartete ihn bereits. Sie hatte den Tisch gedeckt. Mit einer gehäkelten Spitzendecke. Mit weißem Porzellan, auf das man kleine Rosenknospen gemalt hatte. Mit einem Strauß Wiesenblumen in einer tönernen Vase. Und mit zwei angezündeten Kerzen in gläsernen Kerzenständern. Das Überwältigendste aber war sie selbst: Auf dem bloßen Körper trug sie ein dünnes, seidenes, bodenlanges kirgisisches Gewand, das sich an sie schmiegte, als streichle der Stoff sie. Ein Anblick war es, der fast den Herzschlag lähmte.

Abukow zog seinen schwarzen Rock aus und knöpfte das weiße Hemd auf.

»Wie spät kommst du, mein Liebling«, sagte sie. Der Klang ihrer Stimme überrieselte seinen Rücken wie eine Gänsehaut. Für einen Moment schloß er die Augen, um dieser Stimme nachzulauschen, als bliebe sie im Raum und schwebte um ihn herum.

»Nun bin ich da«, antwortete er leise. »So ... so feierlich hast du alles gemacht ...«

»Ist es nicht ein Feiertag? Dein erster Gottesdienst, deine erste Predigt im Lager. Dazu noch im Beisein von Rassim und Jachjajew. Das war ein einmaliger Tag. Du bist für mich der mutigste Mensch auf dieser Erde.«

»Und der elendeste zugleich.« Er drehte sich um, sie stand ganz nahe bei ihm, das Feuer ihrer schwarzen Augen verbrannte all seine Reue, er riß sie in seine Arme, küßte sie, schmeckte ihre Lippen, fühlte ihre Haut unter dem Hauch von Seide und spürte eine neue Kraft, die von ihr auf ihn überfloß. »O Larissa, Larissanka ... wie schön ist das Leben ...«

Eine lange Zeit standen sie eng umschlungen, als könnten sie zu einem einzigen Körper werden in ihrer Sehnsucht nach totaler Verschmelzung. Als sie sich endlich wieder voneinander lösten, war noch die Betäubung des Glücks in ihnen.

»Komm«, sagte sie, »ich habe etwas für dich.« Sie ging zu dem Sofa, und jetzt erst sah Abukow, daß dort ein Gegenstück zu ihrem Kleid lag: ein seidener Mantel aus Kirgisien mit einem breiten, goldbestickten Gürtel. Sie hob ihn hoch und breitete ihn aus. »Ist er nicht wunderbar?«

»Ja, das ist er!« Abukow griff nach dem Seidenmantel. »Woher hast du ihn?«

»Wer hat wohl nur solche Dinge, mein Liebling?«

»Dshuban Kasbekowitsch.«

»Für teures Geld habe ich ihm das Stück abgekauft. Nicht hergeben wollte er es, hat es noch nicht getragen. Aber als ich ihm sagte, es sei für dich bestimmt, war er sofort einverstanden – unter einer Bedingung: Er will dich einmal in diesem Seidenmantel sehen!« Sie lachte hell und glücklich. »Wenn es ihn fröhlich macht, Victor . . .« Sie küßte ihn und flüsterte ihm ins Ohr: »Zieh es an, schnell, ganz schnell – auf die blanke Haut! Ich hole inzwischen unser Essen aus dem Ofen.«

Abukow nickte, nahm den Seidenmantel über den Arm, ging in das Schlafzimmer, legte seine Kleidung ab, zog sich aus bis auf die Haut und streifte den kirgisischen Mantel über. Bevor er ihn mit dem breiten Goldgürtel schloß, betrachtete er sich noch im Spiegel. Er sah einen großen, etwas knochigen, aber muskulösen Menschen, nackt unter dem aufklaffenden seidenen Mantel – in dieser Aufmachung von einer erschreckenden Schamlosigkeit und herausfordernder Bereitschaft. Schnell schloß er den Mantel, schnallte den Gürtel um und zog ihn so fest, daß ihm fast die Luft wegblieb. Dann sah er sich wieder im Spiegel an und sagte zu sich selbst: »Wer bist du, Fremder? Du mußt ein Fremder sein! Du bist nicht mehr ich! Nein, das bist du nicht mehr . . .«

»Das Essen ist da!« rief Larissas helle Stimme aus dem Wohnraum. »Hast du eben was gesagt, mein Liebling?«

»Nein, nichts, gar nichts!« rief Abukow zurück. »Vielleicht Stimmen von draußen.« Er riß sich von seinem Spiegelbild los, kam in den anderen Raum und blieb überrascht stehen. Ein köstlicher Duft schlug ihm von einer Schüssel auf dem Tisch entgegen. Dahinter stand Larissa mit glänzenden Augen.

»Nina Pawlowna hat es extra für uns gekocht, und Gribow selbst hat es vorhin in einem Thermosbehälter herübergebracht. Sieh dir das an: Golubzy . . . Magst du Golubzy?«

Abukow nickte. Er kannte Golubzy nicht, aber er sah, was es war: Kohlrouladen in einer Saure-Sahne-Sauce, gefüllt mit Fleisch und Backpflaumen, im Ofen geschmort und überbacken und mit gehacktem Dill bestreut. Dazu dampften in einer anderen Schüssel große, weiße, mehlige Kartoffeln und eine besondere Sauce aus kleingehackten Zwiebeln, gehackten Tomaten, Butter und Pfefferkörnern, alles in eine kochende Sahne gerührt.

»Und im Ofen wartet eine zweite Überraschung«, sagte sie glücklich. »Zum Nachtisch gibt es Babka Jablotschnaja, Ninas Meisterstück. Weißt du, was das ist?«

»Nein. Zu Hause lebten wir von Kohl, Quark und Gurken, Kartoffeln und Zwiebeln. Nur am Sonntag gab es Fleisch, wir mußten uns dafür stundenlang anstellen.«

»Ein Apfelauflauf mit Aprikosensauce ist es«, rief sie und lief um den Tisch herum. Sie fiel Abukow um den Hals und küßte ihn mit einer geradezu tierischen Wildheit. »Und Krimwein habe ich. Roten Krimwein. Auch von Gribow, dem verfluchten Gauner. Er hat einfach alles.«

Sie wand sich aus seinen Armen, lachte und schlug ihm auf die Hand, als er nach ihrer Brust griff, glitt katzenhaft von ihm weg und lief um den Tisch herum.

»Larissa«, sagte Abukow und schluckte mehrmals. »Larissa . . .«

»Jetzt nicht!« Sie zeigte mit beiden Händen auf den Tisch. »Erst das Festessen. Soll es kalt werden?« Sie setzte sich, zog den Stuhl heran und wartete, bis auch Abukow sich gesetzt hatte. Dann nahm sie den großen Vorlegelöffel und hob eine der wundervollen Kohlrouladen aus der Sahnesoße hinüber auf seinen Teller.

»Der Wein steht noch in der Küche. Holst du ihn, Liebling?«

Abukow nickte, aber er blieb sitzen. Er wartete, bis Larissa ihm die Kartoffeln und die andere Sauce serviert hatte und legte dann die Hände gefaltet in den Schoß. Die Nacktheit, die er darunter spürte, irritierte ihn maßlos.

»Ich schäme mich«, sagte er plötzlich hart.

Ihr Kopf fuhr empor. In ihren Augen war Fassungslosigkeit und Gegenwehr.

»Vor wem?« fragte sie.

»Wir sitzen hier und schlemmen wie die Zaren, und hundert Meter weiter zerrt in tausend Mägen der Hunger. Das ist wie ein Verrat.«

»Victor, mein Liebling«, stammelte sie entsetzt. »Wie kannst du so etwas denken?«

»Ich gehöre zu ihnen, Larissa. Zu den Verdammten. Ich bin ihr Priester. Und was tue ich? Ich sitze an einem reich gedeckten Tisch, in einem seidenen Mantel, aus dem der Duft eines Parfüms strömt . . . Meine Kehle ist zu, als würde ich gewürgt.«

»Bekommen sie ein Gramm Brot mehr, wenn du mit ihnen hungerst? Gibt Nina Pawlowna ihnen eine halbe Kelle Kascha mehr, wenn du zu ihnen sagst: Freunde, ich ernähre mich jetzt auch nur von täglich 400 Gramm glitschigem Brot? Wird Gribow dann seine Vorräte verteilen? Was heißt hier Solidarität? Mitleiden und mit ihnen zugrunde gehen? Du hast stärker als alle anderen zu sein, gerade weil du ihr Priester bist. Soll ich die Golubzies und den Babka Jablotschnaja hinüber ins Lager schicken! Vier Mann würden *einmal* davon satt – was ändert das?!«

Abukow ließ den Kopf auf die Brust sinken, faltete die Hände und betete stumm. Larissa Dawidowna saß ihm steif, hoch aufgerichtet, gegenüber und wartete, bis er den Blick wieder hob.

»Laß es dir gut schmecken, mein Liebling. Ein Tag der Geschenke ist heute. Die Gemeinde hat ihren Priester. Der Priester ist ein

Mensch geworden. Und ich habe dich bekommen. Was kann man sich noch mehr wünschen?«

Es wurde ein stiller Abend und eine noch stillere Nacht. Sie lagen nebeneinander auf dem Bett. Es war zu heiß, um sich zuzudecken. Der Schweiß trat aus allen Poren, vor allem nach dem starken Krimwein, und überzog ihre nackten Körper wie ein Film. Sie lagen Hüfte an Hüfte, Schulter an Schulter, aber sie berührten sich nicht weiter, ihre Hände blieben ruhig, ihr Verlangen blieb tief in ihnen, wie eingeschlossen in einen Panzerschrank.

»Nun bereust du es doch«, sagte die Tschakowskaja einmal in dieser langen Nacht ohne Schlaf und ohne Leidenschaft.

Er drehte den Kopf zu ihr, sah sie lange an und küßte sie mit seinen Blicken. Wie unwahrscheinlich schön ist sie, dachte er. Da hat man 35 Jahre gelebt in der Überzeugung, es lohne sich zu leben, um Gott zu dienen. Und dann ist etwas anderes Wunderbares da: eine Frau. Nur eine Frau. Und man weiß plötzlich, daß das Leben ein einmaliges Geschenk des Himmels ist und daß man für jede Stunde dankbar sein muß. »Laß mir Zeit, bitte«, sagte er leise und lächelte zaghaft.

Am Montagmorgen stand er unausgeschlafen und müde an seinem Kühlwagen Nummer 11 und verabschiedete sich von Gribow, Nina Pawlowna, Mustai und Rakscha. Die ersten Lastwagen der Transportbrigade waren schon abgefahren – sie machten noch einen Umweg, um im Hauptlager der Trasse, bei Morosow, dreißig Facharbeiter mitzunehmen, die in Surgut oder Tjumen zu einem Facharzt mußten.

Der Abschied von Larissa Dawidowna war kurz gewesen. Sie hatten sich geküßt, dann war die Tschakowskaja in die Ambulanz gegangen, um die morgendlichen Selektionen vorzunehmen. Auch Rassim war schon auf den Beinen voller Argwohn, daß wieder zu viele Arbeiter krank geschrieben werden könnten; deshalb wollte er bei den Untersuchungen dabeisein. Selbst Jachjajew wälzte sich bereits herum und griff sich Abukow, als er zu seinem Kühlwagen gehen wollte:

»Morgen besuche ich Novella Dimitrowna«, sagte er augenzwinkernd. »Das Kleidchen bringen.«

»Viel Glück dabei, Genosse«, antwortete Abuków. »Wenn sie sich weiter das Höschen zubindet, weiß ich keinen Rat mehr.«

»Im allernötigsten Fall könnte man ihr drohen«, sagte Jachjajew schamlos – ein Beweis, daß er Abukow zu seinen intimsten Vertrauten zählte. »Jeder Mensch hat irgendwo einen Fleck, auch die süße Tichonowa . . . Ich habe eine Bitte, mein lieber Victor Juwanowitsch.«

»Heraus damit, ich muß weg!«

»Können Sie mir in Tjumen ein goldenes Armband besorgen?«

»Ich will's versuchen, Genosse. Wie hoch der Preis?«

»Gleichgültig.« Jachjajew winkte ab. »Etwas Besonderes soll es sein. Novella ist es wert.«

Die Verabschiedung stockte bei Kommandant Rassim. Er weigerte sich strikt, eine Liste zu unterschreiben, auf der Abukow aufgezählt hatte, was er als das Nötigste für das Theater brauchte. Rassim las zehn Posten und warf das Schreiben dann Abukow vor die Füße.

»Es wird Ihnen nicht gelingen, mich zu einem Popanz zu machen!« schrie er. »Ich soll unterschreiben, daß wir ballenweise Stoff, Borden, Leinwand, Pappe und Farben brauchen? Und was steht da noch? Zehn Violinen, drei Bratschen, drei Celli, zwei Baßgeigen, vier Trompeten, drei Posaunen, drei Flöten, zwei Klarinetten, zwei Oboen, zwei Waldhörner . . . Abukow, kommen Sie sofort mit! Ich stelle Sie unter eine eiskalte Dusche.«

»Sie sollen es ja nicht bezahlen, Genosse Oberstleutnant, sondern nur bestätigen, daß wir das alles brauchen.«

»Nichts unterschreibe ich!« brüllte Rassim. »Lächerlich mache ich mich ja!«

»Ohne Instrumente keine Musik, Genosse . . .«

»Lassen Sie auf Kämmen blasen, auf leere Benzinfässer trommeln . . . In der Karibik machen sie damit die schönste Musik! Auch Holzscheite können klimpern.«

»Und wie würde dann Mozart klingen?«

»Der Situation angemessen«, sagte Rassim mit Wonne. »Das Orchester der sibirischen Sträflinge – ein besonderer Klang! Gehen Sie weg, Abukow, mit Ihrem Zettel! Oder ich nehme ihn und gehe damit sofort zur Latrine.«

Abukow verzichtete auf diese Demonstration des Unwillens, hob den Zettel vom Boden auf und steckte ihn in seine Rocktasche. »Das wird vieles verzögern«, sagte er dabei. »Wie soll man dem Genossen Kulturbeauftragten in Tjumen klarmachen, daß Sie kein Theater wollen? Fragen wird er: ›Na so etwas; der Genosse Rassim hält nichts von fortschrittlicher Kultur? Er sollte einmal lesen, wie wir uns den Aufbau Sibiriens vorstellen.‹ Ja, das wird er sagen. Leben Sie wohl, Genosse Oberstleutnant!«

Rassim blieb mit stummer, knirschender Wut zurück, schnallte Koppel und Pistole um und lief dann hinüber zum Hospital, um der Tschakowskaja auf die Finger zu sehen.

Nun also verabschiedete sich Abukow von allen, zuletzt von Mustai, der neben der Autotür stand und sie offenhielt. »Wann kommst du wieder?« fragte er.

»Das weiß nur Smerdow in Surgut. Euer Magazin ist voll.« Abukow beugte sich zu Mustai herunter, kam nahe an sein Ohr: »Sind alle Dinge verteilt?«

»Das Fleisch, die Hühnchen, das Fett, die Marmelade, Zucker, Grieß, Mehl, Eier und Nudeln sind in der Nacht abgeholt worden.« Mustai lächelte breit. »Der General hat sofort seinen Anteil aufgefressen – zwei Eierchen, knack, und schon getrunken. Dazu drei Löffel Marmelade. Als er das Fleisch roh fressen wollte, hat ihn der Schriftsteller Arikin in den Hintern getreten. Sehr vorsichtig müssen sie sein, überall lauern Verräter. Jachjajew hat für Hinweise eine Belohnung versprochen; in besonderen Fällen will er sogar einen Antrag auf Strafverkürzung nach Moskau schicken.«

»Und diesen verlogenen Zeugen glaubt man?«

»Man glaubt hier alles, was das Leben retten oder wenigstens erleichtern könnte. Wir haben jetzt gegen Hunderte von gierigen Augen zu kämpfen.« Mirmuchsin umarmte Abukow und küßte seine Wangen. »Sei vorsichtig, Victor Juwanowitsch. Rede dir niemals ein, daß Jachjajew dich schützt, weil du ihm Braten und andere schöne Dinge bringst. Im Gegenteil: Um sich selber zu schützen, hängt er dich an den nächsten Baum. Wie bei den Wölfen ist's: Ein kranker oder verwundeter Wolf wird zur Last und zur Gefahr für das Rudel, also zerreißt man ihn gemeinsam.« – Er gab Abukow einen Klaps auf die Schulter: »Und nun fahr ab, Freundchen! Wird's schwer sein ohne Larissa?«

»Ja . . . ich glaube . . .«

»Ein Mensch in Sibirien muß zwei Geliebte haben«, sagte Mustai fast feierlich: »Ein Mädchen und eine Flasche Wodka . . . sonst ist das Unglück da!«

Er schlug die Autotür hinter Abukow zu, winkte noch einmal durch die Scheibe und ging dann mit seinen krummen Beinen zurück zu seiner Limonadenbrauerei. Abukow ließ den Motor aufheulen, löste die Bremse, gab Gas und warf beim Abfahren noch einen letzten Blick auf das Hospital.

Drei Tage lang führte er in Surgut ein ruhiges Leben. Die Lager an der Trasse waren versorgt, und für den Nachschub der Baukolonnen waren andere Brigaden zuständig, die auf gewaltigen Speziallastwagen Maschinenteile, Rohre, tonnenschwere Betonfertigteile, Eisenkonstruktionen für Brücken und Träger, Motoren und riesige Werkzeugkisten transportierten. Außerdem war ständig eine kleine Luftflotte unterwegs – teils große Lasthubschrauber, teils massige, propellerbetriebene Transportmaschinen, die auf den notdürftig ausgewalzten Pisten entlang der Erdgas-

Trasse landen konnten und sogar zusammengelegte Riesenkräne und Raupenbagger an die Einsatzorte brachten.

Smerdows Brigaden, grundsätzlich nur für die Versorgung der Straflager zuständig, fuhren in der Zwischenzeit – bis zu den neuen Lieferungen – zwischen Güterbahnhof und Zentrallager hin und her und holten neue Lebensmittel ab, die per Eisenbahn aus Tjumen, Swerdlowsk oder gar aus dem Süden, von den weiten Feldern Kasachstans kamen. Oder sie luden Waggons mit Kleidung, Unterwäsche, Stiefeln, Strümpfen, Hemden, Pullovern und Mützen aus; Material für die Sträflinge, um ihnen im kommenden Winter die klirrende Kälte erträglicher zu machen.

Erstaunlich war nur, daß all die schönen Dinge zwar in Surgut eintrafen und abgeladen wurden, auch ins Zentrallager kamen und dort gestapelt wurden – aber wenn der Winter einsetzte und die zerlumpten Gestalten in den Lagern zu ihren ebenfalls zerlumpten alten Wintersachen griffen, stellte man im Zentrallager bei der Kleidung einen ungeheuren Schwund fest und konnte nur einen geringen Teil der im Sommer angelieferten Wattejacken, Stiefel und Mützen an die Lager weitergeben.

Smerdow regte das nicht sonderlich auf. Er nahm die alten Listen aus der Mappe, verbrannte sie, fertigte eine neue Bestandsaufnahme an, und nach dieser lieferte er – korrekt hundertprozentig – alles an die wartenden Sträflinge aus. Würde es jemals eine Kontrolle geben, stimmte alles bis auf einen Handschuh. Nach den alten Lieferlisten vom Sommer fragte niemand. Wo waren sie denn? Wer kannte sie außer Smerdow? Die sowjetische Bürokratie ist so unübersichtlich und verfilzt, daß sich ein Transport vom Sommer im Winter nicht mehr aktenkundig nachvollziehen läßt.

Abukows Antrag, erneut nach Tjumen fliegen zu dürfen, war diesmal keiner Diskussion mehr wert. Smerdow nickte nur. »Dein Theater?« fragte er. »Es klappt wirklich?«

»Die erste Probe hatten wir schon. Die Bühne stand am Sonntag bereits provisorisch in der Halle.«

»Es gibt in Sibirien nichts, was nicht möglich wäre«, meinte Smerdow und kam sich sehr klug vor. »Flieg nach Tjumen und bring mir hellbraune Stiefel mit. Hellbraune Stiefel sind die große Mode, das hab' ich in der Illustrierten gesehen. Meine Größe kennst du ja.«

Also flog Abukow am Abend wieder mit einer Transportmaschine nach Tjumen, bezog wie immer ein Zimmer im Wohnheim, kaufte eine Flasche Wodka und dachte an Mustais Wort, daß ein Mann in Sibirien zwei Geliebte haben müsse, um nicht trübsinnig zu werden.

Nach drei Gläsern überkam ihn die Reue. Er wollte nicht zum

Säufer werden. Er rasierte sich, zog ein frisches Sommerhemd an und machte einen Bummel durch die nächtliche Stadt Tjumen. Ziellos streifte er herum, ging durch Neubauviertel und durch die zum Teil noch erhaltene Altstadt mit ihren schönen, geschnitzten Holzhäusern, den bunt bemalten Fensterläden und den kunstvollen Gesimsen, sah die durch Lattenzäune abgeschirmten Vorgärten und die ehemaligen Pferdeställe, die jetzt meistens Garagen waren oder einfache Werkstätten. Ein Atem des zaristischen Rußland wehte noch um die Blockhäuser, und wenn man sich in Gedanken vorstellte, die Straße davor sei nicht asphaltiert, sondern nur festgewalzter Lehm, der im Frühjahr und im Herbst zu einer Schlammkuhle wurde – dann konnte man mit viel Phantasie die bärtige Gestalt Rasputins ahnen – jenes dämonischen Mönchs, der in Tjumen und weiter nördlich in Tobolsk gelebt hatte und von hier aus an den Zarenhof gerufen wurde, um den Zarewitsch mittels geheimnisvoller Kräfte von der Bluterkrankheit zu heilen. Ein nächtlicher Spaziergang durch Tjumen – auch durch den neuerbauten Teil der Stadt – ist nicht vergleichbar mit einem Schaufensterbummel in Paris, Rom, München oder London. Selbst die unauffälligste Kleinstadt im Bayerischen Wald hat mehr zu bieten als eine sowjetische Stadt bei Nacht. Wenn sie dazu noch in Sibirien liegt, dann kommt es einem vor, als ginge man durch eine Theaterkulisse nach dem Ende der Aufführung. Es ist die Stimmung wie in einem verlassenen Theater, bevor die letzten Lichter ausgedreht werden. Einigen betrunkenen Brüderchen begegnet man, ab und zu einem Fuhrwerk, das wie verirrt wirkt; gegen 11 Uhr nachts laufen einige Gruppen schnell nach Hause oder stürmen den Omnibus für die Außenbezirke, weil gerade irgendeine Vorstellung zu Ende ist, ein Vortrag, ein Zusammentreffen – und dann liegen die Straßen wieder einsam da, zwei Nachtkinos spielen noch, eine Handvoll Lokale ist halb voll und deshalb erleuchtet. Am Bahnhof dösen drei Taxen und warten auf Fahrgäste – woher sollen sie kommen? Nur in den beiden neuen Hotels ist noch Leben, wenn auch nicht mehr im Speisesaal, denn da wird das Licht nach dem Essen einfach abgestellt, und die Gäste werden weggetrieben in den Raum, den man Bar nennt. Gewiß, auch ein paar Huren gibt es in Tjumen – nicht offiziell, die Prostitution ist in Rußland verboten – aber man duldet sie. Es hat sich nämlich herausgestellt, daß gerade unter den Ausländern russischen Weibern eine sagenhafte Liebesfähigkeit angedichtet wird, wodurch dem KGB schon manche wertvolle Information zugegangen ist – auf dem Umweg über eine heiße Umarmung. Eine große Rolle spielen dabei die »Privatklubs«, die offiziell niemand kennt, und doch führt jeder Taxifahrer einen dahin, wenn man es will. Bei

Krimsekt, grusinischem Kognak und Kaviar oder gebratenem Stör hat im Verlauf von ein paar netten Stunden schon mancher Gast mehr gesagt, als er nüchtern verantworten könnte.

Abukow ging die Hauptstraße hinunter, blieb vor den Schaufenstern stehen, die nicht mehr erleuchtet waren, betrachtete die im Dunkel liegenden Auslagen und stand gerade wieder vor dem Modegeschäft mit der männlichen Puppe im Frack und der Dame im Abendkleid, als ihn jemand von hinten berührte. Unwillkürlich schrak er zusammen und drehte sich schnell um.

Ein kleiner, weißhaariger Mensch mit einem schmalen, spitzen Gesicht stand vor ihm und blinzelte ihm zu. Er trug viel zu weite Hosen, die um seine Hüften schlotterten, und Abukow erinnerte sich, daß er ihn gesehen hatte in einem ebenfalls viel zu weiten und langen weißen Kittel.

»Ich weiß nicht, ob ich mich irre«, sagte der Mensch mit großer Freundlichkeit, »aber sind Sie nicht der Genosse, der aus meiner Heimatstadt stammt?«

»So ist es, Genosse Doktor Semlakow.« Abukow gab ihm die Hand. »Sie haben mich bei der Einstellung untersucht.«

»Einer der Freiwilligen, nicht wahr? Sind Sie nicht Lastwagenfahrer? Oh, ich habe noch ein gutes Gedächtnis mit meinen 71 Jahren. Bin seit zehn Jahren in Pension, aber immer holen sie mich wieder, weil sie die jungen Ärzte draußen an der sibirischen Front brauchen.« Er lachte kurz und vergrub die Hände in den Taschen der viel zu weiten Hose. »Ich sage immer Front – und so ist es doch auch. Dieser Kampf um Sibirien ist ein gnadenloser Krieg gegen die Natur. Wie ist das mit Ihnen? Fahren Sie denn nun einen Lastwagen?«

»Ja. Und mitten hinein in die erste Linie. In Surgut bin ich stationiert und beliefere die Straflager . . .«

»Dann haben Sie ja Sibirien von seiner Rückseite kennengelernt.« Dr. Semlakow nickte zu dem Schaufenster des Modegeschäftes hin: »Was gefällt Ihnen da so? Der Frack? Oder die Frau im Abendkleid?«

»Beides. Ich werde versuchen, Frack und Abendkleid morgen zu kaufen.«

Dr. Semlakow sah Abukow forschend an, aber da er keinen Irrsinn in seinen Augen erkennen konnte, seufzte er nur leise. »Wieviel haben Sie heute schon getrunken?« fragte er.

»Drei Gläschen bloß.« Abukow lachte. »Ich erkläre Ihnen alles, wenn Sie etwas Zeit haben.«

»Wer hat hier keine Zeit?« Dr. Semlakow musterte Abukow wieder. »Warum strolchen Sie hier allein in der Nacht herum wie ein suchender Vater?«

»Kann sein, aus dem gleichen Grund wie Sie, Genosse Doktor. Ich heiße Victor Juwanowitsch Abukow. Haben Sie noch den Schwesternturm in Ihrer Praxis? Dieses dröhnende Fleischgebirge?«

»Sie wird uns alle überleben!« Dr. Semlakow lachte leise. »Sie ist wie eine Batterie. Bei jedem Befehl an die Patienten ›Die Hose runter!‹ lädt sie sich neu auf. – Ja, warum ich hier bin in der Nacht? Ein alter Mann braucht erstens wenig Schlaf, und zum zweiten ist diese Stille in den Straßen wie ein Balsam. Wo sollen wir uns hinsetzen, Victor Juwanowitsch?«

»Ich kenne Tjumen gar nicht. Machen Sie einen Vorschlag.«

»Im Restaurant ›Sibirskaja‹ ist noch Betrieb. Gehen wir hin.«

Es war nur ein paar Ecken weiter. Sie betraten das ungewöhnlich luxuriöse Lokal mit seinen weiß gedeckten Tischen und Polsterstühlen und entschieden sich für einen Ecktisch, in dessen Nähe niemand saß. Dr. Semlakow bestellte einen Karaffe georgischen Wein und einen Teller Hefegebäck, streckte die Beine von sich und faltete die Hände über dem mageren Bauch.

»Auch ich bin ein Strafgefangener«, sagte er plötzlich. »Vor 43 Jahren wurde ich begnadigt mit der Verpflichtung, in Sibirien zu bleiben. Im Gebiet Tjumen–Tobolsk. Und da bin ich nun geblieben. Das war 1938, und es war etwas ganz Besonderes damals, von Stalin begnadigt zu werden und nicht durch einen Genickschuß zu enden. Aber man brauchte Ärzte in Sibirien, und ich war jung, ein guter Arzt, mit 28 Jahren gerade in dem Alter, in dem man es sich noch zutraut, das jungfräuliche Land wirklich erobern zu können. So durfte ich weiterleben, wurde sogar Beamter, blieb in Tjumen auch den ganzen Krieg über, niemand kümmerte sich um mich. Ich erhielt mein Gehalt, weil ich auf einer Liste stand, aber sonst hatte man mich vergessen. Erst Chruschtschow entdeckte mich wieder, verlieh mir als Stalinopfer eine Medaille und den Titel ›Verdienter Kämpfer für den Frieden und den Aufbau‹ und erhöhte mein Gehalt. – Warum erzähle ich Ihnen das eigentlich, Victor Juwanowitsch?«

»Vielleicht, weil ich aus Ihrer Heimatstadt komme«, sagte Abukow zögernd.

»Das wird es sein.« Dr. Semlakow trank einen Schluck Wein, brach ein Hefeteilchen und schob es zwischen seine gelbfarbenen Zähne. Er kaute lange und genüßlich, rollte den Bissen im Mund herum und ächzte etwas, als er ihn endlich hinunterschluckte. »Daran werde ich sterben«, sagte er beiläufig. »Ein Carcinoma oesophagi im unteren Drittel. Wissen Sie, was das ist? Speiseröhrenkrebs! Noch kann ich schlucken, noch ist die Stenose-Symptomatik gering, die Passage ist noch leidlich frei . . . aber ich kann mir die Wochen ausrechnen, mein junger Freund.«

»Warum lassen Sie sich nicht operieren?« rief Abukow betroffen.

»Was soll das nutzen? Da 70 Prozent der Ösophaguskarzinome subphrenische Metastasen ausstreuen, wird man bei mir eine Laparotomie machen, die Metastasen in der Bauchhöhle feststellen und mich sofort wieder zunähen. Ich bin inkurabel geworden, Victor Juwanowitsch. Woher ich Krebs habe? Nur ahnen kann ich das . . . ich habe über 40 Jahre lang gesoffen wie ein durchlöcherter Eimer. Die Leber hat's ausgehalten, aber die Speiseröhre nicht. Das ist ein medizinisches Kuriosum. Mein junger Freund, überstehen Sie Sibirien ohne großes Saufen – das ist ein väterlicher Rat. Manchmal glaubt man, der Wodka sei der einzige, wahre Himmel. Aber es gibt keinen Himmel auf Erden!«

»Die Liebe, Dr. Semlakow . . .«

»O Teufel! Sind Sie so weit, Victor Juwanowitsch? Kaum hier und schon himmelhoch jauchzend?«

»Ja. Sie ist eine Kollegin von Ihnen.«

»Eine Ärztin?«

»Die Lagerärztin von JaZ 451/1 in Nowo Wostokiny.«

»Vorsicht, Victor Juwanowitsch! Bloß Vorsicht! Diese Gesundschreiber-Weiber sind die Hölle. Wie konnte Ihnen das passieren?«

»Es war wie eine Neuschöpfung der Welt, Dr. Semlakow . . .«

»Sie sind also doch ein bißchen verrückt geworden.« In Dr. Semlakows Stimme war deutliches Bedauern.

»Ohne Larissa fühle ich mich unendlich einsam. Darum laufe ich jetzt auch hier durch die Nacht. Kennen Sie das: Man atmet, und doch fehlt einem die Luft. Genauso ist es.«

»Dann sind Sie an Ihre Larissa bereits so verloren wie ich an meinen Krebs«, sagte Dr. Semlakow, trank Wein, biß ein Stück Hefekuchen ab und schluckte es wieder mit einem Ächzen. »Eine Lagerärztin. Ausgerechnet so eine! Gibt es in Sibirien nicht Tausende von anderen Mädchen?«

»Nicht und nie mehr so eine wie Larissa Dawidowna. Sie kennen Sie nicht, Genosse Doktor.«

»Mir genügt ihre Tätigkeit. Ich habe Erfahrung darin seit über 40 Jahren, mein Lieber. Wer einen nackten Männerarsch betrachtet und ›arbeitsfähig‹ brüllt, ist für mich keine Frau zur Liebe mehr!« Er warf einen forschenden Blick auf Abukow. »Oder sind Sie pervers, Victor Juwanowitsch? Natürlich, so was gibt's auch. Der Mensch ist das wundersamste Tier.«

»Sie sollten Larissa kennenlernen, Dr. Semlakow«, sagte Abukow eindringlich. »Wenn es möglich ist, bringe ich sie einmal nach Tjumen mit. Sie müssen sie sich ansehen.«

»Warum gerade ich?«

»Sie haben mir vorhin einen wichtigen Abschnitt aus Ihrem Leben erzählt – warum gerade mir?«

»Weil ich Sie – zum Teufel – sympathisch finde, ohne das erklären zu können.«

»Ebensowenig kann ich es erklären, daß ich großes Vertrauen in Sie habe.« Abukow lächelte und nahm sein Glas, prostete Dr. Semlakow zu und trank einen Schluck. »Es gibt im Leben seltene Stunden, die sich zur Offenbarung eignen.«

»Das hätte ein Pope sagen können!« meinte Semlakow ahnungslos und merkte auch nicht, wie sich Abukow plötzlich in sich zurückzog. »Wenn Ihnen an meinem Urteil etwas liegt, Victor Juwanowitsch: Gut, schleppen Sie das Lageraas vor meine Augen; ich warne Sie aber im voraus: Ich hasse solche Weiber! Zuviel Unglück, zuviel Krüppel und Tote habe ich durch diese Sorte Teufel schon gesehen. Und selbst wenn sie aussieht wie eine Madonna von Botticelli und eine Stimme hat wie eine Äolsharfe – ich werde sie verachten und es ihr auch zeigen!«

Man blieb noch eine Stunde zusammen im »Sibirskaja«, trank noch eine Karaffe Wein, und dann begleitete Dr. Semlakow, ein wenig schwankend schon, Abukow zum Wohnheim, klopfte ihm mit einem verlorenen Lächeln auf die Schulter und sagte zum Abschied:

»Mein junger Freund, sind Sie ein so großer Idealist, daß es auf der weiten schönen Welt gerade Surgut sein muß?«

»Ja, es muß Surgut sein, Dr. Semlakow. Ich habe dort eine Aufgabe.«

»Lebende Tote zu versorgen und ihren Todesengel zu lieben?«

»Ist das nicht ein ungeheurer Auftrag?«

»Da haben Sie recht . . . ich zweifle nur, ob Sie das Ihr ganzes Leben lang durchhalten!«

In dieser Nacht schlief Abukow wieder nicht. Er saß am Fenster seines Zimmerchens, starrte auf den stillen Platz vor dem Haus, trank die Wodkaflasche leer und sehnte sich nach Larissas offenen Armen, als könnte ihm das helfen bei seiner Flucht vor der grausamen Wahrheit.

Natürlich ist es unmöglich, in zwei Tagen alles herbeizuschaffen, was man für den Beginn eines neu zu gründenden Theaters braucht, obwohl Abukow in Tjumen mit jeder Minute geizte und herumflitzte wie ein Wiesel beim Frühlingsanfang.

Zunächst war der Gang zum Genossen Kulturbeauftragter unerläßlich. Ohne seine Zuweisungen war alles unmöglich. Man versuche einmal, auf dem Markt auch nur eine Kartoffel zu kaufen und mit der offenen leeren Hand zu bezahlen . . . dieses Geschrei! Und Abukow stand da ohne eine Kopeke, aber mit einer Liste, die – zählte man alle Posten zusammen – einige tausend Rubel wert war.

»Unser Theatergenie!« sagte der Kulturbeauftragte freudig, als Abukow, ohne warten zu müssen, zu ihm hereingelassen wurde. »Rassim hat Sie also nicht erschlagen. Selbst beim zweiten Anlauf nicht. Das ist ein Fortschritt! Der Kulturgedanke schlägt Wurzeln. Was haben Sie vorzutragen, Victor Juwanowitsch?«

Abukow überreichte ihm die lange Liste und wartete, bis der vornehme Genosse sie voll Interesse, wortlos und mit verhaltenem Räuspern durchgelesen hatte. Dann legte er die Liste auf den Schreibtisch und blickte Abukow an.

»Sehr imposant«, sagte er, als Abukow erwartungsvoll schwieg. »Die Grundausstattung ist das. Holz, Platten, Nägel, Kabel, Birnen, Eisen und anderes technisches Material können wir aus dem eigenen Bestand beschaffen. Das Frauenlager in Tetu-Marmontoyai kann Stoffe liefern, Abfall aus der großen Kleiderfabrik und der Wäscherei. Dort könnte man auch die Stoffe einfärben.«

»Imposant!« sagte der elegante Genosse noch einmal. »Viel Glück.«

Abukow beugte sich etwas vor. »Was dringend fehlt, steht auf dieser Liste.«

»Das habe ich begriffen.«

»Ich möchte es von Ihnen, Genosse.«

»Von mir? Victor Juwanowitsch, bin ich der Zulieferer des Bolschoi-Theaters? Sie haben die Genehmigung, ein Theater in einem Straflager zu organisieren. Sie haben dazu eine eigene Künstlergewerkschaft gegründet, wir beobachten das schöne Projekt mit Wohlwollen – was wollen Sie mehr?«

»Rubel, Genosse.«

»Die Finanzierung ist Sache der Gewerkschaft.« Der Kulturbeauftragte lehnte sich in seinem Stuhl zurück. Auf seinem weißen Hemd glänzte die Sonne. »Wir geben Zuschüsse, Förderungsprämien, in Ausnahmefällen sogar Kredite, zinslos, wir sind ja ein kulturbewußter Staat – aber darüber hinaus, mein Lieber . . .«

»Wieviel?« fragte Abukow nüchtern.

»Wenn ich Ihre Liste durchrechne, fallen mir die Augen zu. Ich habe nie daran gedacht, in Surgut eine Oper wie ein Charkow zu bauen. Victor Juwanowitsch – es gibt Zweipersonenstücke, die Begeisterung hervorrufen. Ich habe sogar den Faust gesehen, von fünf Personen gespielt, und das Publikum war hingerissen. Die höchste Kunst der Kunst ist die Improvisation! Müssen Sie gleich mit Aida anfangen oder den Meistersingern? Legt mir da eine ganze Orchesterliste vor! Ein Vorschlag, Abukow: Sie treten zunächst allein auf, rezitieren Balladen und spielen Monologe. Kennen Sie Marcel Marceau, den Franzosen? Den großen Pantomimen? Der stellt allein eine ganze Oper dar, und alle begreifen es! *Das* ist Kunst! Mit einem Sack voll Rubel kann jeder anfangen.« Er wippte wieder nach vorn und blickte Abukow ohne Falsch an. »Wissen Sie, was die Kirgisen sagen? Nicht der Sattel ist wichtig, sondern das Pferd! – Das Pferd haben Sie, Abukow . . . nun reiten Sie!«

Nach zwei Stunden zähen Ringens hatte Abukow es dann doch erreicht, daß er sechs amtliche Bezugsscheine für Stoffe, zwei Geigen, eine Flöte, eine Trompete und eine Handharmonika erhielt. An Bargeld gab der Kulturbeauftragte gegen einen Kreditvertrag 300 Rubel. Falls die Zentrale in Swerdlowsk den Betrag als Zuschuß anerkannte, sollte der Kredit gestrichen werden. Bis dahin haftete Abukow mit seinem Lohn für die 300 Rubel. Außerdem versprach der elegante Genosse, alles mobil zu machen, was das »Theater Die Morgenröte« unterstützen könnte, vor allem Gelder aus dem Fonds für den kulturellen Aufbau Sibiriens.

»Das kann dauern«, sagte er aber noch, als er Abukow verabschiedete. »Ein langer Beamtenweg ist es. Jeder will seine Unterschrift und seinen Stempel drunterdrücken, denn jeder betrachtet sich als äußerst wichtig. Ich bin gewissermaßen die Endstation und kann nur die Bahnen abfertigen, die bei mir eintreffen. So ist das, Victor Juwanowitsch: große Ideen, große Pläne, aber ein beschissener Weg zur Wirklichkeit. Viel Glück, mein Wohlwollen ist immer bei Ihnen!«

Davon hatte Abukow wenig, aber was er bisher erreicht hatte, genügte schon für einen Anfang. Es war – seien wir ehrlich – bereits mehr, als er erwartet hatte. Was ihm aber noch unbekannt war, aber das erfuhr er sehr schnell und sehr massiv: das Mißtrauen gegenüber staatlichen Bezugsscheinen bei den Händlern, bei denen er in den nächsten beiden Tagen vorsprach.

Man muß das verstehen, Genossen. Da stellt eine amtliche Stelle einen Berechtigungsschein aus, auf dem steht: Gültig für den Kauf einer Violine. Der Bezugsschein ist der staatlichen Planungskontrolle einzureichen zusammen mit einer vom Käufer unterschriebenen Empfangsbescheinigung. – Das hört sich gut und vernünftig an. Aber wenn der Staat etwas bezahlen soll, und sei es auch gegen einen Gutschein, sitzen da wieder einige Kompanien Beamte, die beschäftigt sein wollen. Nun kann es vorkom-

men, daß die Geige nach vier Monaten wirklich bezahlt wird –
dann darf man fröhlich in die Hände klatschen und ein Liedchen
singen. Es kann aber auch sein, daß man noch etliche Formulare
ausfüllen muß, um die Aktendeckel zu füllen. Und wenn man
ganz großes Pech hat, verschwindet auf dem Weg durch die Beamtenzimmer irgendwo der Bezugsschein. Dann ist es schwer
nachzuweisen, daß man wirklich eine Geige geliefert hat. Ohne
Schein keine Rubel – das leuchtet jedem ein, der auf Ordnung
hält. Wen wundert es, daß Abukow schon im ersten Musikaliengeschäft freudig begrüßt und umworben wurde, als er zwei
schöne erste Geigen aussuchte – dann aber, als er seine Bezugsscheine auf die Theke legte, folgendes erlebte:
Der Geschäftsinhaber, ein Künstlertyp mit wallender brauner
Mähne, holte erst einmal tief Luft, wölbte die Lippen, als wolle er
Abukow anspucken, sagte dann aber doch mit menschlicher
Stimme: »Genosse, das sind die teuersten Violinen im Laden! Ich
kenne das, das gibt Schwierigkeiten, wenn ich die Rechnungen
einreiche. Kein Beamter sieht ein, warum man auf einer 200-Ru-
bel-Geige spielen soll, wenn es welche für 50 Rubel gibt. Und was
haben Sie ausgesucht? Zwei Geigen zu je 700 Rubel! Man wird
mich hinauswerfen, wenn ich damit komme. Hängen Sie sofort
die Geigen wieder an den Haken!«
»Es kommt auf den Klang an, Genosse«, sagte Abukow.
»Nein, es kommt auf mein Geld an!« schrie der Musikalienhändler und rollte mit den Augen. »Wenn Sie bar bezahlen – bitte, ich
habe eine Geige für 1500 Rubel im Hinterstübchen. Aber gegen
Bezugsschein? Ich lebe nicht von den Schimpfworten der Beamten! Schließen wir einen Pakt: Dort hängen wunderschöne Geigen für 75 Rubel. Bei einem guten Geiger klingen sie wie eine
Stradivari. Wollen Sie selbst spielen? Probieren Sie! Sie liegt Ihnen am Hals wie eine Geliebte! Auch eine Geliebte reagiert um so
schöner, je zärtlicher man sie behandelt.«
Abukow handelte zwei Stunden um zwei Geigen für 100 Rubel.
Das Chaos aber wurde vollkommen, als er die Bezugsscheine für
eine Flöte, eine Trompete und eine Handharmonika vorlegte. Der
Musikalienhändler mußte sich setzen, seine Beine wurden kraftlos. Schweiß trat auf seine Stirn und rann zu seinen zuckenden
Lippen.
»Warum ruinieren Sie mich, Genosse?« fragte er müde. »Einen so
guten Eindruck machen Sie – und vernichten meine Familie. Wo-
her kommen Sie? Wieso gibt man Ihnen diese Bezugsscheine?
Außerdem habe ich keine Trompete auf Lager.«
»Sie sagen Lager, Genosse.« Abukow lehnte sich gegen die Theke
und wußte genau, daß mindestens eine Trompete in den hinteren

Räumen verborgen war. »Genau das ist es. Aus einem Lager komme ich. Und für ein Lagerorchester suche ich die schönen Dinge.«

Der Musikalienhändler wischte sich den Schweiß von der Stirn und ließ ein dumpfes Stöhnen hören. »Was für ein Lager?«

»Ein Straflager an der Erdgasleitung bei Surgut. Über zweitausend Männer und Frauen warten darauf, daß ein wenig Musik ihr trostloses Leben aufheitert.«

»Und dafür bekommen Sie Bezugsscheine?«

»Sie sehen es.«

»Für ein Arbeitslager in der Taiga? Oh, wie unverschämt Sie lügen, Genosse. Als wenn man den Verdammten ein Orchester gönnen würde! Das können Sie einem Blöden erzählen, der einen Ochsen melken will.« Er musterte Abukow geradezu ekelerregend und wölbte wieder die Lippen, als wolle er spucken. »Wieso kommen Sie da als Zivilist? Die Lager unterstehen dem Militär, dem KGB, was weiß ich. Aber nie einem Zivilisten! Erklären Sie mir nur noch, Sie seien selbst ein Strafgefangener, der Ausgang hat zum Instrumenteeinkaufen. Dann lache ich mir die Lunge heraus und falle vom Stuhl.«

»Ich bin Fahrer der Transportbrigade von Surgut und leite das Lagertheater.«

»Die haben wirklich ein Theater in den Sümpfen?«

»Wir sind dabei, es zu gründen – mit Ihrer Hilfe, Genosse! Machen Sie Ihre Kartons auf und rücken Sie die Trompete und die Ziehharmonika heraus.«

Wie gesagt, es dauerte sehr lange, bis man sich einig wurde und der Musikalienhändler mit Seufzen und Klagen die Bezugsscheine annahm. »Wird das einen Kampf mit den Beamten geben«, sagte er ahnungsvoll. »Bis zum Winter habe ich damit zu tun, bei viel Glück! Genosse, ich nehme das nur auf mich, weil es für ein Straflager ist.«

Gegen Bargeld erwarb Abukow dann auch noch einen Stoß Noten, und hier kam es nun darauf an, welche Möglichkeiten ein neues Theater haben würde. Qualifizierte Musiker gab es genug im Lager, sogar einen Dirigenten aus Kiew – aber es war ein Unsinn, »Othello« von Verdi oder »Die Walküre« von Wagner einzukaufen. Außerdem hatte das Geschäft auch nur Klavierauszüge vorrätig und einzelne Arienblätter aus italienischen Opern.

Nur zwei vollständige Partituren waren vorhanden, und auf die war der Genosse mit der braunen Künstlermähne besonders stolz: das Ballett »Schwanensee« von Tschaikowskij und die Operette »Die lustige Witwe« von Franz Lehár.

»Ich kaufe die Witwe«, sagte Abukow schnell entschlossen. »Und dic Klavierauszüge zu ›Tannhäuser‹ und ›Lohengrin‹ von Wagner. Die Musiker werden danach ihre Stimmen selbst schreiben . . . alles ist möglich, wenn man Musik machen will.«

»Sie wollen Tannhäuser in einem Straflager spielen?« fragte der Musikalienhändler und starrte Abukow entgeistert an.

»Teile davon. Stellen Sie sich vor: Tausend verhungerte, zermürbte Menschen sitzen da in einer ehemaligen Autohalle und hören: ›Dich, teure Halle, grüß ich wieder . . .‹«

»Pervers ist das, Genosse. Gespenstisch . . .«

»Wie könnt ihr alle ahnen, was das für diese Menschen bedeutet . . .«

»Mit zwei Geigen, einer Trompete, einer Handharmonika – Tannhäuser!«

»Und Pauken und Trommeln aus Blechfässern, und selbstgeschnitzte Flöten aus Ästen und Balken.«

»Wagner träfe der Schlag!«

»Nein, er würde die Hände falten und beten . . .«

Abukow bezahlte die Noten, ließ sich ein großes Paket aus den Instrumenten machen und schleppte es auf der Schulter zum Wohnheim. In der Kantine aß er ein Omelett mit gesäuerten Pilzen und einer Multebeerensauce, trank ein Glas Kwaß und benutzte den Nachmittag dazu, in einer Buchhandlung Textbücher zu kaufen.

Dramen von Schiller durften dabei nicht fehlen, ist er doch – wie schon gesagt – unter den Ausländern der Lieblingsdichter der Russen. Das erlebten staunend auch die deutschen Kriegsgefangenen in den sowjetischen Lagern: Wenn man auf den improvisierten Bühnen – meistens in der Stolowaja, dem Schulungs- und Versammlungsraum – ein Stück spielen wollte und es der Kommandantur zur Genehmigung einreichte, genügte die Zeile: »Von Friedrich v. Schiller« – und das Stück wurde erlaubt. Deshalb behauptete man einfach »Charleys Tante« sei genauso von Schiller wie die von Gefangenen selbst auf Papiersäcke geschriebenen Stücke. Die sowjetischen Wachmannschaften, die natürlich in den Vorstellungen saßen, freuten sich jedesmal maßlos über die Vielseitigkeit dieses Schiller, der so flotte und oft auch zweideutige Chansons geschrieben hatte.

Also kaufte Abukow die Texte von »Die Räuber« und »Wallenstein«, aber er nahm außerdem Gogols »Revisor« und eine Dramatisierung von Puschkins »Der Postmeister« mit. Es waren Stücke, in die man mit Leichtigkeit eine Betszene hineinschreiben konnte – einen Gottesdienst auf der Bühne.

Zufrieden mit diesem Anfang, beladen wie ein Packesel – denn am zweiten Tag in Tjumen hatte er noch gegen Bezugsschein und wiederum zähen Kampf verschiedene Stoffe eingekauft – flog er nach Surgut zurück. Ein Lastwagen nahm ihn vom Flugplatz in die Stadt mit und setzte ihn mit seinen Schätzen im Hof des Zentralverpflegungslagers ab.

Im Büro empfing Smerdow ihn mit unruhigen Augen.

»Ihre braunen Stiefelchen habe ich, Lew Konstantinowitsch!« rief Abukow schon an der Tür. »Elegante Schühchen sind es. Man muß sich wundern, in Tjumen gibt es einfach alles.«

»Noch mehr wirst du dich gleich wundern«, sagte Smerdow dunkel. »Und wenn du dir in die Hose scheißt, keiner nimmt es übel: Ein Anruf ist gekommen, gestern abend, von Mustai Jemilianowitsch. In 451/1 ist die Hölle losgebrochen!«

»Die . . . die Tschakowskaja?« fragte Abukow stockend.

»Wenn's das nur wäre! Irgendein Saustück hat es nun doch verraten, daß im Lager heimlich Hühnchen, Fleisch und Eier gebraten werden. Der Beweis liegt auf Jachjajews Tisch: eine knusprige Hühnerbrust. – Mustai verschlug es die Sprache, als er es durchgab.«

»Und . . . und was ist geschehen?« fragte Abukow tonlos.

»Angst und Schrecken rundherum. Verhöre. Sogenannte ›strenge Befragung‹. Ja . . .« Smerdow sah Abukow fast traurig an. ». . . auch dein Name ist genannt worden in diesem Zusammenhang. Victor Juwanowitsch, was sollen wir tun? Etwas ausdenken müssen wir uns. Alles ist gut, nur eins nicht: Weglaufen. Bloß das nicht! Mein lieber Genosse, jetzt darfst du vor Schreck in die Hosen machen . . .!«

Wie war das im Lager passiert?

Jachjajew war gerade damit beschäftigt gewesen, das Kleid, das er der hübschen Novella Dimitrowna schenken wollte, in ein schönes, buntes Papier zu verpacken – da klopfte es, und der Kriminelle Schimanskow schob sich ins Zimmer. Es war der Bursche, der einen Munitionstransporter der Roten Armee geklaut und ihn dann mit allen Waffen an die Mongolen verkauft hatte. Jachjajew diente er seit einiger Zeit als Spitzel im Lager. Allerdings hatte er in der letzten Zeit – auch, nachdem man den Toten mit einem Hühnerbeinchen in der Kehle auffand – geschwiegen, weil er bei der heimlichen Verteilung der Lebensmittel ebenfalls eine kleine Ration abbekam.

Das hatte sich geändert. Schimanskow war bei der neuen Verteilung ausgespart worden und mußte mit wäßrigem Gaumen zusehen, wie andere Brathühnchen und Grießbrei mit Marmelade aßen. Die Ausgabe der Lebensmittel hatte diesmal der Chirurg

Wladimir Fomin übernommen, und es war ein grober Fehler von ihm, den Spitzel zu vergessen – ob mit oder ohne Absicht.

Zwei Tage lang fragte Schimanskow sich, was vorteilhafter sei: Den Mund zu halten und vielleicht in vier Wochen wieder einen zusätzlichen Bissen zu bekommen – oder Jachjajew einen Wink zu geben in der Hoffnung, damit eine Verkürzung seiner Strafzeit zu erreichen. Jachjajew hatte so etwas versprochen, aber ob er das auch hielt? Drei Spitzel, die in den vergangenen Jahren bei ähnlichen Situationen auf Jachjajew vertraut hatten, kamen nicht mehr dazu, die Früchte ihres Verrats zu ernten: Einer wurde von Unbekannten erwürgt. Der zweite wurde auf der Latrine ohnmächtig und ertrank in der Fäkaliengrube. Der dritte wurde von einem gefällten Baum erdrückt – unnatürlich daran war nur, daß jemand ihn vorher an den Stamm gebunden hatte.

Schimanskow entschied sich nach langem Hin und Her. Da er zum Innendienst eingeteilt war, fiel es nicht auf, daß er mit einem Reisigbesen in der Hand die Kommandantur betrat. Zu seinen Aufgaben gehörte es nämlich, die Flure der Kommandantur zu fegen und die Toiletten der Offiziere zu säubern. Jachjajews Zimmer lag an einem Querflur in Schimanskows Revier, und nun war er da und grinste den Kommissar verlegen an. Jachjajew schnaubte durch die Nase.

»Spuck es aus, Lew Porfiriowitsch!« sagte er und schob das für Novella bestimmte Paket zur Seite. »In welcher Ecke stinkt es?«

Schimanskow griff in die Hosentasche, holte eine schmale gebratene Hühnerbrust heraus – er hatte sie aus dem Versteck eines Kameraden geklaut, der früher einmal ein Schuhmacher gewesen war – und legte sie wortlos auf Jachjajews Tisch. Eine entsagungsvolle Tat war das; stundenlang hatte Schimanskow mit sich gerungen: Gebe ich das Brüstchen ab, oder esse ich es selber auf? Die Aussicht auf das Wohlwollen des KGB war schließlich stärker gewesen.

»Aha!« sagte Jachjajew und betrachtete das Hühnerteil, ohne es zu berühren. »Soso! Woher?«

»Block III, Genosse Kommissar . . . Ich dachte, im Interesse der Wahrheit und der Bekämpfung der Korruption . . .«

Schimanskow schluckte. Bist ein saublöder Hund, dachte er jetzt. Hättest du das Brüstchen gefressen, wäre es eine Wonne für deinen Magen gewesen. Was ist es nun? Eine Fahrkarte zur Begnadigung? Warten wir es ab.

Jachjajew blickte Schimanskow an, als stinke er penetrant. Ein Verräter ist ein nützliches Werkzeug, aber menschlich gesehen ein Dreckhaufen. Man braucht ihn, auch wenn man ihn vor Verachtung in Stücke schlagen möchte.

»Es *gibt* also eine Quelle, die zusätzliches Essen ins Lager sprudelt?« fragte er und setzte sich hinter den Tisch.

»Ja, Genosse Kommissar.«

»Und dann noch beste Hühnchen?«

»Auch Gulasch, Eier, Marmelade, Grieß, Mehl, Zucker, Butter, Schmalz, Zwieback, Schokolade ... die Augen gehen einem über ...«

»Wer?« fragte Jachjajew knapp.

»Das weiß ich nicht.«

»Wer?!!« brüllte Jachjajew und wurde tomatenrot im Gesicht. Er sah die Gefahr, daß das gleiche Spiel wie vor einer Woche wieder beginnen könnte: Ein Verdacht, aber kein Beweis. Ein Stück Huhn, aber niemand, dem es gehörte.

»Die Sachen waren plötzlich da«, sagte Schimanskow bedrückt. »Ich habe nicht gesehen, wer sie gebracht oder geholt hat. Dann wurden sie verteilt. Es reichte für vierundfünfzig Mann.«

»Vierundfünfzig!« Jachjajew starrte seinen Informanten ungläubig an. Vierundfünfzig – unvorstellbar war das. Da schleust jemand wertvolle Lebensmittel in das Lager, die für vierundfünfzig Mann reichen. Hühner und Fleisch, Schmalz und Butter. »Weiß es schon der Genosse Kommandant?« fragte er atemlos.

»Nein, ich bin sofort zu Ihnen gekommen, Genosse Kommissar.«

»Und bei mir bleibt es! Kein Wort nach draußen, Lew Porfiriowitsch! Höre ich draußen auch nur einen Ton, läufst du mit dem Arsch im Gesicht herum.« Jachjajew winkte: »Komm näher ... und nun erzähle.«

»Das war eigentlich alles«, sagte Schimanskow.

»Namen ...«, grunzte Jachjajew böse. »Namen ...«

»Ich erinnere mich daran, Genosse Kommissar, daß Sie mir in Aussicht stellten, man könnte meine Strafzeit bei guter Führung kürzen.«

»Namen, du Saustück!« brüllte Jachjajew.

Schimanskow zuckte zusammen, nannte sich innerlich einen Riesenidioten und schwor sich, nie mehr einem Wort von Jachjajew und ähnlichen Genossen zu vertrauen.

»Ich habe nur gesehen, wer die Rationen eingeteilt und ausgegeben hat ...«

»Namen!!!«

»Der Chirurg Wladimir Fomin war es. Und der Physiker Aaron Petrowitsch Lubnowitz hat es kontrolliert. Der General Tkatschew führte Listen ...«

»Die gesamte verfluchte Intellektuellen-Bande!« stöhnte Jachjajew. »Lew Porfiriowitsch, das war eine gute Meldung.«

»Wenn ich an die gute Führung erinnern darf ...«

»Raus! Hau ab!« Jachjajew verzog das Gesicht, als quäle ihn unvermutet eine große Übelkeit. »Geh in die Küche, bestell Nina Pawlowna einen Gruß von mir, und laß dir ein Stück Braten und einen großen Pudding von der Offiziersverpflegung geben.« Er winkte, so wie man ein Insekt verscheucht, und Schimanskow war klug genug, Jachjajews Laune nicht noch mehr zu verschlechtern. Er verschwand.

Klug genug war er auch, die Sonderportion nicht in der Küche abzuholen. Dort arbeiteten neun Kameraden aus Block III als Kartoffelschäler, Gemüseputzer und Hilfsköche, und wenn ein Schimanskow daherkam, von Jachjajew einen Gruß ausrichtete und sich eine volle Schüssel abholte, dann hätte jeder gleich geahnt, daß eine große Biesterei stattgefunden haben mußte. Spätestens am Abend würde man ihn dann vor das Blocktribunal stellen und befragen: »Wieso hast du dir Fleisch und Pudding abholen können?« Aber diese Befragung war dann schon nicht mehr nötig, denn Jachjajew würde inzwischen längst in Aktion getreten sein, so daß alle erkennen konnten: Schimanskows Extraessen war ein Judaslohn gewesen.

Mit klopfendem Herzen wartete Schimanskow auf die Katastrophe, die über die Baracke III hereinbrechen mußte. Er drückte sich den ganzen Tag draußen herum, fegte den Hof zwischen der Kommandantur und den Werkstätten und unterhielt sich lange mit Mustai Jemilianowitsch, der an seinem uralten Motorrad arbeitete. Dieses Motorrad war ein grün gestrichenes Monstrum, das er vor drei Jahren in Tobolsk von einem freundlichen Ingenieur gekauft hatte, der sich hinterher als ein von Allah verfluchter Halunke herausstellte – denn das Motorrad steckte so voller Tücken, daß selbst der sonst so geniale Rakscha mit seiner ganzen Autowerkstatt kapitulierte.

»Kann man einem Urgroßmütterchen noch Krakowiak beibringen?« hatte Rakscha nach eingehender Untersuchung von Motor und Antrieb gefragt. »Na, kann man das? Und hast du schon gesehen, daß ein blinder Gaul über Bächlein springt? Was du da gekauft hast, Mustai, du Idiot, ist der Urahne eines Motorrades. Wo gibt es da noch Ersatzteile? Lackiere das Ding bunt, und stell es als Denkmal aus!«

Mirmuchsin lackierte es grün, saß tagelang wie ein mit Mikroskop bewaffneter Forscher vor seinem Motorrad und brachte dann das Wunder fertig, daß der Motor wirklich brummte und daß die Räder sich drehten. Es trug ihn und seine vier Kühlkanister mit Limonade, überwand die sibirischen Wege und machte es Mustai möglich, seine Limonade in vier umliegenden Arbeitslagern, an der Erdgas-Trasse und sogar in Surgut zu verkaufen.

Heute nun machte Mirmuchsin sein grünes Monstrum fahrbereit. Er wollte morgen zum Frauenlager, um die Wachmannschaften mit frischer, köstlicher Limonen- und Erdbeerlimonade zu versorgen.

Jachjajew verhielt sich gefährlich still. Keine Razzia im Lager, kein Verhör. Nicht einmal blicken ließ sich der Genosse Kommissar. Schimanskow wurde es unheimlich, und er verfluchte sich und seinen Verrat.

Am Abend, nachdem die Arbeitsbrigaden wieder eingerückt waren und das Essen ausgeteilt worden war, ließ Jachjajew, scheinbar ganz harmlos, den Chirurgen Fomin zu sich rufen. Schimanskow, der an einem der langen Holztische im Mittelgang der Baracke saß und Karten spielte, blickte nicht einmal auf, aber sein Herz begann wie wild zu schlagen. Nun ging es los . . .

Jachjajew empfing Fomin mit einer völlig fremden Höflichkeit. Er zeigte auf einen Stuhl vor seinem Schreibtisch, sagte: »Bitte, setzen Sie sich, Wladimir Sergejewitsch!« und schob eine Packung Papyrossi über die Tischplatte. Schon das »Bitte« hätte die höchste Gefahr signalisieren müssen, und Fomin nahm auch nur zögernd Platz und klemmte die schlanken, früher einmal lebensrettenden Hände zwischen die Knie. Was er nicht sah, war die aufgezogene Schreibtischschublade neben Jachjajew. In ihr lag, auf einem Stück Papier, das knackig gebratene Hühnerbrüstchen.

»Wie fühlen Sie sich, Fomin?« fragte Jachjajew und glich einem dicken Fisch, dem man einen Anzug übergestülpt hatte. Fomin war verwirrt. Wo gab es im Lager noch solche Fragen?

»Ich lebe jetzt im vierten Jahr in einem Lager«, antwortete Fomin vorsichtig. »Und so fühlt man sich . . .«

»Aber ein wenig Stärke ist noch in Ihnen?«

»Sie reicht, um im Sumpf die Entwässerungsgräben auszuheben.«

»Wären Sie auch stark genug, eine Zeitlang in Dunkelhaft zu leben, mit einem Liter warmem Wasser pro Tag als Nahrung?«

»Ich verstehe Sie nicht, Genosse Jachjajew«, sagte Fomin stokkend. Etwas Kaltes, Erdrückendes, unbeschreiblich Atemhemmendes legte sich auf seine Brust.

»Wir werden uns blendend verstehen, Wladimir Sergejewitsch«, meinte Jachjajew, griff in die Schublade und blinzelte Fomin zu. »Es gibt Dinge im Leben, die sofort einen innigen Kontakt schaffen. Sehen Sie mal her – ich weiß, daß wir uns sofort verstehen.«

Er hob den Arm, zeigte kurz, was er in der Hand hielt, legte das Hühnerbrüstchen auf den Tisch neben die Papyrossis und lehnte sich genüßlich zurück. Er hatte von Fomin keine Reaktion erwartet, und Fomin blieb auch unbeweglich sitzen, als sehe er einen völlig fremden, ihm unerklärlichen Gegenstand.

»Was mag das wohl sein, mein lieber Genosse Chirurg?« fragte Jachjajew und zog die Worte breit durch seinen Mund. »Wer einmal Schädel aufmeißelte und Hirnrinde zerschnitt, der kann natürlich auch ein Hühnchen tranchieren. Ein Physiker wiegt dann die Portionen peinlich genau nach, und ein General führt die Empfängerlisten! – Ist es so, Wladimir Sergejewitsch?«

»Wenn Sie so etwas sagen, müssen Sie Ihre Erfahrungen haben!« antwortete Fomin kühl. »Wie soll *ich* Ihnen darauf Antwort geben?«

»Ich habe kein Interesse daran, die Unvorsichtigkeit des Genossen Kommandanten zu wiederholen und das ganze Lager auf dem Platz antreten zu lassen. Ein Mord ist ja nicht passiert – es gibt nur einen dunklen Kanal, durch den Lebensmittel in die Baracke III fließen.« Jachjajew lächelte breit und böse. »Führen wir also Dunkelheit zu Dunkelheit zusammen, mein lieber Chirurg Fomin: Ich verordne Ihnen eine Erholung in meinem ›Jaschtschik‹. Auf unbestimmte Zeit. Bis sich Ihr Erinnerungsvermögen stabilisiert hat. Sind wir uns da einig?«

Fomin nickte stumm. Das Entsetzen lag ihm im Nacken. Jachjajews »Kasten«, dieser kleine Anbau an die Palisade neben dem Tor, aus Brettern gezimmert, mit einem Blechdach, fensterlos, auf gestampftem Boden, ohne eine Sitzgelegenheit und so eng, daß man sich nur verkrümmt auf die nackte Erde legen konnte, über die im Frühjahr und im Herbst das Schmelz- oder Regenwasser floß. Im Winter erstarrte es zu blankem Eis. Und im Sommer machte die Sonnenglut das Blechdach des »Kastens« zu einer glühenden Pfanne. Jetzt war Sommer. Am Tag stand das Thermometer bei 37 Grad – fast genauso hoch, wie es im Winter niedrig stand. Drei Tage in dieser winzigen Hölle mit lauwarmem Wasser als einziger Nahrung waren kaum zu überleben. Jachjajew aber drohte »auf unbegrenzte Zeit«.

»Erinnern Sie sich jetzt, mein lieber Wladimir Sergejewitsch?« fragte Jachjajew ölig. »Spazieren die Hühnchen von selbst durch die Palisade, in Zweierreihen, militärisch gedrillt? Und die Eierchen rollen allein herum? Ja, und das Schmalz – was tut wohl das duftende Schmalz? Ein Wunderfett, das aus den Fichtenbrettern schwitzt, nicht wahr? Oder ist es Zedernblut?«

Fomin erhob sich von dem Stuhl und straffte den Rücken. Über Jachjajew hinweg starrte er gegen die Wand, an der neben dem Bild von Lenin ein Foto der Moskwa mit den Brücken hinüber zum Kreml hing. Eine schöne Farbaufnahme. Moskau, dachte Fomin ganz kurz, du herrliche Stadt – nie werde ich dich wiedersehen. Jachjajews »Kasten« ist das Ende.

»Ich bin in Ihrer Hand, Genosse!« sagte Fomin rauh.

»Das sind Sie!« Jachjajew nickte mehrmals. »Noch eine Frage: Ist das ein gebratenes Hühnerbrüstchen?« Er zeigte auf das Stück Fleisch.

»Man kann es nicht leugnen.«

»Und niemand weiß, wie es in den Block III kommt?!«

»Ich schlage vor, den zu fragen, bei dem man das Fleisch gefunden hat.«

»Das habe ich bereits getan. Vierundfünfzig Mann haben sich vollgefressen. Vierundfünfzig! Wenn jeder nur hundert Gramm bekommen hat, sind das fünftausendvierhundert Gramm! Und keiner hat diesen Berg gesehen? Keiner? Fomin, wofür halten Sie mich?«

Wer ist das Schwein, das uns verraten hat, durchfuhr es Fomin. Jachjajew weiß alles! Er kennt die Zahl auf der Liste. Er weiß, wer verteilt. Er kennt die eingeschleusten Lebensmittel. Wer, bei Gott, hat uns verraten? Alle im Block III essen doch davon.

»Sie schweigen, Fomin?« fragte Jachjajew, und seine Stimme bebte.

»Was ist noch zu sagen, Genosse Kommissar?«

»Sie sind schlimm, diese Denkausfälle, gerade und ausgerechnet bei den intelligenten Menschen!« Jachjajew erhob sich, kam um den Tisch herum und blieb vor Fomin stehen. »Sie erinnern sich an nichts?«

»An gar nichts, Genosse.«

»Dann gehen wir und beginnen wir mit der Therapie.« Jachjajew zog seinen Rock an, ging zur Tür und stieß sie auf. Fomin folgte ihm stumm, schritt dann neben ihm her zum Lager, wartete, bis Jachjajew mit einem Schlüssel, den er nur in der Hosentasche hatte, die Tür des »Jaschtschik« aufschloß und sie aufklappen ließ. Ohne Zögern betrat er die Folterkammer, lehnte sich an die rohe Bretterwand und wandte sein schmales Gesicht Jachjajew wieder zu.

»Ich bedauere es«, sagte Jachjajew gepreßt.

»Wer glaubt Ihnen das, Genosse?!«

Mit einem Tritt schloß Jachjajew die Tür, drehte den Schlüssel herum und ging zurück zur Kommandantur. Er griff zum internen Lagertelefon, sprach mit der Torwache und lehnte sich dann erwartungsvoll zurück. Kaum zehn Minuten später brachten vier Soldaten General Tkatschew und den Physiker Lubnowitz ins Zimmer. Sie hatten schon auf ihren Pritschen gelegen und trugen jetzt nur Hose und Unterhemd.

Gleich beim Eintritt sahen sie den Hühnerbraten auf Jachjajews Schreibtisch liegen und ahnten sofort, daß mit Fomin etwas Schreckliches geschehen sein mußte. Tkatschew war noch so schwach in den Beinen, daß er sich sofort auf den freien Stuhl sinken ließ, aber einer der Begleitsoldaten gab ihm einen Tritt, riß ihn empor und warf den Stuhl an die Wand. Jachjajew nickte zustimmend, wartete, bis die Wachen das Zimmer wieder verlassen hatten, und betrachtete den General voll Interesse, wie er sich an den Physiker Lubnowitz anlehnte.

»War die Verdauung gut?« fragte Jachjajew mit dickem Spott. »So ein ungewohntes Tröpfchen Schmalz schmiert doch gewaltig die Därme. Und die Hühner sind auch nicht gerade an Magersucht gestorben. Was ist dazu zu sagen?«

Aber was der Politkommissar auch von sich gab – weder Tkatschew noch Lubnowitz war ein Wort zu entlocken. Sie senkten nur die Köpfe, als sie erfuhren, daß Fomin bereits im »Kasten« saß.

»Für ein verschlossenes Gemüt sind zum Überleben drei Dinge wichtig«, sagte Jachjajew, »ein starkes Herz, ein wenig entwickeltes Schmerzgefühl und ein lederner Arsch! Meine hohen Herren – keiner von Ihnen besitzt diese Voraussetzungen. Ich frage: Lohnt es sich wirklich, einiger Hühnchen wegen die letzte Gesundheit zu opfern? Wer bringt die Waren ins Lager?«

An diesem späten Abend wurden der General und der Physiker in der Schreinerwerkstatt bis zur Bewußtlosigkeit verprügelt. Dann schleppte man sie in die Baracke zurück, und Jachjajew begab sich endlich zu Rassim, um sich mit ihm zu beraten.

Rassul Sulejmanowitsch saß im Bett und aß die letzten Pralinen, die Abukow ihm aus Tjumen mitgebracht hatte, als Jachjajew klopfte. »Nein! Ich schlafe!« brüllte er, aber Jachjajew trat trotzdem sofort ein und winkte ab, als Rassim zu einem Schwall von Schimpfworten ansetzen wollte.

»Der Chirurg Fomin sitzt im ›Kasten‹«, sagte er ohne Einleitung. »Der General und der Physiker Lubnowitz atmen noch, man weiß nur nicht, wie lange. Bitte, mein lieber Rassul Sulejmanowitsch, kein Aufsehen, kein neuer Großeinsatz – damit erreichen wir gar nichts. Die schleichende Angst ist unser bester Verbündeter.«

»Wieder ein Mord?« stöhnte Rassim und warf die Pralinenschachtel neben sich auf den Boden. »Dieser Sommer hat es in sich!«

»Kein Toter.« Jachjajew setzte sich neben das Bett. »Im Block III fressen sie heimlich wie im Luxushotel. Irgendwie sickern Lebensmittel ein . . .«

»Hühner!« brüllte Rassim. »Wie damals!«

»Und Schmalz, Gulasch, Butter, Eier, Schokolade – es ergäbe eine lange Liste, wollte man alles aufzählen. Ich frage mich verzweifelt: Wie und woher? Die Schlüsselfiguren schweigen eisern.«

»Wir werden das ganz diskret behandeln«, knirschte Rassim und stieg aus seinem Bett. Daß er nackt war, störte ihn bei Jachjajew nicht. »Ganz diskret, mein Lieber! So diskret, daß ihnen das Blut aus den Poren schwitzt. Wundern werden Sie sich, Mikola Victorowitsch, wie zartfühlend ich sein kann!«

In dieser Nacht wurde die Baracke III auf den Kopf gestellt. Dreißig Soldaten rissen die Pritschen auseinander, schlitzten die Matratzen auf, erbrachen den Dielenboden, durchwühlten die wenigen Habseligkeiten der Sträflinge, durchsuchten jeden Winkel. Rassim und zwei Unterleutnants verhörten im Waschraum jeden einzelnen, traten ihnen in den Hintern, ohrfeigten sie, drohten Erschießungen wegen Zersetzung der Arbeitsmoral an, und Rassim selbst brüllte sich heiser und schmetterte mit Faustschlägen neunundzwanzig Armselige zu Boden.

Der Erfolg war gering. Man fand ein paar Hühnerknochen, ein mit Marmelade beschmiertes Handtuch und einen leeren Plastikbecher, der nach Schmalz roch. Alles war das, aber es genügte zum Beweis, daß im Block III heimlich gegessen wurde.

Der nächste, den es traf, war Gribow. Der Dicke stand – ganz heller Protest – in seinem gestreiften Schlafanzug im Vorraum des Magazins und wedelte mit den Bestandslisten. Rassims Geschrei ließ er an sich abtropfen wie Wasser an Wachstuch und benutzte eine Atempause, um seinerseits zu brüllen:

»Man will mich anklagen? Mich? Man will mir unterschieben, daß aus meinem Magazin Hühner und andere Dinge verschwinden? Ha, wäre ich nicht so kräftig, ich fiele jetzt um von einem Herzschlag. Mir das! Mir, dessen Korrektheit bis zur Zentrale nach Perm gedrungen ist. Schriftlich habe ich das! Hier, lesen Sie die Listen, Genosse Kommandant: Eingang – Ausgang. Alles quittiert. Vergleichen Sie! Alle Türen stehen Ihnen offen. Nicht ein Schüppchen Mehl fehlt, nicht ein Krümel Nudeln. Über alles ist Buch geführt. Gegengezeichnet von der Küche. Hier! Die Transportlisten aus Surgut. Bitte mit dem Bestand zu vergleichen! Wenn auch nur ein Hühnchen fehlt, gehe ich freiwillig in den ›Jaschtschik‹!«

»Der ist bereits besetzt!« sagte Jachjajew böse grinsend.

»Aber ich lasse zehn neue bauen!« schrie Rassim. »Gribow! Vierundfünfzig Mann haben illegal gefressen! Wo kommt die Ware her?«

»Bin ich ein Prophet?« schrie Gribow zurück und zitterte wie ein Berg, der gleich zum Vulkan wird. »Fragen Sie die, die gefressen haben. *Meine* Listen stimmen! Bitte, die Türen sind offen. Ich bestehe darauf, daß kontrolliert wird!«

Rassim verzichtete darauf, das große Magazin Stück für Stück durchzuzählen. Er nahm Gribow das Bündel Listen aus der Hand, warf einen Blick darauf und schleuderte die Papiere dann in den Raum.

»Hier ist jemand, der mit uns Katz und Maus spielt«, sagte er später zu Jachjajew, als sie wieder in Rassims Zimmer saßen. »Krank macht mich das. An den Nerven zerrt es, wo kommt die Ware her? Gribows Listen stimmen, davon bin ich überzeugt. Und trotzdem: Hühner, Schmalz, Butter . . . Im Magazin fehlt nichts. Aus der Küche kann es nie kommen, da sitzt die Iwanowna wie ein Panzer. Mikola Victorowitsch, ich möchte Fomin oder den General an die Wand nageln, Stück für Stück, bis sie reden!«

»Wer hat denn die Transportlisten abgezeichnet?« fragte Jachjajew ahnungslos. »Wäre da eine Lücke . . .?«

»Auch nicht.« Rassim sah Jachjajew mit kauenden Backenmuskeln an. »Alle Listen sind von Abukow gegengezeichnet.«

»Abukow!« sagte Jachjajew und atmete tief durch. »Das ist absurd. Victor Juwanowitsch ist ein Genosse, bei dem kein Zweifel angebracht scheint.«

»So ist es!« Rassim steckte sich mit zitternden Fingern eine Papyrossi an. »Abukow wäre der letzte, an den ich denke . . .«

Mochte in diesem Augenblick noch kein Verdacht gegen Abukow aufkommen – sein Name war gefallen!

11

Lagerkommandant Rassim stand mit bloßem Oberkörper am Waschbecken und massierte sich mit einem harten Schwamm die gewaltigen Brustmuskeln, als Larissa Dawidowna eintrat. Im Spiegel grinste er ihr fröhlich entgegen, blähte auch noch seine Bauchmuskeln und Oberarmmuskeln auf und rief:

»Vorsicht, mein Täubchen! Der Anblick von soviel männlicher Kraft könnte Sie schwach machen. So etwas sieht man nicht alle Tage. Wollen Sie mal an meinen Bauch fassen? Hart wie Stahl! Alles gefüllte Samenstränge . . .«

»Was ist mit Fomin, Tkatschew und Lubnowitz?« fragte sie mit harter, heller Stimme. Rassim drehte sich um, warf den Schwamm weg und griff nach einem Handtuch.

»Geben Sie die Frage an den Genossen Jachjajew weiter, mein schwarzes Schwänchen. Es ist sein Problem.« Rassim rubbelte sich den Oberkörper trocken und grunzte dabei wohlig wie ein in der Suhle wühlender Eber.

»Sie haben den General zusammenschlagen lassen, Rassul Sulejmanowitsch.«

»Mich regten seine Gedächtnislücken auf. Ein explosiver Mensch bin ich – das wissen Sie.«

»Ich habe gerade angeordnet, daß Tkatschew und Lubnowitz ins Hospital gebracht werden. Und Fomin kommt aus dem ›Kasten‹ raus!«

»Das ist Jachjajews Privatvergnügen.« Rassim lächelte böse. »Geben Sie ihm ein Küßchen, aber nicht auf den Mund – und er läßt vielleicht mit sich handeln.« Er stellte das Rubbeln mit dem Handtuch ein, warf es neben den Schwamm in das Waschbecken und stülpte sich das gelbe Hemd der Sommeruniform über den dicken Kopf. Dann rief er: »Achtung! Bitte ganz ruhig bleiben!«, knöpfte seine Hose auf, zog sie etwas herunter und stopfte das Hemd in den Bund. »Ich möchte Abukow nicht zu nahe treten, aber im Vergleich zu mir kommt er jämmerlich weg. Stimmt's?«

»Intelligenz sitzt im Kopf, nicht zwischen den Beinen«, sagte die Tschakowskaja rauh. »Schieben Sie nichts auf Jachjajew ab, im Lager geschieht nichts ohne Ihren Befehl.«

»In diesem Fall soll Jachjajew einmal zeigen, ob er bessere Methoden besitzt, um diese Bande zur Ordnung zu bringen.« Rassim zog den Gürtel fest, knöpfte den Hosenschlitz zu und schüttelte den Kopf. »Man hat mich angegriffen, vor allem Morosow, weil ich Ratten wie Ratten behandelt habe. Nun warte ich ab und beobachte nur.«

Jachjajew war noch nicht aus dem Bett, als die Tschakowskaja auch an seine Tür klopfte. Er warf seinen Bademantel um, tappte durchs Zimmer und ließ Larissa herein. Er sah verquollen und blaß aus, hatte rotgeränderte Augen und rang mit der Müdigkeit nach dieser schlaflosen Nacht.

»Ich möchte Fomin abholen«, sagte die Tschakowskaja ohne Einleitung.

Jachjajew seufzte, schlurfte zu einem Stuhl und setzte sich.

»Es geht um den Diebstahl von Staatseigentum«, sagte er abweisend. »Um Korruption und Schädigung des Volksvermögens. Ich muß ablehnen, Genossin!«

»Fomin hat nichts gestohlen.«

»Er hat das Gestohlene verteilt. Außer Zweifel steht das. Seine Mitschuld ist erwiesen. Nur den Mund aufzumachen braucht er, einen Namen nennen – und schon kann er sich wieder der Sonne erfreuen. Ist das zuviel verlangt, Genossin, in solch einem verdammten Verfahren?«

»Fomin wird in Ihrem ›Kasten‹ umkommen.«

»Das entzieht sich völlig meinem Einfluß.« Jachjajew kratzte sich die Halsbeuge. Ein altes, verfluchtes Leiden war das, das keiner ihm nehmen konnte: Immer, wenn er sich stark erregte, begann ein wildes Jucken an seinem ganzen Körper. Das passierte ihm auch, wenn er mit einer Frau zusammen war – es war fürchterlich für ihn.

»Ich hole Fomin heraus!« rief Larissa.

»Den Schlüssel habe ich ganz allein.«

»Eigenhändig breche ich die Tür auf! Wollen Sie mich daran hindern? Wollen Sie auf die Chefärztin einschlagen lassen? Im GULAG würde man das nicht als normal ansehen.«

Jachjajew kratzte sich den Oberschenkel, die Brust, die Arme. »Daran habe ich gedacht«, sagte er. »Und vorgesorgt. Wenn Sie Fomin herausholen, wird gegen Sie eine förmliche Anklage nach Moskau gehen wegen Gefangenenbegünstigung, Strafvereitelung und Beihilfe zum staatsschädigenden Verhalten.« Jachjajew wackelte mit dem Kopf. »Sie ahnen sicherlich, Genossin, was dann auf Sie zukommt! Humanität mag gut sein – aber ist sie *das* wert?!«

»Um ein Menschenleben geht es, Mikola Victorowitsch!«

»Um ein unwürdiges Leben, vom Standpunkt der Staatsgewalt aus. Und die Staatsgewalt vertrete in diesem Fall ich. So ist das nun mal ... Meine verehrte Larissa Dawidowna, was Sie tun können, um die Sache zum Abschluß zu bringen, ist ein Gespräch mit Fomin. Versuchen Sie, sein Gedächtnis wieder in Gang zu bringen. Ist das zuviel verlangt? Oder können Sie als aufrechte Sowjetbürgerin dulden, daß große Mengen Lebensmittel verschoben und Kriminellen und Volksverrätern zugespielt werden?«

Darauf eine Antwort zu geben war gefährlich. Die Tschakowskaja verließ Jachjajews Zimmer, warf die Tür hinter sich zu und wußte genau, daß der widerliche Dicke jetzt zum Fenster sauste und ihr nachsah. Ging sie zum »Kasten«, oder schwenkte sie vernünftigerweise zum Hospital ab?

Larissa ging zum Hospital, wo Polewoi auf sie wartete. In ihren Augen las er alles und brauchte nicht mehr zu fragen.

»Sie holen Fjodor und Aaron Petrowitsch«, sagte er bedrückt.

»Wie geht es ihnen?«

»Der General wird es kaum überleben. Er spuckt Blut.«

»Und Lubnowitz?«

»Arikin meint, er habe einige Rippen gebrochen. Wir werden gleich sehen ...«

Im Lager stellten sich die Arbeitsbrigaden auf, vor dem Tor waren die Lastwagen aufgefahren. Stumpfsinnig blickten die Männer auf die beiden Tragen, die an ihnen vorbeigeschleppt wurden und auf denen die mißhandelten Mitgefangenen lagen. Auch die anderen Insassen der Baracke III waren mehr oder minder verletzt von Schlägen, hatten Hemdenfetzen oder Papierstreifen um ihre Wunden gewickelt und starrten verbissen in das Morgengrauen. Selbst Schimanskow war nicht verschont geblieben, das wäre aufgefallen – er stand mit einem dick geschwollenen Auge und mit umwickeltem Kopf in der zweiten Reihe und ließ den Morgenappell mit dem gleichen Stumpfsinn über sich ergehen wie die anderen. Aus den Lautsprechern an den Wachttürmen dröhnte wieder Marschmusik wie jeden Morgen. Damit man fröhlich und beschwingt zur Arbeit gehe, wie Rassim höhnisch gesagt hatte.

Im »Kasten« hockte Fomin mit angezogenen Beinen auf der Erde und schlief. In einer Stunde spätestens schlug die Sonne auf sein Blechdach ein, dann stand er wie in einem Backofen; dann würde die Luft zu dick, um sie einatmen zu können. Einen Topf mit Wasser würde man ihm hineinreichen – das einzige, was er den ganzen Tag über bekam.

Mustai stand am Fenster seines Zimmers und überlegte angestrengt, was zu tun sei. Zunächst wollte er Abukow in Surgut anrufen, aber wie konnte Victor Juwanowitsch hier noch helfen?

Dann überlegte er, wer als Verräter in Frage käme. Jeden kannte er ja im Block III und wußte seine Lebensgeschichte. Schwer, verteufelt schwer war es, einem den Verdacht anzuhängen, nur weil er ein Eulengesicht hatte oder einen finsteren Blick. Seien wir wachsam, dachte Mirmuchsin, beobachten wir aus der Stille heraus jeden von der Baracke. Man sage nicht, es könnte keiner aus der christlichen Gemeinde sein – an Gott glauben hebt nicht den Trieb auf, sein Leben zu retten, und sei es durch ein heimlich geflüstertes Wort. Nicht jeder, der sich Christ nennt, handelt wahrhaft christlich. Geklärt war nur eines: Der Verräter war zu Jachjajew gegangen, nicht zu Rassim. Man mußte also Jachjajew gut im Auge behalten, um an die Wahrheit heranzukommen.

Als die Arbeitsbrigaden abgefahren waren, zog sich Mustai an, füllte eine Flasche mit Himbeerlimonade und ging hinüber zur Telefonzentrale. Dort saß an diesem Morgen der Gefreite Pikalow und hatte sich zum Frühstück eine Gurke aufgeschnitten.

»Ein heißer Tag wird's, Iwan Iwanowitsch«, sagte Mustai und stellte die Flasche neben das Telefon. »Wohl bekomme dir ein Schlückchen Limonade. Kann man nach Surgut telefonieren?«

Pikalow nickte, die Limonade kam ihm gerade recht. So erfuhr in Surgut der Lagerverwalter Smerdow, was im JaZ 451/1 vorgefallen war und daß Rassim und Jachjajew in einem Gespräch mit verschiedenen Beteiligten auch den Namen Abukow genannt hatten, weil er die Transportlisten gegenzeichnet. Es sei deshalb notwendig, Abukow auf schnellstem Wege zu informieren.

Fünf Tage lang stand Nowo Wostokiny nicht auf dem Transportprogramm der Verpflegungszentrale Surgut. Abukow kam also nicht in das Lager 451/1, um die Dinge an Ort und Stelle beeinflussen zu können. Zum zweitenmal hatten seine Lebensmittellieferungen Not und Elend ausgelöst; wurden die Menschen, denen er helfen wollte, gepeinigt und gefoltert. Das war eine erdrückende, fast nicht mehr tragbare Last, die Abukow mit sich herumtrug und für die er Erleichterung im Gebet suchte. Er schloß dann die Tür seines Zimmerchens und zog sein zusammenklappbares Eßbesteck aus Aluminium auseinander. Dann wurde es nämlich ein Kreuz: Das Messer war der Längsbalken, Gabel und Löffel ergaben den Querbalken. Das andere kleine zusammenklappbare Holzkreuz, das er versteckt im linken Stiefelabsatz aus Rom mitgebracht hatte, gehörte jetzt Larissa. Er hatte es ihr geschenkt, und sie hatte geweint vor Glück. Vor dem aufgestellten Eßbesteck saß er nun mit geschlossenen Augen und fragte inbrünstig, ob denn alles falsch sei, was er tue. Und ob er der richtige Mann sei, dem Kreuz in Sibirien zu dienen. Schreckliche Stunden waren das, denn er fand keine Antworten auf seine Fragen.

Im Lager JaZ 451/1 anzurufen, damit er nähere Einzelheiten erfahren könne, das wagte er nicht. Und Mustai meldete sich kein zweites Mal – sein Schweigen war ein böses Zeichen. Schließlich hielt es Abukow nicht mehr aus und versuchte am Sonntag, Morosow in der Barackenstadt an der Trasse zu erreichen.

Am Telefon meldete sich Novella Dimitrowna, das modische Püppchen, und stieß einen Juchzer der Freude aus, als sie Abukows Stimme hörte.

»Sie sind es wirklich, Victor Juwanowitsch?« rief sie entzückt. »Nein, welche Überraschung. Jeder glaubte hier schon, Sie seien versetzt worden. Wladimir Alexejewitsch sagte: ›Da hat man einen guten Menschen kennengelernt, und was geschieht mit ihm? Weg ist er!‹ Und nun rufen Sie an! Wo sind Sie?«

»In Surgut.«

»So nah und doch so fern! Warum kommen Sie nicht mehr zu uns? Haben Sie mich schon vergessen?«

»Heute ist Sonntag«, sagte Abukow, einem plötzlichen Einfall nachgebend, »und da müssen Sie arbeiten?«

»Ich sitze nur herum, Victor Juwanowitsch. Zu tun ist nichts. Aber hier bin ich sicher.«

»Sicher? Das klingt, als ob jemand Sie verfolgt?«

Die zarte, süße Tichonowa zögerte etwas, aber dann sagte sie voller Vertrauen: »So ist es. Jachjajew, dieser Glotzfisch, stellt mir nach. Kommt mit Pralinen und einem schrecklich bunten Sommerkleid und will mich zu allem einladen: zum Kino, zum Theater in Tjumen, zu einem Konzert der Armee, zum Tanz . . . er belauert mich wie ein Fuchs die Gans. Der Magen dreht sich mir herum, wenn ich ihn sehe.«

»Wo ist ihr Chef Morosow jetzt?« fragte Abukow scheinbar leichthin.

»Einen Kollegen im Abschnitt XI besucht er. Dort hat man eine ganz neue Brückenpfeilerkonstruktion ausprobiert, die Morosow mit entwickelt hat.«

»Kommen Sie nach Surgut«, sagte Abukow. »Irgend jemand wird Sie bestimmt mitnehmen. Ich warte auf Sie vor dem Bahnhof.«

»Sie wollen mich sehen?« Abukow hörte aus ihrer Stimme die Atemlosigkeit heraus, die sie plötzlich befallen hatte. »Ich soll zu Ihnen kommen? O Victor Juwanowitsch, der Tag wird noch heller.«

»Ich schlage vor, daß _wir_ in ein Kino gehen. Und dann essen wir gut zu Abend im Restaurant ›Am schönen Ob‹, und . . .«

». . . und was dann?« fragte sie erwartungsvoll.

»Ich werde ab 19 Uhr am Bahnhof warten. Ob Sie mich noch wiedererkennen, Novella Dimitrowna?«

»Aus dem Gedächtnis könnte ich Sie malen, wenn ich Talent dazu hätte. Ich werde sofort herumfragen, wer noch nach Surgut fährt. O Victor Juwanowitsch, wie freue ich mich!«

Abukow ging in sein Zimmer zurück, nahm Papier und Tintenstift und schrieb einen Brief an Morosow. Das Kuvert verschloß er gründlich mit einem Klebestreifen, legte sich dann auf sein Bett und betrachtete die Kartons mit den Musikinstrumenten, den Noten, Textbüchern und Stoffballen. Was geschieht jetzt im Lager? fragte er sich mit heißem Herzen. Jetzt, in diesem Augenblick? Wie haben Rassim und Jachjajew gewütet? Warum, o Gott im Himmel, ruft Mustai nicht mehr an?

Die langen Stunden bis zum Abend waren bedrückend. Diese qualvollen, langen, zäh dahintropfenden Stunden, mit denen man nichts anzufangen wußte. Zumal heute nicht, an einem Sonntag, der in Surgut immer besonders still ist. Denn im Sommer zieht alles hinaus an die Ob-Ufer. Man liegt zwischen den großen weißschillernden Kieselsteinen oder an den flachen groben Sandstränden. Und die jungen Menschen schwimmen hinüber zu den vielen Inseln im Strom, bauen Zelte auf und kochen über Lagerfeuern in großen Kesseln ihr Essen. Gummiboote hüpfen über die Wellen, Ruderkähne kämpfen gegen die Strömung an. Die Herren Genossen von der Erdgas-Bauleitung haben sogar Motorboote zu Wasser gelassen, mit denen sie über den großen Fluß flitzen. Ein herrlicher Tag ist so ein Sommersonntag. Wen wundert es, daß man da nicht in den Straßen der Stadt bleibt, sondern hinauszieht an die Ufer? Nur am Vormittag spielt auf dem »Oktoberplatz« die Blaskapelle eines Regiments der Roten Armee, das in den Kasernen liegt. Flotte Weisen spielen sie. Von 11 bis 12 Uhr. Volksmusik, Märsche und auch Operettenmelodien. Nicht viel anders ist das als bei den Platzkonzerten im Westen. Dann stehen die Genossen um den Platz herum, für sie ist es ein Frühschoppen-Ersatz. Sie diskutieren und schimpfen den sieben Tage lang aufgestauten Groll aus sich heraus, klatschen nach jeder Musiknummer und sind sich am Ende einig: Es ist ein schönes Leben in Sibirien. Und mag man jenseits des Urals auch die Köpfe schütteln, so denken sie hier doch: Kommt her, ihr Lieben, lebt mit uns zur Probe – ihr werdet nie wieder wegwollen aus der Taiga.

Abukow wanderte wieder ziellos durch Surgut, setzte sich im Volkspark auf eine weiße Bank, ließ im Schatten einer großen Ulme sein Leben an sich vorbeiziehen: Die kurze Zeit im Elternhaus mit dem unbeugsamen Vater, der bis zu seinem Tode glaubte, in die von den Russen gestohlene Heimat an der Ostsee zurückkehren zu können, und seine ganze Familie deshalb zwang, auch in Deutschland innerhalb des eigenen Hauses nur Russisch zu sprechen. Die Jahre im Klosterinternat, das Studium der Theologie, die Weihen als Priester. Der Umzug nach Rom, das orthodoxe Priesterexamen. Die Freistellung von seinem Orden für die Arbeit an der geheimnisvollen Ostabteilung, die im Vatikan offiziell gar nicht existierte. Die Informationsfahrten nach Leningrad und Moskau, nach Stalingrad und an das Schwarze Meer, die er wie jeder westliche Tourist innerhalb einer Gruppenreise absolvierte und auf denen er testete, wie vollkommen seine russische Sprache war . . . das alles waren Stationen eines Lebens, das – so ahnte er jetzt – systematisch dazu aufgebaut worden war, um es hier in Sibirien zu beenden.

Abukow streckte die Beine von sich, lehnte den Kopf weit nach hinten und schloß die Augen. Ein heißer Tag war es, über dem Asphalt flimmerte die Luft, es roch nach Teer und erdigem Staub. Als sich jemand neben ihm auf die Bank setzte, veränderte er seine Haltung zunächst nicht, er wollte nicht gestört werden. Erst als sich der neue Nachbar räusperte und geräuschvoll die Nase putzte, schob sich Abukow wieder in eine normale Sitzposition. Der Mensch neben ihm trug eine helle Hose und ein kurzärmliges hellblaues Hemd, hatte struppige rote Haare und eine fürchterliche Knollennase, derentwegen man ihm eigentlich mitfühlend die Hand hätte drücken müssen.

»Verzeihung, Genosse«, sagte die Nase. »Mein Sommerschnupfen! Kommt immer, mit der Regelmäßigkeit der Stare, wenn die Schlammzeit vorbei ist und die Sonne herunterbrütet. Nichts hilft dagegen. Habe alles versucht vom Inhalieren bis zur modernen Akupunktur, vom Einpinseln der Schleimhäute mit hundert bestialischen Tropfen bis zu langwierigen Allergietests. Meinen Rücken sollten Sie mal sehen, überall kleine Narben in der Haut von den Impfungen. Was hat's genützt? Soviel wie Blasen gegen den Wind! Ich bitte also um Verzeihung, Genosse, daß ich Sie geweckt habe . . .«

Der Mensch mit der Knollennase schneuzte sich wieder in sein großes Taschentuch, hüstelte und röchelte, wischte sich die Tränen aus den Augenwinkeln und musterte darauf Abukow eindringlich.

»Sind Sie auch krank, Genosse?« fragte er plötzlich. Abukow zuckte etwas zusammen.

»Nein. Keineswegs. Wieso? Sehe ich krank aus?«

»Jedenfalls sehen Sie nicht aus wie einer, der einen zehnjährigen Birkenstamm mit seinen Händen abdrehen kann.« Er zeigte seine Hände, und das waren tellergroße Schaufeln mit Fingern, die wie prall gestopfte Würste aussahen. »Damit«, sagte er stolz, »habe ich früher einen Ochsen vor den Schädel geschlagen und, bumm!, fiel er um, verdrehte die Augen und entschwebte in seinen Rinderhimmel. Ha, waren das noch Zeiten!« Er blinzelte Abukow zu, legte den Kopf schief und musterte ihn wieder. »Irgendwie kenne ich Sie. Lassen Sie mich nachdenken . . .«

Abukow geriet in Spannung. Er ahnte eine noch unbekannte Gefahr und war auf der Hut. Holte ihn die Vergangenheit des wirklichen Abukow aus Kirow doch noch ein? Gab es solche Zufälle, daß man im fernsten Sibirien einen Bekannten traf aus grauer Vorzeit? Abukow dachte an Dr. Semlakow, der ebenfalls aus Kirow stammte und ihm deshalb so wohlwollend gesonnen war. Sollte nun ein anderer aus Kirow auftauchen?

»Ich kenne Sie nicht, Genosse«, sagte er abwehrend.

»Aha! Ich hab es!« schrie der Knollennasenmensch. »Ja, Sie sind es! Sie gehören zur Transportbrigade des Genossen Smerdow. Zweimal habe ich Sie gesehen an Ihrem Wagen, beim Aufladen, stimmt es? Aus einem Kühlwaggon haben Sie Fleisch geholt, im Güterbahnhof. Ich arbeite dort, bin Rangierer, müssen Sie wissen, lasse die Waggons hin und her rollen und kupple sie an die richtigen Lokomotiven. Mein Name ist Maxim Leontowitsch Bataschew.« Er wartete auf eine Reaktion, aber als Abukow sich nicht rührte, nicht mit einem Aufschrei aufsprang, nicht die Arme ausbreitete – da schnupfte er wieder in sein Taschentuch und nickte traurig: »Mein Name sagt Ihnen gar nichts, was?«

»Im Moment wüßte ich nicht . . .« Abukow hob bedauernd die Schulter. »Bataschew, sagten Sie? Soviel Namen ziehen in einem Leben an einem vorbei.«

»Einen Bataschew gibt es nur einmal! Vor zehn Jahren . . . Meisterschaft im Boxen . . . Schwergewicht . . . in Charkow . . . Lyntatschow ging in der 3. Runde k.o.! Ein rechter Haken genau auf den Punkt . . . ssst . . . keiner hat ihn kommen sehen, und plötzlich war er da, wie ein Blitzeinschlag . . . Lyntatschow war noch nach zehn Minuten besinnungslos und sagte später im Fernsehen: ›Mir ist ein Berg aufs Kinn gefallen.‹ – Der Berg war ich! Bataschew . . .«

»Ich . . . ich erinnere mich! Ja!« sagte Abukow schnell. »War das ein Kampf, Maxim Leontowitsch! Sagte man nicht, daß man Sie zur Weltmeisterschaft nach Amerika schicken wollte, um Mohammed Ali zu schlagen?«

»Das sagte man«, Bataschew hustete fürchterlich, krümmte sich nach vorn und spuckte unter die schöne weiße Bank. »Aber dann war's aus!«

»Niederlagen?«

»Es wurde totgeschwiegen. Ich Idiot verliebte mich in ein Mädchen, eine Studentin der Ökonomie, deren Freunde Flugblätter druckten mit Aufrufen, das Menschenrecht zu achten. Das Recht auf freie Entfaltung der Persönlichkeit. Ich empfand das als völlig richtig und verteilte die Flugblätter.« Bataschew, der Boxer, blies wieder in sein Taschentuch und scharrte dabei mit den Füßen. »Was kam dabei heraus? Fünfzehn Jahre Arbeitslager. Sieben davon habe ich abgesessen, in neun verschiedenen Lagern. Aber ich hatte es besser als die anderen, denn jeder kannte Bataschew, den Boxer – so bekam ich Sonderarbeiten und boxte mit den jeweiligen Kompaniemeistern der Bewachung. Wenn ich ab und zu verlor, obwohl ich jeden mit einem Schlag in die Baumkronen hätte befördern können, war alles zufrieden mit mir. Nach sieben Jahren wurde ich begnadigt. Freigelassen mit der Verpflichtung, in Sibirien zu bleiben. Nun bin ich Rangierer in Surgut . . .« Bataschew legte den gewaltigen Arm hinter Abukow auf die Banklehne: »Ich bin übrigens der einzige Gefangene, der als Begnadigter aus dem Lager JaZ 451/1 herausgekommen ist!«

»Nein! Sie waren bei Rassim?« rief Abukow erstaunt.

»Mein letztes Lager. Als ich die Begnadigung in der Tasche hatte, nahm ich Rassims Herausforderung an, mit ihm zu boxen. Vorher hatte ich es immer abgelehnt; ich wollte nicht in den Sümpfen landen, falls er verlor. Aber jetzt war ich begnadigt, Rassim hatte keine Macht mehr über mich. In seinem Büro – natürlich völlig unter uns! – fand der Kampf statt. Sie kennen Rassim? Ein Auerochse ist er. Ein Muskelgebirge.« Bataschew nickte mehrmals. »In der sechsten Runde hatte ich ihn soweit. Eine Doublette zum Kopf, ein Gerader in die Magengrube – Rassul Sulejmanowitsch glotzte mich an, kippte nach vorn und lag auf den Dielen. Das hat er mir nie vergessen! Neunmal hat er durch Eingaben versucht, die Begnadigung rückgängig zu machen. Aber – gelobt sei die sowjetische Bürokratie – wer einmal auf der Liste steht, der steht da wie ein Denkmal. Nichts zu machen: Ich wurde entlassen.« Bataschew klopfte Abukow auf die Schulter. Es war, als schlügen Schmiedehämmer auf ihn ein, dabei war es nur ein freundschaftliches Tätscheln. »Und nun treffe ich Sie von der Lebensmittelbrigade Smerdow, der Nowo Wostokiny beliefert. Wie heißen Sie?«

»Victor Juwanowitsch Abukow.«

»Mir knallt ein verwegener Gedanke ins Hirn, Victor Juwanowitsch: Ich möchte Rassim wiedersehen. Besteht die Möglichkeit, mit Ihnen ins Lager zu fahren?«

»Das kann allein Smerdow entscheiden.«

»Würden Sie mich mitnehmen?«

»Warum nicht?«

»Von Nutzen könnte es sein für Sie, mein Brüderchen! O je, was kenne ich nicht alles an Tricks! Sieben Jahre in neun Lagern – da ist man soweit, dem Teufel den Hintern zu rasieren. Unglaublich, was man in einem Lager alles machen kann, wenn man den richtigen Dreh beherrscht.«

»Und darin sind Sie Spezialist, Maxim Leontowitsch?«

»In Karaganda habe ich Schnaps gebrannt und die ganze Truppe versorgt; nur die Offiziere ahnten davon nichts.« Bataschew nieste dröhnend, sein Sommerschnupfen war schon eine wahre Qual. »Und in Kungur habe ich mit zweiundzwanzig Weibern aus einem Frauen-Außenlager einen Puff aufgemacht. Die Rubelchen rollten nur so . . .«

»Ich überlege«, sagte Abukow langsam. »Auch mir könnten Sie helfen, mein lieber Maxim.«

»Ha! Sie leiden auch unter einer Allergie?« rief Bataschew begeistert. »Im Sommer überfällt Sie Müdigkeit – ist es so?«

»Nicht ganz. Ich bin dabei, im Lager von Rassim ein Theater zu gründen.«

Das war nun etwas, das Bataschew nicht erwartet hatte. Sprachlos starrte er Abukow an wie einen Verrückten, der mit ihm boxen will, obwohl ihm schon die Handschuhe zu schwer an den Händen hängen. Dann hustete und schniefte er wieder, putzte sich die Knollennase und schüttelte endlich den Kopf.

»Es gibt seltsame Leute auf der Welt«, stellte er fest. »Sie gehören zu einer ganz besonderen Sorte. – Rassim hat Sie natürlich mit einem Tritt bedacht.«

»Noch nicht. Er sieht als Neutraler zu, was aus dem Theater wird. Er wartet auf einen Mißerfolg – aber dann bin ich dran. Sie können mithelfen, daß Rassim auch gegen mich verliert.«

»Wenn's darum geht, bin ich immer dabei. Rassim in die Kniekehlen treten – aber ja! Auf mich können Sie sich verlassen, Victor Juwanowitsch! Nichts täte ich lieber. Und wenn es noch so verrückt ist: sobald es gegen Rassim geht, haben Sie meine Hand und meine Hilfe!« Bataschew nahm Abukows Gesicht zwischen die riesigen Hände und küßte ihn schmatzend. »Was soll ich tun, Bruderherz?«

»Glaubst du an Gott?« fragte Abukow unvermutet. Bataschew zuckte heftig zusammen und bekam einen Hustenanfall. Nachdem er sich beruhigt hatte und anscheinend sehr scharf nachgedacht hatte, sagte er vorsichtig:

»Meine Mutter – längst ist sie tot – sie glaubte an Gott. Sie war eine gute Christin. Ging oft in die Kirche. Ostern buk sie das Osterbrot und ließ es vom Popen segnen. Und in der Schönen Ecke unseres Hauses brannte immer das ewige Lämpchen vor einer Klapp-Ikone. Ja, so war das bei uns. Aber lange ist es her.«

»Und du, Maxim Leontowitsch?«

»Alles vergessen, Brüderchen!« sagte Bataschew ausweichend. »Ich war sogar Mitglied der Partei. Aber auch das ist vorbei. – Was hat das mit dem Theater zu tun?«

»Nichts.« Abukow lächelte fein. »Ich brauche einen Mann, der mir alles das beschafft für das Theater, was man auf normalem Weg nicht bekommt. Verstehen wir uns?«

»Als wenn der Wind bläst!« Bataschew zwinkerte kumpelhaft. »Den richtigen Freund hast du dafür gefunden, Victor Juwanowitsch. Nichts ist unmöglich – danach lebe ich. Selbst Rassim, dieses Mammut, habe ich k.o. geschlagen! – Melde deine Wünsche an, Brüderchen . . .«

Ein guter, ein gesegneter Tag wurde es noch für Abukow. Sie aßen zusammen in einem der modernen Selbstbedienungsrestaurants, wo es Kartoffelsalat und Frikadellen gab und Kwaß in gewachsten Pappbechern aus einem Automaten. Und sie stellten eine Liste auf, aus der hervorging, was alles fehlte für einen guten Theaterbeginn.

»Eine wirkliche Aufgabe ist das«, sagte Bataschew und rieb seine entsetzliche Knollennase, die – das wußte Abukow jetzt – ein Andenken an harte Boxerjahre war, wo so mancher Schlag im Gesicht landete. »Das kann man nur bewältigen, wenn man neunzig Prozent all dieser Dinge klaut. Vertrau auf mich, Brüderchen – wir schaffen es! Wozu bin ich Rangierer im Güterbahnhof? Alles, was in Surgut per Bahn ankommt, geht durch meine Hände. Jeden Waggon und seinen Inhalt kennt Maxim Leontowitsch Bataschew. Und es gibt keinen Verschluß, der ihm widersteht, das ist gewiß. Welch ein Schicksal, daß wir uns auf der Bank getroffen haben!«

Gegen Abend verabredeten sie sich für den Montagnachmittag im Hof des Zentralmagazins, umarmten sich und gingen in dem Gefühl auseinander, daß eine große, nützliche und wirkliche Freundschaft begonnen hatte.

Um 19 Uhr, pünktlich, stand Abukow vor dem Bahnhof von Surgut und wartete auf Novella Dimitrowna Tichonowa.

An diesem Sonntag war nicht nur ganz Surgut auf den Beinen und blieb an den Ufern des Ob bis zu den letzten Sonnenstrahlen – auch andere Menschen außerhalb der Stadt drängten nach Erholung und gönnten sich einen Ausflug an den Fluß.

Von den verschiedenen Erdgas-Stationen und Baustellen her strömten die Arbeiter und Ingenieure nach Surgut. Auf Lastwagen, per Materialbahn oder mit Geländeautos. Soldaten der verschiedenen Wachkompanien hatten Sonntagsurlaub bekommen, und es war vorauszusehen, daß es einen heftigen Abend und eine laute Nacht geben würde, denn jedesmal entwickelten sich große Schlägereien zwischen den Bewohnern der Stadt und den »Gästen«. Und immer waren die Mädchen der Anlaß. Wer aus der Taiga in die Stadt kommt, will etwas erleben. Nicht bloß einen Film oder ein Militärkonzert, das sei festgestellt, Genossen! Bei der Frauenknappheit in Sibirien muß man da schon sehr beweglich sein.

Novella Dimitrowna hatte Glück: Drei Ingenieure ihres Camps nahmen sie mit nach Surgut und setzten sie vor dem Bahnhof ab, nachdem sie vergeblich versucht hatten, Novellas Pläne umzudrehen.

»Da wartet schon das Böckchen!« sagte der Fahrer, als er Abukow vor dem Bahnhof hin und her gehen sah, und bremste. »So ein überragender Stenka Rasin ist er ja nun auch nicht! Sollen wir nicht weiterfahren, Täubchen? Mit uns erlebst du mehr.«

Novella bestand auf Aussteigen, hüpfte aus dem Wagen und lief Abukow entgegen. Ihr Anblick war herzerfrischend. Ein Kleidchen, das nur bis eine Handbreit übers Knie reichte, wehte um ihre schlanken Beine. Das rotblonde Haar kringelte sich in Locken um ihr schmales Puppengesicht. Und wer ihr auf die spitzen Brüstchen blickte, lobte die Stunden, die noch vor ihm lagen. Abukow breitete die Arme aus, Novella lief in sie hinein, hängte sich an seinen Hals, stieß einen Juchzer aus und küßte ihn geradezu leidenschaftlich.

»So glücklich bin ich!« rief sie und hakte sich bei Abukow unter. »So glücklich! Wie gut du aussiehst. Braun gebrannt!«

»Wie kommst du wieder zur Trasse zurück?« fragte er und ging mit ihr die breite Straße vom Bahnhof in die Stadt hinunter. Sie trippelte auf ihren hohen Bleistiftabsätzen neben ihm her und zitterte vor Freude.

»Weiß ich es? Daran denke ich nicht! Zunächst bin ich erst einmal hier bei dir.«

»Aber du mußt doch morgen früh im Büro sein, Novellaschka.« »Irgendwie wird es gelingen. Irgendwie ... Wer denkt jetzt daran? Ich bin so froh, daß du mich nicht vergessen hast.« Sie gab ihm beim Gehen einen Kuß auf den Hals und kicherte. »Weißt du, was man bei uns erzählt? Nur ein Gerücht ist es, aber es machte mich ganz traurig. Du und die Tschakowskaja ... welch ein Unsinn, habe ich gesagt. Victor und Larissa Dawidowna! Victor ist ein ganzer Mann, die Tschakowskaja aber eine Gesundschreibmaschine. Ein Satan mit dem Körper eines Weibes, weiter nichts.

Doch man munkelte so allerlei; das hat mich sehr bedrückt, Victor . . .«

Abukow vermied es, dazu Stellung zu nehmen. Sie hatten das Restaurant »Am schönen Ob« erreicht, Abukow stieß die Tür auf und ließ Novella vorausgehen. Ein Mädchen in Kirgisentracht empfing sie, Abukow nannte seinen Namen und sagte, er habe einen Tisch bestellt, und bekam die gleiche Antwort wie am Telefon: »Wir nehmen keine Bestellungen an, Genosse – aber es ist ein Tisch frei.« Das Kirgisenmädchen führte sie in eine Ecke, die wie geschaffen war für ein Liebespaar, und winkte dem für dieses Revier zuständigen Kellner. Er war ein älterer, muffeliger Mensch, der sich offensichtlich ärgerte, für ein paar Rubel hier arbeiten zu müssen – wie es ja überhaupt ein Glückstreffer wäre, sollte man in Rußland irgendwo einen höflichen Kellner antreffen. Auch der wäre plötzlich schwerhörig und hätte sofort Blei in den Beinen, sollte man eine Reklamation anbringen oder mit größter Vorsicht fragen, warum alles so lange dauert. Unplanmäßige Nach- oder Umbestellungen werden grundsätzlich als Beleidigungen betrachtet. Das muß man wissen, wenn man ein sowjetisches Restaurant betritt. Es ist ja so: In der Sowjetunion sind alle gleich, und wenn schon ein Genosse den anderen gleichgestellten Genossen bedienen muß, so hat man ihm mit der größten Höflichkeit und Ehrerbietung gegenüberzutreten. Es gibt ja schließlich keine Leibeigenen mehr!

Abukow und Novella setzten sich, bekamen eine Speisekarte hingereicht und die brummige Ankündigung: »Wir haben nur noch die Speisen Nummer 2 und 4, 7 und 9 . . .« Auch das ist eine Eigenheit sowjetischer Restaurants: Man bekommt die schönsten Speisekarten – aber lieferbar ist bloß ein Bruchteil des großen Angebots. Immerhin kann man sich orientieren, was der Koch alles kochen möchte, wenn man ihm dazu die Möglichkeit gäbe.

Novella entschloß sich für eine Portion Scharenny Porossenok, das ist ein gebratenes Spanferkel. Und Abukow bestellte Ljulja-Kebab: gehacktes Lammfleisch am Spieß, wie man es im Kaukasus ißt. Zum Nachtisch verlangten sie Preiselbeer-Kissel, was nichts anderes ist als ein Fruchtgelee mit süßer Sahne.

Dann waren sie allein, Novella legte ihre kleine Hand auf Abukows Hand und blickte ihn mit dem ganzen Zauber ihrer Verliebtheit an.

»Erzähl mir von dir«, sagte sie. »Was weiß ich denn von dir? Fährst einen Kühlwagen – das ist alles. Willst im Lager ein Theater gründen – darüber spricht man schon über Hunderte von Werst hinweg und lacht oft in den Arbeitsdörfern darüber. Nur Morosow nimmt dich ernst. Er hält viel von dir.«

»Alle werden sich wundern«, sagte Abukow ausweichend. »Und wie sie sich wundern werden! Die erste Probe auf einer halbfertigen Bühne war schon. Ein Gottesdienst . . .«

»Ein was?« fragte Novella und riß die großen blauen Augen noch weiter auf.

»Wir haben gesungen und gebetet.«

»Warum denn das?«

»Es gehört zum Stück.« Abukow hatte diesen kleinen Test bewußt gemacht, und Novella reagierte so, wie er es erwartet hatte. Sie war durch die Komsomolzenschule gegangen, Religion war für sie eine Verirrung früherer Generationen; eine historische Fehlentwicklung der Menschheit, die der Bolschewismus endlich bereinigt hatte. Nie würde sie begreifen, daß Abukow kein Lastwagenfahrer, sondern ein heimlicher Priester war. Ihre Welt war anders.

»Und weiter?« fragte sie. »Wie geht es weiter? Ein richtiges Theater wird es werden?«

»Hoffen wir es.«

Das Essen kam, schon etwas lauwarm, denn welcher Kellner in Rußland hetzt sich ab? Immerhin, es schmeckte vorzüglich, und auch der Wein – ein tiefroter Wein aus Grusinien – floß über die Zunge, daß man hätte schnalzen können.

Abukow erzählte von seinem angeblichen Leben in Kirow. Er entwickelte dabei große Phantasie, doch es gab ja keinen Anlaß für Novella, das nicht zu glauben. Sie lachte öfter hell und schien mit Abukows Bericht sehr zufrieden zu sein.

Später saßen sie im Kino. Man spielte den Film »Krieg und Frieden«, ein Monumentalwerk mit ungeheuren Massenszenen und wuchtiger musikalischer Untermalung. Aber Abukow hatte bei aller Spannung, die der Film ausströmte, wenig von dieser Vorstellung. Auch Novellas zärtliche Finger, die in der Dunkelheit nach ihm tasteten, bis sie seine Hand gefunden hatten und sie streichelten, hoben seine Stimmung nicht. Und das hatte einen sehr ernsten Grund:

Nach dem Vorfilm, der sich mit dem riesigen Staudamm von Bratsk beschäftigte, war Abukow nämlich noch einmal in das Foyer des großen Filmtheaters gegangen, um Novella von der Süßigkeitentheke eine Packung mit Honig gefüllter Bonbons zu holen. Gerade, als er bezahlte, klopfte ihm jemand auf die Schulter.

Hinter ihm, klein, quallig, in einem blauen Anzug und einem roten Schlips, mit einem unheilvollen Gesicht, stand Jachjajew. – Abukow faßte sich schnell.

»Sie hier, Mikola Victorowitsch? Wie denn das? Wo kommen Sie her?«

»Das frage ich Sie!« entgegnete Jachjajew.

»Meine Station ist Surgut. Ich wohne hier. Das ist bekannt.«

»Auch ich habe hier meine Wohnung.« Jachjajew zog böse das Kinn an. »Und mich gelüstete es, heute einen Film zu besuchen. Also fuhr ich vom Lager in die Stadt. Das ist doch ganz natürlich, nicht wahr? Nur war geplant, daß ich in Begleitung zu diesem Genuß fahre, aber die junge Frau erklärte mir, sie habe schreckliche Migräne. Nun sehe ich mit Verwunderung: Die Migräne sitzt neben Ihnen und verlangt nach Honigbonbons! – Wie kann man das erklären, mein lieber Abukow?«

»Ein Zufall.«

»So ist es. Ein Zufall, daß ich in Surgut bin und solches sehe.«

»Ein Zufall, daß ich im Bahnhof eine Zeitung kaufe und dabei auf Novella Dimitrowna stoße, die gerade aus dem Wartesaal tritt. Zum Essen und zum Kino lade ich sie ein, sie kam mir so einsam vor ... Dankbar sollten Sie mir sein, Mikola Victorowitsch, daß ich sie nicht ohne Aufsicht allein in die Stadt ließ. Bei mir ist sie sicher wie unsere Freundschaft, Genosse ...«

Das war nun ein Satz, der Jachjajew allen Wind aus den Segeln nahm: Wie kann man einen Freund beschimpfen, wenn er einem eben einen Freundschaftsdienst bewiesen hat?! Jachjajew rang nach einer Argumentation, fand im Augenblick keine und wedelte mit der feisten Hand.

»Hat sie was erzählt?«

»Was soll sie erzählen?«

»Nichts!« Jachjajew schien aufzuatmen. Die Blamage mit dem Kleid war also noch nicht zu Abukow gedrungen. »Was haben Sie vor, Victor Juwanowitsch?«

»Ich sehe mir ›Krieg und Frieden‹ an.«

»Und dann?«

»Ich werde veranlassen, daß Novella unbeschadet nach Hause kommt.«

»Man könnte ihr die Mitfahrt bei mir anbieten, was halten Sie davon?«

»Ich fürchte, ihr Migräneanfall wird sich wiederholen.«

»Warum bloß? Abukow, sehen Sie mich an! Bin ich ein Untier? Sie könnte an meiner Seite das Leben einer Bojarin führen, um historisch zu denken. Was stört sie nur an mir?«

»Vielleicht, daß Sie verheiratet sind.«

Unmöglich war es, ihm zu sagen, daß kaum ein Mädchen mit einem großen Fisch ins Bett geht – und Jachjajew sah nun mal aus wie ein Kugelfisch. Wobei der Vergleich gar nicht so absurd war, denn es gibt auf der Welt kaum etwas Gefährlicheres und Giftigeres als einen japanischen Kugelfisch.

»Ha! Novella will geheiratet werden?« rief Jachjajew fast entsctzt. »Sagt sie Ihnen das?«

»Man hört es aus ihren Reden heraus. Verblüffend: Sie ist anständiger, als sie aussieht. Zur Geliebten würde sie nur, wenn sie wirklich und mit allen Konsequenzen einen Mann liebt. Erwarten Sie so etwas, Mikola Victorowitsch?«

»Sie raten mir also aufzugeben?« Jachjajew seufzte laut. »Victor Juwanowitsch – wenn ich Novella sehe, wird mein Herz zum Propeller. Verstehen Sie das? Sie zu erobern, das ist wie eine Schlacht gewinnen. Ich komme davon nicht los.«

»Wahrhaftig, ein Problem ist das!« sagte Abukow traurig. »Genosse Kommissar, der Film beginnt. Soll ich Novella sagen, daß Sie auch im Theater sitzen?«

»Nein! Nichts!« Jachjajew hob beschwörend beide Hände. »Es sähe so aus, als sei ich ihr gefolgt wie ein eifersüchtiger Schüler.« Er legte die Hand auf Abukows Arm. »Werden Sie Novella zurück ins Dorf bringen?«

»Nein, das kann ich nicht. Ich muß morgen früh einen Transport zum Abschnitt VI fahren. Schon um sechs Uhr geht es los. Aber ich werde Novella einem vertrauenswürdigen Genossen mitgeben. Es fahren in der Nacht viele zur Trasse zurück.«

Jachjajew schien sehr zufrieden, klopfte Abukow noch einmal auf den Arm und huschte wenig später hinter ihm in den schon verdunkelten Kinosaal.

Dies also war der Grund dafür, daß Abukow jetzt nicht die rechte Freude an »Krieg und Frieden« hatte. Fast ungeduldig wartete er das Ende des langen Films ab und sagte dann zu Novella, die ein paarmal mitleidend geweint hatte:

»Nun trinken wir noch einen Wein, und dann ab nach Hause.«

Sie nickte, schmiegte sich an ihn und atmete tiefer. »Du hast ein Zimmer, das man ungesehen betreten kann? Uns stört niemand?«

»Du fährst nach Hause«, erwiderte er ruhig.

»Ja. Zu dir . . .«

»Du bist in dem Dorf an der Trasse zu Hause, Novellanka.«

»Heute nacht nicht.«

»Heute nacht und morgen nacht und übermorgen nacht. Ich kann dich nicht zu mir mitnehmen.«

»Man kann uns hören?«

»Ich wohne mit zwei Kameraden in einem Zimmer.«

»Aber ich liebe dich, Victor. Wie habe ich um diesen Tag gebetet.«

»Gebetet?«

»Man sagt das so . . . Was sollen wir bloß tun?«

»Jetzt trinken wir den Wein!« sagte Abukow. »Seien wir dankbar für diesen Tag . . . ihn haben wir gelebt.«

Beim Wein in einem kleinen Lokal, das ein Usbeke betrieb, ein Mann mit langem Schnauzbart und einer Gesichtslandschaft aus Pockennarben, übergab Abukow seinen Brief an Morosow. Novella Dimitrowna steckte ihn in den Ausschnitt ihres Kleides, zwischen ihre Brüste.

»Wann kommst du ins Dorf?« fragte sie und streichelte wieder seine Hand. »Bei mir kannst du bleiben, ich werde dich nicht verstecken. Stolz werde ich sein, daß du bei mir schläfst. Dann hat auch alles Gerede über die Tschakowskaja ein Ende. Und Jachjajew wird sich nicht mehr blicken lassen.«

Jachjajew, dachte Abukow und spürte wieder sein Herz heißer werden. In Surgut geht er ins Kino, und im Lager verreckt vielleicht unterdessen der ganze Block III. Man hätte ihn fragen müssen – aber das hätte ihn mißtrauisch gemacht, denn woher sollte ich wissen, was während meiner Abwesenheit im Lager geschehen ist? Keinen Ton, nicht einen einzigen Ton hat Jachjajew von den Ereignissen im Lager gesagt, so, als wäre dort das normalste Leben.

»Wann kommst du zu mir?« fragte Novella. Abukow schrak hoch. »Sobald die neue Lieferung zu euch geht. Wie könnte ich anders kommen?« Er versuchte, zu lächeln und einen Witz zu machen: »Ihr müßt mehr essen, dann braucht ihr auch schneller Nachschub!«

»Und dann nimmst du Urlaub und bleibst ein paar Tage.« Sie legte den Kopf auf seine Hände und küßte sie. »Du wirst immer in mir sein, solange mein Herz schlägt.«

Gegen zwei Uhr morgens hielten sie auf der Ausfallstraße zur Trasse einen kleinen Wagen an, der Genosse war ruhig und vertrauenswürdig, verheiratet und Vater von drei Kindern. Seine Familie lebte in Swerdlowsk, und er war an diesem Sonntag gekommen, um ebenfalls »Krieg und Frieden« zu sehen und mal etwas anderes zu essen als das, was es in der Kantine gab.

»Natürlich nehme ich unsere süße Novella mit«, sagte der liebenswerte Genosse und hielt die Autotür auf. »Habe euch schon im Kino gesehen. Sind Sie nicht Abukow?«

»So ist es. Besten Dank, Genosse . . .«

Novella Dimitrowna gab Abukow noch drei heiße Küsse, bis der Ingenieur in die Hände klatschte und rief: »Ich habe die Absicht, bis nächsten Sonntag wieder bei der Arbeit zu sein!« Da ließ sie Abukow los, warf sich in den Wagen, schlug die Hände vor das Gesichtchen und weinte.

Mit heulendem Motor raste der Ingenieur los, und Abukow stand am Straßenrand und winkte ihnen nach, bis die roten Rücklichter in der Nacht untergingen.

An diesem frühen Morgen, noch in der Nachtdunkelheit, wurde neben der Straße von Surgut zur Erdgas-Trasse Novella Dimitrowna Tichonowa in einem dichten Waldstück von einem Unbekannten vergewaltigt. Ein dünner Baumstamm lag über der Fahrbahn, der Ingenieur mußte hart bremsen – aber kaum stand der Wagen, wurde die Tür aufgerissen, ein großer Schraubenschlüssel krachte auf den Kopf des Fahrers, und bevor Novella schreien konnte, zerrte ein Vermummter sie von ihrem Sitz, würgte sie sofort, schleifte die Besinnungslose in den Wald und riß ihr, was ihm hinderlich war, vom Leib. Dann fiel er wie ein Raubtier über sie her und brauchte eine volle Stunde, bis er sich an ihr gesättigt hatte. Zwischendurch würgte er sie immer wieder, lief zweimal zum Wagen zurück und schlug auf den Kopf des Ingenieurs ein. Dann ließ er beide liegen, hetzte zu seinem Wagen, der in einer Schneise geparkt war, und fuhr schnell davon.

Wenig später schon fand man das Auto des Ingenieurs, denn es stand ja quer über der Straße und versperrte den Weg für eine Lastwagenkolonne, die Eisenmatten und Stahlträger zum Bauabschnitt V bringen wollte. Über Sprechfunk wurde ein Notarztwagen aus Surgut herbeigerufen. Jeder dachte zunächst an einen Unfall, zumal der Baumstamm noch in den Fahrweg ragte. Aber als der Ambulanzwagen mit heulenden Sirenen herbeigerast war und der Arzt den Ingenieur untersuchte, stand fest, daß dessen schwere Kopfverletzungen von Schlägen stammten.

Die Untersuchung war gerade abgeschlossen und der Ingenieur in den Krankenwagen geschoben worden, da wankte aus dem Wald, wie ein Gespenst, eine halbnackte weibliche Gestalt. Am Straßenrand blieb sie stehen, sah den Menschenauflauf, breitete die Arme aus und sank wieder ohnmächtig in sich zusammen. Das Kleid hing in Fetzen an ihr herunter, die nackten Beine waren von Dornen blutig gekratzt, das Gesicht geschwollen von Schlägen, der Hals aufgetrieben und mit Würgemalen übersät.

Morgens um acht Uhr diktierte der Unfallarzt des Krankenhauses Surgut dann einen sensationellen Befund, der sofort an die obere KGB-Dienststelle weitergereicht wurde:

»Dem Ingenieur Michael Simferowitsch Tscheljabin wurde mit einem stumpfen Gegenstand die Hirnschale zweimal zertrümmert. Er erlitt eine Hirnquetschung; Knochensplitter drangen in das Hirn ein. Es erfolgte eine sofortige Entlastungsoperation mit Absaugen großer Hämatome. Die Prognose ist infaust.

Die Sekretärin Novella Dimitrowna Tichonowa wurde bis zur Bewußtlosigkeit gewürgt, deutliche Würgemale sind fotografisch erfaßt. Am ganzen Körper fanden sich Schleifspuren, was darauf hindeutet, daß sie vom Wagen weg in den Wald geschleift wurde.

Eindeutig liegt ein Sexualverbrechen vor: Auf dem Unterleib, in der Scheide, an den Oberschenkeln viele Spermareste. Zwei Einrisse der Vulva. Bißwunden, verteilt auf Unterbauch, Bauch und beide Brüste. Der Täter hat sogar mit den Zähnen größere Flecken Pubes herausgerissen. Der Zustand der Patientin ist gekennzeichnet von einem schweren Schock. Die Wunden wurden versorgt, zwei Vulvanähte, Schockbehandlung. Die Prognose ist günstig, wenn die Schockbehandlung greift.«

Der KGB in Tjumen schickte sofort zwei Beamte hinüber nach Surgut, aber weder Ingenieur Tscheljabin noch Novella Dimitrowna waren ansprechbar und konnten verhört werden. Man konnte sich zunächst nur von dem schrecklichen Zustand der Mißhandelten überzeugen und von der Tatsache, daß hier ein widerliches Sexualverbrechen stattgefunden hatte.

»Der Täter muß wie ein reißendes Tier sein«, sagte der Chefarzt zu den beiden KGB-Offizieren. »Bei Tscheljabin habe ich nur noch wenig Hoffnung, seine Hirnquetschung ist zu massiv. Und wenn er überlebt – er könnte für immer verblödet sein. Wünschen wir ihm dann, daß er es nicht mehr schafft. – Wie Novella zugerichtet ist, haben Sie im Bericht gelesen. Der Mann, der so etwas getan hat, ist schwer krank, ein perverser Irrer. Mit normalen Reaktionen hat das nichts mehr zu tun.«

Am Abend dieses Montags starb der Ingenieur Tscheljabin, ohne das Bewußtsein wiedererlangt zu haben. Drei Kinder in Swerdlowsk hinterließ er und eine junge Frau, die im nächsten Frühjahr nach Surgut umziehen wollte, um für immer in der Nähe ihres geliebten Michael Simferowitsch zu sein. Nun kam er zu ihr zurück in einem einfachen, flachen Kiefernholzsarg.

Novella Dimitrowna, noch lange unter Schockwirkung, konnte auch später nicht viel sagen. Den Mann hatte sie nicht erkannt, zumal da er sich ja vermummt hatte. Ihre letzte Erinnerung war, daß sie, schreiend und um sich schlagend, aus dem Auto gezerrt wurde – dann kam das Würgen und die gnädige Dunkelheit.

Die Aussage war enttäuschend. Die beiden KGB-Offiziere sahen ein, daß man auf diese Angaben hin keine Spur aufnehmen konnte, denn auch am Tatort fand man nichts, was verwertbar gewesen wäre. Der Boden war durch die große Hitze staubtrocken und nahm keine Schuhspuren auf. An dem Platz der Vergewaltigung fand man nur Stoffetzen von Novellas Kleidchen, ihren zerfetzten Schlüpfer und ihre herumliegenden Schuhe. Der Waldboden verriet außer Schleifspuren nichts. Etwas Blut klebte am Unterholz – es war Novellas Blut aus den Rißwunden an Beinen und Schenkeln.

»Wenn es ein Irrer ist, der im Sexualwahn handelt, wird er wieder zuschlagen«, sagte der eine KGB-Offizier nach Abschluß der Ermittlungen. »Das ist unsere einzige Hoffnung. Und trösten wir uns mit einer alten Kriminalweisheit: Einen Fehler macht jeder Täter! Warten wir ab, Geduld ist die Schwester des Erfolgs.«

Am späten Abend kam Morosow nach Surgut, mit einem Hubschrauber der Bauleitung. Er wurde sofort bei Novella vorgelassen, saß an ihrem Bett, hielt ihre zitternden Hände, streichelte ihr schmales von Kratzern und Schlägen verunstaltetes Gesicht und war bereit, den Mann, der so etwas angerichtet hatte, ohne Skrupel zu ermorden, falls er ihm jemals gegenüberstehen sollte.

»Die Wunden werden heilen, Novellaschka«, sagte er väterlich zu ihr und tupfte ihr die Tränen aus den Augen. »Vielleicht bleiben ein paar Narben zurück, das ist alles. Ein paar winzige Narben, man wird sie kaum sehen. Und den Saukerl erwischen wir, das weiß ich. Du mußt jetzt nur ganz ruhig sein, mein Kleines. Ganz tapfer.«

»Rufen Sie Victor Juwanowitsch, bitte«, sagte sie leise und weinte vor sich hin. »Er soll zu mir kommen, bitte . . . Er ist in Surgut. Bei Smerdow erreichen Sie ihn, im Zentralverpflegungslager. Wladimir Alexejewitsch, er soll zu mir kommen . . .« Sie blickte an die Decke, atmete ein paarmal tief und wandte dann den Kopf wieder Morosow zu. »Den KGB-Offizieren habe ich etwas verschwiegen. Für einen kurzen Augenblick war ich wach, ich lag auf dem Waldboden. Der Mann war über mir, ich sah nur seinen Schatten, er biß mir in den Leib . . .« Ein heftiges Zittern lief durch ihren gepeinigten Körper. »An seinem Hemd riß ich, ein Stück davon blieb zwischen meinen Fingern – und dann würgte er mich wieder. Ich . . . ich habe das Stückchen Stoff versteckt, bevor ich später zurück zur Straße lief. Unter einem Stein. Holen Sie es, Wladimir Alexejewitsch. Ein heller Stein ist es, neben einem Busch wilder Brombeeren . . . Sie müssen ihn finden, nur wenige große Steine liegen da. Das Stück Hemdenstoff ist für mich wertvoller als alles Gold Sibiriens.«

»Für mich auch, Novellanka«, sagte Morosow rauh. »Es ist für uns alle wie ein Diamant. Noch heute nacht hole ich es unter dem Stein hervor. Welch eine Spur . . .«

»Und gib es Victor Juwanowitsch . . .« Sie schloß die Augen, faltete die Hände über der Decke und atmete ruhiger. Nur die Tränen rannen noch unter den geschlossenen Lidern über die mit blutigen Striemen bedeckten Wangen. »Sag ihm, er soll das Tier suchen . . . dieses Tier . . . dieses Tier . . .«

Morosow wartete an ihrem Bett, bis sie eingeschlafen war und einer der Ärzte in der Tür erschien und ihm winkte, nun sei es genug, Novella Dimitrowna brauche dringend Ruhe. Er beugte sich über sie, küßte sie auf die Augen und verließ auf Zehenspitzen das Krankenzimmer.

Unten in der Eingangshalle traf Morosow auf die beiden KGB-Offiziere, die vom Chefarzt kamen und einen eingehenden Bericht mitgenommen hatten, illustriert mit Farbfotos, die man von Tscheljabin und der Tichonowa während der ersten Versorgung aufgenommen hatte.

»Sie kommen von oben?« fragten sie Morosow; sie kannten ihn, weil er ihnen auf dem Flur vor Novellas Zimmer begegnet war.

»Ja«, antwortete Morosow. »Sie schläft jetzt.«

»Hat sie etwas Neues gesagt?«

»Nichts Neues. Sie hat kaum eine Erinnerung an die schrecklichen Stunden. Und das ist gut so!«

Morosow grüßte höflich und verließ schnell das Krankenhaus. Draußen, in der warmen Nacht, unter einer hohen Laterne, überlegte er, was wichtiger sei: Abukow zu suchen oder in den Wald zu fahren, um den Fetzen Hemdenstoff zu finden. Er entschloß sich für den Wald, ging zum Gebäude der Planungs-Hauptabteilung für die Erdgas-Pipeline und hatte Glück: Hinter drei Fenstern schimmerte Licht. Noch größer war sein Glück, als sich herausstellte, daß einer der späten Arbeiter an den Plänen sein alter Bekannter, der Oberingenieur Byrankow, war, ein schon sechzigjähriger Mann, dem nach dem Tod seiner Frau Lydia nur noch die Arbeit lebenswert erschien.

»Sieh an, der liebe Wladimir Alexejewitsch!« rief Byrankow erfreut. »So spät noch im Gebäude der Sklaverei?! Was drängt Sie an den Tisch?«

»Ein kleiner Wunsch, Iwan Valentinowitsch.« Morosow lehnte sich gegen das große Reißbrett mit den Detailzeichnungen einer automatisch kühlbaren Rohrstütze. »Sie haben draußen Ihren Wagen stehen?«

»Ist er im Weg? Na so was! Ist doch Platz genug.«

»Ich möchte ihn bis morgen früh leihen.«

»Meinen Wagen?«

»Sie würden mir sehr helfen, mein Freund.«

»Man fragt nicht gern, aber wenn es um meinen schönen Wagen geht: Was haben Sie mit ihm vor? Fünf Jahre habe ich auf ihn nach der Zuteilung warten müssen. Eine Schaltung mit Automatik, deshalb . . .«

»Ich möchte einen Besuch abstatten.« Morosow zwinkerte vertraut. »Etwas außerhalb. So einen nächtlichen Besuch . . . verstehen Sie, Iwan Valentinowitsch?«

»Morosow! Nicht wieder erkenne ich Sie. Ha! Dieser heiße Som-

mer! Kocht die Hormone, ist's so?« Byrankow winkte großzügig.
»Nehmen Sie meinen Wagen. Aber wehe Ihnen, es kommt ein
Kratzerchen dran. Hier, die Schlüssel.« Er warf sie Morosow zu.
»Wann bekomme ich ihn wieder?«
»In spätestens sechs Stunden. Ein Versprechen ist das.«
»Nur keine Hast, mein lieber Wladimir Alexejewitsch.« Byrankow kniff ihm ein Auge zu. »Zeitdruck in der Liebe vermindert
die Potenz. Immer tickt die Uhr im Hirn mit, das ist nicht gut. Lassen Sie sich Zeit. Die Nacht wird sowieso lang bei mir werden,
und dann werde ich auf dem Sofa nebenan schlafen. Wenn Sie
mein Wägelchen gegen Mittag vor die Tür stellen, bin ich zufrieden. Also – viel Vergnügen!«
Morosow war glücklich, Byrankow getroffen zu haben, setzte
sich in den Wagen und fuhr hinaus auf die Straße nach Nordosten.
Obwohl es sehr dunkel war, die Nächte des Neumondes begannen, fand er die Stelle des Überfalls sehr schnell, denn die Miliz
hatte mit Kreide auf dem Straßenbelag – hier war es noch festgewalzter Basaltsplit – die Lage von Tscheljabins Auto gezeichnet.
Außerdem lag der Baumstamm noch am Straßenrand, mit dem
das Untier die Fahrbahn gesperrt hatte.
Morosow fuhr seinen Wagen, ohne es zu wissen, genau in die
Schneise, in der damals der Täter sein Auto verborgen hatte, und
ging dann zurück zu der Stelle, die ihm Novella beschrieben
hatte. Den Strauch wilder Brombeeren fand er bald, und er sah
auch sofort den blinkenden, hellen Stein auf dem Boden. Als er
ihn aufhob, lag darunter wirklich ein Fetzchen Hemdenstoff – das
einzige, was man nun von dem Unhold in Händen hatte.
Hinter dem Strauch knipste Morosow sein Gasfeuerzeug an und
betrachtete in der kleinen zuckenden Flamme den Stoffetzen. Ein
normaler, weißer Hemdenstoff war es, der keinerlei Hinweise
möglich machte. Hätte er Streifen gehabt oder Karos oder sonst
ein Muster – aber es war nur ein einfaches Weiß. Davon gab es
unzählige Hemden. Nur, als Morosow den Stoff zwischen den
Fingern rieb, sagte er sich, daß dies ein gutes, ein teures Hemd
sein mußte; nicht eins aus der üblichen Massenkollektion, wie
man sie in den Magazinen und Kaufhäusern kaufen kann. Wer
aber ein teures Hemd trägt, gehört nach allen Erfahrungen nicht
zu den einfachen Arbeitern, jedenfalls nicht in Sibirien, wo man
Rubel auf Rubel legt, um später, nach dem großen Aufbau, irgendwo ein besseres Leben zu führen. Hemden dieser Sorte tragen die bessergestellten Genossen, die Ladenbesitzer, die Beamten, die Ingenieure, die hochbezahlten Spezialisten, die selbstän-
digen Handwerker, die Angestellten in den verschiedenen Groß-

betrieben und Ämtern – eben Männer, die sich aus der breiten Masse der Arbeitenden abheben.

Nachdenklich ging Morosow zu seinem Wagen zurück, knipste die Deckenbeleuchtung an und betrachtete noch einmal das Hemdenstück. Am Rande war ein dünner roter Streifen: Blut! Morosow hätte viel dafür gegeben, könnte er dieses Blut chemisch untersuchen lassen, um festzustellen, ob es Novellas Blut war oder das Blut des Täters.

Er steckte den Stoffetzen sorgfältig in seinen ledernen Brustbeutel, fuhr auf die Straße hinaus und kehrte nach Surgut zurück. Um Byrankow nicht zu vielen Fragen zu reizen, behielt er dessen Wagen, parkte ihn vor dem Wohnheim der Ingenieure neben der Zentralen Bauleitung und legte sich dort in seinem Zimmerchen auf das Holzbett.

Ein Stückchen Hemdenstoff . . . das war hier in Sibirien wie eine Tannennadel in der Taiga. Wie brachte man Novella Dimitrowna bei, daß es keine Hoffnung gab, das Untier zu entlarven?

Morosow – wie konnte er das ahnen? – war eine Viertelstunde zu früh vom Tatort weggefahren. Der Täter kehrte zurück!

Vorsichtig bog er von der Straße in die Schneise ein, mit abgeschalteten Scheinwerfern, stieg aus, sicherte wie ein Wild nach allen Seiten und hetzte dann zu dem Platz, auf dem er Novella so grausam geschändet hatte. Mit einer kleinen Taschenlampe suchte er das Gelände ab, immer wieder sichernd und den dünnen Lichtstrahl sofort ausknipsend, wenn sich auf der Straße ein Auto näherte. Er stand dann hinter den Bäumen, eng an den Stamm gedrückt, ein Schatten unter Schatten, und wartete.

Über eine Stunde lang suchte er Zentimeter um Zentimeter den Tatort ab und schien nicht zu finden, was ihn wieder nach hier getrieben hatte. Unruhig lief er noch einmal hin und her – vom Straßenrand, wo er Novella weggeschleift hatte, bis zu dem Platz, wo er sie vergewaltigt hatte, strich sich dann wie verzweifelt mit beiden Händen über das Gesicht und kehrte zu seinem Wagen zurück.

Unbeachtet von den Insassen der anderen Autos, die gegen Morgen über die Straße sausten, fuhr er dann wieder davon.

Er fuhr nicht nach Surgut – er fuhr nach Norden . . .

Am Nachmittag dieses Montags, als Abukow von einer Lieferung an ein Baulager in der Umgebung zum Depot zurückkehrte, wartete schon die Knollennase Bataschew auf ihn. Er hatte sich bereits mit Smerdow angefreundet, denn es stellte sich heraus, daß Smerdow ein boxbegeisterter Mensch war und sich natürlich an

den großen Bataschew erinnerte. Die Knollennase hatte sogar ei
nen Begriff seiner Kraft hinterlassen: Smerdow hatte ein dickes
Brett zwischen zwei Stühle gelegt, und Bataschew hatte tief Luft
geholt, uff! gebrüllt und mit einem Fausthieb das Brett durchge-
schlagen. Nun saß er stolz an Smerdows Tisch, trank Tee und aß
einen Honigkuchen, den die Smerdowa am Sonntag gebacken
hatte und von dem noch einiges übriggeblieben war.

»Welch eine Freude, Maxim Leontowitsch kennenzulernen!« rief
Smerdow, nachdem Abukow seine Transportpapiere auf den
Schreibtisch geworfen hatte. »Und wie er erzählen kann! Alles er-
lebt man noch einmal mit: Den Kampf gegen den Mongolen
Ülürü . . . rumbum . . rumbum . . in der siebten Runde viermal an
den Kopf, da fiel er um wie ein gebolzter Ochse! Ha, ich höre es
noch wie heute aus dem Radio! Und nun sitzt Maxim vor mir . . .
Victor Juwanowitsch, hock dich dazu und nimm ein Stück Ku-
chen. Ein drei Zentimeter dickes Brett hat er vorhin mit einem
Hieb zerschmettert. So einen brauchen wir bei den Verhandlun-
gen mit dem Hauptlager in Tjumen. Da wird kein hochnäsiger
Genosse mehr widersprechen. Volle Kisten bekämen sie an den
Kopf!«

Smerdow war außer sich, trank auch noch vier Kognaks aus Armenien und schwankte dann mit glasigen Augen nach Hause.
Zwar beschimpfte ihn die Smerdowa als Säufer und Mistkerl,
aber Lew Konstantinowitsch war viel zu selig über diesen Nachmittag, um beleidigt zu sein.

»Maxim bringe ich mal mit«, sagte er und legte sich ins Bett. »Der
holt Atem, und du hängst ihm unter der Nase. Auch du Nilpferd . . .« Dann schlief er sofort glücklich ein, während die Smerdowa noch lange mit dem Nilpferd zu tun hatte und sogar weinte.

»Die Zukunft ist rosig«, sagte unterdessen Bataschew zu Abukow
und breitete ein Papier aus, das er auf dem Güterbahnhof beschrieben hatte. »An Waggons stehen zur Zeit auf den Warteglei-
sen: Kücheneinrichtungen, Schuh- und Lederwaren, Elektromotoren, Roheisenbänder, Stahlstäbe und ein Gemischtwaggon mit
Mehl, Milchpulver, Grieß, Nudeln und Graupen. Die anderen
sind für uns nicht geeignet: Zement, Verfüllkies, Kalk, Traktoren,
Kranteile, Asbestisoliermatten . . . alles für die Erdgasleitung.«

»Das hört sich gut an«, sagte Abukow vorsichtig, »aber du kannst
doch für unser Theater keine großen Möbelstücke klauen.«

»Einem unbeugsamen Willen stellt sich nichts entgegen.« Bataschew rauchte eine von Smerdows teuren kaukasischen Zigarren
und sah dem dicken, weißen Qualm nach, der träge zur Zimmerdecke schwebte. »Ist es nicht so, daß das Theater alles gebrauchen
kann?«

»Alles. Man kann alles für die Bühne umfunktionieren.«

»Morgen früh werden wir um einiges reicher sein.« Bataschew rieb sich die riesigen Hände. »Das größte Problem wird werden, die guten Sachen ins Lager zu bringen. Die Lastwagen stehen nicht so herum wie die Waggons. Aber keine finstere Miene, Brüderchen – Maxim Leontowitsch wird es schon schaffen!«

Am Abend aßen sie wieder in einem einfachen Restaurant, fuhren darauf mit dem Bus zum Güterbahnhof, und Bataschew zeigte Abukow seinen Wirkungskreis. Sie wanderten über die verzweigten Gleisanlagen, standen vor den interessanten Waggons und betrachteten die verplombten schweren Schiebetüren.

»Alles versiegelt«, sagte Abukow. Bataschew winkte ab.

»Eine Kleinigkeit. Mit der Lupe wird man nicht entdecken, daß ich die Plombe gelöst habe. In zwei Stunden geht es los.«

Sie wanderten weiter über die Gleise und blieben vor vier Waggons stehen, die abseits aller anderen rangiert waren. Bataschew klopfte gegen eine der Türen. »Umzugsgut! Für die Neusiedler in Sibirien. – Wir werden für das Bühnenbild Sofas, Stühle, Tische, Sessel und Schränke haben.«

»Wir können doch nicht die Umsiedler bestehlen, Maxim Leontowitsch!« sagte Abukow voller Skrupel. Sein Gewissen rührte sich. Du sollst nicht stehlen . . . das siebte Gebot. O mein Gott, dachte er und sah an Bataschew vorbei über das Gewirr der Gleise. Welch einen Priester hast Du nach Sibirien schicken lassen! Das Gelübde der Keuschheit bricht er, und nun duldet er auch noch das Stehlen. Nimmst Du die Entschuldigung an, daß es nur für meine Gemeinde ist? Ist damit alles entschuldbar? Von Tag zu Tag wächst der Berg meiner Schuld – wie soll ich ihn je vor Dir abtragen, mein Herr? Ich lebe in der Sünde, um Dein Wort, Deinen Namen zu verkünden . . . Herr, hilf mir, erkenne an, daß Sibirien die Gesetze auf den Kopf stellt, auch die Gesetze der Moral . . . Ich will eine Kirche bauen für die toten Seelen . . . sieh weg, Herr, mit welchen Mitteln ich es tun muß.

»Was ist?« fragte Bataschew und schnupfte wieder laut in sein Taschentuch. »Wer stiehlt denn hier? Es ist doch nur das übliche: Auf dem Weg in die Ferne verschwinden einige Dinge. Damit rechnet man. Vor Freude wird man weinen, daß überhaupt etwas angekommen ist. Victor Juwanowitsch, ein weicher Mensch in der Taiga klebt sofort am Baum! Härter als die Natur selbst mußt du sein – oder Sibirien frißt dich auf, Stück für Stück, und du merkst es erst, wenn es dein Herz verschlingt.«

Noch lange saß Abukow in seinem Zimmer wach am Fenster und quälte sich mit seinem Gewissen. Ein schlechter Priester bin ich, dachte er. Wie ein Wolf beginne ich zu leben. Wüßte Rom das, mich träfe der päpstliche Bannstrahl. Aber es ist etwas anderes, am Tiber zu beten oder in Nowo Wostokiny. Kommt her, ihr Monsignori und Exzellenzen im roten Ornat – was würdet ihr denn tun? Nichts! Denn für Rassim wäre es das Fest seines Lebens, euch den Purpur vom Leib zu reißen und euch in die lehmdreckige zerrissene Arbeitskleidung zu stecken. Hinauszujagen in Urwald und Sumpf, bei glitschigem Brot und Wassersuppen mit fauligem Kohl. Das wäre die Wahrheit, wäre das Ende eures römischen Stolzes. Ein Elender unter Elenden muß ich hier sein mit allen Konsequenzen, aller Mühe, aller Pein, aller Hoffnung und aller Sünde. Sonst gibt es kein Kreuz in Sibirien, nicht hier in der wilden Einsamkeit nördlich des Ob.

Herr, mein Gott, sieh es ein. Was hier geschieht, das geschieht doch nur für Dich! Nein, es war Lüge! Lahme Entschuldigungen waren es für Mißerfolge eines Sünders. Abukow sah es ein und wußte dennoch keinen anderen Weg. Er würde damit leben müssen bis zum Tag der großen Rechenschaft. Ein paarmal blickte er auf die Uhr – jetzt brach Bataschew die Waggons auf und stahl für ihn, den Priester. Stahl für das Theater, hinter dem sich die Kirche verstecken sollte . . . der Gottesdienst . . . Jede Vorstellung würde eine Messe sein, eine Gebetsstunde, eine Stärkung in der Hoffnungslosigkeit. Warum dann diese Qual des Gewissens? War es nicht doch ein gutes Werk?

Den Dienstagmorgen verschlief Abukow, erschöpft von der langen, durchwachten Nacht. Sein neuer Dienst begann erst gegen Mittag, da erwartete man einen neuen Kühlzug aus Tjumen. Er schrak hoch, weil jemand heftig an seine Tür klopfte. Es war gerade neun Uhr morgens, wie Blei lag die Müdigkeit noch in seinen Knochen. Er warf seinen Bademantel über, schlurfte zur Tür und schob den Riegel zurück. Sie sprang auf, weil der Besucher heftig dagegendrückte, und mit Schwung flog Morosow fast ins Zimmer und prallte mit Abukow zusammen.

»Oh! Wladimir Alexejewitsch! Sie sind es!« rief Abukow erfreut. »Meinen Brief haben Sie erhalten und kommen sofort zu mir? Berichten Sie, was wissen Sie Neues? Haben Sie Larissa erreicht?«

Morosow setzte sich schwer auf den nächsten Stuhl. »Von welchem Brief sprechen Sie, Victor Juwanowitsch?«

»Ich habe Novella Dimitrowna einen Brief an Sie mitgegeben. Sie haben ihn nicht? Wieso? Novella und ich waren am Sonntag hier in Surgut im Kino. Sie hat versprochen, den Brief . . .«

»Novella konnte ihn nicht abgeben.« Morosow atmete tief auf, blickte Abukow traurig an und seufzte tief. »Sie waren außer Tscheljabin, der sie in seinem Auto mitnahm, der letzte, der mit ihr gesprochen hat . . .«

»Was heißt das?« fragte Abukow verwundert.

»Novella ist auf dem Weg nach Hause überfallen und bestialisch vergewaltigt worden.«

»O mein Gott . . .«, stammelte Abukow. »Wo denn . . .«

»Im Wald neben der Straße zur Trasse. Tscheljabin ist tot, seine Hirnschale wurde zertrümmert. Novella liegt mit einem schweren Schock im Krankenhaus und ruft nach Ihnen, Victor Juwanowitsch.« Morosow beugte sich vor: »Warum haben Sie sich mit Novella in Surgut getroffen? Sie haben Sie in die Stadt gelockt. Warum? Ich habe das Gerücht gehört, Sie und die Tschakowskaja . . .«

»Es stimmt. Ich und Larissa . . .«

»Und Novella als zweites Kopfkissen?«

»Sehen Sie mich mit solchen Augen, Wladimir Alexejewitsch?«

»Muß ich das nicht? Novella ruft nach Ihnen wie nach ihrem Leben.«

»Es ist ein fataler Irrtum von ihr. Ich hatte sie nach Surgut gebeten, um ihr einen Brief für Sie mitzugeben. Nur zu diesem Zweck! Im Lager konnte ich nicht anrufen, das hätte mich verdächtig gemacht. Auch Ihr Telefon wollte ich nicht benutzen; man weiß nie, ob jemand in der Vermittlung mithört. Ein Brief, von Novella überbracht, erschien mir am sichersten.«

»Wie sicher, das sehen Sie jetzt. Der Brief hat mich nie erreicht, und er wird es auch nicht. Bei dem Überfall auf Novella muß er verlorengegangen sein. Was haben Sie mir denn geschrieben?!«

»Wir müssen sofort zu Novella, Morosow. Sofort!« rief Abukow.

»An nichts kann sie sich mehr erinnern. Sie wurde gewürgt, wurde ohnmächtig und wachte auf, als alles vorbei war. Das war eine Gnade Gottes!«

»Sie erwähnen Gott, Wladimir Alexejewitsch?«

»Ja! Vergessen Sie es.« Morosow winkte ab. »Wo der Brief geblieben ist, wird sie bestimmt nicht mehr wissen. Dafür hat sie etwas anderes – für Sie, Abukow. Es gelang ihr, dem Unhold ein Stück aus dem Hemd zu reißen, in der Faust zu behalten und dann zu verstecken. Ich habe es geholt. Hier ist der Fetzen.« Morosow holte seinen Brustbeutel aus dem Hemd und übergab Abukow den Stoff. »Ein Stück weißer Baumwolle. Ein gutes, teures Hemd in dieser Qualität. Nicht jeder kann so etwas tragen. Das ist der einzige konkrete Hinweis auf den Täter.«

Morosow wartete ein paar Augenblicke, in denen Abukow mit finsteren Blicken den Fetzen musterte und zwischen den Fingern drehte, und fragte dann: »Nun also – was stand in Ihrem Brief an mich. Kann er mir gefährlich werden, wenn er in andere Hände fällt?«

»Ich habe Sie in dem Brief gebeten, mir mitzuteilen, was im Lager 451 / 1 geschehen ist und wie es jetzt dort aussieht.«

»Sie meinen die Lebensmittelaffäre?«

»Ja.«

»Fomin ist nach drei Tagen aus dem ›Kasten‹ getragen worden und liegt jetzt im Hospital. Er hat geschwiegen und wäre lieber gestorben, aber so weit wollte Jachjajew nicht gehen. Der General ist gerade noch in der Lage, die Baracke zu fegen, und Lubnowitz hat sich etwas erholt. Man hat ihm zwei Rippen eingeschlagen. Die anderen aus dem Block III arbeiten wieder an der Trasse. Ich weiß das alles auch nur von Mustai, der uns mit Limonade beliefert hat. Aus dem Lager dringt nichts . . .« Morosow musterte Abukow wieder nachdenklich. »Das ist doch alles keine Laus für Ihren Pelz, Abukow.«

»Auch mein Name fiel, Wladimir Alexejewitsch.«

»Lächerlich! Wenn jemand ein treuer Staatsbürger ist, dann Sie. Und nur darum haben Sie mir geschrieben? Welche Tragik – daran wäre Novellas Leben fast zerbrochen. Ohne es zu wollen, haben Sie da eine große Schuld auf sich geladen. Wissen Sie das? Ist Ihnen das klar?«

Abukow schwieg, sah Morosow lange an und zögerte noch immer. Dann endlich fragte er betont:

»Vertrauen Sie mir, Wladimir Alexejewitsch?«

»Bisher kenne ich Sie nur als ehrlichen Menschen«, antwortete Morosow ausweichend.

»Seien wir zueinander wirklich ehrlich: Warum riefen Sie vorhin Gott an?«

»Eine dumme Gewohnheit! Hat nichts zu bedeuten. Ich hätte auch sagen können: Da war der Teufel gnädig . . .«

»Aber Sie sprachen von der Gnade Gottes. Wladimir Alexejewitsch, ich wage es, ich gebe mich in Ihre Hand: Ich bin ein Christ. Ein gläubiger Christ.«

Morosow schwieg. Er legte nur die Hände übereinander und blickte Abukow mit größter Vorsicht an.

»Was wollen Sie hören, Abukow?« fragte er endlich.

»Ihr Vertrauen will ich.«

»Wagnis gegen Wagnis: Auch ich bin Christ. Sogar ein katholischer, und das ist hier eine kleine Seltenheit.« Morosow lächelte schwach. »Nun wissen wir es voneinander. Was ändert das?«

»Wir wissen noch nicht alles.« Abukow ging zu seinem Nachttisch, holte das Reise-Eßbesteck heraus und klappte es so auf, daß es ein Kreuz bildete. Dann stellte er es vor Morosow auf den Tisch. Morosow starrte Abukow fassungslos an.

»Das . . . das ist eine gute Idee . . .«, sagte er mit plötzlich heiserer Stimme.

»Das ist meine Aufgabe, Wladimir Alexejewitsch. Ich soll euch das Kreuz nach Sibirien bringen. Ein Priester bin ich.«

»O mein Gott!« Morosow war wie gelähmt. »Sie sind . . . Abukow . . . Sie sind wirklich? Sie sind kein strammer Genosse? Abukow – ein Priester!« Er wischte sich über die Augen mit bebenden Händen und seufzte. »Das muß man erst verkraften. Sie sind in der Maske des Genossen Abukow . . . O Himmel, wenn das jemals Jachjajew erfährt oder gar Rassim!« Er faltete die Hände, blickte auf das Kreuz aus dem zusammenklappbaren Eßbesteck. »Nun sind wir Brüder«, sagte er langsam. »Sie sind mein Pfarrer – daran muß ich mich erst gewöhnen. Wie soll ich Sie jetzt anreden?«

»Als Freund, Victor Juwanowitsch.«

Morosow stand auf, sie umarmten sich, küßten sich auf die Wangen und wußten, daß eine Freundschaft begonnen hatte, die nur der Tod auflösen konnte.

Abukow klappte sein Kreuz zusammen und legte das Eßbesteck zurück in die Nachttischschublade. Morosow wartete, bis er sich gewaschen hatte, rasiert und angezogen war.

Den Hemdenstoffetzen steckte Abukow in sein Portemonnaie. Morosow sah es mit Unbehagen.

»Ist es da sicher?« fragte er.

»An meine Geldbörse geht keiner heran. Warum auch? Was kann ein Lastwagenfahrer schon an Scheinchen mit sich herumtragen? – Gehen wir jetzt zu Novella Dimitrowna?«

Morosow zögerte. »Mir sind die Tatsachen nun klar«, sagte er, »aber dazu gehört auch, daß Novella Sie liebt. Wie kann man es ihr sagen, daß Sie ihre Liebe nicht erwidern, aus welchen Gründen auch immer? Sie wird es einfach nicht begreifen. Den wahren Grund zu nennen ist uns ja verschlossen.« Morosow zuckte plötzlich zusammen, als habe ihn ein Gedanke schmerzhaft getroffen: »Victor Juwanowitsch, das kommt erst jetzt in mir hoch. Das Gerücht von Ihnen und der Tschakowskaja – ein gemeines Gerede, fürwahr; aber wenn man es überdenkt, ein wunderbarer Schutzschild. Ich werde später, wenn es Novella bessergeht, das Gerücht um Sie und Larissa als zutreffend bestätigen. Weinen wird sie dann, schrecklich leiden, aber sie ist jung genug, um auch das noch zu überstehen . . . Sollen wir es so tun, Victor Juwanowitsch?«

»Sie können es ohne Lügen.« Abukow atmete tief ein. »Es ist kein Gerücht.«

»Abukow!« Morosow schlug die Hände zusammen. »Sie . . . als Priester . . .«

»Verurteilen auch Sie mich, Wladimir Alexejewitsch. Ich muß und werde es ertragen.« Er warf sein Jackett über und ging zur Tür. »Können wir gehen?«

»Sie haben mir schwache Beine gemacht, Abukow. Es ist gar nicht so leicht, sich ein so dickes Fell überzuziehen, wie Sie es haben!«

In der Halle des Krankenhauses erwartete sie eine neue Überraschung. ·

Am Lift stand neben zwei Ärzten und heftig mit den Armen gestikulierend, ein kleiner, fetter Mensch und schien vor Erregung zu platzen: Jachjajew. Kaum sah er Morosow und Abukow in die Halle kommen, löste er sich von den Ärzten und lief den beiden entgegen.

»Was ist denn das?« schrie er. »Im Morgengrauen kam der Anruf von den Kollegen aus Surgut. Novella überfallen? Sofort bin ich losgefahren! Victor Juwanowitsch, was wissen Sie? Was ist genau passiert? Die Ärzte reden herum und spucken mich mit Latein an. Morosow, Sie auch hier? Natürlich, Sie sind ihr Vorgesetzter.« Jachjajew holte tief Luft, stieß sie röchelnd aus und klammerte sich an Abukow, als wolle man ihn zu einem Richtblock schleifen. »Mein lieber Victor, außer mir bin ich! Wie konnte das geschehen? Und einen Toten hat es auch gegeben! Erzählen Sie mir alles, was Sie wissen. Hat man schon eine Spur?«

»Nichts, gar nichts hat man«, sagte Morosow schnell, ehe Abukow vielleicht eine Dummheit machte und von dem Hemdfetzen erzählte. »Zu gut war das alles vorbereitet.«

»Vorbereitet?« stammelte Jachjajew erschüttert. »Wieso vorbereitet?«

»Denken Sie logisch, Genosse.« Morosow schob sich vor Abukow. »Der Unhold kann nur jemand sein, der wußte, daß Tscheljabin mit Novella nach Hause fuhr. Beobachtet muß er sie haben, ist vorausgefahren und hat die Falle gelegt.«

»So war es sicher«, sagte Jachjajew und nickte mehrmals. »Hören wir uns nun Novella Dimitrowna, das arme gerupfte Täubchen, an, was es weiß, woran es sich erinnern kann, ob es ein Stäubchen von einer Spur gibt. Zu meiner Lebensaufgabe werde ich es machen, dieses Vieh zu entlarven!«

12

Bleich und geschwächt lag Novella im Krankenbett. Für einen Augenblick lächelte sie glücklich, als sie Abukow und Morosow erkannte. Doch sobald sie Jachjajew bemerkte, erlosch das Lächeln wieder. Abukow beugte sich über sie, strich mit der Hand zart über ihr von Kratzern und Striemen entstelltes Gesicht und sagte beruhigend:

»Du lebst, Novellaschka. Das ist das Wichtigste. Und diese furchtbare Stunde wird eines Tages nur noch eine böse Erinnerung sein.«

»Du bist da, Victorenka, das ist so schön«, flüsterte sie, griff nach seiner Hand und küßte sie. »Bleib bei mir, bitte . . . geh nicht so schnell wieder weg!«

»Entsetzen packte mich, als ich alles hörte«, ließ sich Jachjajew vernehmen. »Sofort bin ich zu dir gefahren. Mein Täubchen, glaub mir: Alles, was möglich ist, wird geschehen, um dieses Schwein zu entlarven. Aber mithelfen mußt du. Hörst du? Erinnern mußt du dich. War der Mann groß oder klein? Konnte man seine Kleidung irgendwie erkennen? Hat er etwas gesagt? Könnte man seine Stimme wiedererkennen? Gibt es besondere Merkmale? Novella, denk darüber nach. Es ist so wichtig. Eine Winzigkeit kann zu einem Rädchen werden, das eine ganze Maschine in Bewegung setzt . . .«

Novella Dimitrowna schwieg. Sie drehte den Kopf zur Seite, als habe Jachjajew einen faulingen Atem, und es war deutlich zu sehen, daß sie keinen Ton mehr von sich geben würde. Jachjajew sah hilfesuchend die beiden anderen Männer an.

Morosow zuckte mit den Schultern. Nichts zu machen, Genosse Kommissar. Wenn sie nichts weiß . . .

»Gehen wir zwei hinaus«, sagte er leise. »Vielleicht vertraut sie Abukow mehr.«

»Mehr als mir?« fragte Jachjajew beleidigt. »Wenn sich einer ein wirklicher Freund nennen darf, dann bin ich es! Aber bitte . . .« Er blickte Abukow böse an, ging zur Tür und verließ das Krankenzimmer. Morosow folgte ihm sofort und stellte sich mit ihm an eines der Flurfenster. Jachjajew wirkte innerlich sehr aufgewühlt und nagte nervös an der Unterlippe. »Was ist Ihre Meinung, Wladimir Alexejewitsch?« fragte er. »Was denken Sie?«

»Ich bleibe bei meiner Ansicht: Der Saukerl muß Novella gekannt haben. Beobachtet hat er sie und hat ihr später aufgelauert. Kein Zufall war das, es war geplant!«

»Wer von Ihren Leuten im Baudorf wußte, daß Novella nach Surgut fuhr?«

»Das können viele sein. Novella ist herumgelaufen und hat alle gefragt, ob man sie mitnehmen könne.«

»Wir werden jeden verhören«, sagte Jachjajew hart. »Jeden! Und jeder, der irgendwie stottert, kommt in die Mangel. Noch niemand hat bei mir geschwiegen . . .«

»Dieser Ruf geht Ihnen voraus, Genosse Kommissar«, sagte Morosow und hütete sich, den Sarkasmus nicht zu deutlich durchklingen zu lassen. »Bedenken muß man aber, daß Novella auch in Surgut Bekannte hatte.«

»Den ganzen Lebenskreis Novellas werden wir durchleuchten. Irgendwo werden wir einen Schatten entdecken!« Jachjajew trommelte mit den Fingern auf die Fensterbank. »Nehmen wir also an, der Täter hat Novella gekannt . . . Man muß sich das vorstellen: Erschlägt Tscheljabin und mißbraucht anschließend Novella. Ein eiskalter Bursche. Fast ein Wahnsinniger.« Er zuckte plötzlich zusammen, starrte Morosow mit seinen großen Fischaugen an. »Wenn dem so ist, können wir alle Hoffnung der KGB-Kollegen begraben. Der Kerl wird es nicht zum zweitenmal versuchen, bei einer anderen . . . Er hatte es nur auf Novella abgesehen. Nur auf sie! Er bleibt im dunkeln, weil er sein Ziel erreicht hat. Er ist kein Wiederholungstäter. Morosow, wie sollen wir ihn da jemals entdecken?«

»Vielleicht durch einen winzigen Fehler, den er einmal macht.«

»Wenn er ein intelligenter Mensch ist . . .«

»Auch ihn wird diese Tat irgendwie beschäftigen, und das führt früher oder später zu einer Aktion. Lassen wir die Zeit arbeiten, für uns!«

»Und Novella hat keinerlei Erinnerung?«

»Nicht die geringste. Der Kerl würgte sie, ehe sie begreifen konnte, was mit ihr geschah. Sie sah nur, wie Tscheljabin über das Steuerrad sank – dann hatte das Aas sie schon im Griff.«

»Es macht mich krank, daran zu denken«, sagte Jachjajew gepreßt. »Morosow, es zerreißt mich fast.«

Im Zimmer hatte sich Abukow auf die Bettkante gesetzt, hielt Novellas Hände und ließ es geschehen, daß sie immer wieder sagte: »Ich liebe dich . . . ich liebe dich . . . O Victor, stoß mich nicht weg nach dem, was passiert ist . . . Halt mich ganz fest . . . Du bist doch das einzige, was ich auf der Welt habe . . . Was soll ich denn tun ohne dich . . . Hilf mir, Victor, hilf mir . . .«

Er nickte nur, streichelte ab und zu ihr zuckendes Gesicht, ließ sie weinen und tupfte die Tränen von ihren zerkratzten Wangen. Nur langsam beruhigte sie sich, lag dann mit einem glücklichen Lächeln auf dem Kissen oder blickte unruhig auf die Tür, weil der Arzt sicher gleich kommen würde, um Abukow von ihr wegzuholen.

»Warum habt ihr Jachjajew mitgebracht?« fragte sie. »Mich überkommt Ekel, wenn ich ihn sehen muß.«

»Er war gerade aus dem Lager angekommen und sprach mit den Ärzten. Seine Kollegen aus Surgut hatten ihn alarmiert. Es ist seine Pflicht, sich um dich zu kümmern. Er sieht es jedenfalls so.«

»Ich hasse ihn . . . Warum, weiß ich nicht. Ich hasse ihn eben! Wie ein Hund lief er mir nach. Schleppte Geschenke heran. Ich glaube, ich würde sterben, wenn ich ihn lieben müßte. Wie ein dicker, kalter, glitschiger Fisch ist er. O Victor, wie gut, daß du hier bist. Wie lange muß ich im Krankenhaus bleiben?«

»Das entscheiden die Ärzte. Erst mußt du wieder ganz gesund sein.«

»Und dann holst du mich ab?«

Er nickte. Er wollte ihr nicht weh tun.

»Kannst du nicht zu uns ins Dorf ziehen?«

»Das müßte man mit dem Genossen Smerdow besprechen«, sagte Abukow ausweichend. »Mein Arbeitsplatz ist Surgut. Immer greifbar muß ich sein. Ich fürchte, es geht nicht, Novella.«

»Wenn du dich versetzen läßt zur Schwertransportbrigade unseres Bauabschnitts.«

»Das kann nur Tjumen entscheiden. Wenig Hoffnung habe ich da.«

»Wir werden es beantragen, Victor«, sagte sie und drückte seine Hände. »Immer wieder schreiben wir. Einmal werden die Genossen ihr Herz entdecken und zustimmen. Dann ziehst du zu mir . . .«

Nachdem Morosow draußen auf dem Flur dreimal den mahnenden Arzt abgewehrt hatte, war es jetzt nicht mehr möglich, ihn zu überreden. »Die Verantwortung hier habe ich!« sagte der Arzt. »Schluß ist jetzt! Eine Viertelstunde nur war genehmigt – und was kommt dabei heraus? Über eine Stunde! Das kann ich nicht mehr dulden.«

Jachjajew stürzte sich wie ein Geier auf Abukow, als dieser aus dem Krankenzimmer kam und der Arzt die Tür zugezogen hatte. »Was sagt sie?« keuchte er. »Erinnert sie sich? Gibt es eine Spur? Hat sie Ihnen mehr vertraut, Victor Juwanowitsch?«

»Nichts weiß sie«, log auch Abukow und blickte dabei Morosow an. Der schaute an ihm vorbei gegen die weiß lackierte Wand. »Ein Stück ihres Lebens fehlt ihr.«

»Was tut sie jetzt?«

»Sie schläft. Endlich. Völlig erschöpft ist sie von unserem Besuch. Gehen wir . . .«

Sie fuhren mit dem Lift hinunter in die große Eingangshalle, verabschiedeten sich dort von Jachjajew, der noch zu seinen Kollegen ins KGB-Büro fahren wollte, und standen dann auf dem in der unbarmherzigen Sonne weichen Asphalt der Straße.

»Ihre Lage ist schlimm«, sagte Morosow und öffnete noch einen Knopf seines Hemdes. »Mit Ihnen tauschen möchte ich nicht. Novella liebt und verehrt Sie wie einen Gott – wie wollen Sie da bloß heraus?«

»Dazu brauche ich Sie, Wladimir Alexejewitsch. Ich weiß keinen Ausweg. Ich kann ihr doch nie sagen, daß ich ein Priester bin.«

»Um Gottes willen!« Morosow strich sich über die Augen und die verschwitzte Stirn. »Es geht nur über den Hinweis auf die Tschakowskaja. Eins aber wird dann geschehen: Sie wird erneut zusammenbrechen und aus unserer Nähe flüchten. Weg aus dem verdammten Sibirien! – Victor Juwanowitsch, welch ein Riesenfaß muß Ihr Gewissen sein!«

»Es ist so klein, daß es dauernd überläuft«, sagte Abukow gepreßt. »Ich bin gekommen, um den Gläubigen zu helfen – hier aber müssen *Sie* mir helfen . . .«

An jedem Tag, den sein Dienst zuließ, besuchte Abukow mit einem Blumenstrauß Novella Dimitrowna. Den Schock überwand sie langsam; aber immer, wenn sie sich an die furchtbare Nacht erinnerte, durchzog erneut ein Beben ihren Körper. Ihre ganze Hoffnung war der Hemdenfetzen, den Abukow wieder mitgebracht hatte. Novellas Erinnerung reichte so weit, daß sie sagte: »Plötzlich wachte ich auf, fühlte ihn auf mir, ein schwerer Mensch muß es sein. Sein Gewicht und seine Bewegungen waren so, als führe eine Walze über mich hinweg. Ich wollte schreien, riß an seinem Hemd . . . da würgte er mich wieder, und alles versank.«

»Ein schwerer Mensch«, sagte Morosow nachdenklich, als Abukow ihm per Telefon von diesen Wahrnehmungen Novellas berichtete. »Das kann wahr sein, aber auch nur eine Täuschung. Man stelle sich vor, wie felsenschwer einer jungen Frau ein Mann vorkommen muß, der sie vergewaltigt. Es bringt uns nicht weiter.«

Bataschew, die Knollennase, ließ zwei Tage nichts von sich hören.

Plötzlich tauchte er dann bei Smerdow auf – gerade, als Abukow seinen Kühlwagen schließen wollte, um Fleisch an eine Baustellenkantine zu liefern. Er blinzelte Abukow zu, faßte ihn unter und sagte fröhlich:

»Wenn du ein modernes Stück spielen willst: die Wohnungseinrichtung haben wir zusammen. Nichts fehlt. Sogar einen Nachttopf habe ich geklaut. Mit dem Henkel nach hinten kann man ihn als Helm benutzen. Nur muß der Schauspieler einen dicken Kopf haben.«

»Bring alles wieder zurück«, sagte Abukow.

»Warum?«

»Wie willst du Rassim erklären, woher du die Möbel hast?«

»Es sind meine eigenen, die ich zur Verfügung stelle für den guten Zweck der kulturellen Aufbauarbeit in Sibirien. Kann er mir das Gegenteil beweisen?« Bataschew steckte die riesigen Fäuste in die Hosentasche und lehnte sich gegen den Kühlwagen. »Zurückbringen? Unmöglich ist das! Heute morgen haben die Umzügler ihre Möbel abgeholt und waren zu Tränen gerührt, weil noch so viel vorhanden war. Ein Fest war das! Sie haben fast umeinander getanzt. Ein wahrhaft ehrliches Land, dieses Sibirien, haben sie ausgerufen. Hier kann man leben, Genossen; sogar die Teppiche sind mitgekommen! Und die Gardinen! Na ja, es fehlt der Samowar des Großvaters und das grüne Sofa . . . Man kann's verschmerzen . . .« Bataschew grinste breit und lustig. »So sind sie, unsere Lieben. Nehmen das Leben hin, wie es eben ist. Ich aber habe mir gedacht: ein grünes Sofa, davor ein Tischchen und darauf ein schöner, alter Samowar – das gibt ein gutes Bühnenbild. Das muß auch deine Meinung sein, Victor Juwanowitsch.«

Abukow seufzte, nickte und verriegelte die Tür des Kühlwagens. Was hatte es für einen Sinn, Bataschew jetzt noch zurückzuhalten? So glücklich war er, Abukow helfen zu können. Das schien ihm viel nützlicher, als nur Güterwagen über verschiedene Gleise zu rangieren.

»Wir werden, sagt Smerdow, vielleicht nächsten Mittwoch einen Transport zum Lager JaZ 451/1 haben«, erklärte Abukow. »Er wartet noch auf die Anforderungen von Gribow.«

»Am Mittwoch werde ich einen eigenen Lastwagen haben, nur keine Sorge, Brüderchen.« Die Knollennase blinzelte Abukow an. »Kenne da ein Weibchen, das drei Lastwagen besitzt. Ist das zu begreifen? Läßt sie auf eigene Rechnung fahren, mit staatlicher Konzession. Eine junge Witwe ist sie. Ihr Mann, Felix Valentinowitsch Grigorjew, war ein geachteter Mensch, Parteimitglied, stellvertretender Sekretär der Transportgewerkschaft von Surgut, Mitglied des Feierabend-Chors und zweiter Sieger im Sportschie-

ßen. Wie's so kommt: Grigorjew fuhr im Winter über einen zuge-
frorenen See, um den Weg abzukürzen, aber seine Berechnung
stimmte nicht – die Eisdecke gab nach, brach ein, und Grigorjew
versank mit seinem Lastwagen im See. Schrecklich hat die Witwe
geweint, warf sich in schwarze Kleider, lief herum, wie vor den
Kopf geschlagen – das konnte ein weiches Herz, wie das meine,
nicht lange ertragen.« Bataschew holte tief Luft. Die Erinnerung
überwältigte ihn sichtlich. »Ich sprach ihr Trost zu, wir tranken
Tee miteinander und aßen Honigkuchen. Spät wurde es, ich badete bei ihr. Und als sie meinen Körper sah, als ich meine Muskeln rollen ließ, da überkam sie neue Lebensfreude, denn Grigorjew – er sei selig – war ein schmaler Mensch mit dünnen Beinen
und Armen gewesen, und so etwas wie mich hatte das schöne
Witwechen noch nie gesehen. Ja, so ist das, Victor Juwanowitsch.
– Gar keine Schwierigkeit, einen Lastwagen für den Möbeltrans-
port zu bekommen. Nur fahren kann ich ihn nicht.«
»Du hast keinen Führerschein, Maxim Leontowitsch?«
»Woher denn? Als ich ein berühmter Boxer war, wurde ich gefahren. Da drängten sie sich alle um mich: Ich nehme dich mit! Brüderchen, da steht mein Wagen! Komm, steig ein, mein Held! – Für
jeden Körperteil hätte ich einen Wagen benutzen können. Und
später . . .« Bataschew seufzte tief. »Alles lernt man im Lager, nur
nicht Autofahren.«
»Aber du fährst doch ein Auto. Du bist doch gerade mit einem gekommen.«
»Alles nur nach Gefühl. In Surgut kenne ich mich aus und weiß:
Da ist die Bremse, da das Gas, dort die Kupplung. Das genügt. Alles andere ist Gewohnheit. Aber so einen Lastwagen fahren . . .
Abukow, noch nie habe ich das versucht.«
»Wir werden einen Ausweg finden«, sagte Abukow und dachte
dabei an Mustai. »Der Wagen am Mittwoch morgen ist sicher?«
»So sicher, wie ich in der Hose stecke. Er steht da, beladen und
vollgetankt. Vielleicht könnte ich bis Mittwoch an ihm üben?«
»Auf der Straße zur Trasse sind viele Milizkolonnen. Der Wagen
würde sofort beschlagnahmt, wenn du keine Papiere hast. Nein,
Bataschew, ich sorge für einen Fahrer.«
An diesem Abend, nach der Rückkehr von der Baustelle, hatte
Abukow einen unverfänglichen Grund, die Telefonzentrale des
Lagers anzurufen und den diensthabenden Feldwebel zu bitten,
den Genossen Mirmuchsin an den Apparat zu holen. Er mußte
fast zehn Minuten warten, bis er Mustais keuchende Stimme
hörte.
»Victor Juwanowitsch?« rief er. »Oh, bin ich gelaufen! Die Lunge
hängt mir im Gaumen. Warum hat man die Zeit nicht gemessen?

Neuer olympischer Rekord wäre es gewesen. – Warum rufst du an?«

»Ich brauche dich, Mustai«, sagte Abukow kurz. »Dringend.«

»Wo?«

»In Surgut.«

»Muß jemandem der Kopf nach hinten gedreht werden?«

»Ich brauche einen Lastwagenfahrer.«

Einen Augenblick lang war es still, dann fragte Mustai mit schwerem Atem: »Bist du besoffen, Freundchen?«

»Theatermaterial ist es. Kennst du einen, der zwei Wagen gleichzeitig fahren kann?« Abukow überdachte jetzt jedes Wort, das er sagte. Er wußte, daß in der Telefonzentrale der Kommandantur der Feldwebel mithörte. »Natürlich geht es nicht, wenn du unabkömmlich bist.«

»Warum sollte ich das sein?« fragte Mustai harmlos. »Alles ist in Ordnung.«

»Alles? Wirklich alles . . .«

»Die Sonne scheint, die Sümpfe dampfen, die Brigaden arbeiten. Man kann es normal nennen. Nur Gribow klagt jeden Tag. Seine Vorräte gehen dahin . . .«

»Deshalb kommen wir am Mittwoch. Wann kannst du hier in Surgut sein, Mustai?« Abukow atmete auf. Aus Mirmuchsins Worten hörte er heraus, daß sich auch Jachjajews Aktion gegen die Sträflinge erfolglos totgelaufen hatte. Fomin, Tkatschew und Lubnowitz lebten also noch, und die christliche Gemeinde war nicht zersprengt worden. Nach Larissa wagte er jetzt nicht zu fragen. »Es genügt, wenn du Dienstagabend eintriffst.«

»Ich frage Morosow, ob er mich mit einem Hubschrauber mitfliegen läßt. Wie geht es *Dir*, Victor Juwanowitsch?«

»Ich habe viel für das Theater getan.«

»Dann gratuliere ich!« rief Mustai ins Telefon. »Bald kann es losgehen. Die Bühne ist fertig, jetzt bauen sie die Sitzbänke. Rassul Sulejmanowitsch war schon auf der Bühne, hat mit den Brettern gewippt und dann gebrüllt: ›Eine gute Idee war das! Hier werden wir später, unabhängig von Wind und Wetter, mit den Widerspenstigen exerzieren!‹ Alles Weitere also dann am Dienstag!«

Mustai legte auf, und das war gut so, denn er hatte schon mehr gesagt, als es für unerwünschte Mithörer gut war. Bevor Abukow wieder zu Novella Dimitrowna ins Krankenhaus ging, fuhr er mit dem Bus zum Güterbahnhof und suchte Bataschew. Er fand ihn in einem kleinen Holzhaus neben den weitverzweigten Verschiebegleisen. Es war eine bunt bemalte Baracke, die sich der Boxer als Wohnstatt hergerichtet hatte. Hier hauste er mit einem großen, struppigen, ewig knurrenden Hund und drei Katzen, die nachts am Bauch des ausgestreckten Köters schliefen.

Bataschew empfing Abukow, als sei das sowjetische Staatsoberhaupt zu Besuch gekommen. Eilfertig sprang er herum, holte Gläser und Wodka, Mürbegebäck und eingelegte Gurken und als Glanzstück einen Kuchen aus einer Plastikfrischhaltedose, der den schönen Namen hatte: Schokoladno-Mindalnyi Tort s Kofeinym Kremom – Schokoladen-Mandeltorte mit Mokkaglasur.

»Von der Witwe!« sagte Bataschew und rieb seine deckelgroßen Hände. »Sorgt für Kraft in meinem Körper . . . jaja . . . ein Vorteil ist es, mit einer erfahrenen Frau befreundet zu sein. – Was gibt's, Brüderchen?«

»Am Dienstagabend kommt ein Fahrer nach Surgut. Mein Freund Mustai aus dem Lager.«

»Einer vom bevorzugten Regime?«

»Nein. Kein Gefangener. Er betreibt beim Lager eine Limonadenfabrik.«

»Ha!« Bataschew zuckte hoch und schlug mit der Faust auf den Tisch. »Der usbekische Idiot? Dieser Teufelsschwanz? Er kommt?« Bataschew rollte fürchterlich mit den Augen, baute sich in Boxerstellung auf und hieb einige zischende Gerade und Haken in die Luft, um seine Erregung zu dämpfen.

»Du kennst Mirmuchsin?« fragte Abukow erstaunt.

»Ihn kennen? Ha, wer kennt ihn nicht, den rothaarigen Bock?!« Bataschew stieß wieder einen rechten Haken vor und keuchte, als habe er schon zehn Runden hinter sich. »Kaum war der gute, treue Grigorjew mit seinem Auto im See versunken, taucht dieses Miststück mit der Witwe Grigorjewa auf. Wie ein schnüffelnder Hund, der die heißen Hündinnen riecht. Er wolle ihr ein Eimerchen Limonade verkaufen, sagte er heuchlerisch, und die Gute, die Ahnungslose glaubte es ihm, holte einen Glasballon vom Küchenschrank – dazu muß man auf eine Leiter steigen, denn zum Hinaufgreifen ist es zu hoch –, und wie sie da oben auf der Leiterstufe stand und nach dem Glasballon tastete, was tat dieses Teufelsaas da? Die Hand schob er ihr unter den Rock, faßte kräftig hinein und sagte: ›Mein Beileid, Schwesterchen. Ich fühle mit Ihnen . . .‹« Bataschew schlug eine Gerade und dann vier schnelle Haken. »Ha, er soll jetzt nur kommen! Laß ihn nur kommen! Einen Zwerg mache ich aus ihm. Einen Angelwurm. Am Dienstag, sagst du? Das ist gut. Ich werde jede freie Minute am Sandsack üben. Zu Pulver mache ich ihn!«

Mit neuer Sorge fuhr Abukow zurück nach Surgut ins Krankenhaus. Novella Dimitrowna erwartete ihn schon. Sie war aufgestanden, saß auf der Bettkante in einem schönen blauen Bademantel mit goldenen Borten und hörte im Radio ukrainische Volksmusik.

»Morgen darf ich nach Hause!« rief sie und fiel Abukow um den Hals, küßte ihn, als seien diese Küsse eine geheimnisvolle kräftigende Medizin, und hängte sich dann an seinen Hals mit aufklaffendem Mantel, unter dem sie nur ein hauchdünnes Hemdchen trug. Die Striemen und Bißwunden der Mißhandlung waren noch deutlich zu sehen; es mußte einige Zeit vergehen, ehe sie völlig verheilt waren. »Ist das nicht wunderbar, Victorenka?«

»Erstaunlich schnell hast du dich erholt, gratuliere!« Er löste ihre Arme von seinem Hals und trat einen Schritt zurück. »Wer holt dich ab?«

»Wladimir Alexejewitsch ... Du kommst doch mit?«

»Morgen bin ich auf dem Bauabschnitt VII.«

»Nein! Morgen bist du krank! Und übermorgen auch. Ich will, daß du krank bist und mit mir fährst.« Sie kam zu ihm, als er sich setzte, und schwang sich auf seinen Schoß. »Ein Mensch kann nicht immer gesund sein – das muß auch Smerdow einsehen.«

»Kein anderer vermag meinen Kühlwagen zu fahren«, sagte Abukow ausweichend.

»Und wenn du einmal wirklich krank wirst?«

»Dann gäbe es große Schwierigkeiten.«

»Dann laß Smerdow damit fertig werden.«

»Versuchen werde ich es«, sagte Abukow, um sie zu beruhigen und Zeit zu gewinnen. »Vielleicht gibt er mir frei.«

Er blieb eine halbe Stunde bei Novella Dimitrowna, ging dann langsam durch die Nacht zurück zu seinem Quartier. Surgut war um diese Zeit eine stille, eine fast tote Stadt – wer hat schon Lust, um Mitternacht durch die langweiligen, gleichförmigen, auf dem Reißbrett entstandenen Straßen der Neustadt zu gehen? Nicht ein Lokal war mehr offen, die Nacht gehörte voll den Katzen und Hunden, die durch die Finsternis huschten.

Ab und zu blieb Abukow stehen, dachte an Mustai und die Knollennase Bataschew, an Novella und Larissa Dawidowna, an Rassim und Jachjajew, an Morosow und an Novellas geheimnisvollen Peiniger, an seine Gemeinde im Lager 451/1 und im Frauenlager von Tetu-Marmontoyai und an Monsignore Giovanni Battista, der damals, zum Abschied, zu ihm gesagt hatte: »Mein Sohn, bereiten Sie sich darauf vor, ein Leben außerhalb jedes Lebens zu führen. Für das, was Sie erwartet, gibt es keinen Namen, kein Wort. Nur einem sind Sie für alles verantwortlich: Unserem Herrn. Sonst keinem, Gott segne Sie, Pater Stephanus.«

Damals ... wie unendlich lange war das her. Nur ein paar Wochen, zeitlich gesehen, und doch so weit entfernt wie Himmelsstraßen. Gab es Rom noch? Wenn man ihn jetzt fragen würde, wo seine Heimat sei, mußte er die Antwort nicht lange überlegen. Sibirien, würde er sagen. Hier, Surgut! Die Ufer des Ob. Die Taiga im Norden. Habe nichts anderes mehr im Herzen, Genossen. Das ist Mütterchen Erde für mich . . .

In der warmen Nacht wanderte er noch lange durch die leeren Straßen, sah dann mit Staunen, daß schon der Morgen dämmerte und der Himmel sich einfärbte in violette Streifen. Er beeilte sich, in sein Zimmer zu kommen, sich zu waschen und für die neue Fahrt umzuziehen. Als erster stand er im Depot neben seinem Kühlwagen Nummer 11.

Vier Stunden lang weigerte sich Novella Dimitrowna an diesem Tag, Morosows Wagen zu besteigen und mit ihm zurück zur Trasse zu fahren.

»Abukow kommt!« rief sie immer wieder. »Versprochen hat er es mir. Krank wird er sein. Braucht vielleicht ein ärztliches Attest und muß sich anstellen. Warten wir doch noch ein wenig, Wladimir Alexejewitsch. Bitte, warten wir! Ich weiß, daß er kommt. Er läßt mich nicht allein . . .«

Gegen Mittag rief Morosow endlich bei Smerdow an, weil Novella nicht zu bewegen war, das Krankenhaus zu verlassen, und berichtete ihr dann, was er über Abukow gehört hatte: »Victor Juwanowitsch ist heute früh zum Bauabschnitt VII gefahren. Kein Ersatz war da, er mußte es übernehmen. Es war nichts mehr zu ändern.«

Novella Dimitrowna weinte wie ein kleines, gestürztes Kind, stieg dann doch in Morosows Wagen und ließ sich wegbringen. Der Stationsarzt gab ihr noch ein Fläschchen mit Beruhigungstropfen mit – aber außerhalb der Stadt, auf der Straße nach Norden, warf sie es aus dem Fenster.

»Ich brauche keine Tropfen!« rief sie. »Ich brauche Victor Juwanowitsch! Nur mit ihm werde ich gesund. Nur mit ihm!«

An der Straßenstelle, wo der Überfall geschehen und Tscheljabin getötet worden war – man mußte daran vorbei, es gab keinen anderen Weg nach Norden als diese Straße –, zog sie ihren Pullover über das Gesicht, um nichts zu sehen. Erst Minuten später machte sie ihr Gesicht wieder frei, lehnte sich weit in den Sitz zurück und starrte aus leeren Augen in die an ihr vorbeifliegende Gegend. Bäume, Bäume, Bäume, dazwischen Sumpfflecken, schillernde Seen, Bäche und kleine Flußläufe. Einsame Unendlichkeit. Verhaßte, geliebte Taiga. Verfluchtes, herrliches Sibirien.

Ich werde mit Victor Juwanowitsch wegziehen, dachte sie. Hinter den Ural, ins europäische Rußland. Überall gibt es Arbeit für einen Lastwagenfahrer und eine Sekretärin. Wir werden schnell die Anträge stellen, nicht wahr, Victor? Rußland ist so groß, es braucht nicht Surgut zu sein. Für den Aufbau arbeiten kann man

auch in Leningrad oder auf der Krim. Man braucht uns überall . . .
Diese vielen Gedanken beruhigten sie etwas. Still saß sie im Wagen und formulierte im Kopf das Schreiben, das sie an die Hauptverwaltung in Tjumen schicken wollte: »V. J. Abukow und ich, N. D. Tichonowa, haben die Absicht, zu heiraten. Wir bitten die verehrten Genossen, zu prüfen, ob nicht die Möglichkeit besteht . . .«

Das muß ein Ende haben, dachte in den gleichen Minuten der wortlos am Steuer sitzende Morosow. Ein schnelles Ende. Wie ein Chirurg muß man ihr ins Herz schneiden und Abukow heraustrennen. Es gibt keine andere Möglichkeit, um sie von ihm zu befreien. Ein Schnitt, ein Aufschrei, ein Zusammenbruch – aber dann Ruhe und ein neues Leben. Nur so geht es noch. Mit dem heutigen Tag muß man beginnen: Sieh, er ist nicht gekommen, um Abschied von dir zu nehmen, um dich zu begleiten, wie er versprochen hat. Er wird nie zu dir kommen, Novella, mein Kleines . . . Da ist Larissa Dawidowna . . . ja, die Gerüchte sind keine Gerüchte, sondern die Wahrheit, glaub es mir, ich weiß es von ihm selbst. Die Tschakowskaja und ihn reißt niemand mehr auseinander . . . Ja, und nun schrei, kleine Novella, schrei deine Qual aus dir heraus, befreie dich von allem, was gewesen ist. Hat er dir jemals gesagt, daß er dich liebt? Die Illusion hast du dir aufgebaut, nicht er. Du hast einen Stern geliebt, aber er ist nur ein gewöhnlicher Stein . . . Vergiß Victor Juwanowitsch! Vergiß ihn!

So machen wir es, dachte Morosow, leidlich zufrieden mit sich. Du wirst dich nicht beschweren können, Priester Abukow, über meine Hilfe. Aber es wird schwer für dich werden, als satter Hirte unter hungernden Schafen zu leben. An deiner Stelle möchte ich nicht sein.

Nach vier Stunden Fahrt erreichten sie den vorderen Trassenabschnitt, der zu Morosows Gebiet gehörte. Riesige Bagger gruben das Rohrbett aus. In zwei weiten, offenen Hallen aus Holz standen in langen Reihen weibliche Häftlinge und umwickelten die Gasrohre mit Asbestmatten. Sie arbeiteten ohne Handschuhe und Mundschutz. Nur zweimal im Jahr erfolgte die Zuteilung neuer Arbeitshandschuhe – aber welcher Schutz reicht bei dieser Arbeit ein halbes Jahr?

Unbeteiligt und unberührt blickte Novella Dimitrowna auf die ausgemergelten, knochigen Frauen in ihren zerlumpten Kleidern. Sie gehörten zu ihrem Leben wie ihre Schreibmaschine und ihr Bleistift. Bestandteil ihres Arbeitsplatzes waren sie. Material.

»Am Abend rufen wir Victor Juwanowitsch an«, sagte sie. »Ich muß seine Stimme hören. Ohne seine Stimme werde ich nicht schlafen können.«

Morosow nickte stumm und wünschte sich, daß der Tag schon zu Ende wäre.

Am Dienstag landete Mustai Jemilianowitsch mit einem Materialhubschrauber in Surgut. Abukow, der von Morosow die Landezeit erfahren hatte, holte ihn ab. Er hatte Bataschew natürlich nicht gesagt, wie Mustai nach Surgut kommen würde, aber das war auch nicht das Wichtigste. Bataschew hatte tatsächlich seinen alten ledernen Sandsack aus seiner großen Boxerzeit wieder an einen Balken gehängt und drosch seit zwei Tagen auf ihn ein mit einer Verbissenheit, als bereite er sich auf einen Meisterschaftskampf vor.

Um in die nötige Stimmung zu kommen, hatte er den Sandsack mit roten Haaren bemalt, und als Abukow ihn besuchte, schrie Bataschew, schweißüberströmt und mit prallen Muskeln: »Die rote Sau verarbeite ich zu Mus – man kann sie sich hinterher aufs Brot schmieren! Sieh dir das an, Brüderchen!«

Er gab dem Sandsack einen Hieb, der ihn weit zurückpendeln ließ. Abukow versuchte es auch, legte seine ganze Kraft in den Schlag, aber der Sandsack zitterte nur ein wenig auf der Stelle.

»Das ist ein Spezialsack!« keuchte Bataschew und trommelte wieder auf ihm herum. »Fast doppelt so schwer wie ein normaler Trainingssack. Dreimal habe ich erlebt, wie sich an ihm meine Trainingspartner das Handgelenk brachen. Schlugen zu, verdrehten die Augen und hüpften wimmernd davon. Aber ich . . . juchhe!«

Er gab dem Sandsack einen Schlag, der ihn um die eigene Achse drehte, und knallte ihn mit einem zweiten Schlag in den entgegengesetzten Drall. »Gestern war die süße Grigorjewa da. Hat Augen wie ein Vollmond gemacht. Für dich ist das, mein Schätzchen, habe ich gesagt. Der rote Fingerspieler kommt zu mir. Das Gedärm klopfe ich ihm ins Gehirn! Unter den Rock wird er dir nie wieder fassen. Unfähig wird er sein, überhaupt noch zu begreifen, ob er lebt . . .«

»Und wer soll den Lastwagen fahren, Maxim Leontowitsch?« fragte Abukow.

»Die Grigorjewa.«

»Nein.«

»Mein Schwänchen kann alles. Die fährt einen Schwimmkran, um mir einen Gefallen zu tun. Keine Sorge, Brüderchen, Bataschew hat für alles einen Ausweg. Sieben Jahre Straflager habe ich aufrecht überlebt, da gibt es keine Schwierigkeiten mehr im Leben für mich.«

Nun also holte Abukow den vor Freude strahlenden Mirmuchsin

ab. Schon von weitem sah er seine roten Haare in der Sonne schimmern, und dann kam er heran, krummbeinig, mit ausgestreckten Armen, über die Schulter seine Leinentasche gehängt, das Hemd über der Brust offen.

»Gelobt sei Allah, daß es dir so gut geht!« schrie er schon zwanzig Meter von Abukow entfernt. »Noch gute Menschen gibt es. Sie haben mich mitgenommen, obwohl alles überfüllt war. Auf einem kaputten Motor habe ich gesessen, alles voll Öl und Benzin. Wer mich jetzt am Arsch leckt, kann Feuerzeug spielen!«

Sie umarmten sich, klopften sich auf den Rücken und gingen Arm in Arm vom Flugfeld. Erst draußen, nach der strengen Personenkontrolle durch die Miliz, sagte Abukow zu Mirmuchsin:

»Kennst du einen Bataschew? Maxim Leontowitsch?«

»Nein. Unbekannt.«

»Aber du kennst die Witwe Grigorjewa . . .«

Mustai stutzte, sah Abukow forschend an und blieb stehen. »Laß dich warnen, Victor Juwanowitsch«, sagte er. »Leg deine Hand lieber auf eine glühende Eisenplatte . . . Was ist mit ihr?«

»Bataschew, ihr neuer Freund und nun auch mein Freund, wartet auf dich. Es geht um das Herunterholen eines Glasballons zwecks Abfüllung von Limonade. Erinnerst du dich, Mustai?«

»Sie quiekte wie ein Ferkelchen, das man bei den Ohren zieht.« Mustai grinste breit. »O Freundchen, einen Hintern hatte sie. Jetzt auch noch? Ist er geblieben? Das Witwendasein belastete sie sehr. Dankbar war sie für jede Entlastung.« Er kraulte sich die roten Haare und wackelte mit der Nase. »Was will dieser Bataschew von mir? Vertrauliche Informationen? Wer ist er überhaupt?«

»Du mußt ihn kennen, Mustai. Zuletzt war er bei euch im Lager, wurde begnadigt und ließ sich auf Befehl in Surgut nieder. Bataschew der Boxer . . .«

»Der Boxer?« schrie Mustai und wurde etwas bleich. »Das Riesen-Mammut? Der schniefende Berg? Immer, wenn der Sommer kam, lief ihm die Nase über. Ist er das?«

»Er ist es.«

»Und läßt die Grigorjewa auf sich tanzen? O Allah, warum legst du mein Schicksal in einen Essigtopf?« Er lehnte sich an Abukow, blickte traurig über den hitzeflimmernden Platz vor der Flughalle und zerwühlte wieder seine roten Haare. »Wie kommst du bloß an einen solchen neuen Freund? Der Boxer. Der rennt wie ein Elefant die Bäume mit der Stirn um.«

»Der Wagen, den du fahren sollst, gehört der Grigorjewa. Und Bataschew hat ihn beladen. Uns muß etwas einfallen, Mustai.«

»Der Boxer kann nur seine Fäuste benutzen«, sagte Mirmuchsin nach einer Weile angestrengten Nachdenkens. »Um mich zu tref-

fen, muß er an mich herankommen. Darin liegt seine Schwierigkeit.« Er griff unter seinen Rock und klopfte gegen einen harten
Gegenstand, den Abukow nicht sehen konnte. »Bataschew wird
klug genug sein, sich darauf nicht einzulassen, Freundchen.«
»Du trägst eine Waffe mit dir herum?« rief Abukow erstaunt.
»Wie kann man so etwas Waffe nennen? Zum Brotschneiden
brauche ich es, zum Schnitzen, zum Nägelsäubern, zu allem, was
ein braver Mann so tut. Aber auch Boxer kann man damit abhalten.«
»Also ein Messer!«
»Zweiseitig geschliffen. Wer's versteht, kann es so sicher werfen,
wie eine Kugel ihr Ziel trifft.«
»Und du kannst es.«
»Als Kind in der usbekischen Steppe muß man sich wehren können, Victor Juwanowitsch. Ach je, was weißt du denn vom wirklichen Leben? Bist in einem schönen Haus aufgewachsen, hast keinen Vater gehabt, der dich Bastard nennt und ausspuckt, wenn er
deine roten Haare sieht. Hast einen guten Beruf erlernt und fährst
nun einen Kühlwagen. Das Schicksal hat dich nie in den Arsch ge-
kniffen, immer lief das Leben glatt ab, in geschmierten Bahnen.
Bist immer wieder ins Ziel gekommen, hast dich in dein Bett legen können, ohne zu denken: Was wird morgen? Wer tritt dich
dann? Wie kannst du deinen Hunger stillen? Und wenn du aufge-
wacht bist, hast du nicht nach einem Eckchen Brot suchen müssen, nach einem Klümpchen Butter und einem Kleckschen Marmelade. – Was weißt du vom Leben?« Mustai Jemilianowitsch
zog das Messer aus seinem Gürtel. Es war ein halblanger, spitzer
Dolch, beidseitig rasiermesserscharf, eine gefährliche Waffe in
der Hand eines Geübten. »Das werde ich Bataschew zeigen«,
sagte er. »Wo bleiben dann seine Fäuste? In der Luft . . . so ist es!«
»Besser wäre es, sich auszusprechen«, meinte Abukow und
drückte Mustais Hand mit dem Dolch zur Seite. »Bataschew und
du, ihr müßt in Zukunft zusammenarbeiten.«
»Können sich Lamm und Tiger vertragen? Abukow, stell nicht die
Natur auf den Kopf.«
Bataschews buntbemalte Hütte am Rand der Rangiergleise erreichten sie nach einer Stunde. Vorher machte Mustai noch einen
Umweg zu einem Stehrestaurant, trank zwei Bier, zwei Wodkas
und zwei Kognaks und sagte feierlich: »Der Prophet verzeihe mir
diese Sünde, aber es ist Medizin. Es kräftigt meinen Mut und
mein Zielauge. Und Medizin ist uns erlaubt!«
So war Mustai in bester Stimmung und voll steppenheißen Mu-
tes, als sie Bataschews Tür aufstießen und eintraten. Dabei trug
Mustai seine Jacke offen – jeder konnte den blanken Dolch sehen.

Seine Hände krallten sich griffbereit in den Gürtel. Zum Glück war Bataschew nicht da. Irgendwo auf dem weiten Bahngelände rangierte er Güterwaggons – sehr unkonzentriert, das muß gesagt werden, denn seine Gedanken waren bei Mustai. Jetzt kommt er in Surgut an, der rothaarige Teufelsschwanz, dachte er. Komm nur, komm nur! Wenn du mich erkennst und blaß wirst, hast du schon den ersten Schlag weg ...

Im Haus betrachtete Mustai den überschweren Sandsack, erkannte die darauf gemalten roten Haare und verstand genau, welche Motive Bataschew zu diesem Kunstwerk getrieben hatten.

»Eine Annäherung wird es nicht geben, Victor Juwanowitsch«, sagte er geradezu traurig. »Ich habe mich überzeugt, daß man mich tief beleidigt hat. Meine Ehre ist beschmiert. In Usbekistan reicht das aus, um ein Grab zu schaufeln.«

»Wir sind hier in Surgut, und du wirst versuchen, mit Maxim Leontowitsch auszukommen!« rief Abukow heftig.

»Ein Lämmlein von Mann bin ich«, schrie Mustai zurück. »Er will mich vernichten, der Grigorjewa wegen. Aufklären sollte man ihn, daß die schöne Witwe ihre Röcke wie Fahnen ins Fenster hängt: Herbei! Herbei! Das Bett ist frei. Bataschew ist doch nur *ein* Nagel in ihrer Bettstatt!« Mustai seufzte laut. »Aber sage ihm einer das!«

Die Gelegenheit kam bald. Bataschew kehrte zurück, um sich ein Stück Kuchen zu holen, und blieb mit finsterer Miene an der Tür stehen, als er Abukow und vor allem Mirmuchsin erkannte. Mustai holte sofort seinen Dolch aus dem Gürtel, stieß ihn in die Tischplatte und fühlte sich wohler. Die Klinge und der Griff zitterten in der heißen Luft. Bataschew begriff sofort, zog sich an seinen Sandsack zurück und lehnte sich dagegen. Seine Knollennase blähte sich noch mehr, dann mußte er niesen, putzte sich die Nase und zog die rutschende Hose höher.

»Nachdem die beiden Ochsen sich genügend begafft haben«, sagte Abukow energisch, »sollte man darüber reden, was morgen geschieht. Maxim Leontowitsch ...«

»Der Wagen steht beladen bereit, randvoll, bis unters Verdeck. Ist noch eine Kleinigkeit hinzugekommen, Victor Juwanowitsch: neun Schlafdecken, ein Küchenschrank, drei Dieselmotoren, vier Elektromotoren, ein kleines Transportband. Alles fabrikneu.«

»Mir wird es unheimlich, Bataschew!« Abukow setzte sich mit wirklich weichen Knien. »Wenn wir gefaßt werden ...«

»Zehn Jahre Sibirien mindestens«, sagte Bataschew gemütlich. »Da wir schon in Sibirien sind, ändern sich nur die ganz persönlichen Lebensumstände. Wer aber soll uns anzeigen?«

»Jede Milizkontrolle auf der Straße!«

»Die Möbel gehören mir. Möchte den sehen, der das bezweifelt. Das Transportband hat der rote Bock da gekauft, für seine Limonadenfässer. Zu schwächlich ist er geworden vor lauter Weibern, um die Fässer aus eigener Kraft hochzustemmen. Und zu einem Transportband gehört ein Motor. Jeder kennt die Sorge um Ersatzteile und Reparaturen, also hat man gleich mehrere gekauft, um auszuwechseln. Ist es so, du krummer Lämmerschwanz?«

»Muß ich mir das gefallen lassen?« fragte Mustai und blickte auf seinen schönen Dolch in der Tischplatte. »Abukow, in Usbekistan . . .«

»Da furzen die Pferde, wenn ihr Musik haben wollt!« schrie Bataschew.

Mirmuchsin griff nach seinem Dolch, zog ihn aber nicht aus der Tischplatte. »Victor Juwanowitsch«, sagte er gepreßt, »gestehe, was würdest du tun, wenn man dich derart zwischen die Beine tritt?!«

»Genau weiß ich das!« schrie Abukow wütend. »Keinen von euch würde ich mehr meinen Freund nennen. Und genau das wird sein, wenn ihr euch weiter wie Idioten benehmt. Bataschew, komm her! Mustai steh auf, laß den verdammten Dolch los und geh ihm entgegen! Und wenn du die Faust auch nur einen Zentimeter hebst, Maxim Leontowitsch, sehe ich dich weniger als die Luft! Wie ist es also . . .?«

Langsam, wie sich abtastende Ringkämpfer, kamen sich Bataschew und Mirmuchsin entgegen. Auf Griffweite blieben sie voreinander stehen und starrten sich böse an.

»Mir wird übel, wenn ich dich sehe«, sagte Bataschew dumpf.

»Mein Darm pfeift bei deinem Anblick«, zischte Mustai.

»Angst ist das! Nichts als Angst . . .«

»Wo steht der Wagen?« fragte Mustai mit hohler Stimme.

»Im Lagerschuppen IX.«

»Vollgetankt?«

»Willst du mit deiner Spucke fahren?«

»Dein giftiger Rotz täte es auch.«

Bataschew verdrehte schauerlich die Augen und atmete schwer. Sein Sommerschnupfen war seine verwundbarste Stelle.

»Ein Siebentonner von FIAT ist es. Kannst du den fahren?«

»Ich fahre jeden Wagen. Wenn ich ein Zündschloß berühre, springt es schon an.«

»Schiefes Großmal!«

»Schniefende Gurke!«

»Das reicht!« fuhr Abukow dazwischen. »Morgen früh um sechs rückt unsere Brigade aus. Ihr wartet an der Straßenmündung auf uns und setzt euch hinter mich. Ich bilde wie immer den Schluß.«

»Ihr?« Mustai fuhr entsetzt herum. »Fährt der Saurier mit?«

»Ohne mich geht hier nichts!« brüllte Bataschew. »Neben dir werde ich sitzen, roter Floh, und genau beobachten, ob du den schönen Wagen mißhandelst.«

»Möge Allah bei uns sein und dich am Auspuff vergiften!« schrie Mustai bebend. »Victor Juwanowitsch, siehst du nun, wie er immer wieder anfängt, mich zu treten? Ich bin der Frieden selbst.«

»Wenn dem so ist, dann kann ich euch allein lassen«, sagte Abukow, riß Mustais Dolch aus dem Tisch, ging zu dem gewaltigen Sandsack und stieß ihn bis zum Knauf in das Leder. Bataschew zuckte wild zusammen, als habe er selbst den Stich empfangen. »Macht, was ihr wollt! Seid ihr morgen nicht an der Kreuzung, ist's auch gut. Bringt euch nur gegenseitig um – die Welt wird nicht ärmer dadurch.«

Er ging hinaus, stand dann noch einen Augenblick draußen vor der buntbemalten Hütte und wartete auf einen großen Lärm aus dem Inneren. Aber die Tür öffnete sich, und Mustai schoß heraus. »Keine gute Rede war das!« keuchte er und wischte sich den Schweiß vom Gesicht. »Sind so eure menschenfreundlichen Predigten, du Christen-Priester?«

»Du hast recht, Mustai«, sagte Abukow, schuldbewußt und gerührt zugleich. »In der Bibel steht: So dir einer auf die rechte Wange schlägt, halte ihm auch die linke hin.«

»So dämlich bin ich nun wieder nicht«, stammelte Mirmuchsin und starrte Abukow entgeistert an. »Das ist eure Lehre? Victor Juwanowitsch, ich werde mich nie zum Christen eignen . . .«

Mit dem Bus fuhr Abukow zu seinem Zimmerchen zurück, duschte sich kalt, denn die Hitze war fast unerträglich, aß dann in einem Schnellrestaurant zwei harte Frikadellen – die mehr aus Brot als aus Fleisch bestanden –, trank ein Glas Wein, mit Wasser gemischt, und begab sich schließlich zum Zentraldepot.

Smerdow erwartete ihn bereits. Er war schon seit dem frühen Morgen im Magazin, zerknittert und gelbgesichtig, weil sein Magen schmerzte und die Galle drückte: Die Smerdowa hatte wieder ihre Launen bekommen und ihn schon gleich nach dem Aufstehen mit unschönen Worten begeifert. So war Lew Konstantinowitsch in sein Depot geflüchtet, dem einzigen Ort, wohin seine Frau nicht kam.

»Morosow hat angerufen. Zweimal!« sagte er zu Abukow. »Ruf ihn zurück. – Wo bleibt mein Freund Maxim Leontowitsch?«

»Er rangiert Waggons. Wird wohl am Abend zu dir kommen.«

Abukow ging in einen leeren Büroraum, zog das Telefon zu sich und rief Morosow im Baudorf an.

»Novella Dimitrowna liegt heulend im Bett«, sagte Morosow

knapp. »Aber sie wird es überwinden. Ich habe ihr alles gesagt. Die Tschakowskaja und Sie – nicht begreifen wollte sie es. Ist es ihr übelzunehmen? Ich begreife es ja auch nicht!«
Er legte auf, ehe Abukow eine Antwort fand.
Abukow nickte und schloß die Augen. Morosows Ohrfeige spürte er über die weite Entfernung hinweg. Und er empfand sie als gerechte Tat.

Erstaunliche Dinge geschahen: Mustai Jemilianowitsch besichtigte nicht nur gemeinsam mit Bataschew den im Schuppen IX abgestellten und beladenen Lastwagen der flotten Witwe Grigorjewa – er übernachtete sogar in Bataschews buntbemalter Kate, lag neben ihm im breiten Bett und teilte mit ihm Brot, Käse, Gurken, Zwiebeln und Wein. Zu später Stunde sangen sie zweistimmig Steppenlieder und Reiterballaden, umarmten sich, küßten sich die Wangen und versicherten sich ewige Freundschaft. Zum Zeichen der Versöhnung ließ Mustai sogar seinen Dolch in Bataschews Sandsack stecken und sagte feierlich:
»Wenn du oder ich ihn jemals wieder herausziehen, dann nur zum Zweck, den Freund zu schützen.«
Bataschew war so gerührt, daß er in Tränen ausbrach, von seiner schweren Jugend erzählte und – als er erfuhr, wie Mustais Vater den kleinen roten Sohn behandelt hatte – in glühenden Worten diesen unwürdigen Vater verfluchte. Darauf weinten sie beide und fielen nebeneinander betrunken aufs Bett.
Pünktlich aber warteten sie dann am frühen Morgen an der Straßengabelung auf die Kolonne der Transportbrigade III. Abukow bremste seinen Kühlwagen Nummer 11, stieg schnell aus und lief hinüber zu dem abseits stehenden Wagen. Mustai und Bataschew grinsten ihm fröhlich entgegen. Die Transportbrigade – es waren außer Abukow noch neun Wagen – ratterte weiter nach Norden.
»Es ist also doch möglich, daß ihr euch vertragt!« rief Abukow und blickte in die unschuldsvollen Gesichter.
»Uns nicht vertragen?« rief Bataschew fast beleidigt. »Herzensfreunde sind wir, nicht wahr, mein guter Mustai?«
»Kaum bessere gibt es!« Mustai nickte mehrmals. »Maxim Leontowitsch liegt in einer Falte meiner Seele.«
Abukow verzichtete darauf, Näheres zu erfahren, rief: »Ihr folgt mir dicht auf!«, rannte zu seinem Kühlwagen zurück und fuhr der Kolonne nach. Mustai gab Gas, ließ den schweren Dieselmotor aufbrüllen und erreichte in einem Höllentempo den Anschluß. Bataschew faßte sich mit beiden Händen an den dicken Kopf: »Lieber dreißig Runden boxen als mit dir fahren!« brüllte er. »Oje,

oje . . . wir erleben den Mittag nicht mehr. Mit dem Motor fliegen wir in die Luft. Habe ich es nicht geahnt? Eine Folter ist es, eine wahre Folter . . .«

Später beruhigte er sich, blickte nach links und rechts in die Landschaft und erinnerte sich daran, wie er nach seiner Begnadigung diesen Weg in umgekehrter Richtung gefahren war. Damals gab es hier noch keine breite ausgebaute Straße, sondern nur einen ausgefahrenen Weg, den man auf den Spezialkarten als »Winterfahrbahn« bezeichnete, weil er die einzige Verbindung zwischen Surgut und der geplanten Pipeline war; eine dünne Lebensader, die weite Teile des noch unbelebten Sibirien mit frischem Blut füllen sollte. Mit frischem Blut . . . im wahrsten Sinne des Wortes.

Im Lager traf die Transportbrigade gegen zwei Uhr nachmittags ein. Und hier begannen nun die Schwierigkeiten. Schon bei der ersten Sperre im äußeren Lagerbereich begriff der die Kontrolle befehlende Unterleutnant nicht, wieso man aus Surgut zehn Lastwagen gemeldet hatte, aber elf die Sperre passieren wollten. Mirmuchsin war ihm natürlich bekannt, aber bisher war er nur mit einem grünlackierten Wunderding von Motorrad unterwegs gewesen, nie mit einem Siebentonner. Wieso sollte plötzlich so viel Limonade herumgefahren werden?

Bataschew kletterte aus der Fahrerkabine, streckte die Knochen, rollte die Muskeln und hüpfte auf und ab wie bei Lockerungsübungen im Boxring. Das sollte auf den Unterleutnant Eindruck machen.

»Zehn Lkw sind gemeldet, elf sind gekommen«, sagte der Unterleutnant stur. »Nitschewo!«

»Wir haben unterwegs gejungt«, rief Bataschew. Der böse Blick des angehenden Offiziers zeigte ihm, daß er auf einen humorlosen Menschen getroffen war. Er winkte deshalb, hob die Plane an einem Zipfel hoch und ließ den Unterleutnant in den Wagen blikken. »Na, was sieht man da? Möbel! Meine Möbel, Genosse Unteroffizier. Eine Spende für das neue Theater. Will man Kulturschaffende hindern, Sibirien zu kultivieren? Überzeugen Sie sich, läuten Sie den Kommandanten Rassim an und berichten Sie ihm: Die Bühnenbilder sind unterwegs. Für ein Stück von Schiller. Mustai, wie heißt das Stück?«

»Abukow sagt: Kabale und Liebe«, rief Mirmuchsin aus der Fahrerkabine.

»Ein dämlicher Titel. Wer kann das behalten? Also: Kanal der Liebe . . . von Schiller. Den Schlagbaum hoch, Genosse Unterleutnant!«

So einfach, wie Bataschew sich das vorstellte, kann man einen Sowjetoffizier nicht überzeugen. Während die Brigade weiterfuhr –

nur Abukow blieb mit seinem Kühlwagen Nummer 11 zurück, um selbst mit Rassim zu sprechen, wenn es nötig war –, hockte sich der Unterleutnant in sein Wachhäuschen und rief die Kommandantur an.

Rassim hatte sich gerade zu einem Mittagsschläfchen hingelegt, und da jeder wußte, daß eine Störung dieser gesegneten Ruhe donnernden Widerstand erzeugte, war niemand erstaunt, als Rassims Stimme das Telefon fast zersprengte. Mit bleichem, verzerrtem Gesicht kam der junge Offizier zu Bataschew zurück.

»Sie sollen den Wagen anzünden, sagt der Genosse Kommandant. Und ich soll darauf achten, daß Mustai dabei auch im Wagen bleibt.«

Mirmuchsin ächzte besorgniserregend, kam aus der Fahrerkabine und wischte sich das schweißüberströmte Gesicht. »Rufen Sie noch mal an«, verlangte er.

»Auf keinen Fall! Mindestens siebzig Jahre will ich werden. Ich verkürze doch nicht mein Leben!«

»Dann überlassen Sie mir das Telefon.« Mustai ging in das Wachhaus, nahm den Hörer auf und sprach. Dann wartete er, man sah ihn mehrmals nicken, die roten Haare kraulte er sich, aber als er zurückkam zum Wagen, sah er zufriedener aus.

»Wir können passieren«, sagte er. »Der Genosse Rassim will die Möbel im Lager eigenhändig zerhacken . . .«

Das war ein Satz, der zu Rassim paßte wie sein Hemd. Der Unterleutnant hob resignierend die Schultern, gab den Weg frei und war zufrieden, diese Situation überstanden zu haben.

»Was hat er noch gesagt, der wilde Rassul Sulejmanowitsch?« fragte Bataschew, als sie über die feste Zufahrtsstraße zum Lager rollten. Mustai lächelte ihn sonnig an.

»Nichts, mein Freundchen.«

»Das war der einzige Satz?«

»Nicht ein Tönchen hat er von sich gegeben. Wie kann er etwas sagen, wenn er gar nicht telefoniert?«

Bataschew holte tief Luft, gab Mustai einen Kuß auf die Wange. »Gesegnet sei die Stunde, in der wir uns trafen. Du bist ein noch größerer Lumpenhund als ich.«

Wie immer stand Gribow an der Tür des Magazins, als die Transportbrigade in den Lagerbereich rollte und auf dem großen Platz vor der Kommandantur auffuhr. Die Wagen mit Kartoffeln, Kraut, Mehl, Grieß, Mais, Graupen, Nudeln und Zucker interessierten ihn nicht, noch weniger der Nachschub für die Werkstätten, die Küche und den Fuhrpark. Sein Interesse galt ganz allein dem Kühlwagen von Abukow, und als dieser in einer Staubwolke sichtbar wurde, atmete er auf, rieb sich die fetten Hände und hoffte inbrünstig, daß Victor Juwanowitsch wieder mit zwei verschiedenen Übergabelisten gekommen war.

Vom Fenster der Kommandantur aus beobachtete Rassim das Einrücken der Transportbrigade. Auch Jachjajew war das Ereignis nicht entgangen. Und an einem Fenster des Hospitals lehnte Larissa, sah Abukows Kühlwagen, sah seine blonden Haare ein paarmal aufschimmern und mußte sich mit aller Härte zwingen, nicht hinauszulaufen und ihm in die Arme zu fallen.

Abukow fuhr als einziger nahe an das Magazin heran – er hatte ja verderbliche Ware geladen –, sprang aus dem Wagen und ließ sich von dem fetten Gribow ans Herz drücken.

»Wie man sich an einen Freund gewöhnen kann!« rief Gribow enthusiastisch. »Direkt leer ist meine Wohnung ohne dich. Was hat man denn hier vom Leben? Immer die Jammergestalten im Blick, immer Nina Pawlowna im Bett, überall Mißtrauen und Schurkerei. Eine starke Natur muß man haben, um das auszuhalten.« Er starrte auf Mustai und Bataschew, die ihren Siebentonner ebenfalls kühn zum Magazin donnern ließen und hinter dem Kühlwagen anhielten. »Was soll denn das? Wer ist denn das? Mustai Jemilianowitsch, ja – aber der andere? Kenne ich ihn nicht? Diese Nase . . . das Kinn . . . irgendwo habe ich ihn gesehen . . .«

»Der Boxer ist's!«

»Ha! Bataschew! Kommt zurück, der Halunke? Wieder verurteilt? Victor Juwanowitsch, mach einen Bogen um ihn! Diese schreckliche Erinnerung. Die Taschen mußte man sich zubinden, wenn er herumlief, so klaute er. Und nie war was zu beweisen. Nie! – Oh, Rassim wird sich freuen!«

Bataschew stieg aus, reckte sich und starrte den Dicken an.

»Kasimir Kornejewitsch!« bellte er. »Es gibt ihn noch, nicht geplatzt ist er, der Freßsack. Nur fetter ist er geworden, noch widerlicher . . .« Er sah sich um, nickte, als er die Kommandantur sah, und rieb sich die riesigen Hände. »Und jetzt gehe ich zu Rassul Sulejmanowitsch und umarme ihn.«

Gribow brauchte ein paar Momente, um sich von diesem Auftritt zu erholen. Er rang nach Atem, lehnte sich an die Wand des Magazins und bot, wie so oft, das Bild eines Todkranken, den gleich der Schlag trifft. »Begreift man das?« stotterte er. »Victor Juwanowitsch, warte noch einen Augenblick, nur ein Minütchen. Gleich siehst du Bataschew durch das Fenster der Kommandantur fliegen.«

Aber nichts geschah. Hinter Rassims Fenster blieb es unheimlich still. »Sie haben sich gegenseitig umgebracht«, sagte Gribow dumpf. »Haben sich gesehen, und wie der Blitz ist es geschehen. Mein lieber Abukow, können wir die Listen vergleichen?«

»Es sind für uns dreiundzwanzig Hühnchen und vierzig Kilo Rindfleisch abgezweigt«, sagte Abukow leise. »Und ein ganzes Tönnchen beste Butter. In Surgut war ein Kühlzug angekommen, voll mit Schweinen, Rindern und Lämmern. Smerdow weiß nicht, was das soll. Muß ein Buchungsfehler sein. Ganz verwirrt ist er. Nach den Zuteilungslisten reicht er damit bis zum Beginn des Winters.«

Gribow sah Abukow ungläubig an, begriff dann die ungeheure Not des Kollegen Smerdow in Surgut und seufzte tief. »Man sollte einmal mit dem lieben Lew Konstantinowitsch sprechen«, sagte er. »Eine Schande, wenn das gute Fleisch auf diese Weise altert. Da du gerade von dem Überfluß redest: Auch hier war der Teufel los. Im Block III haben sie gefressen wie im Grand-Hotel. Gulasch, Schokolade, Hühner. Und keiner will wissen, woher es kam. So eine Bande ist das!« Gribow flüsterte an Abukows Ohr: »Überall Verräter, mein Lieber. Überall! In jeder Ecke lauert einer. Harten Zeiten gehen wir entgegen, Victor Juwanowitsch . . .«

Von der Autowerkstatt kam der finstere Rakscha herüber. Auch Sakmatow, der winzige Schmied, lief herbei. Ihm folgte der Leiter der Schreinerwerkstatt, mit dem Plan der Bühne, den Abukow gezeichnet hatte.

»Ins Haus!« rief Gribow, als er die drei bemerkte, und zerrte Abukow ins Magazin. Er warf die Tür zu und riegelte sie ab. »Keine Ruhe werden wir bekommen. Seit vier Tagen tobt ein Krieg zwischen den Theaterbauern. Sakmatow weiß alles besser, und Rakscha behauptet, man habe ihm ein Getriebe geklaut. Und der Schreiner will einen Orchesterraum bauen und einen Rundhorizont. Sein Gehirn hat der Arme weggehobelt!«

Es hämmerte bereits an der Tür, Fäuste hieben gegen das dicke Holz. Dazwischen kreischte Sakmatows Stimme: »Aufmachen! Gribow, du Mastsau, schließ auf! Wo ist Victor Juwanowitsch? Hören Sie uns, Abukow? Wir brauchen Sie *dringend* . . .«

»Keinen Ton«, zischte Gribow. »Erst unser Geschäft. Aus ihren Klauen kommst du nicht heraus!«

Trotzdem öffnete Abukow wieder die Tür, beruhigte die Theaterbesessenen und vertröstete sie auf später. Dann arbeitete er mit Gribow die Transportlisten durch.

Mustai hatte unterdessen mit dem Abladen der Möbel begonnen. Sprachlos starrten die Strafgefangenen auf das, was Bataschew geklaut hatte. Selbst Mustai, vom sibirischen Leben gehärtet, staunte von einem zum anderen Mal, als das grüne Plüschsofa zum Vorschein kam und ein persergemusterter Teppich, ferner geblümte Gardinen, Polstersessel mit geschnitzten Lehnen und der Küchenschrank aus poliertem Birkenholz.

»Es ist wie im Traum«, sagte ein Sträfling, der einmal Optiker gewesen war. Und der Bäcker Tschalup setzte sich auf das Sofa, klatschte in die Hände und rief mit Tränen in der Stimme: »Marussja, meine Pantoffeln! Und das Tonpfeifchen. Feierabend ist!«
Mit dem grünen Sofa trugen sie ihn in die Halle, die sichtbar zum Theater wurde. Tschalup weinte wie ein Kind.

Abukow verließ die Wohnung Gribows nach einer knappen Stunde durch den Hinterausgang, zur Küchenseite hin, und rannte hinüber zum Hospital. Er wußte, was er tat. Beim Laufen sagte er sich immer, bei jedem Schritt, der ihn Larissa näher brachte: Wahnsinn ist es! Wahnsinn, Wahnsinn! Du wirst die Schuld nicht mehr ertragen können, du kannst sie nicht verantworten, du bist ein Priester! Hörst du, ein Priester bist du! Du bist nicht Abukow, der Lastwagenfahrer aus Kirow, du bist Stephan Olrik, Pater Stephanus Olrik, Pater der Kongregation vom Heiligen Kreuz in Rom. Was machst du nur aus dir, Stephanus? – Aber er dachte auch: Ich liebe sie, ich kann nicht anders, ich liebe sie . . . Verdammt mich alle, werft mich nachher in die Hölle . . . ich liebe sie!

Er stürmte durch den Eingang, den Flur hinab, riß die Tür zu Larissas Wohnung auf und sah sie am Fenster stehen, die Sonne glänzend auf ihrem lackschwarzen Haar, das Licht in ihrem Lächeln, das Funkeln des Glücks in ihren Augen . . . Weit breitete sie die Arme aus, und mit einem Aufschrei warfen sie sich einander entgegen, umklammerten sich, preßten sich die Luft aus den Lungen und stammelten Silben und Töne, die keinen Sinn mehr ergaben.

In einem Krankenzimmer auf dem gleichen Flur saß Professor Polewoi am Bett eines Asthmatikers und hielt ihn fest. Der Kranke rang nach Luft, die Augen quollen ihm aus den Höhlen, Todesangst verzerrte sein Gesicht. Eine andere Luftnot war's als bei Abukow und Larissa.

»Er ist gekommen«, sagte Polewoi und drückte den Röchelnden an sich. »Gleich ist er bei dir, Bruder. Unser Pope ist gekommen. Nein, du stirbst noch nicht. So schnell stirbt man nicht. Ich sag dir's, wenn's soweit ist . . . Heute ist es nicht . . . Gleich wird Victor Juwanowitsch bei dir sein und mit dir beten . . .« Und der Kranke lächelte und wurde ruhiger.

Als Abukow endlich nach zwei Stunden an das Bett kam, war der Kranke tot. Erstickt.

Er wollte ihm den letzten Segen geben, aber Polewoi drängte ihn weg vom Bett, sah ihn mit einem langen abgründigen Blick an und spuckte vor Abukow aus.

Bataschew, der Boxer, kannte den Weg zu dem Lagerkommandanten Rassul Sulejmanowitsch Rassim noch so gut, als sei er erst gestern zu ihm befohlen worden zu einer der vielen Bestrafungen, die er damals ertragen hatte wie Moskitostiche. Jetzt hieb er mit der riesigen Faust gegen die Tür, riß sie auf und trat ein.

Rassim war in Unterhemd und Hose, aus seiner Mittagsruhe aufgeschreckt durch den dämlichen Telefonanruf des Unterleutnants an der ersten Sperre. Aber er war nicht überrumpelt von Bataschews Kommen, denn er hatte ihn schon vom Fenster aus über den Platz laufen sehen. Und die wenigen Minuten, die Bataschew bis zu ihm brauchte, hatte Rassim in einer seltsamen elegischen Stimmung verbracht: Die zurückliegenden Jahre kamen wieder in sein Gedächtnis, und erschreckt stellte er fest, daß Bataschew besser dran war als er. Der Boxer war ein freier Mann, lebte irgendwo zufrieden in der Weite des Landes. Er jedoch, der Oberstleutnant Rassim, lief immer noch in der Enge des Lagers herum, gefangen wie seine Gefangenen – nur die Uniform unterschied ihn von ihnen und die Befehlsgewalt. Sonst war er nichts als ein Teil des Lagers – wie Fahnenstange, Wachtturm, Kommandantur oder Wäscherei, wie Palisadenwand und Stacheldraht. Rassim, wo ist dein Leben geblieben . . .

Nun stand Bataschew vor ihm, strotzend vor Kraft und Lebensfreude, noch immer mit seinem Sommerschnupfen und seiner Knollennase. Er lachte dröhnend, trat hinter sich die Tür zu und sagte: »Es ist Sibirien nicht gelungen, mich zu fressen.«

»Es hätte dich auch ausgekotzt«, antwortete Rassim, griff nach seinem Hemd und zog es über den Kopf. »Nichts Unverdaulicheres als dich gibt es!«

Bataschew grinste beifällig, zog sich einen Stuhl heran und setzte sich. Rassim betrachtete ihn, als uriniere er mitten ins Zimmer.

»Willst du dich hier einpflanzen?« fragte er.

»Niemand kann vermeiden, daß wir uns jetzt öfter sehen«, sagte Bataschew voll tiefer Freude. »Ich bin ein Bestandteil des neuen Theaters geworden.«

»Ein Grund, diese Albernheit sofort zu verbieten!« Rassim setzte sich jetzt ebenfalls und zog seine schönen, weichen Stiefel aus Juchtenleder an.

»Für die Ausstattung bin ich zuständig und habe einen ganzen Wagen voll Möbel mitgebracht. Meine eigenen Möbel, Genosse Kommandant. Eine Stiftung für die Kultur. Außerdem bin ich die Nummer neun der Künstlergewerkschaft ›Theater Die Morgenröte‹ geworden, also eine halboffizielle Person. Auf uns ruht das Wohlwollen der hohen Genossen in Tjumen, Perm und Moskau. Ein guter, ein kluger, ein ideenreicher Mensch ist Abukow – aber zu sanft, zu nachgiebig, zu höflich vor allem. Einen Partner wie mich brauchte er, nun hat er ihn. Bei mir gibt es keine faulen Tricks, ich kenne sie alle! Wer mich in den Hintern kneifen will, hat vorher schon meine Stiefelspitze im Loch.« Bataschew legte die gewaltigen Hände aneinander und blickte Rassim treuherzig an. »Abukow ist die Idee, ich bin der Motor. So wird das Theater etwas. Wie ist Ihre Meinung, Genosse Kommandant?«

»Jederzeit steht für dich eine Sträflingspritsche zur Verfügung«, antwortete Rassim und lachte verhalten. »Möglichkeiten gibt es genug, dich wieder bei uns einzuquartieren.«

»Eine Drohung, Genosse?«

»Nur eine private Überlegung, Maxim Leontowitsch.« Rassim kämmte sich, indem er mit gespreizten Fingern durch seine Haare fuhr, stand dann auf, ging zum Fenster und blickte hinaus. Die Wagen mit den Kartoffelsäcken wurden jetzt entladen. Mirmuchsin hatte die Plane des »Möbelwagens« hochgeschlagen und klappte gerade die Ladeklappe herunter. Rassim konnte deutlich den neuen Küchenschrank aus polierter Birke erkennen. »Das soll fürs Theater sein?« knurrte er.

»Alles!« Bataschew trat neben ihn ans Fenster. »Ich opfere alles.«

»Dieses Küchenmöbel . . .«

»Ist für ›Kanal der Liebe‹.«

Rassim warf einen Seitenblick auf Bataschew. »Kenne ich nicht.«

»Ein berühmtes Stück von Schiller, sagt Abukow. Er hat es mir erklärt. Da gibt es eine Luise, deren Vater Musiker ist, und da kommt ein vornehmes Herrchen und schwängert sie. Vor allem Mustais Stück ist das!«

»Mustai? Was hat Mustai mit Schiller zu tun?«

»Die Hauptrolle spielt Limonade. Sagt das feine Hurenherrchen doch zu ihr: ›Du bist so blaß, Luise . . .‹, und dabei hat sie vergiftete Limonade getrunken. – Mustai hat sofort protestiert und will das Stück umgeschrieben haben. Geschäftsschädigung sei das für ihn.« Bataschew atmete tief auf. »Geeinigt haben wir uns: Luise trinkt jetzt vergifteten Kwaß. – Man hat so seine Sorgen am Theater. Kulturschaffen ist eine enorme Anstrengung.«

»Man könnte die Möbel beschlagnahmen«, sagte Rassim nachdenklich, »denn wer beweist, daß die Möbel wirklich dir gehören? Ah! Ein grünes Plüschsofa! Es würde gut in mein Zimmer passen. Zum Mittagsschläfchen, du Teufelshalunke!«

Bataschew war weit davon entfernt, sich darüber zu erregen. Rassims Reaktion war einkalkuliert. Er zog einen zerknitterten Briefbogen aus der Tasche, faltete ihn auseinander und hielt ihn Rassim hin: »Bitte zu lesen, Genosse Kommandant . . .«

Ein Schreiben war's der angesehenen Witwe Grigorjewa, und sie bestätigte eindeutig, daß der Genosse Bataschew die Möbel bei ihr gekauft hatte, und zwar aus dem Nachlaß des leider so früh verunglückten Grigorjew. Sogar die Kaufsumme war verzeichnet.

Rassim überflog das Schreiben, schlug es mit einem Fausthieb aus Bataschews Fingern und beobachtete weiter das Ausladen des Möbelwagens. Mit einem Ruck wandte er sich dann ab und stapfte ins Zimmer zurück.

»Wann können wir wieder boxen?« fragte er plötzlich. Bataschew zuckte nun doch zusammen.

»Sie, Kommandant, und ich?«

»Wer sonst? Einsatz: Die Möbel!« Rassim lächelte hinterhältig. Er bemerkte Bataschews Unsicherheit, aber was er für Zögern hielt, war nur Bataschews Bedenken über den Ausgang des Treffens. Nach seinem Training an dem überschweren Sandsack gab es für Rassim kaum einen Vorteil. Doch es war zu erwarten, daß er eine zweite Niederlage nicht ohne Rache hinnehmen würde. Darunter würde alles leiden, vor allem das Theater. »Falls du kneifst, du Großmaul, vergesse ich das Schreiben dieser – wie heißt sie – dieser Grigorjewa und lasse die Möbel konfiszieren.« Rassim wippte siegessicher mit den Stiefelspitzen auf und ab. »Was sagst du dazu, Bataschew?«

Der Boxer seufzte und hob die Schultern. »Für die Kultur ist jedes Opfer gerechtfertigt. – Wann, Genosse Kommandant!«

»Am Sonntag!«

»Also in drei Tagen?«

»Binde dir schon jetzt die Hose zu!« Rassim hob den rechten Arm und deutete einen durch die Luft pfeifenden Haken an. »Damals, du Halunke, hattest du Glück, sonst nichts! Eine Sekunde lang paßte ich nicht auf – das wird nicht mehr vorkommen. Es bleibt bei Sonntag? Hier im Zimmer?«

»Ihre Entscheidung ist es, Rassul Sulejmanowitsch«, sagte Bataschew und seufzte ergeben. »Ich hätte mich nie danach gedrängt . . .«

Ein gemütlicher Tag wurde es noch. Rassim ließ Tee und Gebäck kommen, sogar Wodka gab er für Bataschew aus und sah mit Freuden, wie Maxim Leontowitsch genußvoll soff. Kein Problem, dachte Rassim zufrieden. Alkohol schwächt die Kraft. Wenn man ihm jetzt noch ein Weib in die Kissen legt, so ein ausgehungertes Luder aus dem Frauenlager, bekommt er am Sonntag die Arme nicht mehr hoch.

Am Nachmittag, als Bataschew den von Mustai bereits angemeldeten Antrittsbesuch bei seinem Intimfeind Gribow machte und mit Kuchen, Sahne und armenischem Tee bewirtet wurde, rief Rassim seinen Kollegen im Frauenlager an. Oberst Kabulbekow war erfreut, seine Stimme zu hören.

»Mögen Sie es merkwürdig finden, mein lieber Belgemir Valentinowitsch«, sagte Rassim, sich behutsam an das Problem herantastend, »aber ich komme mit einem ausgefallenen Wunsch zu Ihnen. Nur Sie können mir da helfen.«

»Das höre ich gern«, antwortete Kabulbekow erfreut. »Schätze mich glücklich, Ihnen meine Freundschaft zu beweisen.«

»Ein Weib brauche ich!« Rassim atmete tief auf. »Ein mannstolles Weib, das vor Verlangen und Geilheit ihr Holzbett anknabbert. Ein vulkanisches Weib! Haben Sie so etwas im Lager?«

Kabulbekow schwieg eine Weile betroffen, wischte sich über die Augen und dachte ganz natürlich: Rassims Gehirn hat einen Schaden erlitten. Vorsichtig antwortete er deshalb: »Darf ich fragen, mein lieber Rassul Sulejmanowitsch, wie es Ihnen gesundheitlich geht?«

»Mißverstehen Sie mich nicht, mein lieber Freund!« rief Rassim sofort und errötete sogar, so arg traf ihn Kabulbekows Frage. »Nicht für mich ist das Weib. Einem guten . . . Bekannten möchte ich einen Gefallen erweisen.«

»Mit einer meiner Furien?«

»Der gefährlichsten und ungebändigtsten! Haben Sie so etwas?«

»Eine Auswahl wie in einem Kaufhaus! In allen Alterslagen und Körperformen. Wie soll sie aussehen?«

»Hinreißend.«

»Nach Lagerleben und Arbeitseinsatz? Ich habe hier kein Mannequinstudio! Immerhin, wenn man sie badet, abschrubbt, entlaust und etwas herrichtet, könnte ich etwas Vulkanisches hinüberschicken. Soll es sofort sein? Und für welche Zeit?«

»Bis Sonntagmorgen wird sie gebraucht. Oh, Belgemir Valentinowitsch, ich danke Ihnen von Herzen.«

»Was macht das Theater?« fragte Kabulbekow interessiert.

»Die Bühne steht. Vor einigen Stunden ist Abukow wiedergekommen mit neuem Material.«

»Wie gern höre ich das!« rief Kabulbekow. »Rassul Sulejmanowitsch, ich komme persönlich hinüber und bringe die ausgewählten neunzehn Schauspielerinnen und Sängerinnen mit.«

» Was wollen Sie?« rief Rassim und starrte ziemlich blöd gegen die Wand, wo das Farbfoto von Lenin hing. »Was reden Sie da?«

»Wir beteiligen uns doch an dem Kulturprojekt. Haben Sie das vergessen, Genosse? Auch neunundsechzig Frauen, die ein Instrument spielen, haben sich gemeldet. Wir sind noch dabei, die besten herauszusuchen. Große Talente darunter, sage ich Ihnen!

Zuerst aber komme ich mit den Darstellerinnen. Abukow will sie sich ansehen und anhören.«

»Ein Glück, daß ich die Idee mit den Hunden hatte«, sagte Rassim mit schwerer Zunge. »Die werden meine Schurken davon abhalten, aus der Bühne einen Puff zu machen. Fünfundzwanzig auf den Mann dressierte Hunde habe ich hier; sie werden eine Mauer bilden, solange Ihre verdammten Weiber bei mir sind, Belgemir Valentinowitsch.«

Halbwegs zufrieden, aber mit neuer Sorge der kommenden Weiber wegen legte Rassim auf. Man hätte Abukow aufs Hirn schlagen sollen, dachte er. Gleich zu Beginn. Nun ist alles im Fluß und kaum noch aufzuhalten. Die schöne Lagerordnung wird durchlöchert, und das auch noch mit Billigung der oberen Genossen, die weit weg sitzen und die Situation hier nicht kennen. Zu Stalins Zeiten hätte man sich darüber krummgelacht oder die Initiatoren gleich mit eingesperrt.

Er zog seinen leichten, hell-lehmfarbigen Sommeruniformrock an, stülpte die Mütze auf die Haare und verließ die Kommandantur, um sich Bataschews Möbel aus der Nähe anzusehen.

Am Abend, nachdem die Brigaden von den Sümpfen und Wäldern eingerückt waren und gegessen hatten, kam Abukows Gemeinde im Theatersaal zusammen und versammelte sich auf der Bühne. Zur Sprechprobe laut dem handgeschriebenen Plakat, das Polewoi an die Wand geheftet hatte. Außerdem mußte die Lagerleitung die Erlaubnis geben, daß diese Strafgefangenen das Lagerinnere verlassen und zur Halle III gehen durften.

Schon beim Betreten der Bühne merkte Abukow die Kälte, die ihm von seiner Gemeinde entgegenschlug. Er trug wieder seinen schwarzen Anzug und das weiße Hemd – das einzige, was ihn äußerlich für die Eingeweihten als Priester kennzeichnete. Aber während noch vor zehn Tagen alle die Köpfe senkten, um seinen stummen Segen zu empfangen, starrten ihn jetzt feindselige Augen an. Eng zusammengedrängt standen die Leute, eine geballte, zerlumpte Masse Gegenwehr. Eine geballte Faust aus Menschenleibern, die sich ihm entgegenstreckte.

Abukow nickte ihnen zu, faltete die Hände, aber sie folgten ihm nicht. In stummer Abwehr rührten sie sich nicht.

»Aus Tjumen habe ich außer Musikinstrumenten und Stoffen auch die ersten Textbücher mitgebracht«, sagte er etwas beklommen. »Sie reichen natürlich nicht. Sobald wir wissen, was wir als erstes spielen werden, und wenn wir die Darsteller ausgesucht haben, werden wir die Texte abschreiben müssen. Wir sind eine

Gemeinschaft und werden alle gemeinsam entscheiden, was wir spielen. Ich kann nur Vorschläge machen. Viel Auswahl haben wir nicht.«

»Es genügt!« sagte einer aus der Menge. »Spielen wir: Die Nächte des Priesters.«

»Oder: Ein Bett in Sibirien!« rief ein anderer aus der Mitte.

»Wie wäre es mit: Unvergessener Pjotr?« sagte Polewoi aggressiv. Die Gemeinde murmelte zustimmend.

Abukow legte den Packen der Textbücher auf einen der von Bataschew gestohlenen Sessel und trat unter die zurückweichenden Männer. Früher hätten sie seine Hand geküßt, jetzt mieden sie ihn, als habe er die Krätze.

»Wir alle sind Menschen und damit Sünder«, sagte Abukow, und seine Stimme war etwas hohl geworden. »Wie vermessen ist es, *euch* Sünder zu nennen, ich weiß es, und wenn einer unter euch ist, der sein Gewissen belastet hat – hundertfach ist ihm vergeben worden durch die Qual, die er heute erleidet. Wie leicht, denkt ihr, kann er so etwas sagen. Er hat satt zu essen. Das weite Land ist seins. In einem weichen Bett schläft er. In einen Laden kann er gehen und kaufen, wozu seine Rubel reichen. Er kann ein Hemd tragen, das ihm gefällt. Und wenn ihm danach ist, kann er Urlaub nehmen und sich am Sandstrand des Schwarzen Meeres in die Sonne legen. Wie gut kann er dann reden zu denen, die im Elend vegetieren, die in Lumpen gehen, aus verbeulten Schüsseln ihre Wassersuppe löffeln und das Stückchen Brot hundertmal im Mund drehen, bevor sie es hinunterschlucken, weil es dann aufquillt und ihnen die Illusion des Sattseins schenkt. Welch große Worte für die, die zehn Stunden in den Sümpfen wühlen oder in der Taiga die Bäume fällen . . .«

» . . . und die am Abend nicht in weiche Arme kriechen können!« rief einer aus der finsteren Gemeinschaft.

»Ich habe Gott angefleht, mich am Tage der Rechnung zu bestrafen wie den niedrigsten Sünder«, sagte Abukow langsam und faltete wieder die Hände. »Auf Erden muß ich um *Eure* Gnade bitten. Freiwillig bin ich zu euch gekommen, um bei euch zu sein und bei euch zu bleiben für immer . . .«

»Für immer?« fragte Polewoi rauh. »Was heißt für immer, Victor Juwanowitsch?«

»Für immer heißt: Mein ganzes Leben lang. Ihr, meine Brüder im Elend, seid dieses Leben. Ich will euch helfen, und ich werde euch helfen. Mit all der Kraft, die Gott mir geben kann. Lasset uns beten . . .«

Mit langem Blick sah er seine Gemeinde an. Und zögernd, einer nach dem anderen, falteten sie die Hände, senkten die Häupter und warteten auf seine weiteren Worte. Zuletzt waren es Polewoi und der Schriftsteller Arikin – sie rangen mit sich, man sah es, und Abukow ließ ihnen die Zeit, mit sich ins reine zu kommen.

»Herr im Himmel«, sagte er dann leise. »Wir sind Deine Menschen. Du hast uns erschaffen mit allem Guten und allen Fehlern, allem Trotz und aller Schwachheit, aller Sehnsucht und aller Schuld. Nimm uns so hin, wie wir sind, aber wisse, Herr: Dein ist das Reich, in das wir einmal kommen und selig sein werden. Wir sehnen uns nach dem Glanz Deiner Gnade. Aber der Weg dahin ist steinig; strafe nicht den, der dabei stolpert, denn immer, überall bist Du bei uns. – Amen.«

Abukow verteilte anschließend die Textbücher. Drei Schneider übernahmen es, den Vorhang zu nähen. Zwei Techniker wurden beauftragt, unter Mithilfe eines der von Bataschew gestohlenen Elektromotoren den Vorhangzug zu konstruieren. Drei Musiker bekamen die Noten, um aus den Klavierstimmen eine Partitur für kleines Orchester zu arrangieren. Es gab kein Zögern, keine Widerrede, und Abukow war unendlich glücklich.

»Nur ein Waffenstillstand ist es«, sagte später Professor Polewoi warnend zu ihm. »Täusche dich nicht, Väterchen.«

Am späten Abend entschloß sich Abukow, noch bei Jachjajew vorbeizugehen. Bei Gribow saßen Mustai, Bataschew und Nina Pawlowna um den runden Tisch, verspeisten ukrainische Haluschkies – das sind köstliche Eierklöße – und im Mund zerschmelzende Syrniki – so heißen süße Quark-Beignets. Dazu tranken sie Rotwein, sangen Soldatenlieder, und Bataschew tanzte sogar einen Krakowiak, so wie ihn ein gut dressierter Bär tanzen würde; genauso sah es jedenfalls aus. Ein Jubel war in dem Zimmer, der bis hinaus auf den stillen, nächtlichen Platz drang.

Jachjajew hatte Abukows Besuch nicht mehr erwartet, aber er war noch auf, saß in einem Sessel und lauschte auf ein Konzert aus dem Plattenspieler. Die Symphonie classique von Prokofieff.

Abukow entschuldigte sich, zeigte Jachjajew einen mitgebrachten Schweinebraten und stimmte Mikola Victorowitsch damit sehr milde.

»Mein lieber Freund«, sagte Jachjajew ölig und führte Abukow zu einem Sessel. »Nehmen Sie Platz. Hören Sie sich das an. Erholen Sie sich. Dieser Orchesterklang! Man ist wie verzaubert . . .«

Abukow setzte sich. Dabei fiel sein Blick kurz auf Jachjajews Schreibtisch. Es war ein schneller, streifender Blick, aber Abukow erstarrte, als sei er in Eiswasser gefallen.

Auf ein paar amtlichen Papieren lag obenauf sein Brief an Morosow, den er Novella Dimitrowna mitgegeben hatte.

13

Abukow hätte seinen Besuch bei Jachjajew am liebsten sofort abgebrochen. Der Brief hinter ihm auf dem Schreibtisch schien Strahlen auszusenden, die im Nacken wie Feuer brannten. Aber er konnte nicht so unmotiviert gleich wieder aufbrechen, das hätte Jachjajews Verdacht geweckt. So hörte er sich die eine Plattenseite der Prokofieff-Sinfonie an und stand erst auf, als sie abgespielt war und Jachjajew die Platte wendete.

»Sie wollen schon wieder gehen?« fragte der Politkommissar.

»Tun Sie mir das nicht an! Wie langweilig sind die Abende! Mit wem kann man hier sprechen? Bei Rassim artet jedes Gespräch nach drei Minuten in einen Streit aus. Mit Larissa Dawidowna zu sprechen ist immer, als würde man einen Eisberg streicheln. Dshuban länger als eine Viertelstunde anzusehen wäre schon pervers ... Was bleibt einem also nur als die Musik und ein Gast, der dafür Verständnis hat.«

»Schon spät ist es«, sagte Abukow und gähnte, um seine Müdigkeit zu unterstreichen. »Und ein anstrengender Tag war heute: Erst der Transport, dann das Abladen und die Arbeit für das Theater – sogar eine Probe habe ich heute abend noch gehabt und die Rollenbücher verteilt und die Noten ... das reicht für einen Tag. Nur eine Bitte könnte ich noch anbringen.«

»Wenn sie erfüllbar ist?«

»Papier brauchen wir. Viel Schreibpapier für Abschriften von Texten und Noten. Da könnten Sie einen wichtigen Beitrag zum Kulturaufbau leisten.«

»Zugestanden!« Jachjajew war in Geberlaune. »Auch Bleistifte?«

»Das wäre schön. Danke, Genosse.«

»Sie haben gehört, was hier in Ihrer Abwesenheit geschehen ist?« fragte Jachjajew scheinbar unverfänglich. Abukow war auf der Hut wie ein Fuchs.

»Keine Einzelheiten«, sagte er. »Nur Bruchstücke ... fast nur Gerüchte ...«

»Im Block III tauchten wertvolle Lebensmittel auf. Hühner, Fleisch, Butter, Schmalz, Schokolade, Zucker, Nudeln – aber in Gribows Magazin fehlt nichts! In der Küche ebensowenig. Alle

Listen stimmen. Lieferung, Bestand, Ausgabe – korrekt bis aufs Gramm.«

»Hat man das bei Gribow anders erwartet?« fragte Abukow und tat ganz unschuldig.

»Aber all die herrlichen Dinge waren da und wurden im Lager heimlich gefressen; sie können doch nicht vom Himmel gefallen sein!« Jachjajew lächelte hinterhältig. »Ein intelligenter Mensch sind Sie, Abukow: Wo könnte man da eine Erklärung suchen?«

»Nur einen Weg gibt es, wenn Sie mich fragen: den Weg von draußen! Die Arbeitsbrigaden müssen die Dinge abends mitbringen.«

»In den Sümpfen gibt es keine Selbstbedienungsläden!«

»Aber es könnten Jäger sein, Rentiernomaden der Schanten, Mansen und Nenzen. Wir wissen ja: das angeblich einsame Sibirien, die Taiga, ist gar nicht so einsam . . .«

»Und die Eingeborenen verschenken Fleisch und Hühner?«

»Aus Mitleid. Können Sie das nicht verstehen, Mikola Victorowitsch?«

Jachjajew vermied es natürlich zu antworten. Abukows Theorie war nicht ohne Logik, das mußte man zugestehen. Die herumziehenden Ureinwohner der Taiga konnten sehr leicht mit den Arbeitskolonnen in Berührung kommen und ihnen Waren zustekken, die sie in den über das Land verstreuten staatlichen Magazinen einkauften. Oder eintauschten gegen ihre erbeuteten Felle. Und außerdem sagte Abukow jetzt auch noch:

»Man hätte feststellen müssen, ob es Rindfleisch oder Rentierfleisch gewesen ist. Hat man das nachgeprüft?«

»Nein . . .«, antwortete Jachjajew gedehnt. »Wer hätte denn daran gedacht? Ganz neue Ansichten sind das.«

»Da hat man einen großen Fehler gemacht«, sagte Abukow freundlich. »Vergraben wir ihn in unseren Herzen, Jachjajew. Unter Freunden kann man schweigen.«

Er winkte Jachjajew zu, verließ das Zimmer und atmete draußen auf dem Flur tief aus. Durch die Tür hörte er die Fortsetzung der Symphonie classique, aber er sah nicht, daß Jachjajew kaum noch den schönen Klängen zuhörte, sondern unruhig hin und her lief und die Fäuste gegeneinander schlug.

Im Hospital wartete Larissa Dawidowna voller Unruhe auf Abukow. Nur bekleidet mit einem knappen, durchsichtigen Höschen lief sie ihm entgegen; als er eintrat, fiel sie ihm um den Hals und bedeckte sein Gesicht mit Küssen. Auf dem Tisch stand eine Flasche Krimsekt neben einer Silberschale mit Krendeln, das sind Brezeln mit Früchten und Nüssen. Bei Gribow und Nina Pawlowna in der Küche gab es alles.

»Mein armer Liebling!« rief sie zwischen den Küssen. »Wie ernst du bist! Wie zerfurcht dein Gesicht! Ruh dich aus, trink ein Glas Sekt, leg dich hin, an meine Seite: Streicheln werde ich dich, bis du ganz ruhig bist, bis all der Ärger vergessen ist.«

»Von Jachjajew komme ich gerade«, sagte Abukow, löste Larissas Arme von seinem Nacken und setzte sich schwer auf den Stuhl neben dem gedeckten Tisch. Sein Blick ging ins Leere.

»Jachjajew? So zahm wie selten ist er in den letzten Tagen«, sagte die Tschakowskaja, goß die Gläser voll Krimsekt und hielt Abukow ein Glas hin. »Nimm einen Schluck, Victorenka.«

Abukow nickte, trank gierig den prickelnden Alkohol und legte den Kopf dann weit in den Nacken. Larissas nackte Gestalt neben sich sah er wie durch einen Schleier. Wer kann das begreifen, dachte er immer wieder. Wer kann das denn begreifen?

»Du hast gehört«, sagte er mit schwerer Zunge, »was mit Novella Dimitrowna geschehen ist . . .«

»Ja. Welch armes Mädchen. Ich mag sie nicht, aber dieses Schicksal ist schrecklich. Man muß Mitleid mit ihr haben. Morosow hat mir alles erzählt.«

»Bevor sie überfallen und so übel zugerichtet wurde, habe ich ihr einen Brief an Wladimir Alexejewitsch mitgegeben . . .«

Die Tschakowskaja veränderte sich sofort. Sie stellte ihr Glas hart auf den Tisch zurück und fuhr sich mit der Hand nervös durch das schwarze Haar. Ihre schräg gestellten Augen zogen sich zu Schlitzen zusammen. Das glückliche, gelöste Gesicht wurde starr.

»Einen Brief?« fragte sie noch mit dem alten, singenden Klang in ihrer Stimme. Aber schon die nächsten Worte kamen seltsam hart: »Du hast der Tichonowa einen Brief gegeben? Wo denn und wie denn?«

»In Surgut habe ich sie getroffen«, sagte Abukow wie abwesend.

»Getroffen? Mit ihr zusammen warst du?«

»Ja. Einen ganzen Abend. Im Kino waren wir, dann in einem Restaurant . . .«

»Welch eine wieselschnelle Hure.«

»Wir trafen auch Jachjajew«, sagte Abukow. Larissas Worte waren so weit weg von ihm, daß er nur ihren Klang hörte, aber nicht den Sinn aufnahm. »Im Kino traf ich ihn. Im Vorraum, bei den Süßigkeiten. Novella wollte Honigbonbons . . .«

»Wie gut wären Kieselsteine gewesen, an denen sie ersticken soll!«

»Der Ingenieur Tscheljabin nahm sie dann mit zum Dorf, und auf der Straße geschah es: Tscheljabin der Schädel zertrümmert, Novella vergewaltigt. Und der Brief, den sie ins Kleid gesteckt hatte, war weg . . . Jetzt liegt der Brief auf Jachjajews Schreibtisch!«

Abukow sah Larissa aus flackernden Augen an. »Begreifst du das, Larissanka? Verstehst du, was das heißt?«

»Ich verstehe, daß sie bei dir war, einen ganzen Abend lang, eine Nacht«, sagte die Tschakowskaja hohl, voller Haß. »Umarmen möchte ich den, der sie vergewaltigt hat ...«

»Wer den Brief hat, der ist auch der Täter!« schrie Abukow und sprang auf. »Larissa, begreif es doch: Jachjajew ist dieses Vieh!«

»Dank sei ihm! Ewiger Dank!« schrie sie zurück. »Das Hürchen hat bekommen, was es braucht!«

Entgeistert, von ihrem Ausbruch wie zu Boden geschlagen, starrte Abukow die Tschakowskaja an. »Was sagst du da?« stammelte er. »Mein Gott, Larissa – was hast du da gesagt?« Er griff nach seinem Glas Krimsekt, aber mit einer schnellen, geradezu wilden Bewegung schlug es ihm Larissa aus der Hand. Klirrend zerschellte es an der Wand. »Bist du verrückt geworden?«

»Ja!« schrie sie hell und warf die Arme hoch in die Luft. Ihr nackter Körper war wie eine gespannte Sehne. »Ich hasse, hasse diese Hure! Bezahlt hat sie für jeden Blick, den sie auf dich geworfen hat. Bezahlt für jedes Wort, das sie von dir hörte. Bezahlt für jeden Atemzug, der von dir zu ihr hinüberwehte. Bezahlt ...!«

»Jachjajew ist ein Vieh!« brüllte Abukow außer sich.

»Dann töte ihn doch, du ... du Priester!« Sie warf auch ihr Glas an die Wand, griff in die Silberschale und zerriß mit beiden Händen die Brezeln, schleuderte Abukow die Bruchstücke ins Gesicht. »Nie war mir Jachjajew ein größerer Freund als heute«, schrie sie hysterisch und lachte grell. »Geh hin und bring ihn um. Warum soll ein Priester nicht töten? Ein Priester, der hurt, kann auch töten!«

Ebenso plötzlich, wie sie explodiert war, brach die Tschakowskaja auch zusammen. Noch ehe Abukow sie fassen konnte, schlug sie beide Hände vor ihr verzerrtes Gesicht, warf sich auf das Sofa und begann laut zu weinen. Dann rutschte sie auf die Dielen, kniete auf dem Boden und breitete die Arme weit aus. Ihr nackter Körper zuckte wie im Schüttelfrost.

»Bring mich um, bevor du gehst«, stammelte sie. »Jeden wünsche ich in die Hölle, der dich mir wegnehmen will. Sie wollte es, wollte dich haben ... wie sie ihren Hintern schwenkte, die Brüste vor sich herschob ... zerfressen hat es mich wie Säure ... Ich liebe dich doch, Victorenka ... nur *ich* liebe dich!«

Er ließ sie jammern, griff nach der Sektflasche, setzte sie an den Mund, trank sie mit ein paar verzweifelten Schlucken fast leer, warf sie zu den zerschellten Gläsern und ging zur Tür.

»Wo willst du hin?« schrie sie und krallte die Hände in ihr verschwitztes Haar. »Laß mich jetzt nicht allein, Victor! Geh jetzt nicht weg!«

Ohne Zögern riegelte er die Tür auf, verließ Larissas Wohnung und ging hinüber zu Mustais Limonadenfabrik, warf sich im Zimmer auf das Bett, kreuzte die Arme unter dem Nacken und starrte schwer atmend zur Decke.

Du hast also versagt, Pater Stephanus Olrik, dachte er voll Bitterkeit und Selbstanklage. Du hast zerstört, was du aufbauen wolltest. Einen heiligen Auftrag hattest du bekommen, und was hast du daraus gemacht? Wie kann dir Gott jemals verzeihen? Morgen früh wird das Chaos ausbrechen, die Tschakowskaja wird jeden in Wald und Sumpf hinausjagen – jeden, der noch auf Händen und Füßen kriechen kann. Wer könnte sie daran hindern? Und Rassim wird fröhlich lachen.

Jachjajew! Ein Mörder! Ein wildes Tier! Jachjajew . . .

Ein Abgrund tat sich auf, und alle Hoffnung versank ins Bodenlose.

Am nächsten Morgen rief Abukow bei Morosow an und bekam ihn gerade noch ans Telefon. Morosow war schon auf dem Weg zu einer Außenstelle der Trasse, saß in seinem Geländewagen und wurde zurückgeholt ins Büro.

»Was ist so wichtig?« fragte er ohne Begrüßung, hart und abwehrend. Abukow verstand Morosows Ärger nur zu gut und nahm es ihm nicht übel.

»Ich kenne den Täter, Wladimir Alexejewitsch«, sagte er gefaßt. »Ich habe ihn gesehen – und gesprochen.«

»Und nun bindet Sie als Priester die Schweigepflicht. Ist es so?«

»Nein.«

»Wer ist es?«

»Jachjajew.«

Es war zu erwarten, daß nach diesem Namen auch Morosow der Boden unter den Füßen schwankte. Mit einem Ächzen setzte er sich und starrte schwer atmend vor sich hin. Erst nach mehreren tiefen Atemzügen war er fähig, wieder zu sprechen. »Sind Sie sicher, Victor Juwanowitsch . . .?«

»Mein Brief an Sie, den ich Novella mitgegeben hatte, liegt auf seinem Schreibtisch. Genügt das?«

»O Himmel!« Morosow wischte sich über die Augen. »Was kann man tun?«

»Nichts. Wenn Jachjajew den Brief verschwinden läßt, wird man uns auslachen bei einer Anklage. Nur ich habe ihn gesehen. Was bin ich gegen einen KGB-Kommissar? Man wird mich für alle

Zeiten verbannen lassen in ein Lager im nördlichen Sibirien, oben, in den Bergwerken an der Kolyma.«

»Zu unsicher, Victor Juwanowitsch. Man wird Sie einfach umbringen. Hundert Möglichkeiten gibt es da . . . Nein, man muß die Sache umkehren.«

»Sie wollen Jachjajew töten?« Abukow hielt den Atem an, und als er weitersprach, war's eine ihm fremde Stimme. »Morosow, tun Sie's nicht . . .«

»Wenn ich einen priesterlichen Rat brauche, melde ich mich«, sagte Morosow kalt. »Vielleicht komme ich zur Beichte. Das Vaterunser kann ich noch fließend beten.« Er hüstelte erregt und trommelte mit den Fingern auf die Tischplatte. Abukow hörte es deutlich. »Ich danke Ihnen, Victor Juwanowitsch, für diese Auskunft.«

»Wie geht es Novella Dimitrowna?« fragte Abukow bedrückt.

»Interessiert das noch?«

»Ich war es, der sie nach Surgut gerufen und damit ins Unglück gebracht hat.«

»Novella hat einen Antrag gestellt, sie ab sofort aus ihrem Vertrag mit uns zu entlassen. Sie will zurück ins europäische Rußland, weit weg von hier. Am Fenster in ihrem Büro sitzt sie und starrt in die Weite. Ihre Kratzer und Striemen im Gesicht hat sie mit Puder zugedeckt. Nichts sieht man mehr, aber die Wunden in ihrer Seele werden bleiben.«

»Sagen Sie ihr nichts von Jachjajew, ich bitte Sie, Wladimir Alexejewitsch«, bat Abukow eindringlich den Freund. »Ein Schock wäre das, schlimmer als der erste. Jachjajew wird verurteilt werden. Gott wird ihn strafen.«

»Es mag die große Stärke der Priester sein, darauf zu warten«, antwortete Morosow hart. »Mir dauert es zu lange! Die Erde in der Hand kann ich spüren, auf die linde Luft des Paradieses nur hoffen. Beten Sie, Abukow – ich handle!«

Morosow brach das Gespräch ab, ehe Abukow ihm noch zurufen konnte, vernünftig zu sein und sein Gewissen nicht zu belasten. Nun war auch das wieder ein Fehler, dachte er, legte den Hörer auf und ging hinüber zum Hospital. Die Männer, die sich krank gemeldet hatten, standen in Dreierreihe vor der Ambulanz, wie immer von Soldaten mit Hunden bewacht, als seien sie Schwerstverbrecher. Es gehörte zu Rassims psychologischer Zermürbungstaktik.

Professor Polewoi war damit beschäftigt, die Krankenzimmer für den morgendlichen Durchgang herzurichten. Vierundvierzig Betten waren belegt, die meisten mit Schwerkranken: Vom Asbeststaub zerfressene Lungen, faustgroße Furunkel, Magengeschwüre, drei Krebsfälle, schwere Dystrophiker, ein Mann mit großer Mykosis fungoides, Herzkranke und ein Fall von Lymphangitis. Polewoi kam aus einem der Zimmer und blickte Abukow fragend an.

»Hast . . . hast du sie schon gesehen?« fragte Abukow zögernd.

»Wie benimmt sie sich?«

»Larissa Dawidowna ist krank.«

»Krank?«

»In ihrem Zimmer ist sie, läßt keinen herein. Sie hat angerufen, daß Dshuban Kasbekowitsch heute die Selektion vornehmen soll. Weißt du, was los ist mit ihr?«

»Nein . . .«, antwortete Abukow zögernd.

»Wer soll es sonst wissen? Und wer kann helfen außer dir? Geh zu ihr! Wir haben nachgedacht über euch beide. Das Überleben allein ist wichtig, und unser Leben liegt hier in Larissas Hand. So muß man das sehen, Victor Juwanowitsch. Ist's nicht so?«

Abukow nickte wortlos, umarmte Polewoi und ging hinüber zu Larissas Wohnung. Die Tür war verschlossen, und er mußte lange klopfen, ehe er ihre Stimme hörte.

»Wenn Sie's sind, Dshuban Kasbekowitsch – ich habe nichts mehr zu sagen. Sie übernehmen Selektion und Visite! Keine Diskussion darüber!«

»Ich möchte dich sprechen«, sagte Abukow durch die Tür.

»Hier ist ein Krankenhaus und kein Kühlhaus. Der Genosse Gribow wird Sie anhören.«

»Larissa . . .«

»Die Liste für die Krankenverpflegung liegt schon in der Küche. Was wollen Sie noch?«

»Es wäre gut, wenn du die Tür aufschließt.«

»Es wäre besser, wenn Sie Kranke in Ruhe ließen!«

»Ich brauche deine Hilfe, Larissa. Um Morosow geht es.«

»Wie kann jemand helfen, der selbst Hilfe braucht?« schrie sie gegen die Tür. »Setzen Sie sich in Ihren Wagen, Abukow, und fahren Sie davon! Aber vergessen Sie den Umweg nicht über Novella Dimitrowna!«

Abukow zögerte, dann drehte er sich um, ging hinunter zur Eingangshalle. Dort kam ihm aufgeregt Dshuban entgegen, in einem auf Figur gearbeiteten Arztkittel und mit glänzenden, pomadisierten Haaren. Er duftete nach einem süßlichen Parfüm.

»Oh, mein lieber Victor Juwanowitsch!« rief er und legte den Arm um Abukows Schulter. »Sie kommen von Larissa Dawidowna? Was hat sie denn? Jagt mich an die Arbeit, von der ich wenig verstehe. Chirurg bin ich, das sage ich immer wieder. Wie soll ich einen Kranken beurteilen, der mich anhustet und dabei die Augen verdreht? Ist er ein Simulant? Bei mir gibt es keine Simulanten –

wen ich aufschneide, der kann mich nicht täuschen. – Was macht Larissa?«

»Sie läßt keinen zu sich.«

»Auch Sie nicht?«

»Stünde ich sonst hier?«

»Eine komplizierte Situation«, seufzte Owanessjan und sah hinaus auf die wartenden Kranken. »Gleich wird man wieder sagen: Owanessjan, der Menschenschinder! – Welch ein trüber Tag!«

Er rannte hinüber zur Ambulanz, wo schon vier Sanitäter standen. Abukow verließ das Hospital und ging, nachdem er mitten auf dem großen Platz gezögert hatte, mit festem Schritt weiter.

Die Tschakowskaja blickte ihm durch die Gardine nach. Sie schluchzte wild, ballte die Faust. Als Abukow weiterging und nicht zurückkehrte, biß sie sich in die Faust, bis sie Blut an ihren Lippen spürte.

Genau um die Mittagszeit, als Rassim vor einem dicken gebratenen Filet saß und einen Schluck Wein zum Auftakt trank, meldete sich der Posten der äußeren Sperre. Der Feldwebel in der Telefonzentrale hatte ihn erst beschimpft, wieso er am Mittag schon besoffen sei, aber dann stellte er doch zum Kommandanten durch, verwirrt von dem, was er hören mußte.

Wütend nahm Rassim den Hörer auf und vernahm von der Sperre eine stotternde Stimme: »Ein Lastwagen steht hier . . . Im Lastwagen sitzen Frauen, lauter Frauen . . . Hören Sie, sie singen!«

Rassim hörte ganz schwach einige Töne, dann war der Posten wieder da: »Der Genosse Oberst sagt, Sie hätten die Frauen bestellt . . . Was soll ich tun?«

»Die Straße freigeben, du Idiot!« brüllte Rassim. »Hält der Affe einen anderen Kommandanten an!« Er warf den Hörer hin, stürzte das Glas Wein hinunter und verschlang das Filet, als würde Kabulbekow es ihm wegfressen. Dann fuhr er in seinen Uniformrock.

Belgemir Valentinowitsch und seine wilden Weiber waren gekommen.

Kurz darauf spürte jeder im Lager, daß etwas Außergewöhnliches passiert sein mußte, denn Rassim ließ die gesamte Hundestaffel alarmieren und vor der Halle III – dem »Theater« – aufstellen. Alle Innendienstler, also die Strafgefangenen in Küche, Wäscherei, den Werkstätten, im Hospital, im Holzlager und beim Barackendienst, sowie die Säuberungskommandos in der Mannschaftskaserne, beim Gartenbau und Straßendienst, ferner die Auserwählten, die Rassim, Jachjajew und die Offiziere bedienten oder bei

Gribow im Depot arbeiteten – sie alle erhielten Befehl, die Häuser nicht zu verlassen. Wer sich draußen auf dem Platz blicken ließ, werde von den Hunden gejagt werden, ließ Rassim verkünden. Das große Lagertor wurde geschlossen, die Posten auf den Wachttürmen durften nicht mehr dösen oder Schach spielen, sondern hockten mißmutig hinter ihren Maschinengewehren.

Niemand wußte, was eigentlich los war. Gerüchte, die sofort kursierten, wollten wissen, daß ein neuer Transport ankommen werde mit ganz gefährlichen Politischen, Dissidenten, Regimegegnern, von Amerika bezahlten Saboteuren, Spionen der NATO – alle in Moskau gesammelt, um sie jetzt für immer im Lager JaZ 451/1, dem berüchtigten Ort in der Taiga, in Rassims »Strenger Verwahrung« (wie es amtlich heißt) verschwinden zu lassen. Nur – so rätselte man –, in welchem Block sollten sie unterkommen? Es gab keine Isolierbaracke, wo man die ganz Gefährlichen hätte unterbringen können. Ob eine neue Baracke gebaut wurde, hinten an der Palisade, gegenüber dem Friedhof?

Gerüchte über Gerüchte ... Die Wahrheit kannten nur Rassim und natürlich auch sofort Jachjajew, der gab die Neuigkeit per Telefon an die Tschakowskaja weiter, doch sie kam aus ihrem Zimmer nicht heraus. Abukow erfuhr es von Rassim selbst, er erschien im Theatersaal, wo Abukow mit dem Bühnenbildner – einem ehemaligen Architekten – die Möglichkeiten durchsprach, in den gestohlenen Möbeln von Bataschew die »Lustige Witwe« von Lehár aufzuführen. Es hatte sich herausgestellt, daß davon die meisten und besten Noten vorhanden waren und die »Arrangeure« wenig Mühe haben würden, daraus eine Partitur und die Gesangsstimmen herauszuschreiben. Bei »Tannhäuser« und »Lohengrin« war das schwieriger – mit nur zwei Geigen, einer Trompete, einer Handharmonika und einigen selbst geschnitzten Holzflöten konnte man keinen guten Klang zaubern – ganz abgesehen davon, daß man als Pauken zwei leere Benzinfässer benutzen mußte. »Die lustige Witwe« war mit solchen Improvisationen leichter zu bewältigen.

»Haben Sie bei Larissa gut gefrühstückt?« fragte Rassim gehässig und mit breitem Grinsen, nachdem er einen Blick auf die am Bühnenboden liegende Skizze des Bühnenbildes geworfen hatte. »Neunzehn Weiber rollen heran! Alle für Sie, Victor Juwanowitsch. An der Spitze Ihr Gönner Oberst Kabulbekow.« Er setzte sich auf das Spielpodium und klopfte mit einer dicken, aus Leder geflochtenen Hundepeitsche gegen seine Juchtenstiefel. »Die Mühe, die Sie mir jetzt schon machen, kotzt mich an. Die ganze Lagerordnung hängt schief. So geht das nicht, Abukow!«

»Bitte laden Sie nicht Ihre Überreaktion auf meinen Schultern ab«, sagte Abukow mutig. »Warum lassen Sie das Lager absperren, als ob die Pest hereinkäme?«

Rassim blickte Abukow starr an, überlegte, ob er losbrüllen sollte, antwortete aber dann nur mit gehobener Stimme: »Wie können Sie das beurteilen, he? Liegen im warmen Bettchen, kraulen der Tschakowskaja das Fell, sind satt wie ein Kater am Morgen – ich aber habe tausend Mann hier, die seit Jahren eine Frau nur aus der Erinnerung kennen. Die Säcke mit Gras füllen, einen Schlitz hineinschneiden und mit ins Bett nehmen. Und nun kommen Sie, wollen richtige Weiber auf die Bühne stellen; wollen sie, Röckchen hoch, tanzen lassen und mit den Hintern wackeln lassen – soll ich vielleicht bei jeder Aufführung Maschinengewehre neben die Bühne stellen, um einen Sturm zu verhindern?«

»Sie unterschätzen die Moral dieser Männer«, sagte Abukow trocken. »Sie ist besser als Ihre Phantasie, Genosse Rassim. Nur Freude werden sie haben . . .«

»Und nach der Vorstellung vibrieren in allen Baracken die Betten!« schrie Rassim. »Einreißen lasse ich das Theater, wenn die Ordnung darunter leidet! Der Kulturbeauftragte in Tjumen sitzt da in seinem schönen Büro und jongliert mit Ideen, hier aber sieht die Welt anders aus!«

Ja, und dann rollte der Lastwagen auf den großen Platz und bremste vor der Kommandantur. Oberst Kabulbekow, fröhlich wie immer, das asiatische Gesicht von Freude überstrahlt, sprang aus seinem Geländewagen, umarmte seinen Kommandantenkollegen Rassim und begrüßte die Offiziere, die vor dem Eingang des Steinhauses angetreten waren.

Natürlich standen alle, die den Platz einsehen konnten, an den Fenstern und warteten auf das Ausladen der neuen, gefährlichen Sträflinge. Gribow und Mustai standen zusammen in der Tür zum Magazin, Bataschew schlief noch, nachdem er zum Frühstück kurz aufgestanden war, fünf Eier und ein halbes Pfund Speck gefressen und drei Wodkas zum Tee getrunken hatte, um dann wieder ins Bett zu rollen. Doch Rakscha von der Autowerkstatt war da, ferner der winzige Sakmatow aus der Schmiede, der Vorarbeiter der Schreinerbrigade, der Meister aus der Schlosserei, die finstere Pulkeniwa, der Drachen aus der Wäscherei, und Nina Pawlowna, die aus dem Küchenfenster lehnte, hinter sich vier Sträflinge, die zum Kartoffelschälen abgestellt waren. Die Hundestaffel schwärmte aus, sperrte Lagereingang und Zufahrt ab. Die Wachsoldaten auf den Türmen, an der Lagerwache in der Kaserne glotzten erwartungsvoll.

Kabulbekow sah sich erstaunt um. »Eine Revolte?« sagte er hastig. »Dann verschwinden wir sofort wieder, Rassul Sulejmanowitsch.

Das konnte ich ja nicht wissen! Eine hervorragende Idee von Ihnen mit den Hunden. Sind wirksamer als jedes Maschinengewehr. Wann hat die Revolte angefangen? Und warum?«

Rassim wurde vor Verlegenheit ein wenig gelb im Gesicht, faßte Kabulbekow unter und zog ihn mit sich in Richtung Theatersaal. Die Plane und die Ladeklappe des Wagens waren noch geschlossen – noch ahnte niemand, was sich darunter verbarg.

»Ein vorsichtiger Mann bin ich«, sagte Rassim und hätte Kabulbekow am liebsten angespuckt. »Haben Sie keine Probleme mit Ihren Weibern, Belgemir Valentinowitsch?«

»Probleme? Genug! Aber ich benötige dazu keine Hunde.«

»Wie verhindern Sie, daß Ihre Weiber mit Männern in Berührung kommen?«

»Verhindern? Wer kann das verhindern, lieber Freund?« Kabulbekow lachte herzlich. »Sehen wir es so: Fällt ein Mann diesen Furien in die Hände, muß man das als einen Akt von Selbstverstümmelung betrachten. Bin ich der Schutzengel von Kerlen, die um mein Lager schleichen? Jeder ist allein verantwortlich für sein Gehänge!« Kabulbekow blieb stehen, betrachtete die Ketten aus Soldaten und kläffenden, knurrenden und geifernden Hunden und schüttelte den Kopf. »Die Sommermonate sind schlimm«, sagte er. »Jäger, Fallensteller, Nomaden und Rentierzüchter ziehen durch die Wälder, Geologen kommen zur Vermessung, Baukolonnen für das neue Kraftwerk, Spezialisten für die Brücke der neuen Trasse über die Ituyakha – ein kleines Heer strammer Burschen ist ständig unterwegs und in unserer Nähe. Soll ich meine zweitausend Röcke festbinden? Vierzehn Außenkommandos habe ich, die große Kleiderfabrik, die Schusterei, die Wäscherei, das Sägewerk, die Fällerkolonnen . . . Im letzten Monat hatte ich vierundvierzig Schwangerschaftsmeldungen. Oh, dieser Sommer!«

»Es gibt Mittel«, sagte Rassim dunkel. »Ich würde sie finden . . .«

»Warum?« Kabulbekow lachte wieder. Sein Gesicht mit den breiten Backenknochen und den Schlitzaugen glänzte in der heißen Sonne. »Nur ein paar Monate sind's! Dann kommt der Winter, unendlich lang und grausam in diesem Land. Und die Arbeit kennt keine Unterbrechung, ob Hitze oder Eis. So gleicht sich alles aus.«

»Verurteilte sind es«, sagte Rassim kalt. »Das müssen sie spüren!«

Kabulbekow schwieg, warf einen Seitenblick auf seinen Kollegen und nickte zu den Hunden hin. »Sperren Sie die Bestien wieder ein, Rassul Sulejmanowitsch. Man wird die Demonstration verstanden haben, nehme ich an. Die Auswahl, die ich mitgebracht habe, darf man eine Elite nennen: Von der Dozentin für Biochemie bis zur ehemaligen Geliebten eines Ministers – ich habe alles auf Lager.«

»Darf ich an meinen speziellen Wunsch erinnern?« fragte Rassim und blieb an der Tür zum »Theater« stehen.

»Der Vulkan im Bett? Ist dabei!« Kabulbekow zwinkerte fröhlich. »Hochgetrimmt haben wir sie. Jetzt ist sie wie eine Sprinterin in den Startlöchern.«

Jetzt schlug die Ladeklappe des Lastwagens herunter. Zwanzig Frauen sprangen auf den großen Platz, eine hinter der anderen, standen tief atmend in der Sonne und blickten sich nach allen Seiten um. Nur die geschlossenen Fenster verhinderten es, daß man von allen Seiten des Lagers das Seufzen der Männer hörte. In der Küche, bei Nina Pawlowna, schnalzten die vier Kartoffelschäler mit der Zunge, und einer sagte leise und wie mit einem Kloß im Hals: »Wetten, die sind fürs Theater. Morgen melde ich mich bei Abukow, da mache ich mit!«

Die Leonowa trieb die Kartoffelschäler zurück zur Arbeit: »Wer wieder ans Fenster geht, dem stecke ich den Schwanz ins kochende Wasser!«

Die zwanzig Frauen kamen auf einen Wink von Kabulbekow herüber zur Autowerkstatt und stellten sich vor Rassim auf. Mit finsterem Blick musterte Rassul Sulejmanowitsch die Ausgewählten und gestand sich ein, daß mindestens zehn darunter waren, die auch in seine Kissen paßten. Mit einem Knurren unterdrückte er diese Gedanken, winkte zackig und ging voraus in den Theatersaal. Abukow, der auf der Bühne noch immer mit dem Architekten sprach, der sich aus künstlerischen Erwägungen dagegen wehrte, Bataschews Küchenschrank aus polierter Birke für die »Lustige Witwe« zu benutzen, drehte sich bei dem Lärm um, erkannte Kabulbekow und die Frauen und sprang vom Podium herunter.

»Genosse Oberst!« rief er voll Freude. »Welches Glück, Sie wiederzusehen! Sie haben mich nicht vergessen.«

»Auf das Wort eines Kabulbekow können Sie Wolkenkratzer bauen, Victor Juwanowitsch.« Kabulbekow gab Abukow die Hand und klopfte ihm auf die Schulter, sehr zum Mißfallen von Rassim, der finster herumstand und die Blicke der Frauen im Nakken spürte und ein verrücktes, nicht beherrschbares Kribbeln in der Hose. Über Kabulbekows Schulter hinweg blickte Abukow auf die Mädchen. Alle waren sie gekommen – auch die zarte Flötistin Karapjetjan, die Schauspielerin Susatkaja, die Hure Dschamila Dimitrowna Usmanowa mit ihren flammendroten Haaren und die mandeläugige Anastassija Lukanowa Lasarjuk, ehemalige Geliebte des Ministers. Erschreckend schön sahen sie aus.

Bevor sie die Fahrt zum Männerlager begannen, hatten sie gebadet, ihre besten Kleider zurechtgemacht und ihre Haare von den ehemaligen Friseusen – davon gab es vierzehn im Lager – behandeln lassen. Mit Brennscheren aus gebogenen dünnen Eisenstäben hatte man ihnen Locken gedreht. Vier von den Frauen trugen sogar hochtoupierte Frisuren, mit Zuckerwasser gefestigt. Geradezu umwerfend aber war eine Frau, die ein neu genähtes Kleid aus hellblau gefärbten Bettüchern trug – mit einem tiefen Ausschnitt. Und einem Rock, der an den Kniekehlen endete. Ihr tiefschwarzes Haar war zu langen Korkenzieher-Locken gedreht. Sie stand als letzte in der Reihe und schien über ihre eigene Erscheinung nicht sehr erfreut zu sein. Ihr geschminktes Gesicht – es war mit Pflanzenfarbe versetztes Rinderfett – drückte sogar Angst aus. Sie wußte nicht, was sie hier sollte. Man hatte ihr nur einiges angedeutet. Kabulbekow hatte sie kommen lassen und eingehend betrachtet und dann gesagt: »Der Satan soll bei dir schlafen, wenn ich eine Beschwerde über dich höre!« – Das war alles gewesen. Nun rätselte sie herum, warum man sie im heißen Bad abgeschrubbt, entlaust und so herausgeputzt hatte. Mit den »Theaterdamen«, wie man im Frauenlager bereits die für Abukow Ausgewählten nannte, hatte sie nichts zu tun. Sie war in ihrem Leben noch nie in einem Theater gewesen, sondern nur dreimal im Sowjetischen Staatszirkus, wenn er ein Gastspiel gegeben hatte.
»Nach strengen Maßstäben habe ich ausgesucht«, sagte Kabulbekow jetzt und wies auf die neunzehn Frauen. »Das sind die besten. Die Musikerinnen teste ich noch. Keine leichte Aufgabe, Abukow ... Die meisten spielen Klavier, Geige, Flöte. Wie soll man sie ohne Instrument prüfen? Ja, und dann habe ich da noch eine ganz besondere Seltenheit: eine Posaunistin. War mir völlig unbekannt, eine Frau mit Posaune. Was tun ohne Posaune? In einen leeren Papiersack habe ich sie blasen lassen – das hätten Sie mal sehen sollen! Als er prall voll Luft war, schien mir klar: Das ist eine gute Posaunistin! – Ihre Meinung, Victor Juwanowitsch?«
»Mein Vertrauen ist voll bei Ihnen, Genosse Oberst«, sagte Abukow, und es war schwer, ein Lächeln zu unterdrücken. »Wir werden mit Ihrer Hilfe ein vorzügliches Theater spielen können.«
Während er mit den neunzehn Frauen zur Bühne ging, blieben die Lagerkommandanten Rassim und Kabulbekow mit dem Mädchen im kurzen blauen Kleidchen und den Korkenzieherlokken am Eingang zurück. Rassim sah seinen Kollegen fragend an.
»Ist sie das?«
»Nichts Besseres gibt es.« Kabulbekow hob die Hand. »Erzähl deine Geschichte!«
Das Mädchen drückte sich ängstlich gegen die Holzwand. »Ich

heiße Axinja Iwanowna Wassiljuka«, sagte sie schüchtern. »Geboren in Smolensk, vierundzwanzig Jahre alt, verurteilt zu fünfzehn Jahren Arbeitslager wegen Totschlags. Ich habe in Smolensk viele Männer kennengelernt und einen Kerl getötet, der mir hinterher das Geld wieder abnehmen wollte . . .«

»Ganze fünf Rubel!« rief Kabulbekow. »Welch ein Geizkragen bei solch einer Frau! Hätte ihn auch umgebracht. Rechtlich ist das natürlich verwerflich. Mein lieber Rassul Sulejmanowitsch, Axinja war die beste Hure von Smolensk! Nach ihrer Verhaftung trugen unzählige Männer Trauerflor am Ärmel und einen schwarzen Schlips.«

»Kennt sie ihre Aufgabe?« fragte Rassim zurückhaltend.

»Nur in der Andeutung.«

»Dann sagen wir es deutlich.« Rassim starrte Axinja Iwanowna herausfordernd an. »Du legst dich gleich zu einem Kerl ins Bett, der viel überschüssige Energie hat. Bis Sonntagmorgen hast du Zeit, ihm vom Kopf bis zu den Zehen die Kraft herauszuholen. Er muß so weit sein am Sonntag, daß er nach einem Stock sucht, um sich aufrecht zu halten.«

Kabulbekow staunte. Nachdem er sich wieder etwas gefangen hatte, nickte er Axinja ermunternd zu. »Sie schafft es, nicht wahr? Sag dem Genossen Oberstleutnant, daß du den Burschen aushöhlst.«

»Ja«, antwortete Axinja gehorsam, »alle Mühe werde ich mir geben.«

»Verschenken wir keine Minute!« Rassim blickte zur Bühne. Dort war Abukow von den Frauen umringt und sprach zu ihnen. Es war nicht zu sehen, daß er gerade mit ihnen betete. »Wann fahren Sie wieder zurück, Belgemir Valentinowitsch?«

»Es ist abhängig von dem, was Abukow mit den Frauen zu besprechen hat. Auch ich habe noch einiges zu sagen. Das Theater beschäftigt mich sehr. Wie ist's bei Ihnen, Rassul Sulejmanowitsch?«

»Ein Irrsinn ist es, sage ich«, knurrte Rassim und stieß die Tür der Halle auf. »Bei mir schuftet man seine Strafe ab, aber man spielt nicht Schiller.«

Er gab Axinja einen Wink und ging voraus zum Magazin. Kabulbekow und Axinja folgten ihm. Magazinverwalter Gribow, der noch immer in der Tür stand, ahnte Schlimmes, als er die beiden Kommandanten mit der unbekannten Frau auf sich zukommen sah. In der Zwischenzeit war Limonadenverkäufer Mustai um die Autowerkstatt herumgeflitzt und hatte sich von hinten, durch eine kleine Eisentür, auf die Bühne geschlichen. Da hockte er nun hinter Bataschews Küchenschrank und stierte mit gierigen Augen auf die kleine Flötistin Lilit Iwanowna, die ihm von allen diesen Weibern am besten gefiel. Sie war zart und wirkte anschmiegsam – genauso hatte er sich eine Frau immer gewünscht.

Gribow stand stramm, als Kabulbekow und Rassim ihn erreichten. Vor zwei Obersten ist es immer das beste, auch als Zivilist militärische Tugenden zu beweisen.

»Was macht der Genosse Bataschew?« fragte Rassim ohne Einleitung.

»Liegt in meinem Bett und schnarcht«, antwortete Gribow überrascht. »Soll er geweckt werden?«

»Nicht auf die übliche Art!« Rassim grinste zufrieden. »Ab sofort suchen Sie ein anderes Bett für sich, Kasimir Kornejewitsch. Ein Befehl ist das. Ihre Wohnung betreten Sie bis Sonntagmorgen nicht mehr.«

»Genosse Kommandant . . .«, stotterte der arme dicke Gribow und begann fürchterlich zu schwitzen. »Wie kann man so einfach stehenden Fußes ausziehen? Noch einiges mitnehmen sollte man . . .«

»Bis Sonntag kann man improvisieren!« brüllte Rassim und zeigte damit an, daß keine Diskussion mehr möglich war. »Ab sofort schlagen Sie einen Bogen um Ihre Wohnung!« Er ging an dem bebenden Gribow vorbei, stieß die Tür auf, blickte in den Flur, hörte von irgendwoher das röchelnde Schnarchen von Bataschew und winkte Axinja herbei. »Der Teufel hole dich, wenn der Kerl am Sonntag noch hüpfen kann!« zischte er ihr zu, gab ihr einen Stoß in den Rücken und warf dann die Tür zu.

Kabulbekow kratzte sich die kurze, breite Nase. Er staunte immer wieder, wie simpel Rassim seine Probleme löste; schnell und komplikationslos. Ein Befehl, ein bißchen Brüllen, und schon tanzen die Bären nach jedem geflüsterten Ton. Zu bewundern war das – auch wenn man Rassim zu jeder Minute hätte den Schädel einschlagen können.

»Gehen wir zu mir!« sagte Rassim zu ihm und bedachte den fassungslosen Gribow mit keinem Blick mehr. »Bis zu Ihrer Abfahrt wollen wir einen guten Wein trinken und eine Partie Schach spielen, Belgemir Valentinowitsch. Sie sollen ja ein vom Satan geschulter, raffinierter Schachspieler sein.«

Im »Theater« hatten die Frauen Abukow umringt, und Anastassija Lukanowna Lasarjuk, die ehemalige Geliebte des Ministers, sagte mit gefalteten Händen: »Vater, hier sind wir. Alle gehören zur Gemeinde. Aber es warten auf dich im Lager dreihundertvierundneunzig, die deine Stimme und Gottes Wort hören wollen. Was sollen wir tun?«

»Wenn das Theater erst einmal spielt, werde ich auch zu euch ins

Lager kommen«, sagte Abukow und breitete die Arme aus. »Wir werden eine große, wunderbare Kirche haben unter dem weiten Himmel von Sibirien.«

Nach Einbruch der Dunkelheit fuhr Oberst Kabulbekow mit neunzehn Frauen wieder aus dem Lager ab. Eine, natürlich, blieb zurück – aber so genau hatte keiner von den Beobachtern gezählt. Nur Gribow irrte heimatlos herum und klagte bei Nina Pawlowna sein Leid.

»Ausgesperrt bin ich!« jammerte er auch Abukow vor. »Vertrieben, entrechtet. Was macht man jetzt mit meinem Bett? Natürlich, Bataschew ist mein Freund – aber darf das so weit gehen, daß er mich drei Tage lang verjagt und in meinem schönen Bett die Federn niederwalzt? Victor Juwanowitsch, wie kann man das verstehen? Was geht hier vor? Da kommt einfach der Genosse Kommandant vorbei, legt mir ein Hurenstück zu mir ins Bett. Nicht an meine Seite – dafür hätte ich ihm gedankt – nein, für Bataschew! Voller Rätsel ist das Leben.«

Abukow wußte auch keinen Rat zu geben. Was er da hörte, war ungeheuerlich genug, Mustai bestätigte es ihm. Dem Boxer war auf allerhöchsten merkwürdigen Befehl ein unerhörtes Weib auf die Matratze gelegt worden.

»Wir werden die Hintergründe bald erfahren«, tröstete Abukow den schlotternden Gribow. »Auch Bataschew muß einmal essen – dann meldet er sich.«

»Randvoll ist mein Kühlschrank!« schrie Gribow verzweifelt. »Selbst für einen Bataschew reicht's eine Woche!«

Nach der Abfahrt der Frauen wagte es Mustai, in Gribows Wohnung zu schleichen. Er kam vom Magazin herein, blieb lauschend stehen und kehrte dann um.

»Nun?« fragte Gribow, der draußen gewartet hatte.

»Nichts. Kein Laut . . .«, sagte Mustai erstaunt. »Nicht einen Hauch von Kampflärm . . .«

Abukow war in seine Theaterhalle zurückgekehrt und setzte sich auf der Bühne in das imponierende grüne Plüschsofa. Alle Lichter waren gelöscht bis auf eine trübe Lampe, die an einem Draht von der Decke herunterhing. Sie verbreitete gerade so viel Helligkeit, daß man die einzelnen Gegenstände erkennen konnte – die komplette, zusammengestohlene Wohnungseinrichtung eines gutbürgerlichen Zimmers.

Abukow lehnte sich zurück, schloß müde die Augen und überdachte den vergangenen Tag. Ein reicher Tag war es gewesen mit vielen kleinen Schritten zum Ziel, sein Kreuz in Sibirien aufzurichten. An Pjotr dachte er, den kleinen, schmächtigen Pater Pieter van Orbourgh aus dem holländischen Vlissingen, der sich zum Häftling machen ließ, um unter den lebenden Toten zu predigen. Wie unvorstellbar mühsam und schmerzhaft war das gewesen: tagsüber, zehn Stunden lang, die Arbeit in den Wäldern, an der Trasse der Erdgasleitung, in den Sümpfen, an den Flüssen und an den Seen – und abends heimlich die Gebete und Gottesdienste in einer Barackenecke, hinter dem Benzintonnenlager, am Holzplatz, in der Schreinerei; wenn es nicht anders ging, sogar auf der Latrine, wo man nebeneinander hockte, die Hosen über die Beine heruntergestreift.

Polewoi hatte ihm das erzählt, voll Ehrfurcht und Liebe zu dem toten Pjotr. Und Abukow war bei seinem letzten Besuch im Lager hinüber zu dem flachen Friedhof gegangen, den man aus dem Wald gehauen hatte und auf dem es kein Kreuz gab, keine Tafel – nur flache, kaum sichtbare Hügel, die andeuteten: Hier ruht endlich ein armer, geschundener, zerbrochener Mensch.

»Hier!« hatte Polewoi gesagt und auf eine Stelle gezeigt, die sich von den anderen nicht unterschied. »Hier liegt Pjotr. Gott sei ihm gnädig.«

Während Polewoi nach allen Seiten sicherte, hatte Abukow an diesem erbärmlichen Grab gebetet und gesagt: »Bruder Pjotr, gib mir nur einen Tropfen deiner Kraft, dann wird es gelingen. Nie werde ich sein können wie du, aber mein Bestes will ich geben, das sei versprochen. Gottes Wort wird auch hier in der Taiga niemals mehr verstummen . . .«

Da war jetzt plötzlich ein Laut irgendwo in dem Theatergebäude – Abukow schreckte hoch, richtete sich lauschend auf in dem Sofa, erhob sich und sah sich um. Weil das trübe Licht der einzelnen Birne, die von der Bühnendecke herabbaumelte, nicht weit reichte, konnte er kaum etwas erkennen. Dunkel lag die weite Halle mit den halbfertigen Sitzbänken und den herumliegenden zugeschnittenen Balken und Brettern.

»Ist da jemand?« rief er in das Halbdunkel hinein.

Er fuhr herum, denn ein neuer Laut kam aus der Gegend hinter seinem Rücken. Jetzt erschien neben Bataschews Küchenschrank Larissa Dawidowna und blieb nach zwei Schritten in dem mageren Lichtkreis stehen. Ihre Uniform trug sie, als wolle sie ausgehen. In stummer Abwehr vergrub Abukow beide Hände in den Hosentaschen.

»Victor!« sagte die Tschakowskaja leise. Ihre Stimme bemühte sich, fest zu bleiben, aber im Nachklang blieb doch ein Zittern. »Ich bin gekommen, um dich zu holen.«

»Wohin?« fragte Abukow knapp.

»Zu mir ... Soll ich auf die Knie fallen und um Verzeihung bitten?«

»Man kniet nur vor Gott.«

»Was soll ich tun, sag es mir doch! Schlag mich, wenn man damit alles wegwischen kann ... schlag mich, solange du willst ... oder soll ich aus deinem Leben für immer verschwinden? Ist es das, was du dir wünschst?«

»Geh zurück in dein Zimmer«, sagte er heiser. »Bitte!«

»Ein schneller Tod ist es, ein kurzer Schmerz, und du bist erlöst.« Es war jetzt fast ein Singen, wenn sie sprach. »Erlöst von mir ... Nur so ist es möglich, denn solange ich lebe, gehörst du mir. Was sonst könnte uns trennen, Victorenka? Du kannst nicht sagen: Geh weg! Du kannst dich nicht umdrehen und sagen: Es gibt dich nicht mehr! Du kannst nicht durch mich hindurchsehen wie durch Glas. Nur das vollkommene Ende gibt es für uns.«

Sie kam näher zu ihm, streckte den Arm nach ihm aus, aber berührte ihn nicht. »Sag mir: Ich liebe dich nicht. Geh weg, ich hasse dich. Sag mir: Dein Anblick ekelt mich. Nie habe ich dich geliebt, nur deinen Körper wollte ich ...«

»Sei still!« stöhnte Abukow auf und ballte die Fäuste. »Sei doch still!«

»Du liebst mich ...«

»Ja!« sagte er voller Qual. »Ja! Ja! Ja! Aber ich will es nicht!«

»Wir werden nie mehr sein wie früher, wir können nicht zurück«, sagte sie stockend. »Auch wenn wir voreinander fliehen wollen, laufen wir uns entgegen. Es gibt keinen Ausweg für solch eine Liebe. Victorenka ... es ist schon spät ... meine Tür ist offen.«

Er hörte, wie sie wegging. Ihre Stiefel knarrten über die Bühnenbretter. Er stand da, die Hände trotzig in den Taschen, und starrte in die Dunkelheit. Irgendwo im Finstern klappte eine Tür.

Nein! sagte Abukow hart zu sich. Nein!

Es war schon Mitternacht, als er mit gesenktem Kopf den Flur im Hospital hinunterging, die Klinke von Larissas Tür niederdrückte und die dunkle Wohnung betrat.

Sie wartete auf ihn, rückte eng an die Wand und machte ihm Platz in dem schmalen Bett.

Keine andere Wahl blieb Abukow, als erneut zu Jachjajew zu gehen. Er mußte ihm dafür danken, daß er für das Theater einen Pakken Schreibpapier aus seinem Büro zur Verfügung gestellt hatte. Der Anblick des Politkommissars jagte ihm Schauer über den Rücken. Er dachte an das ärztliche Protokoll, das genau beschrieb, wie die kleine Novella Dimitrowna zugerichtet worden war. Und er sah den Ingenieur Tscheljabin vor sich, blutüberströmt, mit eingeschlagener Hirnschale. Jachjajew aber, der Täter, lief herum, als scheine die Sonne ganz allein für ihn. Er saß oft in der ersten Reihe, wenn Abukow mit seinen Darstellern oder den anderen Helfern Besprechungen abhielt, und er war wirklich voller Enthusiasmus, als Abukow ihm sagte: »Wir haben uns endgültig entschlossen, die ›Lustige Witwe‹ zu spielen.«

Ein großes Problem gab es dabei: den Gottesdienst. Der Schriftsteller Arikin erbot sich schließlich, in die »Lustige Witwe« eine Kirchenszene hineinzuschreiben. Der Dirigent Nagijew wollte sie komponieren. Mit einem Walzer zum Abschluß als Alibi.

Schwierigkeiten gab es außerdem mit der Besetzung der Hauptrolle. Von der Gemeinde Abukows war keiner in der Lage, den eleganten Danilo Danilowitsch zu singen und zu spielen – sie waren alle entweder zu alt oder zu unbegabt. Bei den ersten ernsthaften Diskussionen stellte es sich im übrigen heraus, daß bis auf Arikin, den Schriftsteller, und – begrenzt – den Chirurgen Fomin alle anderen nur als Statisten in Frage kamen oder jedenfalls nur für kleine Rollen, in denen sie nicht mehr als ein paar Sätze zu sagen hatten. Im Chor waren sie dagegen brauchbar. Wenn sie gemeinsam sangen, kam immerhin ein einigermaßen vernünftiger Klang heraus, Solisten dagegen standen stotternd und voller Hemmungen herum. »Du siehst, Victor Juwanowitsch, es klappt nicht«, sagten sie, »laß uns lieber die Kulissen schieben und hinter der Bühne die Geräusche machen.«

Am Freitag war auch der künstlerische Berater – der ehemalige Architekt – überzeugt, daß Bataschews Küchenschrank aus polierter Birke ins Bühnenbild paßte, wenn man ihn ein wenig mit Stoff und Papierblumen dekorierte und ihm dadurch ein exotisches Aussehen verlieh. Die wirkliche Theaterarbeit konnte beginnen. In der kleinen Schneiderei wurde bereits an dem Bühnenvorhang genäht. Der Schmied Sakmatow, der am nächsten Montag nach Surgut fuhr, um Ersatzteile zu holen, hatte versprochen, für Seile zu sorgen, mit denen man den Vorhang auf- und zuziehen konnte. Die Elektriker bastelten an Bataschews geklautem Transportband und einem kleinen Elektromotor: ihr Ehrgeiz war es, den Vorhang maschinell aufziehen und fallen zu lassen.

»Jedes Provinztheater soll gelb vor Neid werden!« rief auch der Dirigent Nagijew begeistert. »Victor Juwanowitsch, ich verspreche es: Man wird glauben, ein großes Orchester sitzt da. So einige Ideen habe ich da – nein, verraten wird noch nichts!«

In der Kommandantur bereitete sich Rassim hinter verschlossener Tür auf den Boxkampf mit Bataschew vor. In kurzer Unterhose, seine gewaltigen Muskeln rollend, hüpfte er in seinem

Zimmer herum, übte Schattenboxen, schlug auf einen mit nassem Sand gefüllten Kartoffelsack ein, zerhieb zolldicke Bretter und ließ – unter Androhung einer Strafversetzung in die Eisregion des Kaps Deschnew, wenn nur ein Tönchen von alldem nach außen dringe – die stärksten Männer seiner Wachmannschaft einzeln zu sich kommen.

Arme Kerle waren das! Nach spätestens zwei Minuten lagen sie auf dem Rücken, mit offenem Mund und weit weg im Land der Träume, während Rassim wütend um sie herum stapfte und sie mit kaltem Wasser begoß. »Alles Milchbübchen!« schrie er dann die Erwachenden an und ekelte sich fast vor den Herumtaumelnden. »Sehen aus wie Bäume und können umgeblasen werden wie Strohhalme. Und so was nennt sich neue Generation!«

Er boxte dann wieder allein, schlug auf den sandgefüllten Kartoffelsack ein, bis er platzte. Am Abend, wenn die glühende Hitze nachließ und die Sonne rotgolden hinter den Baumwipfeln versank, lief er am Waldrand eine Stunde lang herum, meist in der Nähe des Friedhofes, weil dort am besten gerodet war. Dauerlauf, Schnellauf, Hüpfen – ohne Pause. Neben den Muskeln ist eine gute Lunge das Kapital eines Boxers.

Von Bataschew hörte man fast nichts. Gribow, der bei Nina Pawlowna auf einem Notbett schlief, weil Ninas Bett für seine Fülle zu eng war – vor allem, wenn sie neben ihm lag –, begriff nicht, wie ein Mensch ohne Unterbrechung Tag und Nacht auf einer Frau liegen konnte. »Zugegeben«, stöhnte er, »diese Axinja ist ein Weib – wenn die einen anblickt, fällt die Hose von selbst herunter. Aber kein Mensch, auch Bataschew nicht, ist eine Rammaschine. Luftholen muß er doch einmal!«

Unerklärlich war es vor allem, daß aus dem Inneren der verbotenen Wohnung kein Laut zu hören war. Nur einmal tauchte Bataschew auf, in Unterhemd und Hose, die Daumen zwischen die Hosenträger gehakt, stellte er sich in der Tür zum Depot auf und schrie den erschrockenen Gribow an:

»Durst! Kwaß und Wodka her!«

Dann warf er die Tür wieder zu. Gribow rannte sofort zu Mustai und fiel auf einen Stuhl. »Wie ein Ungeheuer sieht er aus«, stotterte er, »wie ein Moloch. Jetzt will er saufen.«

Man stellte ihm eine große Kanne Tee und eine Flasche Wodka vor die Tür, und Mustai stiftete einen Thermoskessel voll Marakuja-Limonade.

Am Freitagmorgen kam Abukow zu Rassim. Die Transportkolonne war abgefahren, und Abukow hatte eine offizielle Meldung mitgegeben, der Kühlwagen Nummer 11 rühre sich nicht und sei in Reparatur. Werkstattleiter Rakscha bestätigte als Fachmann diese mißliche Lage und schrieb darunter: »Voraussichtliche Reparaturdauer eine Woche. Unverbindlich. Das Getriebe ist so alt wie eine zahnlose Urgroßmutter.« Smerdow nahm diese Meldung gelassen hin – er hatte schon immer darauf gewartet, daß Abukow eines Tages zu ihm sagen würde: »Lieber Lew Konstantinowitsch, jetzt fahre ich den Mistwagen auf den Müll!« Ein Wunder, daß Abukow ihn immer wieder in Bewegung kriegte.

Rassim saß in knapper Turnhose hinter seinem Schreibtisch, ein Frottiertuch um seinen gewaltigen nackten Oberkörper. »Wie eine Schmeißfliege sind Sie, Abukow«, sagte er grob, »einfach lästig! – Was wollen Sie?«

»Der Spielplan des Theaters steht, Genosse Kommandant«, antwortete Abukow höflich. »Wir gehen in die Proben. Mit der ›Lustigen Witwe‹ beginnen wir. Ich brauche jetzt dringend die Frauen. Wenn Sie Oberst Kabulbekow bitten könnten – der Sonntag wäre der beste Tag. Dann sind auch die Noten abgeschrieben und die einzelnen Rollen.«

»Kommandant Kabulbekow kommt sowieso am Sonntag«, erwiderte Rassim und zog das Frottier enger um seinen Oberkörper. »Ich teile ihm Ihren Wunsch mit.« Er beugte sich vor, und sein Blick wurde forschend: »Was haben Sie von Bataschew gehört?«

»Nichts. Wir machen uns Sorgen.«

»Nicht nötig!« Rassim lachte dröhnend. »Alles hat seinen Sinn.«

An diesem Tag wurde auch das Problem gelöst, mit wem man die Rolle des Danilo besetzen sollte. Von Dshuban Kasbekowitsch kam der Vorschlag, den Häftling Taschbai Valerianowitsch Aidarow zu nehmen. Block VII. Er sei jung, schlank, habe eine gute Stimme und könne tanzen.

»Und ist heiß wie ein Bügeleisen!« sagte Polewoi, als Abukow ihm den Vorschlag nannte. »Kann's anders sein, wenn Owanessjan ihn vorschlägt? Ein Kirgise ist er. Zehn Jahre Strafe bekam er wegen Falschbuchungen in einer Sowchose für Schafzucht. Soll Tausende von Fellen verschoben haben.« Polewoi nickte. »Vom Typ her könnte er den Danilo singen. Ein intelligentes Kerlchen – aber ein Mohammedaner! Ihm fiele sofort unser Gottesdienst auf der Bühne auf.«

»Wir werden Mustai mit ihm sprechen lassen«, schlug Abukow vor. »Wo ist Aidarow eingesetzt?«

»Bei den Holzfällern, glaube ich. Um in den Innendienst zu kommen, wird er alles tun.«

»Er wird für Unsicherheit sorgen«, sagte Polewoi nachdenklich. »Erklären müßte man ihm, daß noch niemand einen Sturz in den Latrinengraben überlebt hat – ein schrecklicher Unfall! Bisher sind drei Verräter in der Kloake ertrunken.«

Abukow preßte die Lippen zusammen, sah den weißhaarigen Professor der Kybernetik betroffen an und ging davon. Schwer war es, sich an diese eigenen Gesetze des Lagers zu gewöhnen. Nie werde ich das können, dachte er. Nie! Mein Gott, was kann aus Menschen in Not werden.

Am Sonntagmorgen fuhr wieder der Lastwagen mit den Frauen ins Lager 451/1. Vorweg Oberst Kabulbekow in seinem offenen Jeep, der aus den amerikanischen Hilfslieferungen für den Großen Vaterländischen Krieg stammte und immer noch das gröbste Gelände bezwang, als sei der Motor unsterblich.

Rassim hatte sein hartes Training abgeschlossen und fühlte sich in der Kraft, einen Bullen mit der bloßen Faust zu erschlagen. Am Samstagabend hatte er vier Steaks gegessen, überbraten mit zehn Eiern, dazu Salat mit viel Sahne und vor dem Einschlafen noch ein Pfund geschabtes rohes Fleisch, das ihm Nina Pawlowna herüberbrachte.

Am Sonntag erschien auch Bataschew, küßte den überraschten Gribow auf die breite Stirn und sagte zufrieden: »Lew Konstantinowitsch, versprich mir – zum Mittagessen bekomme ich ein halbes Rind!« Dann dehnte er sich, ließ seine Muskeln knacken und ging zurück zu Axinja Iwanowna, die im Wohnzimmer saß in ihrem kurzen blauen Kleidchen aus gefärbten Bettlaken und durchaus nicht so aussah, als habe sie tage- und nächtelang ein Mammut auf sich getragen.

Gribow rannte sofort zu Mustai: »Bataschew ist wieder da!« schrie er. »Gewaltiger als vorher. Ein wahres Wunder ist dieser Mensch. Bei diesem Weibsstück müßte ich jetzt künstlich ernährt werden. An einen Tropf müßte ich. Unbegreiflich, wie er das geschafft hat!«

Abukow ließ es sich nicht nehmen, Bataschew zu besuchen. Er fand ihn in der Küche von Gribow, wo er sich gerade eine Pfanne voll Eiern braten wollte. Neben ihm stand Axinja wie eine brave Hausfrau, schnitt Brot ab und kochte einen starken Kaffee.

»Nur wegen der Möbel ist es«, sagte Bataschew, als Abukow ihm winkte und dann allein mit ihm im Wohnzimmer war. »Victor Juwanowitsch, gegen zwei Uhr mittags gehören sie endgültig uns. Versprechen kann ich das.«

»Ich verstehe überhaupt nichts«, sagte Abukow und setzte sich auf Gribows Sofa.

»Das ist schnell erklärt. Rassim will die Möbel beschlagnahmen, wenn ich heute den zweiten Boxkampf mit ihm verliere. Ist doch der größte Halunke unter der Sonne, der liebe Rassul Sulejmanowitsch. Schiebt mir Axinja ins Bett, um mir die Kraft wegzubürsten. Aber was tut das süße Mädchen? Erzählt mir alles, ich tröste sie mit Maßen – und dann habe ich drei Tage lang gefressen und trainiert, daß die Funken stoben. In bester Form bin ich! Wenn man mich jetzt nach Amerika ließe – ich fege alle Ringe leer! Mein lieber Freund, unser Theater tastet keiner an, auch Rassim nicht!«

Er drückte Abukow an sich, ging in die Küche und kümmerte sich wieder um seine Pfanne. Dabei sang er, und es hörte sich an, als brülle eine Herde Rinder.

Abukow ging sehr zufrieden aus Gribows Wohnung weg. Draußen traf er Mustai und Gribow, die auf ihn warteten.

»Nun?« rief Gribow und wühlte in seinem Haar. »Was ist zu berichten?«

»Es wird ein schöner Tag werden, dieser Sonntag«, sagte Abukow und lächelte. »Ein sehr schöner Tag, liebe Freunde . . .«

Eine halbe Stunde später fanden sich alle auf der Bühne ein, die bei der »Lustigen Witwe« mitwirken sollten. Kabulbekow hatte Rassim und Abukow überrascht: Nicht neunzehn Mädchen des Frauenlagers kletterten aus dem Wagen, sondern dreißig.

»Die Musikerinnen habe ich auch mitgebracht«, sagte Kabulbekow. »Staunen werden Sie, Victor Juwanowitsch. Ein ganzes Flötenorchester. Haben sich die Instrumente selbst geschnitzt, schon seit Monaten. Haben heimlich im Lager musiziert, und erst jetzt erfahre ich das! Bin ich ein Unmensch? Sofort habe ich mir vorspielen lassen – Abukow, ich gestehe Ihnen als Freund: Mir gluckerte das Wasser in den Augen. Bach haben sie gespielt. Bach! Auf neun selbstgeschnitzten Holzflöten! Das müssen Sie sich anhören.«

Nun saß Kabulbekow vor der Bühne in der ersten Bankreihe – von den Schreinern waren bisher zwölf Reihen fertiggestellt worden, und jeden Abend schleppten die heimkehrenden Arbeitsbrigaden neue große Holzstücke und Stammstücke an, die in der Schreinerei zerschnitten und verleimt wurden – und sah den Diskussionen um die Rollenverteilung zu. Der Dirigent Nagijew saß mit seiner handgeschriebenen Partitur in einer Ecke, hatte sein »Orchester« um sich versammelt und war begeistert von den neun Flötistinnen, die ihm die zarte Lilit Karapjetjan vorstellte. Auch Taschbai, der den Danilo singen sollte, tänzelte auf der Bühne herum, stieß einige Tenorlaute aus, die seine schöne Stimme bestätigten, aber etwas Niederschmetterndes hatte Abukow von Nagijew erfahren: Taschbai hatte keine Ahnung von Noten. Alles, was er singen konnte, sang er nach Gehör. Man mußte ihm also die gesamte Rolle des Danilo Ton für Ton vorspielen und Takt für Takt einrichten. Eine Aufgabe war das – wenn Nagijew nur daran dachte, bekam er eine Gänsehaut. Kabulbekow machte es sich gemütlich. Mustai servierte ihm Limonade, und Gribow kam mit einem Sonntagskuchen von Nina Pawlowna, einem Smetanik (mit Kirschkonfitüre gefüllter Mürbeteig).

Selbst Jachjajew erschien in der Halle und setzte sich neben Kabulbekow.

»Jetzt geht es richtig los!« sagte er erfreut und rieb sich die Hände. »Wenn man nicht daran denkt, daß wir für den Abschaum der sozialistischen Gesellschaft Theater spielen, kann man sich wirklich begeistern. Ein großes Werk am falschen Fleck, aber die oberen Genossen gefallen sich neuerdings in Humanität. Den Erfolg werden wir sehen. Erziehung und Stärkung der Arbeitskraft durch Kunst – was halten Sie davon, Genosse Oberst?«

Kabulbekow nickte, kaute an einem Stück Kuchen und antwortete dann: »Auf keinen Fall kann es schaden, und das ist heutzutage schon was wert!« Er streckte die Beine von sich und sah mit Wohlgefallen, wie der Dirigent Nagijew seine Flötendamen zur Hörprobe plazierte. »Gleich halten Sie die Luft an, Mikola Victorowitsch: Meine Weiber blasen Bach! – Ist Rassim krank?«

»Nein? Wieso?« Jachjajew glotzte ihn fischäugig an.

»Hat mich begrüßt wie einen vorübergehenden Spaziergänger und zum Mittagessen eingeladen. Ende! Hat mich auf dem Platz stehenlassen. Ihn bedrückt irgendwas . . .«

Jachjajew hob ratlos die Schultern, schüttelte den Kopf und musterte interessiert die Mädchen auf der Bühne. Das Flötenorchester hatte inzwischen zu spielen begonnen – nicht Bach, sondern einen Volkstanz aus Grusinien. Es war wirklich ein schöner Klang. Jachjajew lächelte breit. Sein Blick fiel auf Dschamila Dimitrowna Usmanowa, die ehemalige Hure mit ihren flammendroten Haaren, und er sagte sich, daß solch ein Weib es wert sei, Novella zu vergessen. Bei ihr würde es bestimmt keinen Widerstand geben – glücklich würde sie vielmehr sein, wenn der gefürchtete Kommissar des KGB sich um ihr leibliches Wohl verdient machte.

Alle, die auf der Bühne beschäftigt waren, lauschten jetzt ebenfalls dem Spiel des Holzflötenorchesters. Der Bäcker Tschalup weinte wieder still in sich hinein, seine Frau stammte aus Grusinien.

Von ihr und den drei Kindern hatte er nichts wieder gehört seit seiner Verurteilung. Keine Post für Tschalup, hieß es bei jeder Postausgabe – seit drei Jahren.

Abukow blickte verstohlen auf seine Uhr. Noch fünfzehn Minuten, dachte er, dann beginnt der Boxkampf Bataschew gegen Rassim.

Rassim stand am Fenster und sah mit klopfendem Herzen, wie Bataschew aus der Tür von Gribows Wohnung trat. Daß er dieses Herzklopfen nicht unterdrücken konnte, steigerte seinen Zorn noch mehr. Er war bereits in Turnhose, hatte die Boxhandschuhe umgeschnallt und sich muskelwarm gehüpft.

Bataschew ließ sich Zeit. Betont langsam kam er über den großen Platz.

Ein bißchen schwankend geht er, dachte Rassim mit Wohlgefallen. Müdigkeit steckt in seinen Knochen. Sieht aus, als wenn er die Arme mühsam hochbekommt. Wie schwer er geht, breitbeinig – hoho, wird da alles geschwollen sein! Braves Mädchen Axinja!

Er trat vom Fenster zurück, boxte noch einmal in die Luft, schlug pfeifende Haken und setzte sich dann vor seinen Schreibtisch. Als es klopfte, schrie er: »Nur herein, du Mißgeburt!« und scharrte mit den Füßen, während Bataschew wortlos ins Zimmer kam und hinter sich die Tür schloß. »Wie fühlt man sich?« brüllte Rassim.

»Wie ein junger Bulle vor der ersten Kuh«, sagte Bataschew. »Versuchen Sie keine üblen Tricks, Genosse Rassim: Die Handschuhe aus! Nach den Regeln werden sie erst im Ring umgebunden.«

Rassim sprang wütend auf. »Unterstellst du mir, ich hätte Eisen im Handschuh?« schrie er.

»Es ist die Regel.« Er zog sich aus, und Rassim konnte nicht umhin, diese Muskeln zu bewundern. Bataschew ging zu einem Tisch, holte dort die bereitliegenden Bandagen und wickelte sie um seine Finger. Dann trat er an Rassim heran und zeigte ihm die deckelgroßen Hände. »Alles korrekt! Ein ehrlicher Mensch bin ich.«

Rassim zögerte. Die Handschuhe hatte ihm einer seiner Trainingspartner umgebunden und war dann aus dem Zimmer hinausgeflogen. Ihn wieder zu rufen, das bedeutete, einen Zeugen zu holen.

»Mein Ehrenwort als Offizier«, knurrte er. »Alles ist einwandfrei.«

Bataschew grunzte etwas Unverständliches, fuhr in die Handschuhe, nahm beim Verschnüren die Zähne zu Hilfe und stopfte die Schnurenden knotenlos in die Handschuhe. »So wird's auch gehen«, sagte er und boxte in die Luft. »Ist ja nur für ein paar Minuten . . .«

»Sorge habe ich! Mein schönes Zimmer!« Rassim grinste böse. »Voll Blut wird alles sein nachher, und dein Hirn wird an der Wand kleben. Nur wenig ist's ja, aber es beschmutzt doch arg . . .«

»Warum reden wir?« fragte Bataschew und hüpfte auf der Stelle. Geradezu spielerisch sah es aus. »Die Zeit drängt, Genosse Kommandant. In Ninas Ofen brutzelt ein dicker Rinderbraten, da will ich so schnell wie möglich hin! – Geht's nach drei Runden?«

»Nein! Ohne Zeitunterbrechung. So lange, bis einer umfällt.« Rassim trat einen Schritt zurück und nahm die Deckung hoch. »Wer gibt das Zeichen?«

»Ich.« Bataschew rollte mit den Oberarmen. »Gong!«

Wie ein Stier stürzte Rassim vor und genau in die herausschnellende Rechte Bataschews. Ein klatschender Laut war es, mit nichts vergleichbar, und Bataschew sagte höflich: »Verzeihung . . .«

Seien wir nicht neugierig auf Einzelheiten – wer will sie so wichtig nehmen? Nach knapp zwanzig Minuten jedenfalls kam Bataschew wieder aus der Kommandantur heraus, angezogen und unbeschädigt, schlenderte hinüber zur Autowerkstatt, betrat den Theatersaal und sagte zu dem ihm entgegenstarrenden Abukow:

»Das Bühnenbild ist gerettet. Unsere Möbel faßt keiner mehr an. Kein Jubel, Victor Juwanowitsch – das war doch selbstverständlich unter Freunden. Wie ich mich auf den Braten freue! Eine Preiselbeersoße will Nina Pawlowna dazu machen . . .«

Er verließ das Theater wieder, erschien bei Gribow in der Wohnung, gab der zitternden Axinja einen Kuß und setzte sich an den Tisch.

»Was ist mit Rassim?« stotterte Gribow und erbleichte. »Lebt er noch?«

»Welche Frage!« Bataschew schnupperte in Richtung Küche. Köstlich roch es da. »Werde mich hüten, einen Oberstleutnant der Roten Armee zu erschlagen. Wir brauchen ihn noch.«

Um zwei Uhr, beim verabredeten Mittagessen, erlebte Kabulbekow einen wortkargen, ja geradezu stillen Rassim, der äußerst vorsichtig das Fleisch kaute und mit Wein seine Lippen kühlte.

Sechs Wochen lang probte man die »Lustige Witwe«. Eine anstrengende, aufreibende Arbeit war das, bei der Abukow nur dann helfen konnte, wenn er wieder mit seinem »reparierten« Kühlwagen Nummer 11 im Lager erschien. Einen Urlaub hatte man ihm abgeschlagen: Bevor die Regenperiode begann und damit der Kampf gegen den Schlamm, bevor das Land aufweichte und dann – fast über Nacht – vereiste, mußten die Depots der vielen Baustellen gefüllt werden. Abukow war kreuz und quer unterwegs, aber wenn er im Lager 451/1 erschien, sah er mit Freude, wie groß die Fortschritte waren. Er hielt dann seine Gottesdienste ab, und er konnte es ohne Angst, denn Schriftsteller Arikin und

Dirigent Nagijew hatten in die »Lustige Witwe« die verabredete Kirchenszene hineingeschrieben und komponiert, die mit ein wenig Glück auch bei Rassim keinen Verdacht wecken würde. Der getanzte Walzer am Ende des Gottesdienstes sollte jeden Zweifel überdecken.

Taschbai Valerianowitsch Aidarow hatte es geschafft – er sang einen hinreißenden Danilo Danilowitsch. Margarita Nikolajewna Susatkaja war eine herrliche Hanna Glawari, wenn sie »Ich bin eine anständige Frau . . .« anstimmte.

Was Nagijew als Dirigent aus den Sängern herausholte, war bewundernswert, und die Leistung des Orchesters erschien geradezu unbegreiflich: Mit zwei Geigen, einer Trompete, einer Handharmonika, neun Holzflöten, einer Trommel aus Blech, einer Pauke aus Benzintonnen, Tschinellen aus zwei Topfdeckeln, die Nina aus der Küche gestiftet hatte, einer Triangel aus Eisenstäben, die der Schmied Sakmatow konstruiert hatte, und vier handgefertigten, mit Elektrodrähten bespannten Balalaikas sowie einem von dem Bildhauer aus Block II hergestellten Cello, das mit Katzendärmen zum Klingen kam (in Morosows Baudorf trauerte man seit Wochen um zwei entlaufene Katzen) – mit diesem Wunder an Improvisation erwies sich wieder einmal die größte Stärke der Russen: Mit einer Handvoll leben können wie ein Bojar.

Der Vorhang war genäht und hing und ließ sich elektrisch bewegen. Kulissen und Versatzstücke waren gemalt. Von der Schneiderei im Frauenlager hörte man, daß die Kostüme noch in dieser Woche geliefert würden. Bataschew erschien noch zweimal mit dem Siebentonner der Witwe Grigorjewa und brachte neue Möbel, denn vor Einbruch des Winters zogen jetzt viele Familien um, und so ein Rangierbahnhof ist ja eine wahre Fundgrube – vor allem für einen Kerl mit der besonderen Moral eines Bataschew. Die Halle war mit Bänken vollgestellt, man hatte sogar die verölten Wände gestrichen. Nur mit der Beleuchtung klappte es noch nicht so richtig, für die Bühne fehlten ein paar Scheinwerfer. Aber auch dafür sorgte schließlich der gute Bataschew. In einer Nacht montierte er aus neuen Traktoren, die mit einem Transport gekommen waren, vier Scheinwerfer ab, schickte sie mit einer Kartoffellieferung ins Lager und meldete dann die Sauerei seinem Vorgesetzten im Güterbahnhof: »Was sind das bloß für Menschen!« schrie er aufgebracht. »Zerstören Staatseigentum, demolieren fleißige Arbeit! Genossen, blickt weg, wenn ich solch einen Lumpen in die Hände bekomme!«

In Anerkennung seiner sozialistischen Gesinnung erhielt Bataschew wenig später ein schriftliches Lob von der Zentralverwaltung in Swerdlowsk. Er ließ es fotokopieren und schickte es Rassim mit der Post. Von Morosow hörte man wenig, von Novella Dimitrowna gar nichts. Nur soviel war bekannt, daß Novella noch im Baudorf lebte, brav ihren Dienst als Sekretärin Morosows versah und nie mehr nach Surgut gefahren war. Sie blieb in ihrem Holzhaus, besuchte ab und zu das Kino in der Dorf-Stolowaja und hörte sonst nur Radio. Die Lagerärztin des Frauenlagers, die ernste, mürrische Velta Valerianowna Ratnowa, hatte sie zweimal hinter verhängten Fenstern untersucht und ihr beidemal Trost geben können: Nein, sie war nicht schwanger. Es würde kein Kind der Gewalt geben. Vielleicht war auch das ein Grund, warum Novella Dimitrowna nicht ihr Versetzungsgesuch reklamierte, auf das sie keine Antwort erhalten hatte und das anscheinend bei den Behörden verschwunden war unter den vielen kursierenden Formularen.

In der siebten Probenwoche der »Lustigen Witwe«, die mit einer Lebensmittel-Lieferung aus Surgut zusammenfiel und Abukow wieder ins Lager führte, sagte die Tschakowskaja zu Abukow, nachdem er gebadet und sich umgezogen hatte: »Hast du Jachjajew in Surgut getroffen, Victorenka?«

»Nein. Wollte er mich besuchen? Etwas Wichtiges?«

»Wer weiß es? Seit zwei Tagen ist er verschwunden.«

»Und in Surgut soll er sein?«

»Man denkt es sich.« Die Tschakowskaja setzte sich zu Abukow. In ihrem langen, seidenen, kaftanähnlichen, goldbestickten usbekischen Gewand sah sie aus, wie einem exotischen geheimnisvollen Bild entstiegen. »Ein Mann wie Jachjajew meldet sich nicht ab oder sagt, wohin er fährt. Den kleinen braunen Wagen hat er genommen. Rassim hat schon herumgehört: Im Frauenlager war er nicht. Morosow hat ihn nicht gesehen. Beim KGB in Surgut hat man auch keine Ahnung.«

»Nach Tjumen kann er geflogen sein, von Surgut aus. Oder nach Swerdlowsk.«

Bald schon hatte Abukow das merkwürdige Verhalten Jachjajews vergessen. Das altvertraute Zeremoniell begann: Die Transportlisten wurden mit Gribow abgestimmt, die »Umverteilung« berechnet, der Kühlwagen abgeladen. Mustai holte Abukows Anteil ab, lagerte ihn in seiner Limonadenbrauerei und gab ihn am Abend an Arikin, Tschalup und die anderen Vertrauensleute der Sträflinge weiter, die wie immer die Köstlichkeiten ins Lager schmuggelten. Sogar der kriminelle Schimanskow war dabei. Nachdem Jachjajew ihn zweimal geohrfeigt hatte, weil er ihn an sein Versprechen erinnerte, ein gutes Wort bei der Hauptverwaltung des GULAG einzulegen, schwor er sich, nie wieder den Zuträger für

Jachjajew zu spielen und den Versprechungen des KGB zu trauen. Er wurde einer der schnellsten, raffiniertesten und eifrigsten Schmuggler von Lebensmitteln ins Lager.

Bei den Theaterproben an diesem Donnerstag wurden zum erstenmal die inzwischen fertiggestellten Kostüme begutachtet – festliche Abendroben aus Bettbezügen, Decken, Handtüchern und Bettlaken, in der Wäscherei gefärbt, mit Papierblumen und Rüschen aus Papier besetzt. Taschbai trug einen roten Frack so elegant, als habe er nie etwas anderes angezogen.

Das Orchester war noch bereichert worden durch zwei selbstgebaute Balalaikas und ein Wunderinstrument, das der Schlosser und Eisendreher Igor Kurakin entworfen und aus Ofenröhren, dickem Draht und selbstgedrehten Stahlstiften gebaut hatte: eine Art Baßtuba, die – wenn sie loslegte – einen urweltlichen Ton von sich gab und jedesmal zu einem Ereignis wurde.

»Bis zum Winter haben wir noch einige neue Instrumente zusammen«, sagte Nagijew, der Dirigent. »Kurakin hat eine Menge Zeichnungen gemacht. Ein Genie ist er! Erfindet Instrumente, die es bisher noch gar nicht gab. Unser Theater wird die Musikszene revolutionieren.«

Am Freitagmorgen hämmerte es grob gegen Larissas Wohnungstür. Noch sehr früh war es. Die Tschakowskaja ging verschlafen zur Tür. »Brennt das Lager?« Rassims tiefe Stimme dröhnte durch das Holz:

»Schlimmer! Kommen Sie heraus, Larissa Dawidowna! Ich warte vor dem Haus. Sofort!«

In größter Eile zog sie sich an und sah dann draußen Rassim schon ungeduldig neben seinem Geländewagen hin- und herstapfen. Von Mustais Wohnung eilte auch Abukow herbei. Leutnant Sotow, finster wie immer, das Gesicht jetzt eher noch verkniffener, saß hinter dem Steuer und bedachte die Tschakowskaja und Abukow mit einem bösen Blick. Rassims Gesicht war unnatürlich gerötet.

»Steigt ein!« sagte er mit einer ihm völlig fremden, gedrückten Stimme. »Eine kleine Fahrt machen wir.«

Die Tschakowskaja zögerte und blieb vor dem Wagen stehen. »Man darf doch wohl um eine Erklärung bitten?« sagte sie abweisend. »In einer Stunde ist die Selektion.«

»Owanessjan wird sie übernehmen!« Rassim schwang sich neben Sotow auf den Sitz. Und als Larissa und Abukow hinter ihm auf den harten kunstledergepolsterten Sitzen hockten und Sotow davonschoß mit einem rasanten Start, als ginge es in ein Rennen, fügte der Kommandant hinzu: »Kabulbekow hat vorhin angerufen. Sagte zwei Sätze und begann dann vor Entsetzen und innerer

Erregung zu kotzen. Genügt das? Ich hoffe nur, Sie haben stärkere Nerven!«

Damit war das Gespräch beendet. Larissa fragte zwar noch viermal, was der Sinn der Fahrt sei, aber Rassim schwieg verbissen. Erstaunt bemerkten sie, daß Sotow nicht zum Frauenlager fuhr, vielmehr abbog in Richtung Erdgas-Trasse, aber dann auch dort nicht hinsteuerte, sondern einen Waldweg nahm. Noch größer war ihre Verblüffung, als sie mit einem Kahlschlag, wo kreuz und quer gefällte Stämme lagen und riesige Haufen abgehauener Äste, vier Militärfahrzeuge sahen, einige Offiziere und Soldaten – und vor allem Kabulbekow, der ihnen mit schwerem Schritt entgegenkam, als Sotow anhielt.

Die Tschakowskaja sprang als erste auf den zerwühlten Boden. »Was ist mit Ihnen?« rief sie. »Warum laufen Sie hier herum, wenn Sie krank sind . . .?«

Kabulbekow blickte Rassim an: »Sie haben nichts erklärt, Rassul Sulejmanowitsch?«

»Sie soll es sehen . . .«, sagte Rassim schwer atmend.

Kabulbekow zögerte, hakte sich dann bei Larissa unter und warf einen Blick auf Abukow, der an seine andere Seite trat. Leutnant Sotow blieb im Wagen sitzen. »Es gibt keinen Grund, sich zu schämen«, sagte er mit schwerer Zunge. »Ich habe gekotzt. Tun Sie es auch, Larissa Dawidowna, es befreit.«

Nun sahen sie auch Chefingenieur Morosow in der Gruppe Menschen stehen, und plötzlich ahnten sie, daß etwas Ungeheures, etwas Unsagbares geschehen sein mußte. Er kam auf sie zu, gab Larissa die Hand, sah Abukow mit einem langen Blick an.

»Man kann es nicht begreifen«, sagte er stockend. »Hier versagt der Verstand.«

Sie gingen zu der Menschenansammlung, die Offiziere machten Platz, und durch diese Gasse kamen sie zu einem Reisigstapel. Davor lag, mit einer grauen Militärdecke gnädig verhüllt, eine menschliche Gestalt. Nur die Schuhe sah man – elegante, schwarze Halbschuhe, jetzt mit Lehm und Staub überzogen.

Oberst Kabulbekow zögerte erneut, aber Rassim kam ihm zuvor. Er bückte sich schnell und riß mit einem Ruck die Decke weg.

Der Anblick war wirklich grauenhaft. Da lag Jachjajew, nackt bis auf Socken und Schuhe, die Brust mit mehreren Messerstichen durchbohrt, und das Messer, ein breitklingiges Messer, wie man es in den Großküchen zum Durchtrennen großer Fleischstücke benutzt, stak bis zum Griffansatz tief in Jachjajews Herz. Aber nicht das war es, was das Entsetzen in den Magen trieb: Jachjajew war entmannt worden . . .

Rassim schluckte und warf einen Blick auf die Tschakowskaja. Sie stand zwischen Kabulbekow und Abukow, von beiden untergehakt, aber sie erbrach sich nicht. Mit starren Augen nahm sie dieses entsetzliche Bild auf. Welch ein hartes Luder, dachte Rassim fast ehrfurchtsvoll. Was muß noch kommen, um sie aus der Fassung zu bringen? Er selbst, das gab er sich zu, spürte ein dumpfes Gefühl in seinem Magen.

Morosow machte der grausamen Minute ein Ende; er breitete die Decke wieder über Jachjajews Körper.

»Wer . . .?« fragte Abukow in die Stille hinein. Er fragte es, obwohl er die schreckliche Wahrheit fast wußte.

»Dort . . . zwanzig Schritte weiter im Wald, hat sie sich an einem Ast erhängt«, sagte Morosow mit leerer Stimme. »Der Wahnsinn muß sie überkommen haben, als sie sich hier mit Jachjajew traf. Kann man's anders erklären? Nur so ist es verständlich, wo Novella die Kraft hernahm, sich so unmenschlich zu rächen.«

Morosow wandte sich ab, ging zur Seite, schlug beide Hände vor sein Gesicht und weinte. Abukow folgte ihm, nachdem er Kabulbekow mit einem kurzen Blick gebeten hatte, bei Larissa zu bleiben.

»Wladimir Alexejewitsch«, sagte er leise und legte den Arm um den schluchzenden Morosow. »Sie haben Novella Dimitrowna geliebt . . .«

»Ja.« Morosow nickte. »Aber es war ganz allein mein Geheimnis. Sie hat es nie gemerkt. Wie konnte sie zu so etwas fähig sein!«

»Nur Gott kann in die Seele eines Menschen blicken.« Abukow drückte den weinenden Morosow an sich wie ein trostsuchendes Kind. »Ich werde hinüberkommen und sie begraben und für sie beten . . . und für Jachjajew auch. War er nicht ebenfalls ein Mensch und ein Geschöpf Gottes? Um Gnade werde ich bitten . . .«

»Ist das ein Trost?« schluchzte Morosow.

»Nein, aber noch schlimmer wäre der Schmerz ohne den Glauben.«

14

Mit allen militärischen Ehren, mit Fahnen und Salutschüssen wurde Jachjajew in einem Heldengrab auf dem Friedhof von Surgut beigesetzt. Die Tichonowa hingegen erhielt nur eine einfache Grabstelle am Rand des Baudorfes. Ein Hügel, der – das konnte man absehen – verwittern und vergehen würde und von dem nichts übrigblieb, wenn die Erdgasleitung erst einmal gebaut war und das Baudorf wieder abgerissen wurde.

Wie in Rußland üblich, wurde der karge Fichtensarg mit Novella offen bis zum Grab getragen. Fast dreihundert Menschen folgten ihm. Für diesen Vormittag ruhte alle Arbeit an der Trasse, und jeder, der abkömmlich war, vom Chefingenieur bis zum einfachsten Rohrschweißer, zog hinter den Trägern hinaus zur Grabstelle. So friedlich, unirdisch schön mit ihrem schmalen, bleichen Gesicht sah Novella aus, als habe der Tod für sie eine erträumte Erlösung dargestellt. In einem ihrer bunten Kleidchen lag sie da, die hellbraunen, kupfern schimmernden Haare gelockt und mit einer roten Rose verziert. Und jeder, der sie anblickte, erschrak ein wenig, denn auf ihren Lippen schien ein Lächeln zu sein, als nehme sie ein stilles, eigenes Glück mit hinüber in die Ewigkeit.

Morosow sah sie noch einmal lange an und ließ dann den Sarg schließen. Als er an Seilen in die Grube glitt, hinein in den Dauerfrostboden, aus dem man mit Preßhammern das Grab herausgeschlagen hatte, stützte Morosow sich auf Abukows Schultern und war starr in seinem Schmerz. Erst bei der ersten Schaufel Erde, die hohl auf den Sargdeckel fiel, zuckte er heftig zusammen, als begreife er nun voll die Endgültigkeit der Trennung.

Am Abend gingen Abukow und Morosow noch einmal allein zum Grab. Nun erst konnte Abukow seine Gebete sprechen, die Tote aussegnen und Gott anflehen, trotz allem, was geschehen war, seine Gnade der kleinen Novella nicht zu versagen. Auch Morosow betete, ganz in sich gekehrt, und sagte dann zu Abukow, als sie langsam wieder zum Dorf gingen:

»Es ist gut, daß Sie bei uns sind, Victor Juwanowitsch. Wir brauchen hier wirklich einen Priester – selbst so einen, wie Sie es sind. Nur schwer begreifen konnte ich Sie in den vergangenen Wochen, jetzt erkenne ich Ihr verdammt schweres Amt. Man hört und liest so viel von den jungen progressiven Priestern in Mittel- und Südamerika, die sich einen Teufel um Dogmen und römische Kurienanweisungen kümmern und nur für das hungernde, ausgebeutete Volk da sind – wenn nötig gegen die Regierungen und auch gegen eine staatliche Ordnung. Auch Sie gehören dazu.«

»Nein!« sagte Abukow fest.

»Nicht?« Morosow blieb stehen.

»Ich würde nie mit der Waffe in der Hand an der Spitze einer revolutionären Truppe stehen und für Freiheit und Glauben töten. Nie! Im Gegenteil: Ich predige gegen die Gewalt. Mein Kreuz in Sibirien soll ein Zufluchtsort sein, kein Versammlungspunkt für Umstürzler. Gottes Wort ist die Liebe, nicht die Gewalt.«

»Theorie, Pater! Mit dem Weihrauchkessel verjagen Sie keinen Bolschewismus.«

»Kleingläubig sind Sie, mein lieber Morosow. Sie haben kein Vertrauen. Die Kirche besteht seit fast zweitausend Jahren, jede Ideologie hat sie bisher überlebt. Und das wird sich nicht ändern. Den Samen, den wir ausstreuen . . . die Stecklinge, die wir setzen . . . einmal wird daraus ein Wald werden . . .«

». . . den eine andere Ideologie dann wieder abholzt!«

»Menschenwerk ist flüchtig – aber Gottes Auftrag erlischt nie, wird nie vollendet, wird immer gegenwärtig sein. Erst ein Ende der Menschheit könnte diesen Auftrag beenden.«

»Dafür wird die Atombombe sorgen«, sagte Morosow sarkastisch. Er war inzwischen mit Abukow wieder bei den Häusern angekommen. Beide tranken sie in Morosows Wohnung noch eine Flasche Wein und aßen etwas kaltes Fleisch. Dann fuhr Abukow auf dem grünlackierten, uralten Motorrad, das Mustai ihm geliehen hatte, ins Lager zurück.

Spät in der Nacht besuchte ihn Polewoi. »Die Gemeinde wächst«, berichtete er und setzte sich. »Vierzehn Gläubige möchten neu aufgenommen werden. Alles Getaufte. Erst jetzt haben sie erfahren, daß wir eine Kirche haben.« Beruhigend nickte er, als er Abukows fragenden Blick auffing: »Sie gehören zu den Treuen und Schweigsamen. Lange haben wir sie beobachtet und geprüft, bis wir ihnen unser Vertrauen schenkten. Bei der nächsten Theaterprobe werden sie als Statisten auf der Bühne stehen und sich dir vorstellen.«

»Es ist gut, daß du gekommen bist, Georgi Wadimowitsch«, sagte Abukow. Gerade nach Novellas Tod hatte er lange über sich selbst nachgedacht. »Du bist der einzige, mit dem ich darüber sprechen kann. Ich habe mich entschlossen, meine Arbeit als Lastwagenfahrer aufzugeben.«

»Den Kühlwagen willst du aufgeben?« rief Polewoi geradezu entsetzt.

»Ja.«

»Und was willst du tun? Nur noch Theater spielen?«

»Ich werde versuchen, einen Posten im Lager zu bekommen. Ich will bei euch sein, bei meiner Gemeinde, Tag und Nacht, wie es Pjotr war. Immer nur ein oder zwei Tage, und das im Monat vielleicht zweimal – im Winter sicherlich nur einmal – das ist zuwenig. Euer Priester muß unter euch sein. Ihr braucht ihn.«

»Wir brauchen aber auch deinen Kühlwagen, Väterchen. Fleisch, Fett, Eier, Quark, Marmelade – damit werden wir überleben, nicht von Gottes Wort allein. Überlaß uns die Arbeit an der Basis – wie es so modern heißt –, und sorge für unser Leben. Predige und segne, wenn du hier bist, bete und sprich aber auch mit Gott über uns an jedem Tag, wo du dem Lager fern bist. So, wie du es jetzt machst, ist es wichtiger, als am Lagertor zu stehen und zuzusehen, wie wir verhungern und zugrunde gehen. Pjotr war ein großer Mensch und Priester; er litt mit uns, er hungerte mit uns, er fällte mit uns die Bäume in der Taiga, grub die Sümpfe trocken, baute Brücken und Baracken, isolierte Gasrohre, schleppte Material, hackte mit den anderen den Graben für die Rohre in den Eisboden und starb auch wie einer der grauen Unbekannten. Ein echter Heiliger, sollte man sagen. Er war Trost für viele Armselige, die letzte Hoffnung für die Sterbenden, die Seele, die alles Leid in sich aufnahm – aber im vergangenen Winter sind einhundertneunundvierzig von uns verscharrt worden, sind an Entkräftung gestorben, an von Asbeststaub zerfressenen Lungen, an Krankheiten, die hier keiner heilen konnte, auch Larissa nicht. Und dreiundzwanzig haben es nicht mehr ertragen können und haben sich selbst umgebracht, sind in die Säge gelaufen, haben sich aufgehängt, haben ein Loch in die Eisdecke des Flusses geschlagen und sind hineingesprungen oder haben sich einfach ausgezogen und sich draußen in den Frost gelegt. Schnell geht das, Victor Juwanowitsch, bei 40 Grad Kälte! Kaum ein Schmerz, sagt man; der Frost ist wie ein betäubender Hieb.« Polewoi schüttelte den Kopf. »Laß erst den Winter kommen, Väterchen. Du kennst nur den Sommer, die Myriaden Mücken und die ausdörrende Hitze. Lern den Winter in der Taiga kennen! Dann wirst du sagen: Jedes Gramm Fleisch, jeder Bissen Brot, jedes Kleckschen Marmelade, jede Fingerspitze Quark, jedes Klümpchen Fett, jedes Löffelchen voll Gries oder Mais oder Nudeln sind ein Tag Leben mehr. Und du, unser Priester, bringst uns das alles. Du, unser Priester, verlängerst unser Leben, Tag um Tag, mit deinem Kühlwagen. Wie kann man das aufgeben, Victor Juwanowitsch? Ist die gute Tat nicht größer als der Gedanke und das Wort?«

»Sind es gute Taten, wenn ich stehle und betrüge, mein Wort breche, heimlich fresse und saufe, was für andere bestimmt war?« brach es voller Qual aus Abukow heraus. »Bin ich nicht ein ganz gemeiner Sünder?«

Polewoi schüttelte den Kopf. »Gott sieht nicht nur, was du tust, sondern er weiß auch, warum du es tust«, sagte er ernst. »Erst in der Seele entscheidet es sich, ob einer sündigt oder ein guter Mensch ist. Du lebst und du opferst dich für uns – welch eine große Tat! Victor Juwanowitsch, keinen Grund gibt es, sich Vorwürfe zu machen. Laß erst den Winter kommen, dann wirst du spüren, was ich meine. Bald blickt jeder in den Himmel mit schrecklicher Angst, weil die Kraft der Sonne nachläßt. Dann ziehen Wolken heran, der Regen weicht das Land auf. Schließlich kommt die Kälte, und jeder bittet Gott Tag und Nacht nur noch um das eine: Laß mich den Winter überstehen!«

In dieser Nacht blieb Professor Polewoi bei Abukow, hob ab und zu den Kopf und lauschte in die fahle Dunkelheit hinein. Ihm war, als höre er Flüstern, als schlafe auch Abukow nicht, sondern als bete er ohne Unterlaß.

In drei Jahren werde ich frei sein, wenn ich sie überlebe, dachte Polewoi. Er aber bleibt in Sibirien, bleibt bei den neuen Verdammten. Denn der Strom menschlicher Leiber in die Taiga und Tundra wird nie aufhören – die Blutbahn, die sich durch Sibirien zieht, vom Ural bis zum Kap Deschnew.

Mein armer Priester, wie unbegreiflich mußt du Gott lieben . . .

Die Premiere der »Lustigen Witwe« fand an einem Sonntag Ende September statt.

Auf den ersten Bankreihen saßen die Offiziere, die Zivilangestellten und der Nachfolger Jachjajews – ein junger KGB-Offizier, den man von Simferopol an den Ob versetzt hatte und der die meiste Zeit damit verbrachte, seiner schönen, warmen Krim-Heimat nachzutrauern. Was man ihm eingeredet hatte – nämlich, daß es eine Ehre sei, in Sibirien dem Fortschritt zu dienen –, das sah er nicht ein. Der einzige Mensch, der ihn hier zu verstehen schien und dem er sich fast wie ein Freund anschloß, war Abukow. Der arme Mensch hieß Ilja Stepanowitsch Wolozkow und hinterließ eine süße, schwarzgelockte Verlobte, die ihm zum Abschied gesagt hatte: »Komm bald wieder, Iljuscha!« Womit klar ausgedrückt war, daß die Kleine nie Simpferopol verlassen und nach Sibirien nachkommen würde.

Wolozkow hielt Abukows Theater für eine geniale Idee. Schon das nahm Kommandant Rassim mit einem mißmutigen Knurren zur Kenntnis. Völlig seine Achtung verlor der Neue dann, als er zu Jachjajews berüchtigtem Holzstall meinte: »Das mutet ja an, als hätten wir die Stalin-Ära nie überwunden. Ideologisch überzeugen muß man können, nicht durch unmenschliche Strafaktionen, die bloß neuen Widerstand provozieren.«

Rassim sagte denn auch im vertrauten Offizierskreis: »Dieser Wolozkow ist ein wahres Arschloch. Ein Milchpisser. Genossen, wohin kommen wir bloß mit dieser neuen Mode aus Moskau? Was hört man denn alles: Rockmusik in Diskotheken, Jeans tragen sie wie die Amerikaner, lungern auf Plätzen herum und röcheln Jazz, zitieren Gedichte, die wie Furzlaute klingen, und sind auch noch stolz darauf, daß sie faulenzen. Ha, wenn ich da an meine Komsomolzenzeit denke, da hatten wir noch Zack in den Knochen!« Rassim war wirklich außer sich vor Sorge. »In ein Straflager schickt man uns einen Kerl wie Wolozkow, so einen blumenscheißenden Theoretiker!«

Jedenfalls saßen sie nun alle äußerlich friedlich in den ersten Reihen des Theaters, hinter sich die Häftlinge in ihren besten Kleidern, gewaschen und rasiert.

Ein Glanzstück war Oberst Kabulbekow: Er hatte zur Premiere seine Gala-Uniform angezogen: Breite Schulterstücke, drei goldene Sterne auf den beiden Längsbalken. Mit sieben Lastwagen hatte er ausgewählte Frauen mitgebracht; um allen Komplikationen aus dem Weg zu gehen, bildeten sie einen Sitzblock für sich. Zwischen ihnen und den Sträflingen saßen zwei Reihen Soldaten. »Die Verantwortung liegt bei Ihnen, Belgemir Valentinowitsch«, hatte Rassim sofort zu Kabulbekow gesagt. »Meine Soldaten sind nicht geschlechtslos. Wenn es nachher dunkel wird bei Beginn der Vorstellung und sie ziehen sich die Weiber auf den Schoß, weise ich alle Schuld von mir.« Hinter der Bühne kämpfte Abukow – eine Viertelstunde vor dem Aufgehen des Vorhangs – nach guter alter Theatersitte mit dem Chaos. Bataschew protestierte, weil durch die exotischen Verkleidungen sein Küchenschrank nicht wiederzuerkennen war. Taschbai Aidarow, der Darsteller des Danilo, schillerte grün im Gesicht, klagte über Darmdrücken und schwankte vor Lampenfieber. Der Elektromotor für den Vorhang streikte. Im Orchester schimpfte der Paukist über Sabotage, weil er eine Delle in seinem Benzinfaß entdeckt hatte und die Pauke nun einen anderen Ton von sich gab. Und General Tkatschew weigerte sich, einen Holzsäbel umzuschnallen. Ein General trüge, wennschon, einen Degen und keinen Säbel. Abukow war überall, schlichtete und beruhigte die aufgeregten Gemüter.

Der Schriftsteller Arikin, verantwortlich für den neugestalteten Text der Operette und die Bühnenregie, bekam Schwierigkeiten mit dem Darsteller des Marquis de Lumiere, einer völlig neuen Gestalt in der »Lustigen Witwe«, die Arikin nur zu dem Zweck erfunden hatte, die Kirchenszene einzubauen. Der Marquis sollte sagen: »In meinem Haus wird jeden Tag eine Messe gelesen. Erst Gott, dann das Vergnügen!« Ein blöder Text, zugegeben, aber der Darsteller bekam nur deshalb plötzlich Angst vor dieser Rolle, weil er in der ersten Reihe Rassim sitzen sah.

»Der springt auf die Bühne und bringt mich um«, zeterte er. »Umgeändert werden muß das. Ist ja nur ein einziger Satz. Laß dir etwas anderes einfallen, Miron Salomowitsch. Schnell! Warum heißt man Salomon? Nun sei einmal weise . . .«

Viel zu früh für alle hinter der Bühne begann die Ouvertüre. Durch den Vorhang hörte man die Musik, vor allem das Gedröhn der Benzintonnen-Pauke und die Blechtrommeln. Kein Zurück gab es mehr – die Premiere hatte begonnen.

Bataschew kam von der Seite auf die Bühne und hatte Tränen in den Augen. »Wie das klingt . . .«, stammelte er. »Oh, wie himmlisch das klingt! Wie aus den Wolken schwebt es nieder.«

Aidarow, der Danilo, krümmte sich vor Lampenfieber. Hinter einem hohen Versatzstück stand Margarita Susatkaja in einem prachtvollen Abendkleid und sang sich leise ein. Abukow, in schwarzem Anzug und weißem Hemd, winkte nach allen Seiten.

Bühne frei! Gleich hebt sich der Vorhang. Ein historischer Abend beginnt. Der erste öffentliche Gottesdienst in einem Straflager, eingebaut in eine Operette, in Gegenwart des Kommandanten, aller Offiziere und des KGB!

Und dann begann ein Zauber, der sofort auf alle übersprang, die da unten in der großen dunklen Autohalle Bank an Bank saßen und zur hell erleuchteten Bühne starrten. Ein gestöhntes Oh und Ah klang auf, als die Susatkaja in ihrem Spitzenabendkleid auftrat und ihre helle, schöne Sopranstimme mühelos den weiten Raum füllte.

Wenig später – gleich am Anfang oder gar nicht, hatte Arikin gemeint – sagte der Marquis de Lumiere mit mühsam fester Stimme den Satz, der Abukows große Szene einleitete: »In meinem Haus wird jeden Tag eine Messe gelesen. Erst Gott – dann das Vergnügen . . .«

Abukow trat auf die Bühne. Alle waren sie nun um ihn versammelt, die ganze Gemeinde, als Darsteller oder Komparsen, als Beleuchter oder Bühnenarbeiter, und unten vor dem Orchester hob der Dirigent Nagijew mit zitternder Hand den Taktstock. Abukow blickte hinunter zu Rassim und Kabulbekow, die neben-

einander saßen. Wolozkow hatte die Arme vor der Brust ver-
schränkt.

»Es steht geschrieben im Evangelium des Johannes, Kapitel 11,
Vers 25 bis 26«, sagte Abukow mit lauter, fester, feierlicher
Stimme: »Ich bin die Auferstehung und das Leben. Wer an mich
glaubt, der wird leben, ob er gleich stürbe; und wer da lebet und
glaubet an mich, der wird nimmermehr sterben . . .« So still war es
im weiten Raum, daß nur der Atem der Männer und Frauen wie
ein langgezogenes Seufzen klang. »Lasset uns singen und voll
Hoffnung und Freude sein an diesem schönen Tag!«

Nagijew schlug den ersten Takt, das Orchester setzte ein: die
selbstgeschnitzten Holzflöten, die selbstgebauten Balalaikas, die
einsame Geige, die Trompete, die Benzintonnentrommel, die aus
Blech gedrehte Riesentuba. Und alle auf der Bühne sangen mit,
die Augen geschlossen, um Rassim nicht ansehen zu müssen,
oder mit einem Blick weit über alle Bankreihen hinweg in die
Ewigkeit:

> Erhöre, Herr, erhöre mich
> und steh mir bei barmherziglich
> in allen meinen Nöten!
> Wenn noch so tief mein Herz betrübt,
> du bist's, der ihm den Frieden gibt,
> drum will zu dir ich beten.
>
> Ich ruf dich, wann die Sonn aufgeht,
> wann mitten sie am Himmel steht
> und wann sie abgegangen.
> Mein Flehen steigt zu dir empor,
> du neigst zu mir dein gnädig Ohr,
> verscheuchst des Herzens Bangen.
>
> Wann ich nur hoff auf dich allein,
> so wirst du Trost und Schild mir sein,
> wirst allzeit für mich sorgen.
> In aller Trübsal und Gefahr
> bleibst du mein' Zuflucht immerdar,
> bei dir bin ich geborgen.

Rassim hatte sich nach vorn gebeugt und starrte finster vor sich
hin. Kabulbekow saß weit nach hinten gelehnt und genoß den
Chorgesang. Als dieser beendet war, beugte er sich zu Rassim
hinüber und sagte ihm etwas ins Ohr. Aber Rassim schüttelte nur
den Kopf und winkte kurz ab. Wolozkow, der neue KGB-Offi-

zier, blickte etwas verwirrt auf die Bühne und scharrte mit den Stiefeln über den Betonboden.

Der Dirigent Nagijew atmete auf und senkte den Taktstock. Das Orchester schwieg, und die Musiker drückten die Instrumente an sich, als hätten sie Angst, daß sie ihnen jetzt weggerissen werden sollten.

»Es gibt keinen Tag ohne IHN und keine Nacht«, sagte Abukow unbeirrt, »kein Leben und kein Sterben. Er sieht unser Lachen und unsere Tränen. Er hört unser Flehen und unseren Dank. Denn ER ist die Ewigkeit und die Erfüllung allen Seins. Was sind wir ohne IHN? So groß und mächtig dünken wir uns, so stark und weltbewegend, und sind doch ein Staubkorn, das durch das All taumelt und nur für kurze Zeit vom Licht der Sonne getroffen wird. Ein Aufleuchten ist es nur, und das nennen wir unser Leben! Wie wichtig nehmen wir uns in dieser Sekunde im Weltenraum, und wie winzig sind wir doch im Gefüge des Grenzenlosen. O meine Brüder – alles Leid dieser Erde wird aufgehen im Glanz der ewigen Seligkeit. Seid dessen gewiß und deshalb stark in allem Elend. Amen.«

Auf der Bühne formierte sich der Chor zu einer neuen Ordnung. Der Dirigent Nagijew, Rassims starren Blick im Nacken, hob wieder seinen Taktstock. Die Geige und die Handharmonika setzten ein, ihnen folgten zart die Holzflöten und die singenden Balalaikas. Da Rassim sich nicht umblickte, sah er nicht, wie hinter ihm vierhundert Menschen lautlos weinten.

Und der Chor sang:

> Ach wie flüchtig, ach wie nichtig
> ist der Menschen Leben!
> Wie ein Nebel bald entstehet
> und auch wieder bald vergehet,
> so ist unser Leben, sehet!

> Ach wie nichtig, ach wie flüchtig
> sind der Menschen Tage!
> Wie ein Strom beginnt zu rinnen
> und mit Laufen nicht hält innen,
> so fährt unsre Zeit von hinnen.

> Ach wie flüchtig, ach wie nichtig
> ist der Menschen Freude!
> Wie sich wechseln Stund und Zeiten,
> Licht und Dunkel, Fried und Streiten,
> so sind unsre Fröhlichkeiten.

Ach wie flüchtig, ach wie nichtig
ist der Menschen Glücke!
Wie sich eine Kugel drehet,
die bald da, bald dorten stehet,
so ist unser Glücke, sehet!

Ach wie flüchtig, ach wie nichtig
ist der Menschen Prangen!
Der in Purpur hoch vermessen
ist als wie ein Gott gesessen,
dessen wird im Tod vergessen.

Ach wie nichtig, ach wie flüchtig
sind der Menschen Sachen!
Alles, alles, was wir sehen,
das muß fallen und vergehen.
Wer Gott fürcht't, wird ewig stehen.

Der Dirigent Nagijew starrte zu Abukow empor und spürte den
rinnenden Schweiß auf seiner Stirn. Daß hinter ihm, wo Rassim
saß, nichts geschah, begriff er nicht. Aber als Abukow ihm kurz
zunickte, sich umdrehte und quer über die Bühne abging, vorbei
an seiner Gemeinde in den bunten Kostümen der »Lustigen
Witwe«, da ließ er den Taktstock wippen, und nun folgte – Ari-
kins genialer Gedanke – als Abschluß der neue große Walzer, der
wieder hinüberleitete zu der Musik von Franz Lehár.
Bei den ersten Klängen des Tanzes löste sich die Starre auf der
Bühne. Das Ballett, sieben Mädchen aus dem Frauenlager und
sieben Häftlinge, wirbelte über die Bühne, der ganze Chor schloß
sich an, und es war ein so berauschendes Bild, daß Oberst Kabulbekow, zum Entsetzen Rassims, aufsprang und spontan in die
Hände klatschte.
»Bravo!« brüllte Belgemir Valentinowitsch. »Bravo!« Und zu Rassim hinunter, der mit böser Miene sitzen blieb, schrie er: »Meine
Mädchen! Das sind meine Mädchen, Rassul Sulejmanowitsch,
Sie Eisenklotz! Wie sie tanzen, ha! Und diese Musik, ein Walzer
ist das, ein Wiener Walzer! Rassim, Sie haben ein faules Ei in der
Brust, aber kein Herz!«
Hinter der Bühne warf sich Abukow auf einen Stuhl und ließ erschöpft die Arme hängen. Larissa Dawidowna, die neben dem zu-
rückgezogenen Vorhang gewartet hatte, stürzte zu ihm und
schlang die Arme um ihn.
»Wie habe ich gezittert«, stammelte sie. »Mein Herz setzte ein
paarmal aus. Was hast du gewagt, mein Liebling! Welch ein Mut!

Gebetet habe ich, die ganze Zeit für dich gebetet. Entsetzlich waren die Minuten und doch so himmlisch! Geschafft hast du es! Du hast deine Kirche im Lager, dein Kreuz in Sibirien!« Sie drückte den Kopf an seine Schulter und weinte laut wie ein Kind.

Abukow atmete ein paarmal tief durch. Jetzt, wo alles vorbei war, wo die Vorstellung weiterlief, wo Rassim nicht auf die Bühne geschossen hatte und der rauschende Walzer die letzte Gefahr hinwegspülte, jetzt spürte er eine ungeheure Erschlaffung in sich, eine tiefe Müdigkeit – aber keinerlei Triumph oder Siegesstimmung. Es ist gelungen, dachte er nur. Ein Ziel, ein kleines Ziel, ist erreicht. Eine Zeile meines Auftrags kann ich abstreichen. Stimmt es dich milder mir gegenüber, Herr im Himmel?

Er legte den Arm um Larissas Schulter und zog ihren Kopf zu sich heran. »Weine nicht«, sagte er leise. »Nun ist es ja vorbei. Ein erster Schritt . . . so viel ist noch zu tun.«

Taschbai Aidarow, der Danilo, marschierte auf die Bühne ins Licht. Arikin mußte ihn fast in den Hintern treten, so bebte er – aber als er in die Scheinwerfer trat, war er wirklich der elegante Kavalier, und seine Stimme versetzte schon bei den ersten Tönen die Zuhörer in Entzücken. Vor allem Dshuban Kasbekowitsch war nicht zu halten; er saß hinter Rassim, beugte sich jetzt vor und flüsterte ihm mit heißem Atem ins Genick: »Ist er nicht süß? Oh, wie schwebend er geht, und diese Stimme, überwältigend!«

Rassim knurrte wie ein angeketteter Hofhund, wischte sich über den Nacken, als habe Owanessjans Atem einen Fettfilm hinterlassen, und stierte dann wieder auf die Bühne. Margarita Susatkaja flirtete als Hanna Glawari, daß sich ihm die Haare sträubten. Er wehrte sich dagegen, er drohte sich in Gedanken an, sich selbst zu ohrfeigen, aber trotz aller Gegenwehr erlag er von Minute zu Minute mehr dem Zauber der Operette, dem Klang der Melodien, der Schönheit auf der Bühne. Theatermachen ist schön, dachte er verbittert. Verdammt zum Satan mit euch allen, es ist wirklich schön. Man muß sich überlegen, wie man das verbieten kann.

Nach dem ersten Akt, als der Vorhang fiel, war der Beifall nur noch ein einziges Toben, ein Klatschen und Brüllen. Oberst Kabulbekow schrie mit, schwitzte vor Begeisterung und trat Rassim auf den Fuß, als dieser stur sitzen blieb.

»Sie Riesenkaktus!« brüllte er. »Gibt's denn gar nichts, was Ihre Stacheln bricht? Können Sie überhaupt nicht fröhlich sein?«

»Ich überlege«, sagte Rassim dumpf, »wie man nach zwölf Stunden Trassenarbeit und einem jämmerlichen Fressen noch so tanzen kann. Da stimmt etwas nicht!«

Hinter der Bühne fiel die Susatkaja mit einem Juchzer Abukow um den Hals und küßte ihn. »Verzeih, Väterchen!« rief sie. »Aber ich kann nicht anders! Welch ein Tag! Und dein Werk ist's. Ein Engel ist nach Sibirien gekommen.«

Nach drei Stunden war die Premiere der »Lustigen Witwe« im Straflager 451/1 beendet. Noch einmal tobte minutenlang der Beifall, dann winkte Rassim, ohne geklatscht zu haben, und die Soldaten, als Kette zwischen den Männern und Frauen sitzend, trieben die Häftlinge wie eine Viehherde aus der Halle hinaus und hinein ins Lager. Kabulbekow war hinter die Bühne gerannt und drückte »seinen phantastischen Weibern« die Hände. Auch Dshuban Kasbekowitsch war nicht zu halten: Er küßte Taschbai Aidarow ab wie einen Schoßhund. Abukow kam von der Bühne und prallte auf Wolozkow, dessen Augen noch glänzten.

»Begeistert bin ich«, sagte er und drückte Abukow die Hand. »Fast ein Wunder, was Sie aus diesen Jammergestalten noch herausholen können. Nur eine Frage: Gibt es verschiedene Fassungen der ›Lustigen Witwe‹? Ich habe sie anders in Erinnerung von einer Aufführung in der Oper von Sewastopol auf der Krim.«

»Ein großes Opernhaus, Genosse Wolozkow«, sagte Abukow und breitete beide Arme aus. »Welche Möglichkeiten hat man dort, und wie bescheiden müssen wir sein. Einiges streichen mußten wir und umändern – aber ist es nicht gut gelungen?«

»Sehr gut gelungen, Victor Juwanowitsch. In meinem nächsten Bericht wird es lobend erwähnt. Einsetzen werde ich mich dafür, daß das Orchester richtige Instrumente bekommt. Gratuliere, Genosse!«

Vor der Autohalle stand noch Rassim in der Nacht und wartete auf Kabulbekow. Als er Abukow sah, kam er auf ihn zu und stieß ihm die Faust gegen die Brust.

»Das war ein Triumph für Sie«, sagte er hart. »Und Ihr Auftritt, Abukow – enorm! Einen Popen haben Sie gespielt . . . geradezu zum Kotzen! War die einzige Stelle im Stück, die mich begeisterte!«

Damit ließ er den erstarrten Abukow stehen, stapfte zur Hallentür zurück und nahm Kabulbekow in Empfang, der umringt von »seinen Weibern« ins Freie trat.

Und plötzlich meldete sich der Winter an.

Geballte Wolken zogen auf, sich drehende, dahinjagende graue Gebirge, die Sonne wegwischend wie einen störenden Fleck. Ein kalter Wind bog die Kronen der Taiga. Das bunte Herbstlaub, diese flammende Farbenpracht an Millionen Bäumen, zerstob zu verdorrtem Abfall. Dann öffnete sich der Himmel wie auf einen Schalterdruck, das Wasser rauschte aus der grauen Unendlichkeit

– kein Regen war's, sondern ein unheimlicher Sturz, als sei plötzlich ein riesiger Wassersack geplatzt, der über der Taiga hing. Die in den Wald geschlagenen Arbeitsstraßen wurden unpassierbar. Aus kleinen Flüssen wurden Ströme. Aus Rinnsalen ergoß sich eine Flut über das Land. Die Seen liefen über. Der mächtige Ob riß an den Ufern und überschwemmte weite Gebiete – die Trasse der Erdgasleitung ersoff in gurgelnden Strudeln.

Für Tage ruhte alle Arbeit. Zwar rief Rassim bei Morosow an und kündigte seine Arbeitsbrigaden an, aber der Chefingenieur fragte ärgerlich: »Was soll ich mit denen? Sollen sie den Regen in Säcke sammeln für den kommenden Sommer? Hier gibt es nichts mehr als Wasser und Schlamm. Ich melde mich, wenn die Arbeit wiederaufgenommen werden kann!«

Auch Surgut ertrank im Regen. An Transportfahrten in die Lager war nicht zu denken, und so saß man bei Smerdow im Zentralmagazin herum, spielte Schach oder Billard, besoff sich mit Wodka oder Wein oder lag einfach nur im Bett, wenn man das Glück hatte, ein Weibchen für sich allein beanspruchen zu können.

Bataschew war solch ein glücklicher Mensch. Die aktive Witwe Grigorjewa holte nach, was Bataschew im Sommer durch seine neu entdeckte Theaterleidenschaft vernachlässigt hatte, und er begriff einfach Abukow nicht, der sich heftig wehrte, als er ihm eine dralle Freundin der Witwe zur Verfügung stellen wollte.

»Die Schlammperiode ist die Zeit der großen Liebhaber«, belehrte er Abukow. »Im Sommer wird gearbeitet, im Winter auch – aber wenn's regnet, wenn es draußen naß ist und kalt, aber im Bett trocken und warm ... Victor Juwanowitsch, ich sage dir: Die Freundin der Grigorjewa ist wie ein Tatarenpferdchen!«

Abukow bedankte sich für diese freundschaftliche Fürsorge, zeigte aber lieber bei Smerdow, welch erstaunlicher Billardspieler er war.

Politkommissar Ilja Stepanowitsch Wolozkow, Jachjajews Nachfolger, hatte die ersten großen Auseinandersetzungen mit Rassim und schickte ihm durch einen Boten die Ausführungsverordnungen zur politischen Erziehung der Strafgefangenen. Mit Rotstift hatte er bestimmte Stellen angestrichen, die besagten, daß einem Lagerkommandanten nur die Sicherheit und Bewachung der Verurteilten zustehe, die Schulung aber ganz allein Sache des dazu Beauftragten war. Und beauftragt war Wolozkow.

Rassim gab in der Kommandantur dem armen Boten eine Ohrfeige, schleuderte die Broschüre an die Wand und schrie, daß es Wolozkow im Nebenzimmer hörte:

»Ha! Soll ich mir meine Rechte und Pflichten vorhalten lassen von einem Bürschlein, dem noch die Muttermilch aus dem Mündchen läuft?«

Wolozkow hielt trotz allen Ärgers sein Versprechen: Er schrieb einen langen Bericht über die Aufführung der »Lustigen Witwe« an die Zentrale nach Perm und schickte eine Abschrift davon an das Komitee zur geistigen Betreuung von Straftätern nach Swerdlowsk. Sein Vorschlag: Zuweisung von Musikinstrumenten und Noten für ein Orchester. Lobend erwähnte er auch die neue Gewerkschaft »Theater Die Morgenröte«, die wirkliche Kulturarbeit leiste in einem wilden, kaum erschlossenen Gebiet Sibiriens.

Unvermutet erschien Mustai in Surgut. Er kam aus der Taiga mit einem großen Transporthubschrauber – einem jener bulligen Fluggeräte, die Bagger und Planierraupen, Teile von Bohrtürmen und Turbinen befördern können. Er überraschte Abukow in seinem Zimmer und sagte nach der Begrüßung: »Du erkennst Morosow nicht wieder. Tag und Nacht steht Wladimir Alexejewitsch mit seinem Raupenwagen im Schlamm am Flußufer und beobachtet die Flut. Um seine neuartige Brückenkonstruktion geht es – sie wackelt! Der ganze Streckenabschnitt ist in Gefahr. Wenn die über den Fluß geführte Erdgasleitung reißt, war ein halbes Jahr Arbeit umsonst. Morosow steht da im Regen und starrt den Fluß an, als könne er ihn hypnotisieren.«

»Gegen die Natur ist der Mensch nur ein kraftloser Zwerg«, sagte Abukow.

»Mag sein.« Mustai aß Abukows Abendessen auf – kalte Frikadellen mit Gurken und Zwiebeln, dazu ein Batzen Brot – und schüttelte dabei den Kopf. »Aber Morosow wollte klüger sein als Regen, Wind, Fluß und Erde. Alle haben ihm gesagt: Leg die Leitung *durch* den Fluß, auf den Grund – aber nein, er sagte immer: Meine Konstruktion ist sicherer. Was geschieht, wenn unten im Fluß die Leitung undicht wird? Na? Was dann, Genossen? Wenn der Boden sich bewegt, wenn der Fluß ihn tiefer ausspült? *Meine* Konstruktion aber ist sichtbar, da kann man 'ran, da gibt es keine Unbekannten mehr in den Berechnungen. Was man sehen kann, ist kein Geheimnis mehr. – Also gut, man ließ ihn bauen. Und jetzt steht seine Brückenleitung in den Strudeln, und das Wasser wird sie auffressen . . .«

»Und warum bist du hier, Mustai Jemilianowitsch?«

»Larissa Dawidowna schickt mich.«

»Zu mir?«

»Nur am Telefon wollte sie das nicht sagen: Es wäre gut, wenn du dich um Morosow kümmerst.«

»So stark ist kein Gebet, daß es den Regen vertreibt.«

»Aber du wärst stark genug, bei Wladimir Alexejewitsch zu sein, wenn die Brücke bricht und er verzweifelt. Dann braucht er dich!«

Abukow blickte aus dem Fenster. Vom Himmel strömte der Regen, der kalte Wind peitschte die Wassermassen gegen die Scheiben und Fassaden. Das Leben erstarb auch in Surgut; nur die wichtigsten Dinge wurden getan, in den Geschäften und Büros, Werkstätten und Behörden. Ins Freie zu gehen war fast ein Abenteuer.

»Wie komme ich zu Morosow?« fragte Abukow. »Fahren Wagen zur Baustelle?«

»Die Straße ist überschwemmt. Aber es fliegen die schweren Hubschrauber mit dem Materialnachschub. Eine Ecke, in die du dich klemmen kannst, wird man finden. Laß Smerdow dafür sorgen.«

Doch Einsatzleiter Smerdow war keineswegs begeistert, als Abukow ihm mitteilte, er wolle an die Trasse bei Wostokiny. »Wenn es schneit und dann friert, und das kommt plötzlich, brauche ich jeden Mann«, klagte er. »Du bist mein bester Fahrer, Victor Juwanowitsch. Wenn dein Kühlwagen ausfällt . . .«

»Das ist überhaupt eine Frage, Lew Konstantinowitsch«, sagte Abukow. »Darüber sollte man sprechen. Wenn alles im Frost liegt, braucht man doch keinen Kühlwagen mehr. Dann ist's draußen kälter als im Wagen. Was wird aus mir? Alle Fahrerposten sind besetzt.«

»Irrtum, mein Freundchen, Irrtum!« rief Smerdow und klopfte Abukow auf die Schulter. »Dein Kühlwagen fährt!«

»Bei 40 Grad Frost?«

»Vorschrift ist es. Verderbliche Ware muß in den Kühlwagen. Nichts steht da, daß es einen Sommer- und einen Winterbetrieb gibt. An das geschriebene Wort halte ich mich! Wenn da eine Lücke in der Logik ist – was kümmert's mich? Victor Juwanowitsch, du bist unentbehrlich. Eine Lebensstellung hast du hier. Unkündbar!«

Nach zähem Ringen gab Lew Konstantinowitsch doch einen Sonderurlaub und stierte dann trübsinnig in den rauschenden Regen.

»Immer einsamer wird es um mich«, klagte er. »Die einzigen Freunde seid ihr und verdrückt euch jetzt. Was ist, wenn der Hubschrauber vom Sturm niedergedrückt wird? Wenn ihr in den Fluten absauft? In Surgut dagegen sitzt ihr wie auf einer Insel. Kommt, laßt uns eine Runde Billard spielen und euren Blödsinn vergessen.«

Sie taten Smerdow den Gefallen, spielten Billard, ließen ihn gewinnen, was ihn äußerst fröhlich stimmte, denn es war sein erster

Sieg über Abukow, den Satansspieler, wie Smerdow ihn nannte, und zogen dann mit dem Urlaubsschein ab zum betriebseigenen Flugplatz der Erdgas-Bauleitung.

Dort herrschte ein feister Genosse von der »Einsatzleitung Luft« – unbestechlich, weil er sowieso an alles herankam, was er brauchte – und sagte nach langer Diskussion: »Also denn, Genossen: Rollt euch irgendwo zusammen. In einer Stunde fliegen wir Rohrstützen zu Morosow. Klagt aber nicht, wenn nachher eure Ärsche rot wie bei den Pavianen sind. Und kotzt mir nicht alles voll. Ein Lufthüpfen wird's werden.«

Es war ein fürchterlicher Flug, doch Abukow überstand ihn tapfer, aber Mustai flehte mehrmals zu Allah um Vergebung aller Sünden, zerraufte sein rotes Haar, hockte mit grün schimmerndem Gesicht in einer Ecke des Transportraumes und schwor beim Barte des Propheten, nie mehr einen Hubschrauber im stürmischen Regenwetter zu besteigen. Als sie endlich landeten auf dem unter Wasser stehenden Flugfeld neben dem Baudorf, das ein Gefühl vermittelte, als stürze man mitten in einen See, da schloß Mustai ergriffen die Augen und wartete darauf, daß er im Paradies wieder aufwachte.

Morosow war nicht da; er befand sich wieder am Fluß wie jeden Tag. Sein Vertreter, der lange, dürre Ingenieur Jassenski, zeigte auf der großen Wandkarte die Stelle, wo die von Norden kommende Trassenführung am Fluß auf Morosows Brückenkonstruktion stieß. »Was wollen Sie denn da, Genosse?« fragte er Abukow erstaunt. »Wie wollen Sie da hinkommen?« – »Wenn Morosow es kann, dann . . .«

»Das ist kein Schauspiel für Touristen! Haben Sie eine Ahnung, wie's dort aussieht? Gut, Sie sind Wladimir Alexejewitschs Freund. Und Zuspruch braucht er jetzt ganz gewiß. Wenn die Brücke abgerissen wird, sieht's böse aus. Eine Kommission wird kommen und die Fehlplanung untersuchen. Verantworten wird er sich müssen, vielleicht sogar vor einem Gericht. Millionen Rubel schwimmen dann den Fluß hinunter, wir alle stehen dann ohne Hosen da, bitter wird's werden. Aber wie können Sie da helfen? Dann hilft kein Trost mehr. Uns allen sitzt die Angst im Nakken.«

Man gab Abukow schließlich doch einen Wagen, ein Spezialfahrzeug mit Raupenketten, für die Sümpfe konstruiert. Sogar schwimmen konnte man damit. Doch Jassenski warnte: »Wenn Sie damit hängenbleiben, Genosse, holt niemand Sie mehr heraus. Ist Ihnen das klar? Dann weichen Sie auf wie Papier und fallen auseinander. Bleiben Sie doch hier! Am Abend kommt Morosow ja zurück.«

Abukow fuhr trotzdem. Allein, denn Mustai war der Ansicht, daß Allah ihm sein Leben nicht gegeben habe, damit er es so sinnlos wegwerfe. Zum Wagen aber begleitete er ihn und sagte, als Abukow hinter dem wuchtigen Lenkrad saß: »Wie ist das nun, Victor Juwanowitsch: Kann dir jetzt dein Gott helfen?«

»Ich hoffe es, Mustai.«

»Und wenn nicht?«

»Dann bin ich bei Gott.«

»Wenn man es so sieht«, meinte Mirmuchsin und legte den Kopf schräg, »ist eure Religion wie ein Kreis – man kommt immer an der gleichen Stelle an. Was auch passiert, immer seid ihr fein raus!«

»Der Glaube führt uns auf den rechten Weg«, versetzte Abukow und startete den Motor. »Wenn du zum Lager zurückkehrst, grüß Larissa von mir.«

»Ich bleibe hier«, sagte Mirmuchsin und trat zur Seite, weil das Raupenfahrzeug langsam anrollte. »Ich warte auf dich.«

Chefingenieur Morosow stand am Ende des Weges; dort, wo er im Hochwasser verschwand, in schmutzigen, gurgelnden Fluten. Vor ihm war einmal der Fluß gewesen, nur an den Brückenpfeilern und den Spezialstützen der geplanten Erdgasleitung erkannte man es noch. Soweit man blicken konnte, strömte das Wasser, das die Bäume des Waldes überflutet hatte und hoch an ihnen emporspritzte.

Morosow saß in seinem Wagen, die Beine angezogen, und starrte auf seine Brücke. Mehr war nicht zu tun: Warten, daß der Regen nachließ und das Wasser ablief – oder zusehen, wie die Flut die Brücke wegriß, nachdem sie die Fundamente unterspült hatte. Er blickte stumm zum Fenster hinaus, als Abukow rasselnd an seine Seite fuhr, den Motor abstellte, mit vier langen Sprüngen durch den Schlamm hetzte und, in den wenigen Sekunden bereits völlig durchnäßt, die Tür aufriß und sich neben Morosow auf den Kunstledersitz warf. Dann starrten sie beide wortlos auf die zitternde Brücke und die reißenden Wassermassen.

»Eine Sintflut«, sagte Morosow plötzlich, ohne Abukow anzusehen. »Welches Bibelwort fällt Ihnen jetzt ein, Victor Juwanowitsch?«

»Matthäus 27, Vers 46: Und um die neunte Stunde schrie Jesus laut und sprach: Mein Gott, mein Gott, warum hast du mich verlassen?« sagte Abukow leise.

Morosow nickte schwer. »Ein eindrucksvolles Wort. Ich spüre etwas von diesem grauenvollen Gefühl des Verlassenseins. Der

Himmel ist leer. Keine Tür gibt es mehr, die sich für uns öffnen könnte. Wir gehen verloren für alle Ewigkeit. Hoffnung ist nichts als Illusion . . .«

»Nein!« sagte Abukow. »Gott ist die Hoffnung. Er öffnet die Tür.«

»Ich weiß nicht«, erwiderte Morosow. Dann blickte er auf seine Armbanduhr: »Bis zur neunten Stunde sind es noch sechs Stunden. So lange hält die Brücke nicht.«

»Und dann, Wladimir Alexejewitsch?«

»Es ist gut, daß Sie gekommen sind. Dann sprechen Sie ein Gebet für mich, und ich stürze mich in den Fluß, meiner Brücke hinterher.«

»Nicht, solange ich neben Ihnen sitze. Es gibt keinen Grund, sein Leben wegzuwerfen.«

»Gibt es ihn nicht?« Morosow zeigte auf die gurgelnden Fluten. »Was ist mein Leben noch wert, wenn man mich für den Verlust von Millionen Rubeln verantwortlich macht? Volksvermögen, Abukow! Ein Schädling am Aufbau werde ich sein. Wissen Sie, was das bedeutet? Eine Untersuchung, Verhöre, eine Anklage, eine Verurteilung, Verbannung nach Sibirien . . . Wo ich früher Tausende von Häftlingen eingesetzt habe, werde ich selbst als Strafgefangener arbeiten. Chefingenieur Morosow als Zwangsarbeiter an seiner eigenen Trasse! Die Perversion des KGB wird perfekt sein. Und das nennen Sie keinen Grund?«

»Noch steht die Brücke.«

»Noch! Aber sie zittert und schwankt, sehen Sie es nicht? So einen Regen, so eine Flut habe ich noch nie erlebt.«

»Niemand kann Sie für Naturkatastrophen verantwortlich machen.«

»Niemand? Sagen wir mal: In Sibirien ist alles möglich, das hätte man einkalkulieren, berechnen, überwinden müssen. Bei starken Regenfällen wird es immer Wassermassen geben, und wo soll das Wasser denn hin? In den Boden hinein kann es nicht – da ist Dauerfrost, da geht nichts durch, das ist wie ein Eisenpanzer. Es muß an der Oberfläche bleiben und in die Weite auslaufen. Natürlich habe ich das alles berücksichtigt und deshalb über große Strecken hinweg die Erdgasleitung nicht in den Boden verlegt, sondern auf Stützen über den Boden. Auf Stützen, die automatisch gekühlt werden, damit im Sommer und durch die Eigenwärme der Frostboden nicht tiefer schmilzt und die Pfeiler nicht absinken oder wegknicken. Mit 300prozentiger Sicherheit rechnen wir, aber das hier« – er nickte zu den reißenden Wassern – »ist uns tausendfach überlegen. An eine Sintflut habe ich nicht gedacht. Das war mein Fehler, und dafür habe ich zu büßen.« Jetzt sah er Abukow noch an, und Abukow erschrak darüber, wie alt

Morosow in diesen wenigen Tagen geworden war. »Ein Mann muß wissen, wenn es zu Ende geht – hat das nicht Hemingway gesagt und auch selbst danach gehandelt?«

»Hemingway wußte von seiner unheilbaren Krankheit, er hatte Krebs.«

»Bei mir ist es genauso«, sagte Morosow bitter, »ich habe die Wassersucht.«

»Die Brücke hält!« Abukow starrte auf die schwankenden Pfeiler. »Sie hält!«

»Nicht Gott hat die Brücke gebaut, sondern ich habe es. Da hilft kein Beten.«

»Es gibt ein Lied nach dem 31. Psalm«, sagte Abukow bedrückt: »Auf dich allein ich baue, du lieber treuer Gott; da ich auf dich vertraue, verlaß mich nicht in Not . . .«

Morosow nickte schwer. »Ihr Priester habt es leicht. Einen Spruch kramt ihr hervor, und wo es donnert, scheint für euch die Sonne. Victor Juwanowitsch, ich kann Ihnen nicht folgen.«

Bei Einbruch der Dämmerung stürzte die Brücke zusammen. Zuerst wankte ein Pfeiler und riß sich aus der Fundamentverankerung los, drehte sich in einem gewaltigen Strudel des Flusses und kippte dann um. Ihm folgten die Stützen Nummer 4 und 6, nun ihres Spannhaltes beraubt, und kurz darauf die Stützen 1 und 3. Morosows neues Werk, das richtungweisend für den Erdgas-Leitungsbau sein sollte, versank in den donnernden Fluten.

»Sechs Uhr neunundzwanzig . . .«, sagte Morosow heiser. »Zweieinhalb Stunden früher als die neunte Stunde.« Er blickte noch einmal auf die wirbelnde Wasserwüste und den Ruinenrest seiner Brücke – drei Pfeiler, die nun sinnlos aus dem Fluß ragten. »Fahren wir zurück, Pater?« Er lächelte schmerzlich, als er Abukows Zögern spürte. »Sorgen um mich? Sie sehen, ich habe mich nicht hinterhergestürzt.«

»Sie sind mir zu ruhig, Wladimir Alexejewitsch.«

»Soll ich jammern, mir die Haare raufen, mich in den Schlamm werfen und den Fluß verfluchen? Ich warte hier seit drei Tagen – Zeit genug, um mich vorzubereiten auf diese eine Minute des Untergangs. Nun ist es geschehen. Mein Leben hat sich verändert, das weiß ich nun.« Er lächelte wieder voll Bitterkeit. »Fürchten Sie, ich rase gegen einen Baum? Zu unsicher, Pater! Wenn ich sterben will, dann muß es gründlich geschehen. Endgültig. Ohne das Risiko, doch noch gerettet zu werden und zu überleben. Diese Sicherheit kann mir ein Baum nicht bieten. Also, keine Angst vor der Rückfahrt!«

Abukow nickte, klopfte Morosow auf die Schulter, sprang aus dem Wagen und lief durch den Regen zu seinem Raupenfahrzeug. Dort wartete er, bis Morosow angefahren war, und folgte ihm dann in engem Abstand.

Was wird er tun, dachte er voll Sorge. Was würde ich an seiner Stelle tun? Auf die Kommission warten? Auf die Verhaftung? Flüchten, irgendwohin flüchten, hinein in die undurchdringlichen Wälder, zu den Nomaden? Ein menschlicher Wolf werden, nie mehr ohne die Hatz im Nacken, immer auf der Flucht? Untertauchen in der sibirischen Wildnis? Es wäre die einzige Möglichkeit, um dann auf vielen Umwegen eine Grenze zu erreichen. Die iranische oder die chinesische Grenze. Aber ist Morosow ein Mensch, der so etwas durchhält?

In der Ingenieurbaracke saßen noch einige Abteilungsleiter, als Morosow, naß und dreckig, hereinkam. Jassenski brauchte nicht mehr zu fragen, ein Blick auf seinen Chef genügte.

»Ich entlasse euch alle aus der Verantwortung«, sagte Morosow dumpf, als ihn seine Ingenieure wortlos umringten. »Allein ich bin schuldig. Ich weiß, daß viele von euch gegen das Projekt waren – sie hatten recht! Vor allem Sie, Genosse Jassenski. Ich bitte Sie deshalb auch, den Bericht an die obere Baubehörde zu schreiben. Schonungslos! Ich werde ihn dann gegenzeichnen.«

»Wir haben lange darüber diskutiert, Wladimir Alexejewitsch«, entgegnete Jassenski und schluckte dabei mehrmals. »Wir stehen zu Ihnen. Eine solche Wasserkatastrophe ist höhere Gewalt.«

»Diskutieren Sie nicht über höhere Gewalt, Jassenski!« Morosow zog seinen durchnäßten Mantel aus. »Was Gewalt ist, werden Sie alle in Kürze spüren. Mich bedrückt nur, daß ich Ihnen allen meinen Willen aufgezwungen habe – Ihnen, den Planungsstäben, den Prüfungsbehörden.«

»Sie sind damit *alle* schuldig, Genosse!« rief Jassenski.

»Aber nur *einen* Schuldigen darf es geben. Merkt euch doch endlich das erste, heiligste Gebot des Staates: Ein Beamter irrt sich nie! – Jassenski, Sie schreiben den Bericht. Noch heute nacht will ich ihn lesen.«

Er drehte sich um und verließ das große Versammlungszimmer. Erst in seinen Privaträumen merkte Morosow, daß Abukow noch immer bei ihm war. Er ging zu einem Wandschrank, holte eine Flasche Wodka und zwei hohe Gläser heraus und kam zu Abukow zurück, der sich in einen der Korbsessel geworfen hatte. Diese Möbel waren Morosows ganzer Stolz; Korbsessel aus Armenien im tiefsten Sibirien. Nur Rassim besaß noch einen, er hatte ihn Morosow abgehandelt gegen einen schweren Revolver mit hundert Schuß Munition. Dumdumgeschosse. Patronen mit abgesägter Spitze. Wenn sie in einen Menschen einschlugen, konnte man eine Faust in die Wunde legen.

»Trinken Sie einen mit, Victor Juwanowitsch?« fragte Morosow.
»Zwei, Wladimir Alexejewitsch. Zwei große, volle . . .«
»Seit wann saufen Sie?«
»Sibirien hat mir das beigebracht. Denken Sie nicht, ein Priester könnte sich nur in das Gebet retten. Ich habe Flaschen ausgesoffen, bis ich den Mut aufbrachte, zu Gott zu sagen: Meine Liebe zu Larissa Dawidowna gebe ich nicht auf. Bestraf mich dafür, Herr, wenn ich vor dir stehe, aber jetzt bin ich noch auf der Erde!«
Morosow goß die Gläser voll und reichte eins Abukow. Einen ruhigen Eindruck machte er; so, als sei ein großer Druck von ihm genommen.
»So hat jeder eine Last zu tragen«, sagte er und versuchte sogar ein Lächeln. »Mir wäre Ihre Sünde mit Larissa lieber als mein Problem.« Er hob sein Glas: »Auf unser verpfuschtes Leben, Abukow. Auch Ihr Leben ist aus der Bahn geraten. – Wollen Sie hier schlafen?«
»Ich dachte es so.«
»Als Wachhund neben meinem Bett?« Morosow machte eine weite Handbewegung: »Bitte, Pater. Sogar neben mich können Sie sich legen. Ich dufte allerdings nicht so verführerisch wie die Tschakowskaja.«
Sie tranken, bis es klopfte und Jassenski eintrat. Er legte den Bericht auf den Tisch, sah Morosow stumm an und verließ ebenso wortlos wieder das Zimmer. Morosow nahm das Papier, las es und warf es zurück auf den Tisch.
»Idioten!« sagte er. »Alles Idioten! Bekennen sich mitschuldig und nennen das dann auch noch Kameradschaft, Freundschaft!«
»Sie sollten stolz auf diese Jungen sein.«
»Ihr ganzes schönes Leben versauen sie damit, und ich trage die Schuld. Wie kann man das mit sich herumschleppen? Daran denken sie nicht . . . Abukow, Priesterlein, kommen Sie, lassen Sie uns saufen, bis wir umfallen! Warum hat man den ersten Wodkabrenner nicht heiliggesprochen? Das sollten Sie mal nach Rom schreiben.«
Es war später nicht festzustellen, wann Abukow vom Wodka gefällt und besinnungslos geworden war. Er lag jedenfalls noch auf den Dielen neben dem Korbsessel, als Jassenski ihn wachrüttelte, und da war es bereits heller Tag.
»Was ist?« stotterte Abukow mit bleischwerer Zunge. »Jassenski, wie sehen Sie aus? Wo ist Morosow?«
»Kommen Sie mit!« Jassenski war dem Weinen nahe, sein Gesicht zuckte. »Im Kartenraum . . . inmitten seiner Pläne . . . mit dem Re-

volver und den abgesägten Patronen . . . Er . . . er hat keinen Kopf mehr.«
Und dann sank er in den Korbsessel und schlug beide Hände vor sein Gesicht.

Sofort erschien eine Sonderkommission aus der Bauzentrale in Swerdlowsk. Das KGB aus Tjumen schickte drei seiner besten Offiziere in das Baudorf in der Taiga. Drei Tage später war das Unwetter zu Ende. Noch einmal schien die Sonne, als wolle sie so pervers sein, das Wasserchaos unter sich in helles, glitzerndes Licht zu tauchen. Das Land erschien wieder. Der Wald wurde wieder ein Wald, der in der Erde stand. Und die Gestalt des Flusses kehrte zurück mit Bett und Ufer. Schier unbegreiflich, wohin die Wasserwüste so schnell abgeflossen war. Zäher Schlamm blieb, Geröllfelder waren entstanden. Die versunkene Erdgas-Trasse tauchte wieder auf im Fluß, mit den Überresten der Brükkenpfeiler und Stützen gespickt, die wie abgebrochene Zähne aussahen.
Irgend etwas – man sprach natürlich darüber nicht offiziell – hinderte die Kommission daran, den toten Morosow als den ganz großen Schuldigen in die Akten zu nehmen. – Die Pläne, die er gezeichnet hatte, wurden eingezogen. Jassenski erhielt seine Ernennung zum kommissarischen Leiter der Baustelle. Der Bericht, den er geschrieben hatte, wurde als Entwurf gewertet und zerrissen. Das neue amtliche Untersuchungsprotokoll sprach dagegen von einer Naturkatastrophe, die »neue wertvolle Einsichten für die zukünftige Planung« gebracht habe. Von Morosows Versagen kein Wort; ihn gab es nicht mehr. Und allen schien es so, als atmeten die Herren der oberen Baubehörde befreit auf. Ihre eigene Schuld war durch Morosows Opfer weggeschoben worden in das einfache Grab am Rande des Dorfes. Bis nach Moskau würde nichts durchsickern. Der verschobene Zeitplan, die Änderung des Solls mußte durch vermehrten Einsatz und das Heranschaffen zusätzlicher Maschinen ausgeglichen werden.
Der Leiter der Sonderkommission, ein Genosse Kasinjan mit dem Titel »Held der Sozialistischen Arbeit«, sagte es ganz deutlich:
»Wir müssen den Brigadeeinsatz intensivieren. Die verlorene Zeit einzuholen muß unser einziger Gedanke sein. Es gibt Kraftreserven, das haben wir immer wieder bewiesen. Genossen, wir lassen uns doch nicht durch einen Regen unterkriegen! Unser Bauabschnitt ist mehrmals lobend erwähnt worden im Gesamtbericht des Erdgasbaus, und so soll's auch bleiben. Der tragische Tod des Genossen Wladimir Alexejewitsch Morosow verpflichtet uns,

den Blick vorwärts zu richten auf das große Ziel: 1984 muß und wird das sowjetische Erdgas durch diese Leitung nach Westeuropa fließen! Die Welt soll sehen, zu welchen Leistungen die sozialistische Arbeit fähig ist.«

Rassim und Kabulbekow, die während der Arbeit der Kommission zugegen waren, nickten zustimmend. Schließlich stand hinter ihnen die Arbeitskraft von über 3800 Menschen. Und der Winter stand vor der Tür.

Abukow war nach dem offiziellen Begräbnis Morosows – man sprach von einer verhängnisvollen Nervenkrankheit als Todesursache, und das wurde auch in den KGB-Bericht aufgenommen – am nächsten Tag ans Grab gegangen, um heimlich für den toten Freund zu beten und seinen Heimgang zu segnen. Jetzt saß er im Lager 451/1 bei Larissa Dawidowna und aß ein Stück noch warmen Topfkuchen. Als Rassim und Wolozkow von der Trasse zurückkehrten, ging Rassim ins Hospital und hieb nach guter alter Weise mit der Faust gegen Larissas Wohnungstür.

»Störe ich?« dröhnte er, als er eintrat und Abukow am Tisch sah.

»Sie stören immer!« antwortete die Tschakowskaja. Sie trug die Uniform, darüber ihren Arztkittel, denn die Nachmittagsvisite bei den jetzt 59 bettlägerigen Kranken stand bevor.

»Das läßt sich nicht vermeiden«, brummte Rassim und zog einen Stuhl zu sich heran. »Wie vorteilhaft, gleich zwei der Hauptakteure anzutreffen. Auch Sie geht das an, Victor Juwanowitsch. Die Sonderkommission hat getagt. Morosow ist reingewaschen wie ein rosiger Säugling, man hat ihm einen geistigen Defekt bescheinigt. Und nun soll in die Hände gespuckt werden, daß sie triefen. So schnell wie möglich muß der Anschluß an das Soll erreicht werden. Das heißt, meine schöne Larissa Dawidowna: Keine Kranken mehr. Einsatz aller Brigaden. Keine Sonderspäßchen mehr wie Theaterspielen und mehr solchen Blödsinn. Nur noch gearbeitet wird!« Er schob die Beine weit von sich, musterte Abukow voll Hohn und wartete sichtlich kampfbereit auf die Entgegnungen.

Zu seiner maßlosen Enttäuschung sagte die Tschakowskaja schlicht: »Also gut. Einverstanden. Keine Kranken mehr.«

Rassim glotzte sie entgeistert an. »Haben Sie überhaupt richtig zugehört, Larissa Dawidowna? Ihre Schäfchen werden geschoren . . .«

». . . von Ihnen, Rassul Sulejmanowitsch. Natürlich verstehe ich. Für mich wird es einfacher. Meinen Dank dafür.«

»Einfacher?« Rassim starrte Abukow an. »Grassiert auch hier eine Gehirnerweichung?«

»Wenn es keine Kranken mehr geben darf, ist meine Tätigkeit als

Ärztin überflüssig. Die Totenscheine kann auch Dr. Owanessjan ausstellen. Oder Sie selbst, Genosse Kommandant – es ist ja ohne weiteres anzunehmen, daß Sie einen Toten von einem Lebendigen unterscheiden können. Was bleibt mir hier noch zu tun? Ich werde in Moskau meine Versetzung an eine Stelle beantragen, wo ich wirklich ärztlich tätig sein kann.«

»Sie drohen mir?« sagte Rassim dumpf.

»Wie können Sie die Genehmigung zu völliger Handlungsfreiheit als Drohung empfinden, Rassul Sulejmanowitsch? Ein absoluter Herrscher werden Sie sein, wenn ich gegangen bin. Niemand wird Ihnen mehr sagen, daß es Menschen sind, die sich durch Sumpf und Taiga wühlen. Es können dann ohne Einschränkung *Ihre* Geschöpfe werden. Genosse, was wollen Sie mehr?«

Rassim war etwas verwirrt, er konnte das nicht verbergen. Die Reaktion der Tschakowskaja hatte er sich anders vorgestellt. »Haben Sie andere Vorschläge, Sie Medizinengel?« bellte er wütend. »Der Erlaß ist heraus: Die verlorene Zeit muß aufgeholt werden. Warum schießen Sie mich an? Fahren Sie nach Swerdlowsk und klagen Sie dem Genossen Held der sozialistischen Arbeit Fjodor Kasinjan die Ohren voll! Von mir verlangt man Arbeitseinsatz – nichts weiter.« Er stand auf, blickte auf den Topfkuchen, griff zu und stopfte sich einen großen Bissen in den Mund. »Wieviel Kranke haben wir heute, Genossin Chefärztin?«

»Im Hospital neunundfünfzig. Im Lager vierundsechzig.«

»Ein Sanatorium in der Taiga! Man muß sich die Haare raufen!« Er griff noch einmal nach dem Kuchen, sah Abukow mit einem bösen Blick an, als sei er der Schuldige an allen Sorgen, und verließ die Wohnung der Tschakowskaja. Abukow sprang auf, kaum daß die Tür zugeklappt war, trat ans Fenster und starrte hinaus auf den weiten Platz und hinüber zu den Palisaden und dem geschlossenen Lagertor.

»Du willst wirklich weggehen?« fragte er.

Sie trat hinter ihn und legte den Kopf auf seine Schulter. »So groß und schön ist Rußland. Warum hier in der Einsamkeit verschimmeln? Laß uns einen anderen Ort suchen.«

»Du weißt, daß das unmöglich ist, Larissanka.«

»Überall kannst du eine christliche Gemeinde betreuen.«

»Mein Auftrag betrifft eindeutig das Lager JaZ 451/1.«

»Für immer willst du hierbleiben?!«

»Solange noch ein Gefangener an der Trasse arbeitet . . .«

»Das wird nie ein Ende haben. Auch dann nicht, wenn der Bau fertig ist. Dann verlegt man das Lager an ein neues Projekt. Sibirien ist unersättlich. Die Eroberung des jungfräulichen Landes hört niemals auf.«

»Ich werde mit meiner Gemeinde ziehen, wohin man sie auch bringt.« Abukow blickte Rassim nach, der mit weit ausgreifenden Schritten zur Kommandantur ging. »Für mich gibt es nur diesen einen Weg.«

»Ich vermute, man wird mich bald versetzen – ob ich es will oder nicht«, sagte sie und legte die Arme um ihn. »Was soll ich dann tun? Es gibt kein Leben mehr ohne dich.«

»Unser Leben liegt in Gottes Hand.«

»Eine dumme Phrase ist das!« sagte sie hart. »Leben ist das, was wir greifen können und was wir daraus machen. Leben – das bist du und ich! Sag mir, was es anderes gibt . . .«

»Über tausend Verbannte gibt es, die zu Arbeitstieren gemacht wurden, die hungern und leiden und eine Hand brauchen, deren Druck ihnen Hoffnung gibt. Hoffnung auf Überleben oder auch Hoffnung auf die Ewigkeit, auf die Erlösung. Was ist dagegen unser eigenes, egoistisches Leben?«

»Für mich ist es alles!« Sie küßte seinen Nacken und schloß die Augen. »Wenn man uns auseinanderreißt, wird in mir eine Wunde sein, die mich verbluten läßt . . .«

Am Abend kam Wolozkow zu Abukow an den Lastwagen, wo er gerade einen Ölfilter reinigte. Für morgen früh war die Rückfahrt nach Surgut angesetzt, denn die Straße war frei geworden – Bulldozer der Bauabteilung hatten den Schlamm von der Fahrbahn geschoben. Der Fahrer des Lastwagens, den Abukow reparierte, lag seit gestern im Hospital, Lungenentzündung war die Diagnose. So kam Abukow zu einem Wagen, mit dem er in die Stadt fahren konnte. Smerdow, dem man die Erkrankung telefonisch mitteilte, stimmte sofort sein Klagelied an, war aber dann hocherfreut, als er erfuhr, daß Abukow wieder zu ihm kam. Aus den Wohnlagern der Bauarbeiter an der Erdgasleitung und aus den Straflagern schrie man nach Nachschub.

»Es scheint«, sagte Wolozkow, »als gäbe es wirklich Beamte, die schnell arbeiten können. Oder aber es sitzt in Swerdlowsk ein vor Langeweile seufzender Genosse, der sich mit einem Lustschrei auf ein Aktenstück gestürzt hat, das endlich zu ihm kam. Zufällig muß es mein Bericht über Ihre Theatergewerkschaft ›Theater Die Morgenröte‹ gewesen sein. Jedenfalls kam ein Anruf aus Swerdlowsk: Sie werden Musikinstrumente bekommen. Alte, gebrauchte, aus Militärkapellen ausgemusterte Instrumente. Hauptsache, sie geben noch Töne von sich und fallen nicht beim ersten Hineinblasen auseinander.«

»Wie soll ich Ihnen danken, Ilja Stepanowitsch«, sagte Abukow und reichte ihm seinen Unterarm, denn die Hände waren voller Ölschmiere. »Das ist mehr, als ich zu träumen wagte.«

»Träumen wir davon, daß sie auch ankommen.« Wolozkow lehnte sich gegen den Lastwagen. Abukow spürte, daß ihn ein Problem bedrückte, er aber nicht die Worte fand, es vor ihm zu offenbaren. »Viel Zeit hatte ich, Jachjajews Notizen durchzusehen«, sagte er schließlich, während Abukow den Ölfilter wieder einbaute. »Viel verworrenes Zeug, in dem nur er selber einen Sinn sehen konnte. Briefe zum Beispiel an Novella Dimitrowna, die er nie abgeschickt hat. Und ein Dossier über Morosow, dem er anscheinend mißtraute – warum, das ist nicht ersichtlich. Aber nun ist Morosow tot, die Akten sind geschlossen, und niemand geht es mehr etwas an, was Jachjajew da privat gesammelt hat. Auch dieser Brief nicht!«

Er holte aus der Tasche Abukows Brief, den er damals Novella für Morosow mitgegeben hatte und der dann auf Jachjajews Tisch lag und ihn als Schänder und Mörder entlarvte. Abukow zögerte, blickte Wolozkow fragend an, nahm dann mit spitzen Ölfingern das Kuvert und hielt es fest.

»Haben Sie ihn gelesen?«

»Natürlich.« Wolozkow sah an Abukow vorbei ins Leere. Sein junges, schönes Gesicht war ausdruckslos. »Jachjajews Tod hat mich immer interessiert. Mit Rassim habe ich darüber gesprochen, habe mich lange mit Morosow unterhalten. Einmal war Morosow unvorsichtig, versprach sich, erwähnte den Brief, den ich gefunden hatte. Wenn man die Mosaiksteinchen zusammensetzt, erkennt man plötzlich, woher der Antrieb kam, Jachjajew zu ›bestrafen‹.«

»Was wollen Sie nun tun?« fragte Abukow gefaßt.

»Vernichten Sie den Brief, Victor Juwanowitsch.« Wolozkow stieß sich von der Lastwagenwand ab. »Die Hauptpersonen sind tot, der Vorhang kann fallen. Wie bei einer Shakespeare-Tragödie ist es. Wen interessieren die Statisten, die die Waffen zureichen? Sie, als Theatergenie, müßten das doch wissen . . .«

Er ging davon, und Abukow blickte ihm nach mit dem Gefühl, ihm nachlaufen zu müssen und ihn zu umarmen. Gab es so etwas: Ein KGB-Offizier als Freund?

Abukow ging hinter die Autowerkstatt, steckte den Brief mit einem Streichholz an und wartete, bis er verbrannt war. Dann zermalmte er noch mit den Schuhen die Asche zu feinem, grauem Staub und trat ihn weg in den Wind.

Über Nacht, genauso wie Bataschew es immer geschildert hatte, fiel der Winter über das Land. Aus bleidunklen, schweren Wolken, die von Osten antrieben, schwebte der Schnee herunter. Waren vorher die Wolken unter der Last des Wassers geborsten, so deckten jetzt die weißen Flocken Sumpf und Taiga zu und breiteten eine Stille über das Land, als sei alles Leben vergangen unter einem maßlosen Leichentuch.

Pausenlos fuhren Smerdows Lebensmittelkolonnen zu den Arbeitslagern, Baustellen, Magazinen und Depots. Ein Kampf war's gegen den wirbelnden Schnee, aber die Straßen waren nun fest und befahrbar, sogar die Nebenwege in die Wälder. Man konnte die Natur besiegen mit den schweren Motoren und den dickstolligen Reifen, saß warm in den geheizten Fahrerkabinen und hatte aus dem Zentraldepot herrlich dicke, wattierte Mäntel mit Pelzkragen bekommen, Pelzmützen mit Ohrenschützern und mit Lammfell gefütterte Handschuhe.

Trotzdem warnte Smerdow grinsend vor zu großer Sorglosigkeit. »Jedem Neuling in Sibirien muß man's sagen«, meinte er zu Abukow. »So ein warmes Pelzchen verführt zum falschen Denken. Neu bist du hier, Victor Juwanowitsch. Laß dich nie hinreißen, auch beim größten Drang nicht, bei 40 Grad Frost im Freien zu pinkeln. Du frierst an, sag ich dir; pinkelst einen Regenbogen, der sofort erstarrt – und siehe da: das Schwänzchen ist wie festgeschmiedet. Da gab es einen Genossen mit Namen Krushilin, berühmt war er für seinen überdimensionalen Schwengel, der hielt es nicht mehr aus – hatte vorher vier Flaschen Kwaß getrunken – und sagte sich trotz aller Warnung und Erfahrung: Es muß einfach sein, ehe ich mir die Hose benässe. Also hielt er den Wagen an, sprang raus, stellte sich hinter sein Auto und ließ es strahlen. Zwei Minuten später hörte man ihn jämmerlich brüllen – fest vereist mit seinem Wagen war er! Natürlich konnte er sein gutes Stück vom Eis abbrechen, aber der Frost war schon drin, ins Krankenhaus mußte er, lag da mit rollenden roten Augen, den Prachtkerl eingesalbt und dick verbunden, und tagelang wußten die Ärzte nicht: soll man ihn abschneiden, oder ist er noch zu retten? Das hättest du sehen sollen, diese Prozession der Schwestern zu seinem Bett. Jede wollte die Erfrierung zweiten Grades bewundern, und seine Frau lag vor den Ärzten auf den Knien und flehte: ›Liebe Genossen, laßt ihn dran!‹ – Seitdem nimmt Krushilin immer ein Eimerchen mit auf Fahrt. Das möchte ich dir auch raten . . .«

Was Abukow für eine Übertreibung gehalten hatte, geschah tatsächlich: der Kühlwagen mußte auch bei härtestem Frost fahren. Smerdow handelte streng nach Vorschrift und schickte Abukow mit der verderblichen Ware herum in einem Kühlraum, der eine höhere Temperatur hatte als die Außenwelt. Nach zehn Tagen ununterbrochenen Schneefalls war der große, stille Frost gekommen, das Väterchen Sibiriens, wie ihn die Eingeborenen nannten. Das Land erstarrte, die Bäume wurden wie aus Eisen. Zwar war der Himmel wieder von einer unendlichen herrlichen Bläue, aber nur Kälte fiel aus ihm herab, manchmal begleitet von eisigen Winden, deren man sich nur erwehren konnte, wenn man sich verkroch in die Sicherheit der Häuser. Dort waren von innen alle Fensterritzen mit Papier verklebt, die Öfen bullerten und glühten, die Samoware summten, und in den Bauernkaten verzog sich die gesamte Familie zum Schlaf auf die Plattform der dickleibigen, gemauerten Öfen – auf den Platz, wo im sibirischen Winter Leben gezeugt wurde und Leben erlosch. In Surgut gab es zwar ein modernes Heizwerk, das Wärme in die Stuben schickte, doch das betraf nur die genormten Neubauten der Neustadt. Im alten Teil kroch man um die guten alten Öfen zusammen.

Schon auf dem Weg ins Lager JaZ 451/1 sah Abukow die Qual der Strafgefangenen: Die Fällbrigaden hatten ihre Not, die steinharten Bäume abzusägen. Noch ärger waren die Kolonnen dran, die mit stupfen Äxten die Äste abhauen mußten. Was die hochentwickelten Maschinen, die Schaufelradbagger, die sonst die drei Meter tiefen Gräben für die Rohre aus dem Boden fraßen, jetzt leisten konnten, das war nur ein Kratzen an der eisigen, stahlharten Oberfläche. Die Spezial-Bulldozer mit ihren blanken Eisenzähnen hackten lediglich noch eine Rinne in den Boden. Die riesigen Rohrlegemaschinen standen an der Trasse; für sie gab es zur Zeit nichts zu tun.

Hier half nur noch Menschenkraft, und davon hatte man genug. Die Brigaden aus 451/1 standen wie ein Ameisenheer am Graben und hackten sich in die Tiefe; Zentimeter um Zentimeter, Meter um Meter in einen Boden, der bei jedem Hieb aufklang, als schlage man gegen Metall. Die Preßlufthämmer dröhnten, die Schaufeln klirrten, und neben dem Graben fuhren auf dem schmalen Gleis die eisernen Loren die herausgerissene Erde weg.

Abukow hielt dreimal an, um dieses entsetzliche Bild in sich aufzunehmen: In alten, zerlumpten Mänteln, die Stiefel oft mit Stroh umwickelt, die meisten ohne gefütterte Mützen, nur mit Strickmützen geschützt und mit zerrissenen Handschuhen, schlugen sich die erbarmungswürdigen Gestalten durch den vereisten Boden.

Im Lager angekommen, stellte Abukow seinen Kühlwagen bei Gribow vor die Tür und lief sofort hinüber zu Larissa Dawidowna. Sie hatte ihn schon vom Fenster aus gesehen, kam ihm entgegen und breitete die Arme aus. Zwanzig Tage hatte sie auf diesen Augenblick warten müssen.

»Was da draußen geschieht, ist Mord!« rief Abukow mit wilder

Stimme. Mit ausgestreckten Armen hielt er Larissa fest und wehrte ihre Küsse ab. »Ein Massenmord ist das! Kaum noch stehen können sie vor Erschöpfung!«

»Ein Tag wie jeder andere ist's«, sagte sie schwer atmend. Das Glück, Abukow wieder bei sich zu haben, füllte sie ganz aus. »Und erst der Anfang! Der richtige Winter kommt noch.«

»Sie werden alle sterben!« schrie Abukow. »Das hält niemand aus!«

»Es sind viele unter ihnen, die den dritten, vierten Winter überlebt haben.«

»Nicht an der Erdgasleitung!«

»Das ist ihr zweiter Winter an der Trasse. Vorher bauten sie die Straßen, sägten die Trassenführung aus dem Wald, rodeten die Bauplätze, legten die Sümpfe trocken, gruben die Fundamente für die Stützen und Pfeiler. Hier war nichts, nur Urwald! Sie haben es überlebt . . .«

»Wie viele?« fragte Abukow.

»Immerhin siebzig Prozent. Rassim ist stolz auf diese Zahl.«

»Unfaßbar ist das! Stolz auf Massenmord!« Er wehrte Larissa Dawidowna noch immer ab, die ihn umarmen wollte, und knöpfte seinen dicken Mantel auf. »Ich gehe zu Rassim.«

»Einen Tritt wird er dir geben . . .«

»Wolozkow wird helfen.«

»Ach, der liebe Ilja Stepanowitsch . . . Mit dem Einbruch des Frosts ist er trübsinnig geworden. Sitzt in seinem Zimmer herum, hört grusinische Volksmusik und starrt in ein Album mit Bildern von der Krim. Seine Braut hat von sich hören lassen. Sie hat geschrieben: Mag es auch eine Ehre sein, am Aufbau mitzuhelfen – ich liebe die Wärme, die Palmen und Rosenbüsche am Strand, die Kamelien und den Oleander in den Gärten, den weißen Sand am Meer, die Sonne am Himmel, den samtweichen Wind in der Nacht, den Gesang der Zikaden . . . Ich kann nicht zu dir nach Sibirien kommen, niemals! – Von da an gab es keinen Wolozkow mehr. Was da herumsitzt, ist ein Schatten in den Kleidern des Wolozkow.«

»Woher weißt du das?« fragte Abukow heiser vor Erregung.

»Den Brief hat er mir vorgelesen und dann um ein starkes Schlafmittel gebeten. ›Sorgen Sie dafür, Larissa Dawidowna, daß ich zwei Tage schlafe‹, hat er zu mir gesagt. ›Nicht aufwachen darf ich, sonst bringe ich mich um. Vielleicht ist es nach zwei Tagen besser!‹ – Ich habe ihn drei Tage schlafen lassen, hier im Hospital, habe ihm noch drei Injektionen gegeben.« Sie schüttelte den Kopf und hielt Abukow am Ärmel des Mantels fest. »Wo willst du hin, Victor? Wolozkow ist es völlig gleichgültig, was mit den Sträflingen passiert. Er kann dir nicht helfen, niemand kann dir helfen. Begreif doch: Das ist Sibirien! Das ist ein Straflager! Das ist *unser* Winter . . .«

Abukow riß sich aus ihrem Griff los und stürmte hinaus. Auf dem Platz traf er Mirmuchsin, der ihn schon gesucht hatte. »Mein Herzensfreund!« schrie Mustai. »Endlich bist du da! Hast du alles mitgebracht für mich?«

»Für dich?« Abukow blieb stehen. »Was soll das sein?«

»Ist mein Brief nicht angekommen?«

»Kein Brief!«

»Welch ein Unglück! Kein Brief? Mitgegeben habe ich ihn einem Hubschrauber. Zur Post sollte er ihn geben. Allah kastriere alle Postbeamten! Was mach ich nun? Verhungern kann ich. Mein Vermögen schläft in Tjumen auf der Post.«

»Welches Vermögen?«

»Kann man im Winter von Limonade leben? Wer trinkt da gekühlte Säfte? Wärme muß im Bauch sein, wenn draußen die Bäume im Frost platzen. Ein guter Fabrikant stellt sich dann um: Ich produziere Glühwein! Aber geht das? Nein! Die Pakete mit den Essenzen liegen in Tjumen auf der Post! Soll ich heißes Wasser verkaufen? Aus einer Flasche Grundsubstanz mache ich zehn Liter Glühwein! O diese Post . . . er hat meinen flehenden Brief nicht erhalten . . .«

Abukow ließ den jammernden Mustai stehen und rannte weiter zur Kommandantur. Wolozkow saß in seinem Zimmer, hörte tatsächlich grusinische Volkslieder und sah sehr bleich und viel älter aus, als er war. Bei Abukows Eintritt stellte er die Musik ab.

»Ist Ihnen klar, Ilja Stepanowitsch«, rief Abukow ohne Einleitung oder Begrüßung, »daß Sie Ihre Macht verschenken? Kapitulieren Sie vor Rassim? Zum Herr über Leben und Tod machen Sie ihn!«

»Das war er schon immer«, antwortete Wolozkow müde. »Lassen Sie sich begrüßen, Victor Juwanowitsch. Setzen Sie sich. Erzählen Sie, wie es draußen in der normalen Welt aussieht. Gibt es da noch Menschen, die lachen können?«

»Es wäre besser, zu fragen: Warum werden hier sinnlos Menschen vernichtet?« Abukow warf seinen dicken Mantel ab, es war heiß im Zimmer; der Ofen, ein rundes Ding aus Gußeisen, gluckerte. »Waren Sie schon mal draußen an der Baustelle, jetzt, nach dem Frost?«

»Nein.« Wolozkow winkte ab. »Ich sehe sie jeden Abend zurückkommen, das genügt mir.«

»Und Sie nehmen das einfach hin?«

»Man muß lernen, mit Rassim zu denken: Es sind gefährliche Verbrecher gegen den Staat. Ob politisch oder kriminell – warum soll man sie auseinanderhalten?« Wolozkow grinste verzerrt. »Wenn man sich diese Denkweise angewöhnt, blickt man darüber hinweg wie über eine nasse Hammelherde. – Sie haben ein Herz für die Verbrecher?«

»Ich bin ein Mensch wie Sie, Ilja Stepanowitsch«, sagte Abukow gepreßt. »Mein Vaterland liebe ich, komme aus einer guten kommunistischen Familie, Vater und Mutter waren geachtete Bürger von Kirow, ich mißachtete jeden Dissidenten, fühle als großer Patriot ... so kennt mich jeder hier. Aber mein Herz dreht sich herum, wenn ich sehen muß, wie Menschen, die doch unsere Brüder sind, wenn auch aus der Bahn geglitten, schlimmer als die Tiere leben müssen! Strafe heißt Umerziehung, so hat man mir gesagt. Aber hier wird Strafe zur Vernichtung! Und Sie, Ilja Stepanowitsch, sind beauftragt, die Umerziehung zu überwachen und bei ihr mitzuwirken.«

»Zu dieser ehrenvollen Aufgabe wurde ich gezwungen«, sagte Wolozkow trübe. »Ein Verbannter wie sie alle da draußen bin ich. Nur zu fressen habe ich, ein warmes Zimmer und warme Kleider ...«

»Alles, was man zum Überleben braucht. Die anderen aber haben gar nichts!«

»Klagen Sie nicht mich an, sondern die Verantwortlichen«, entgegnete Wolozkow bitter. »Als der Frost einbrach und keiner Wintersachen hatte, bin ich zu Rassim hinüber. Was sagte er mir? ›Nehmen Sie Einblick in meine Berichte. Vier dringende Anforderungen für neue Winterkleidung liegen da. Was war die Antwort? Schweigen! Wenn es Ihnen gelingt, tausend Steppjacken und gefütterte Mützen nach Nowo Wostokiny umzuleiten, wäre ich bereit, Ihnen einen Kuß zu geben. Das kann ich Ihnen anbieten, weil's nie dazu kommen wird!‹ Das also sagte der Kommandant.« Wolozkow breitete die Arme aus. »Das Angebot mache ich nun Ihnen, Victor Juwanowitsch.«

»In Tjumen sind die Lager randvoll. Mit eigenen Augen habe ich es gesehen.«

»In Tjumen! Zwischen Tjumen und JaZ 451/1 liegen Mondfernen ... Abukow, wir sind doch nicht allein auf der Welt! Da sind die Lager bei Kungur und Lyswa, bei Irbit und Tawda, da sind Uschch – 349/71 und Ust-Ischim – zehntausend Sträflinge, Abukow, die alle auf Wintersachen warten. Ich habe mich genau erkundigt, glauben Sie es mir. Die Hauptverwaltung in Perm nebelt sich ein. Was soll sie dazu sagen, wenn die Versorgung irgendwo feststeckt? – Glotzen Sie mich nicht an wie ein luftleerer Karpfen! Was bin ich denn? Ein kleiner Oberleutnant. Verlangen Sie von einer Funzel nicht ein Halogenlicht!«

»Die Verwaltung versagt, aber die Toten nimmt man hin?« schrie
Abukow außer sich.
»Bei den Menschen klappt der Nachschub, das war schon immer
so.« Wolozkow winkte ab. »Der Mensch ist eine stets greifbare
und verfügbare Ware. Da gibt es keinen Mangel. Damit kann
man problemlos Lager füllen. Aber tausend gefütterte Handschuhe, fünfhundert Mäntel, ein paar hundert Stepphosen, tausend Ohrenschützer – das übersteigt alle Verwaltungskräfte. Ich
habe es nicht geglaubt, wie Sie, aber hier habe ich gelernt, was
möglich ist in der Kunst des Wegblickens.«
Abukow sah die Sinnlosigkeit ein, noch weiter mit dem völlig aus
dem Gleis geratenen Wolozkow zu diskutieren. Er warf seinen
Mantel um die Schultern und stürmte ein Zimmer weiter zu Rassim.
Rassul Sulejmanowitsch war nicht da. Dafür saß Leutnant Sotow
am Tisch und schrieb an einer Liste. Bevor er etwas sagen konnte,
war Abukow schon wieder draußen und rannte zurück zum Hospital.
Die Tschakowskaja machte ihre Visite. Zusammen mit Polewoi
und dem immer magerer und schwankender werdenden General
Tkatschew ging sie von Krankenzimmer zu Krankenzimmer. Sie
hatte bei Rassim durchgesetzt, daß Tkatschew im Hospital mit-
half. Auch Dshuban Kasbekowitsch machte die Visite mit, elegant wie immer, seit zwei Wochen mit einem dünnen schwarzen
Kavaliersbärtchen unter der Nase. Als er Abukow sah, winkte er
ihm freudig zu. Das Leid um sich herum nahm er gelassen hin wie
Sonne und Regen, Schnee und Eis . . . es war für ihn naturgege-
ben und unabänderlich.
Abukow wartete im Flur, bis Larissa Dawidowna ihre Visite beendet hatte. Aber sie kam nicht zu ihm, sondern ging mit Dr. Owanessjan in der anderen Richtung davon. Statt dessen kam Polewoi
auf Abukow zu. Sein zerknittertes Gesicht unter den weißen Haaren war noch kleiner geworden, zusammengeschrumpft, als
trockne er von Tag zu Tag aus.
»Es geht schon los«, sagte er und gab Abukow die welke Hand.
»Jetzt operieren sie ihn . . .«
»Was geht los?« fragte Abukow.
»Die Selbstverstümmelungen. In jedem Winter ist es so. Einige
halten es nicht mehr aus und kommen auf die wahnsinnigsten
Ideen, um ein Bett im Hospital zu erobern. Du wirst es sehen. Je
weiter der Winter fortschreitet, um so mehr verstümmeln sie sich
selbst. Er da, den sie jetzt aufschneiden, hat's gestern getan. In der
Nacht fing es an. Keiner wußte, was er hatte. Er hat sich ge-
krümmt vor Schmerzen, Blut hat er gespuckt, geschrien wie ein

Pferd. Dshuban hat ihn geröntgt, und da wußten wir es: Der erste Fall in diesem Jahr. Ein Schlucker.«

»Ein Schlucker?«

»Wir haben gelernt, sie einzuteilen: Da sind die Schlucker, die Schneider und die Bohrer.« Polewoi wischte sich über das fahle, zerklüftete Gesicht. »Dshuban hat es im Röntgenbild gesehen und fotografiert: Der ganze Magen voll, die Magenwände aufgerissen . . .«

»Womit?« fragte Abukow dumpf. »Was hat er geschluckt?«

»Glas, Nägel, Nadeln, zerstückeltes Blech von der Eßschüssel und einige Stücke Stacheldraht«, sagte Polewoi. »Und in der Nacht, beim Fiebermessen, hat er auch noch das Thermometer zerkaut und hinuntergeschluckt. Nun wird er operiert. Zwei Wochen Ruhe, ein Bett, ein warmes Zimmer, kein Schuften in Eis und Frost – das ist ein zerrissener Magen wert. Kaum zu glauben, wozu ein Mensch in der Verzweiflung fähig ist . . .«

15

Am Abend kehrte Lagerkommandant Rassim zurück in einem Geländewagen, der mit einer Haut aus glitzerndem, gefrorenem Schnee überzogen war. Dick vermummt in einen Wolfspelz, aber trotzdem von der Kälte geschüttelt und mit gerötetem Gesicht, stapfte er schnell in die Kommandantur, schälte sich aus dem Mantel, rieb sich das Gesicht und holte dann die Flasche Wodka aus dem Schrank. In den Tee, den er sich aus dem Samowar zapfte, goß er eine große Portion des Alkohols und schlürfte das einzige belebende Getränk, das es bei dieser mörderischen Kälte gab, in vorsichtigen, schmatzenden Zügen.

So traf ihn Abukow an, der Rassims Kommen vom Fenster aus gesehen hatte und sofort zu ihm ging.

Der Kommandant, die heiße Teetasse am Mund, unterbrach sein Schlürfen nicht, sondern blinzelte Abukow über den Tassenrand hinweg zu. Unaufgefordert setzte sich Abukow und wartete, bis Rassim die größte Kälte aus sich hinausgetrieben hatte. An der Wand tropfte aus dem aufgehängten Pelzmantel das Wasser – der gefrorene Schnee taute in der Hitze des Zimmers.

»Eine Kälte, bei der sogar die Wölfe weinen«, sagte Rassim und zapfte eine neue Tasse Tee. »Sie auch ein Täßchen, Victor Juwanowitsch? Halb Tee, halb Wodka, das macht das Blut heißer als ein Tscherkessenweib! Und so früh bricht der Frost herein. Erst der Wolkenbruch, jetzt die Kälte – nichts ist mehr so geordnet wie früher. Aber warum soll die Natur auch nicht verrückt spielen, wo doch um uns herum die Menschen immer blöder werden? Was wollen Sie von mir, Abukow? Ohne Grund hocken Sie nicht herum wie ein hungriger Affe.«

»Sehen wir davon ab, daß ich Ihnen aus Surgut zwei Pfund Pralinen mitgebracht habe – Rumtrüffel, Marzipan und Nougatschnitten – und zwei frische, ganze Ananas, die Sie zu einem Kalbsnierenrollbraten essen können . . .«

»Halt!« sagte Rassim und hob die Hand. »Oh, wie gut kenne ich Sie jetzt, Victor Juwanowitsch! Wenn Sie mir so etwas hinwerfen, ist's, als wollten Sie einen Tiger füttern, damit er nachher in der

Manege brav Männchen macht. Ein halbes Jahr ist es jetzt her, daß Sie hier plötzlich auftauchten mit Ihrem Kühlwagen, und seitdem frage ich mich jedesmal, wenn ich Sie sehe: Was ist das für ein Kerl? Ein Kraftfahrer mit der Intelligenz eines Gelehrten. Und darüber hinaus einer der raffiniertesten Gauner, der mir je begegnet ist. Sie hätten mehr werden können als ein Transportarbeiter.«

»Jeder an dem Platz, der ihm zugewiesen ist, Genosse Kommandant«, sagte Abukow und lächelte freundlich, während sein Herz wild zu klopfen begann. »Der Lebenslauf eines Menschen ist oft von Zufällen bestimmt.«

»Was wollen Sie also?«

»Für Samstag brauche ich mein Theater-Ensemble zur Verständigungsprobe, am Sonntag soll wieder gespielt werden.«

»Die ›Lustige Witwe‹!« Rassim lachte dunkel und kurz. »Taufen Sie es um, Sie Hirnverbrannter. Mein Vorschlag: ›Die stammelnden Skelette‹.« Er kam zu Abukow, stellte ihm einen Tee mit Wodka auf den Tisch und rieb sich die noch frostroten Ohren. »Mehr werden Sie nicht auf Ihre Bretter bekommen. Alles, was da fröhlich herumhüpfte, ist jetzt froh, wenn es am Abend noch kriechen kann.«

»Ich habe die Brigaden an der Trasse gesehen«, sagte Abukow und setzte die Tasse vorsichtig an den Mund. Der heiß gewordene Wodka zog mit einem köstlichen Duft in seine Nase. »Wären es Ameisen, würde man sie mit Tränen in den Augen einsammeln – aber es sind ja nur Menschen.«

»Verbrecher, Victor Juwanowitsch! Abschaum unserer sozialistischen Gesellschaft. Verräter am System. Kriminelle und Schädlinge.« Rassim setzte sich neben Abukow, zog seine nassen, auftauenden Stiefel aus und streckte die Füße dem Ofen entgegen. Die Zehen bewegte er, damit sie wieder besser durchblutet wurden. »Für eine so edle Seele wie Sie ist der Anblick dieser Verdammten wie ein Besuch in der Hölle. Abukow, sehen Sie es anders: Was macht ein guter Gärtner, wenn ihm die Raupen die frischen Blätter wegfressen, wenn die Stare seine Saat aufpicken, wenn irgendein Gewürm den Kreislauf des Lebens stört? Na? Er spritzt Gift auf die Schädlinge, er vertreibt die Vögel, er vernichtet das Unkraut, das seine Blumen und Felder bedroht! Ist das nicht natürlich? Oder soll er die Raupen und das Unkraut mit verklärtem Blick pflegen und dann selbst verhungern? Könnte man dann Mitleid haben mit so einem Idioten?« Rassim schlürfte seine Tasse aus und nickte dann, seine Rede selbst bestätigend. »Wo Schädlinge auftreten, werden sie bekämpft. Und hier ist eine Sammelstelle für Schädlinge, die zufällig einen menschlichen

Körper haben und menschliche Namen tragen. Man könnte zum Beispiel auch einen Kartoffelkäfer oder einen Drahtwurm Victor Juwanowitsch nennen . . .«

Abukow schwieg. Rassims vernichtende Philosophie erschreckte ihn bis ins Innerste. Mit einer Gänsehaut am Rücken begriff er plötzlich, daß bei solcher Verachtung des Menschen eine Verständigung nicht mehr möglich war. Und jetzt verstand er auch den kleinen Professor Polewoi, der einmal zu ihm gesagt hatte: »Hätte ich die Kraft dazu und käme eine Gelegenheit – Rassim würde ich töten wie eine Laus. Und ich würde es nicht einmal bereuen – egal, ob Gott mir das verzeiht oder nicht.«

Der Tee mit Wodka tat Rassim gut. Er schnalzte mit der Zunge, griff nach einer Packung kaukasischer Zigarren und zündete sich eine an. Verträumt blickte er dem weißen, dicken Rauch nach. »Ihr lächerliches ›Theater Die Morgenröte‹ ist tot, Abukow. Gegen alles, auch gegen mich, konnten Sie sich durchsetzen – gegen den sibirischen Winter sind Sie machtlos.«

»Wir werden spielen«, sagte Abukow fest. »Bitte rufen Sie Oberst Kabulbekow an.«

»Soll ich mich lächerlich machen?« schrie Rassim und sprang auf. Auf Strümpfen lief er vor dem bullernden Ofen hin und her. »Von ihm komme ich gerade. Andere Sorgen hat er mit seinem Weiberlager als die ›Lustige Witwe‹! Ihm fallen die Frauen um wie verdorrte Gräser im Sturm. Nur zwei Drittel davon sind einsatzfähig, und die draußen im Wald arbeiten oder im Sägewerk, jagen nicht Hasen zum Fressen, sondern Männer. Sie wollen schwanger werden, weil sie dann auf frühere Entlassung hoffen dürfen. Wo eine Männerhose auftaucht, beginnt ein Wettrennen. Belgemir Valentinowitsch ist der Verzweiflung nahe. Unmöglich ist's, die Arbeitsbrigaden so abzuschirmen, daß niemand sich anschleichen kann. Die schlimmsten Böcke sind die Facharbeiter beim Rohrverlegen. Muß anscheinend anregen, immer die Röhren vor sich zu haben. Die weiblichen Sträflinge wurden in den unmöglichsten Verstecken aufgestöbert. Eine Frau entdeckte man zum Beispiel in der Schaufel eines stillgelegten Schwimmbaggers. – Sprechen Sie bloß nicht Kabulbekow an! Hysterisch wird er . . .«

»Nur an Ihnen liegt es, Rassul Sulejmanowitsch.« Abukow schob seine leere Tasse weg. Den Wodka spürte er; Rassim hatte ihm weit mehr Schnaps als Tee hineingeschüttet, und heißer Alkohol läuft erschreckend schnell in Hirn und Blut. »Bei dem Genossen Wolozkow war ich schon.«

»Der arme Ilja Stepanowitsch!« rief Rassim spöttisch. »Was tat er? Las er gerade das Briefchen seiner Braut? Stand er vor einem Bild der Krim und weinte? Oder lief er im Zimmer herum und schrie: Das Leben ist Scheiße? Was also sagte Kommissar Wolozkow?«

»Er wäre erfreut, wenn wir spielen . . .«

»Ich nicht!« brüllte Rassim. »Ich ziehe keine Arbeitskraft von der Trasse ab. Bis zur Schneeschmelze müssen wir den Rückstand aufgeholt haben. Befehl aus Perm. Der Dämlichkeit ihres Freundes Morosow haben wir das zu verdanken. Auch so ein Spinner wie Sie! Hat eine geniale Idee – und da regnet es, und alles sitzt mit bloßem Arsch da!« Er blieb vor Abukow stehen und lachte ihn breitmäulig an: »Wann setzen Sie sich einen Revolver an die Schläfe, Victor Juwanowitsch? Sie können Morosows Dumdumspritze erben; ich hab sie hier und geb sie Ihnen gern?«

Abukow erhob sich vom Stuhl, ärgerte sich, daß er den Alkohol in den Beinen und im Kopf spürte, und bemühte sich, es nicht zu zeigen. »Sie haben einen Arbeitsauftrag – ich habe einen Kulturauftrag.«

»Und der Unterschied ist, daß für meine Arbeit die Westeuropäer über vier Milliarden zahlen und ab 1985 zwanzig Milliarden für unsere Erdgaslieferungen, womit wir uns im Ausland alles kaufen können, was uns noch fehlt. Ihre Scheißkultur aber bringt nur Nebel in die Hirne und verschleiert die Wirklichkeit. Gehen Sie weg, Abukow!«

Der hob die Schultern und ging zur Tür. Rassim starrte ihm mit vorgestrecktem Kopf nach, als laufe Abukow geradewegs auf einen Abgrund zu. »Weihnachten werden wir ›Hänsel und Gretel‹ spielen«, sagte er an der Tür.

»Es gibt kein Weihnachten!« bellte Rassim sofort.

Abukow erschrak und nannte sich einen Idioten. Ein großer Fehler und ein Glück, daß Rassim so ahnungslos war.

»Gut, ich meinte Väterchen Frost! Aus Tjumen bestelle ich Textbücher und Noten.«

Die Oper ›Hänsel und Gretel‹ von Humperdinck war für Abukows Kirchenarbeit hervorragend geeignet. Engel kamen darin vor, ein Gebet auch, und man konnte ohne Schwierigkeit einen ganzen Gottesdienst hineinbauen – problemloser jedenfalls als in die ›Lustige Witwe‹.

»Ilja Stepanowitsch hat auch die Nachricht bekommen, daß Instrumente für das Orchester geliefert werden«, fügte Abukow noch hinzu.

»So grenzenlos wie das Land, so irr sind die Verrückten hier«, entgegnete Rassim. »Victor Juwanowitsch, wo haben Sie die mitgebrachten Pralinen?«

»Noch im Wagen, Genosse Kommandant.«

»Ein völlig falscher Platz.« Rassim drehte Abukow den Rücken zu, um jedem Blickwechsel aus dem Weg zu gehen.

»Ich bringe Ihnen die Kartons herüber«, sagte Abukow und verließ das Zimmer.

Ihn fror es bei dem Gedanken, daß an zwei Pfund Pralinen einige Menschenleben hängen konnten.

Die Tschakowskaja war von der Operation zurückgekommen, wartete in ihrer Wohnung auf Abukow und brühte Kaffee auf, als er von Rassim zurückkam. Rassul Sulejmanowitsch hatte die Pralinen, die Ananas und den Rollbraten ohne ein Wort des Dankes entgegengenommen, ja, er hatte die Dinge nicht einmal berührt, sondern nur stumm auf den Tisch gezeigt. Dort hatte Abukow seine Schätze abgelegt und ebenfalls wortlos den Raum verlassen. Rassim jetzt anzusprechen wäre eine unverzeihliche Dummheit gewesen.

»Wir haben ihm den halben Magen wegnehmen müssen«, sagte Larissa Dawidowna. Man sah ihr die Müdigkeit an, ihre Hände waren unruhig, und sie verschüttete Kaffee, als sie ihn in die Tassen eingoß. »Schrecklich, was er alles geschluckt hatte. Ein schwerer Eingriff war es für Dshuban.«

»Kann er das denn überhaupt?« fragte Abukow betroffen.

»Er ist Chirurg.«

»Aber was für einer!«

»Gut hat er es gemacht. Ich war erstaunt. Als er den Oberbauch eröffnet hatte und der Magen vor ihm lag, glänzte er über das ganze Gesicht, und zu mir sagte er: ›Bin ich nicht ein Teufelskerl? Bei so was habe ich früher nur die Haken halten dürfen, und jetzt gelingt mir's allein! Das sind meine von Ihnen belächelten Übungen an den Leichen. Training, meine Liebe, Training, auch bei den Chirurgen. Ohne Gefühl in den Fingerchen geht nichts . . .‹ Und dann resektierte er den Magen, als habe er das am Fließband gelernt.«

»Wird der Patient überleben?«

»Wer weiß das? Wer fragt hier auch danach? Infusionen müßte er jetzt haben, aber Dshuban hat nichts. Seit drei Monaten liegen unsere Anforderungslisten irgendwo herum, keiner weiß, wo. Fragt man danach, heißt es: ›Nur Ruhe, Genossen! Kommt alles. Vertrauen Sie auf unsere Planwirtschaft.‹ Also warten wir; was kann man sonst tun?«

Mit Gribow hatte Abukow zum erstenmal in diesem halben Jahr eine Auseinandersetzung. Der dicke Magazinverwalter klagte über den frühen, harten Beginn des Winters und daß es nun an der Zeit sei, sich ein Beispiel an den Bären, Hamstern, Bibern und

Eichhörnchen zu nehmen und die eigenen Keller vollzustopfen. »Laß erst die Schneestürme kommen«, sagte er. »Du kennst sie noch nicht, aber ich sage dir: Da ist's Schluß mit dem Autofahren. Da bleiben die Schneepflüge stecken, und die schweren Raupenschlepper liegen herum wie umgekippte Mistkäfer. Von der Straße in die Bäume weht's dich rein, und dann sitzen wir hier und kauen an den Fingernägeln. Nichts kommt mehr durch. Dann müssen die Depots voll sein.«

»Sag es Smerdow«, antwortete Abukow. »Ich bin nur ein Fahrer.«

»Smerdow kennt das ja! Nicht um Smerdow handelt es sich, mein liebster Victor Juwanowitsch, sondern um uns. Die ›Umverteilung‹ müssen wir aktivieren, der neuen Situation anpassen. Wir sollten die Doppellisten noch genauer studieren als bisher.«

»Mehr für dich, weniger für die Lagerinsassen, heißt das.«

»Man hat ja so recht, wenn man dich einen besonders klugen Menschen nennt.« Gribow rieb sich die fetten Hände und setzte sich an seinen Schreibtisch vor die ausgebreiteten Listen. »Wie viele Kilo Fleisch haben wir denn heute hergebracht? Wie viele Tönnchen Fett?«

»Eine große Enttäuschung wird es geben, Kasimir Kornejewitsch«, sagte Abukow ruhig. »Nichts kann abgezweigt werden.« Gribow lachte meckernd, als habe er einen besonders schmutzigen Witz gehört, und blickte Abukow fröhlich an. Aber als er dessen Augen sah, wurde er sofort sehr ernst und ahnte, daß es keinen Grund zum Lachen gab.

»Was heißt nichts?« fragte er.

»Du wirst die Originalliste bescheinigen müssen.«

»O Väterchen Frost, ihm bekommt die Kälte nicht!« rief Gribow dramatisch. »Das Gehirn vereist ihm! Trink einen großen Wodka, Brüderchen, das löst die Nerven.«

»Harte Zeiten kommen.«

»Für mich!« schrie Gribow.

»In den Wäldern und an der Trasse arbeiten die Sträflinge unter Bedingungen, die niemand glaubt, der es nicht selbst gesehen hat. Und wenn sie zurück ins Lager kommen, was bekommen sie dann zu essen? Kohlsuppe, erfrorene Kartoffeln, ein paar Stückchen Fleisch in einer Wasserbrühe, klitschiges Brot, einen Klecks Marmelade. Oder eine Kascha, die zum Tapetenkleben geeignet ist.«

»Eine dicke Kascha füllt den Magen aus, will man mehr! Ja, wenn wir hier in einem Sanatorium an der See wären...« Gribow stimmte sein altes Lieblingslied an, aber Abukow winkte energisch ab. »Der Winter ist da!« rief Gribow und keuchte schwer.

»Deshalb ist es notwendig, allen Lagerinsassen die volle Zuteilung zu geben.«

»Jetzt dreht sich die Sonne um die Erde!« stöhnte Gribow und stützte den dicken Kopf in beide Hände. »Soll alles auf den Kopf gestellt werden?«

»Nur an Gerechtigkeit sollte man denken.«

»An was?« Gribow starrte Abukow verwirrt an. »Buchstabiere mal das Wort. Gibt's das in unserer Sprache? *Wie* klingt das?«

»Es werden die Originallisten unterschrieben«, wiederholte Abukow stur.

»Das kannst du mir nicht antun!« schrie Gribow und zuckte am ganzen fetten Leib. »Das Lumpenpack frißt sich voll, und wir sollen wehmütig vor einer Schüssel Brei sitzen. Victor Juwanowitsch, hast du's vergessen? Die Kuchen von Nina Pawlowna. Ihr Kurnik und ihr Tabaka. Oder das herrliche Karabach Chorowaz mit dem Granatapfelsirup? Und wie ist's mit Kapsarullid, den himmlischen Kohlrouladen? Welch eine Köchin ist Nina Pawlowna – alles das soll vorbei sein?«

»Wie kannst du fressen wie ein Nilpferd, wenn hinter dir 1200 Menschen sich vor Hunger krümmen?«

»Bin ich verurteilt, he? Bin ich ein Verbrecher? Habe ich das System verraten? Habe ich Banken ausgeraubt, Menschen niedergeschlagen, Autos geplündert oder staatsfeindliche Flugblätter verteilt? Ein braver Bürger bin ich, ein geplagter Verwalter, ein schwer herzkranker Mensch – und mir gönnt man ein bißchen Essen nicht? Abukow, was bist du nur für ein Freund!«

Eine halbe Stunde stritten sie sich, sogar die Tränen traten Gribow in die Augen, und als diese Glanzleistung keinen Eindruck auf Abukow hinterließ, drohte er Schläge an, kündigte die Freundschaft und nannte Abukow einen gefährlichen Freund der Staatsverbrecher. Den größten Trumpf brüllte er in höchster Not heraus: »Beschlossen ist's, ich trete aus der Gewerkschaft ›Theater Die Morgenröte‹ aus! Wer ist Abukow? Nie gehört, kenne den Namen nicht, Genossen!«

Nichts half. Abukow bestand darauf, die Originalliste zu unterschreiben, und Gribow weigerte sich, dem Elend ausgeliefert zu werden, wie er es nannte. Als Abukow das Magazin verlassen hatte, rannte Gribow sofort hinüber zu Mustai.

»Den Verstand hat er verloren!« schrie er und rang die Hände. »Victor Juwanowitsch, oh, was ist aus ihm geworden? Wie kann ein Mensch sich so ändern! Besteht darauf, den ganzen Kühlwagen amtlich abzuliefern. Mustai Jemilianowitsch, sein bester Freund bist du: Sprich mit ihm. Eine Katastrophe bricht über uns herein!«

Mustai versprach, sein mögliches zu tun und bot Gribow ein Glas Limonade an, was diesen sofort wieder ins Freie trieb. Er rannte zur Küche, winkte die Leonowa in eine Ecke und raunte ihr keuchend zu: »Victor Juwanowitsch macht die Taschen zu. Jetzt, wo der Winter da ist!«

»Was soll's?« antwortete die dralle Nina Pawlowna und streichelte Gribows schwabbelnde Wangen. »Was aus der Küche hinausgeht, bestimme ich. Wie dick ist die Kascha – meine Sorge. Wieviel Fleisch kommt in die Suppe – das Maß habe ich. Wie fett darf ein Gemüsetopf sein – den richtigen Blick habe ich! Wer will mir da reinreden, Kasimir? Für uns ändert sich nichts.«

»Vorrechnen werden sie dir: Das und das ist geliefert und unterschrieben, und was wurde ausgegeben? – Aufhängen können wir uns!«

»Ein lieber, guter Kerl bist du, Kasimir Kornejewitsch«, erklärte Nina Pawlowna zärtlich, »aber ein Rindvieh! Kann Fleisch auf dem Weg von deinem Kühlhaus zu meiner Küche nicht verderben?«

»Bei Frost?« rief Gribow gequält.

»In Sibirien ist alles möglich«, sagte die Leonowa weise.

Auf dem Weg von Rassim zum Hospital fing Mirmuchsin dann Abukow ab und hakte sich bei ihm unter. Trotz des klirrenden Frostes stellten sie sich an eine windgeschützte Wand der Mannschaftskaserne. Hier gab es keine fremden Ohren.

»Gribow war bei mir«, sagte Mustai. »Du willst wirklich keine zweite Liste abgeben?«

»So ist es, Mustai.«

»Was bringt das? Nicht ein Grämmchen mehr läuft ins Lager. Verkenne Nina Pawlowna nicht.«

»Auch sie ist berücksichtigt«, sagte Abukow.

»Aber deine Gemeinde? Auf die Lebensmittel wartet sie. Seit zehn Tagen sind die Rationen herabgesetzt, und die Arbeit ist verdoppelt. Sieh sie dir an, wenn sie heute abend zurückkommen. Nicht wiedererkennen wirst du sie. Vorhin, beim Ausladen der Kartoffeln und der Grütze, haben sie die rohen Knollen gefressen und die Grütze in den Mund geschaufelt. Leutnant Sotow hat sie mit der Peitsche weggetrieben. Wie wird's erst in zwei Monaten sein?«

»Wie wenig Vertrauen habt ihr doch!« sagte Abukow und schlug den Pelzkragen hoch. Die Kälte fraß sich in sein Gesicht. »Natürlich habe ich genug zur Seite getan, in Surgut schon. Am Samstag bei der Probe wird's verteilt.«

Zufrieden ging Mirmuchsin in seine Limonadenbrauerei zurück. So ein Priester ist doch ein wahrer Halunke, dachte er.

Am Abend war Abukow bei Larissa, stand an ihrem Fenster und sah dem Einrücken der Arbeitsbrigaden zu. Die Tschakowskaja, Dr. Owanessjan und das gesamte Sanitätspersonal waren alarmiert worden: Ingenieur Jassenski, der neue Bauleiter, hatte telefonisch gemeldet, daß dreiundzwanzig Sträflinge mit schweren Erfrierungen zurückgebracht würden. Im Baudorf waren sie bereits von den Sanitätern behandelt worden und wurden von ihren Kameraden nun aus den Lastwagen gehoben und ins Hospital geschleppt. Ein Anblick, der das Herz schwer machte, Abukow faltete die Hände und betete. Das einzige, was er jetzt tun konnte, und diese Ohnmacht ließ ihn verzweifeln.

Wenig später trat Rassim in Larissas Wohnung und blieb unter der Tür stehen. »Wo findet man Abukow, wenn man ihn sucht? In der Nähe von Larissa Dawidownas Bett!« sagte er gehässig. »Mit Oberst Kabulbekow habe ich gesprochen; er kommt mit seinen Weibern am Samstag zur Probe und am Sonntag zur Aufführung.«

»Wir werden also spielen?« fragte Abukow und hörte sein Blut rauschen.

»Soll ich Belgemir Valentinowitsch enttäuschen? Nur deshalb habe ich ihn aufgefordert. Er freut sich; ein durchaus merkwürdiger Mensch ist er.« Rassim wandte sich ab, zögerte und drehte sich dann noch mal zu Abukow um: »Die Pralinen sind hervorragend, vor allem die Nougatschnitten.«

»Ich danke Ihnen, Rassul Sulejmanowitsch«, sagte Abukow. Seine Stimme war unsicher vor Glück. »Ich meine, weil Sie Kabulbekow angerufen haben.«

Rassim grunzte, warf die Tür zu, daß sie noch im Schloß nachzitterte, und stapfte wütend davon. Daß jemand ihm danken konnte, regte ihn maßlos auf.

Am Sonnabend vormittag traf die Wagenkolonne aus dem Frauenlager ein. Durch einen in der Nacht begonnenen Schneesturm hatte sie sich durchkämpfen müssen. Wie rollende Eisberge sahen die Lastwagen aus, und die Frauen hockten, eng aneinandergepreßt und in Decken eingemummt, unter den Planen und waren doch so steif gefroren, daß sie kaum aus dem Wagen herausklettern konnten. Wattierte Mäntel trugen sie, um die sie jeder beneidete, der sie sah – aber sie arbeiteten zum Teil ja in der großen Schneiderei, die alle Kleidung für die Lager herstellte. In große Ballen verschnürt, wurden die Kleider jede Woche abgeholt und zum Zentrallager gebracht, wo die Verteilung vorgenommen wurde. Man übernahm die Lieferungen in eine kompli-

zierte Planwirtschaft und wurde sich demzufolge über den Zutei-
lungsschlüssel erst dann endlich einig, wenn die Schneeschmelze
eintrat und niemand mehr nach Stepphosen und Steppjacken verlangte. So geschah es, daß man die Winterkleidung nun fleißig
einlagerte und sich auf die hereinkommende Sommerkleidung
stürzte, die so gewissenhaft verwaltet wurde, daß sie bei Einbruch
des Winters zuteilungsreif war. Da um diese Zeit nun auch wieder niemand nach dünnen Baumwollhosen und Hemden rief,
wurden die Lager zu klein, und die Planwirtschaftsbeamten verzweifelten und starrten verstört um sich. Nicht anders war es mit
Handschuhen, Unterwäsche oder Schuhen: Sobald sie registriert
waren, stellte man fest, daß die Zeit davongelaufen war. Wer
konnte gegen höhere Gewalt ankämpfen? Kein Russe wunderte
sich mehr darüber.

Oberst Kabulbekow begleitete seine Theatertruppe in einem dik-
ken Fuchspelz, Fellstiefeln und einer riesigen Fuchspelzmütze
und umarmte Rassim, der seinen Kollegen vor der Kommandantur begrüßte. Dann drückte er Wolozkow die Hand und wartete,
bis die Mädchen in der Theaterhalle verschwunden waren.

»Vier Stunden haben wir gebraucht für diese kurze Strecke«, sagte
er. »Im Schrittempo mußten wir fahren. Nichts zu sehen! Nur
weiße, wirbelnde Wolken um uns. Und plötzlich, wie weggeblasen, nichts mehr. Eine unschuldige Natur! Dies Land überrascht
einen immer wieder. Rassul Sulejmanowitsch, eine unbändige
Sehnsucht nach Tee und Wodka habe ich in mir.«

Auf der Bühne hatten sich inzwischen die Mädchen um Abukow
versammelt. Langsam tauten sie auf, hüpften auf der Stelle,
schlugen die Arme um sich und hauchten in die Hände. Die ehemalige Geliebte des Ministers Anastassija Lukanowna Lasarjuk
und die kleine, zarte Flötistin Lilith Iwanowna Karapjetjan über-
reichten ihm ein kleines, kunstvoll geschnitztes Kruzifix aus Ze-
dernholz. Das Gesicht Christi war nicht vom Schmerz verzerrt,
sondern es lächelte, als sei es bereits in der Seligkeit aufgegangen.
»Wir werden es in das Bühnenbild einbauen«, sagte Abukow ergriffen. »So, daß es niemand von unten sieht, aber jeder von euch
weiß, wo er es finden kann. Es wird *unser* Kreuz in Sibirien sein –
unser Glaube, unsere Hoffnung auf das Leben.«

In den vergangenen Wochen hatten die Frauen viel gearbeitet.
Neue Kostüme brachten sie mit, drei geschnitzte, große, dröhnende Holzflöten, zwei Handtrommeln, ein Schellentamburin
mit Blechplättchen, ein langes Holz-Xylophon und drei Okarinas.
Ihr ganzer Stolz aber war eine Harfe, bespannt mit Tiersehnen
und verschieden dickem Draht. Das ganz Besondere daran war,
daß diese schöne, weich klingende Harfe von der Hure Dscha-

mila Dimitrowna Usmanowa entworfen und gebaut worden war, was selbst Oberst Kabulbekow mit Stolz erfüllte. Er ließ sich das Instrument von Dschamila vorspielen und bog sich vor Lachen, als sich herausstellte, daß sie unfähig war, auch nur ein paar Takte darauf zu zupfen und sich deshalb mit einem melodielosen Klimpern begnügen mußte.

Da eine der drei Pianistinnen im Lager auch Harfe spielen konnte, kam Kabulbekow doch noch in den Genuß eines Konzerts für Blockflöten, Harfe und Handtrommel und bewilligte der glücklichen Dschamila eine Schüssel Bohnensuppe mit Speck und Fleisch aus der Offiziersküche.

Problematisch im Hinblick auf das Theater war die Lage bei den Männern. Die Arbeit in Eis und Frostwind höhlte sie noch mehr aus als im Sommer die Hitze und die unzähligen Mückenschwärme. Der Dirigent Nagijew hustete ununterbrochen und krümmte sich dabei zusammen, aber da er noch einigermaßen gehen konnte, wurde er bei jeder Untersuchung arbeitsfähig geschrieben und in den Wald gejagt. Taschbai Valerianowitsch Aidarow, der elegante Danilo der ›Lustigen Witwe‹, schlug sich mit einem dicken Furunkel am linken Oberschenkel herum. Selbst Owanessjan war es nicht möglich, ihn in seiner chirurgischen Abteilung zu verstecken. Leutnant Sotow, im Auftrage Rassims nun bei allen Selektionen als wachsames Auge dabei, verhinderte das mit den Worten: »Man schmiere ihm schwarze Salbe darauf, das reicht! Pferde mit dicken Geschwüren am Arsch habe ich gesehen, die schleppten Stämme aus dem Wald. Was ein Pferd kann, können wir schon lange.« Owanessjan hatte nicht, wie die Tschakowskaja, den Mut, Leutnant Sotow einfach aus dem Zimmer zu werfen. Er gab seufzend den lieben Jungen Taschbai zur Arbeit frei und blickte weg, wenn er dessen flehende Augen sah.

Nun stand Taschbai da auf der Bühne, sollte seinen Danilo singen und tanzen und hielt sich vor Schwäche an Bataschews dekoriertem Küchenschrank fest. Nicht anders erging es den Musikern im Orchester. Vor allem der Bläser der Riesentuba hatte kaum Luft, um diesem Sondermodell einen Ton zu entlocken. Auch er hustete nach jedem Blasstoß, starrte Nagijew, den Dirigenten, qualvoll an und zuckte mit den Schultern.

Arikin, der Schriftsteller, und Lubnowitz, der Physiker, den man wieder hochgepäppelt hatte, saßen wie auch der immer mehr vergreisende General Tkatschew auf Stühlen herum und blickten ins Leere.

»Angst haben wir«, sagte Arikin, völlig gegen seine Art, denn bisher war er der mitreißende Optimist der Gemeinde gewesen; »Angst vor den nächsten Wochen. So viele werden sterben von uns. Nicht aufzuhalten ist es. Grausam wird dieser Winter werden. Und keiner wird sich um uns kümmern.«

»Ich bin da!« sagte Abukow.

»Du kannst beten, unsere Leichen segnen und uns begraben. Aber hast du Mäntel, Handschuhe und warme Stiefel? Ein paar Happen mehr zu essen bringst du uns und Gottes Wort, aber die Ohren frieren uns ab, und der Frost läßt die Lunge erstarren. Drei Winter habe ich hinter mir – diesmal wird es der schrecklichste sein!«

Bei der Probe verteilte Abukow einige Dinge, die er schon in Surgut heimlich abgezweigt hatte: kleine Stücke Fleisch und Speck. Währenddessen probte unten vor der Bühne das Orchester und lenkte die wenigen Zuschauer – meist dienstfreie Wachsoldaten – von dem ab, was hinter Bataschews Küchenschrank geschah.

Abukows Gemeinde war nun 134 Seelen stark. Jedesmal, wenn er im Lager erschien, stellte Professor Polewoi ihm neue Mitglieder vor, mit denen Abukow dann kurz betete und die er segnete. Auch Margarita Nikolajewna Susatkaja hatte gute Nachrichten aus dem Frauenlager. Dort war die Gemeinde auf 289 Frauen angewachsen, nachdem es herumgeflüstert worden war, daß ein Priester gekommen sei. Am dringendsten verlangten jene Frauen nach Abukow, die es geschafft hatten, schwanger zu werden, und nun darauf warteten, daß man sie in ein anderes Lager brachte, fern vom Holzfällen und von der Arbeit im Sägewerk, vom Straßenbau und Rohrumwickeln mit Asbestmatten. Vielleicht wurden sie auch begnadigt, mit der Verpflichtung, in Sibirien zu bleiben als freie Verbannte. Alles war recht – nur weg aus der Menschenmühle in den Wäldern!

Zwei Stunden später erschienen Kabulbekow und Wolozkow im Theatersaal und setzten sich in die erste Bankreihe. Der Schuster Tschalup sang gerade ein Couplet. Erst bei den Vorbereitungen zur ›Lustigen Witwe‹ hatte man entdeckt, daß er der geborene Buffo war und tanzen konnte, als habe er Gummibeine. Das hatte er selbst nicht gewußt. Inzwischen war er von sich so begeistert, daß er schwor, nach seiner Entlassung – noch drei Jahre waren es – keinen Schusterhammer mehr anzurühren, sondern beim Theater zu bleiben.

Drei Jahre – das war so wenig und doch so viel. Noch drei Jahre ›Lagerhaft‹, wie es amtlich so harmlos heißt . . . welch ein Gebirge der Hoffnung mußte da noch überstiegen werden!

Abukow kam von der Bühne herunter und stellte sich breit vor Kabulbekow und Wolozkow auf. Hinter Bataschews Küchenschrank aus polierter Birke wurden nämlich noch immer die Lebensmittel zerteilt und in kleine Päckchen verpackt, die man dann nach der Probe ins Lager und durch die Kontrolle schmuggeln konnte.

»Wie sieht es aus?« fragte Kabulbekow.

»Schlecht, Genosse Oberst.«

»Wem klagen Sie das?« Belgemir Valentinowitsch zog an seinen Fingern, daß die Gelenke knackten. »Einen Krach habe ich mit der Verwaltung, sage ich Ihnen, Victor Juwanowitsch. Wie gut geölte Automaten nähen meine Frauen Winterkleidung, sogar Schafspelze sind dabei, sicherlich gedacht für die schwersten Außenarbeiten – und wo bleibt das alles? Es wird verwaltet! Was habe ich vorgeschlagen? Keine Umwege mehr, Genossen: Ich liefere die Kleidung direkt ins Lager von Kamerad Rassim! Ha! Dieses Geschrei der Beamten! Sabotage der Planwirtschaft, das war das Mildeste, was ich hörte. Frage ich: Warum kommt dann nichts zurück? Antwort: Schnell ist nur eine Mondrakete. Und als ich schreie: Im Sommer brauchen wir keine Steppjacken mehr!, da sagen sie bei der Verwaltung: Das Wetter haben wir nicht gemacht. – Warum soll man sich schriftlich beschweren? Irgendwo verstauben die Briefe.«

»Eine Idee ist mir gekommen«, sagte der traurige Wolozkow. »Wie groß ist Ihr Theaterensemble, Abukow?«

»Ganz verschieden ist es; je nachdem, was wir aufführen.«

»Ihre Stammtruppe, nennen wir es so. Darsteller, Musiker, Techniker . . .«

»Vielleicht fünfunddreißig Mann. Dazu die Mädchen . . .«

»Fünfunddreißig«, sagte Wolozkow sinnend. »Die Arbeit an der Erdgasleitung dürfte nicht zusammenbrechen, wenn diese fünfunddreißig bei den Brigaden fehlen.«

In Abukows Brust stieg eine heiße Welle hoch und spülte bis in seinen Kopf. Er zog das Kinn fest an, weil er meinte, man könne ein Zittern sehen.

»Sie . . . Sie wollen . . . Ilja Stepanowitsch . . . meine Theatertruppe . . .«

»Mit dem Genossen Oberst habe ich es vorhin durchgesprochen. Man könnte Ihr ›Theater Die Morgenröte‹ als eine feste Einrichtung in die geistige Erziehung einbauen, gefördert von der Zentralverwaltung. Verraten will ich es Ihnen: Kontakte mit den höheren Stellen habe ich bereits aufgenommen. Das ›Theater Die Morgenröte‹ als gesellschaftliche Aufgabe, als herumreisende Truppe. Ganz im Sinne der kulturellen Volksarbeit ist das.«

»Herumreisen . . .«, sagte Abukow ergriffen. »Wir sollen . . .«

»Zunächst zu mir, Victor Juwanowitsch!« Kabulbekow rieb sich die Hände. »Genau zweitausendvierhundertneunundzwanzig Frauen habe ich im Lager. Da können Sie, wenn ich den Nähsaal II jeweils umfunktioniere und dreihundert Lagerinsassinnen hin-einbringe, schon achtmal bei mir spielen. Mindestens dreimal im Baudorf, hier bei Ihnen auch dreimal, und dann ist da noch das Lager Scheremskinsky bei Nishni Wartowskoje, eine Gruppe von vier Lagern unter der Aufsicht von Oberst Kalinin, da können Sie auch viermal spielen ... Mehr als ein Staatstheater werden Sie zu tun haben, Victor Juwanowitsch. Mit Oberst Kalinin zu sprechen ist einfach. Wagner liebt er. Wenn Sie bei ihm jede Vorstellung mit einer Wagnermelodie eröffnen, verdreht er die Augen. Das ist doch möglich: Zuerst der Hochzeitsmarsch aus ›Lohengrin‹, dann die ›Lustige Witwe‹ ...«

Abukow mußte mehrmals schlucken. Was Wolozkow und Ka-bulbekow ihm da vorschlugen, war zu phantastisch, um es zu glauben. Ein Sträflingstheater auf Gastspielreise. Seine heimliche Kirche sich ausbreitend über das Land, über die Palisaden von 451/1 hinweg, den Ob hinauf und hinunter, in neue Lager, zu an-deren gequälten, hoffnungslosen Menschen ...

Gehet hin in alle Welt ... O Herr im Himmel, wie herrlich ist Dein Wort!

»Weiß Rassim von Ihren Plänen?« fragte Abukow wie benommen.

»Nein.« Wolozkow legte den Kopf zur Seite. Die Harfe klang aus dem Orchester auf und spielte ein Solo, eine ihm fremde, aber un-gemein ergreifende Barockmusik. Wir werden es schaffen, dachte er. Allein bin ich jetzt, in Sibirien werde ich bleiben – ich werde mir ein eigenes, kleines, glückliches Land aufbauen. Eine Insel unter Tausenden von Verdammten. »Mit Rassim werde ich erst sprechen, wenn von der Zentralverwaltung in Perm die Ge-nehmigung vorliegt.« Wolozkow blickte Abukow fragend an. »Ich möchte bei Ihnen mitmachen, Abukow.«

»In meinem Theater ...?«

»Ja!«

»Ein – verzeihen Sie, Genosse – ein KGB-Offizier in einem Sträf-lingstheater? Alles auf den Kopf stellt das.« Abukow dachte an das von den Frauen geschnitzte Zedernkruzifix, das jetzt in die Dekoration eingebaut war und das Wolozkow, wenn er auf die Bühne kam, nicht verborgen bleiben konnte. Wie war noch ein Gottesdienst zu halten oder eine Gebetsstunde, wenn Wolozkow unter den anderen stand? »Große Schwierigkeiten werden Sie be-kommen, Genosse. Das ist zu überlegen. – Sie wollen mitspie-len?«

»Nein. Mein Talent ist dazu zu klein.« Wolozkow schüttelte den Kopf. »Lassen Sie mich der Organisator sein ... zu Ihrem Nutzen ist das! Was dem Theater fehlt, bringe ich heran. Die Gastspiele verabrede ich.«

»Bravo!« rief Kabulbekow. »Bravo! In der Wildnis haben wir ein Theater, um das man uns beneiden wird.«

»Und für verrückt werden uns alle Rassims und ähnlichen Leute erklären«, sagte Abukow.

»Zwar regieren immer Querköpfe die Welt«, meinte Kabulbekow gemütlich, »aber auch mein Kopf kann hart wie ein Flußkiesel sein. Sollen wir es erproben? Victor Juwanowitsch, was brauchen Sie am nötigsten?«

»Menschenwürde«, antwortete Abukow leise.

»Das einzige, was ich nicht einfangen kann!« Kabulbekow erhob sich. »Ich werde Rassim sagen, daß er mich beleidigt, wenn er weiterhin dem Theater seinen Hintern zeigt.«

Nach der Probe wurden die Mädchen fortgeführt. Im Lager blieben sie, weil es wenig sinnvoll gewesen wäre, sie bei diesem Wetter zurückzubringen und am nächsten Tag gegen einen neuen Schneesturm wieder herzutransportieren. Man hatte die Tischlerei freigemacht und Betten aufgeschlagen. Rassim warnte Kabulbekow, als er diesen Plan zähneknirschend genehmigte. »Am Sonntagabend werden Sie nur noch schwangere Künstlerinnen haben, Belgemir Valentinowitsch. Ich kann meine Soldaten nicht anbinden. Blöde Idee, Kühe in einen Bullenstall zu treiben!«

Vorsichtshalber ließ Rassim alle Fenster der Schreinerei vernageln und mit Brettern zuschlagen und schloß die Tür ab, als die Frauen in der Werkstatt waren. Vorher hatte Nina Pawlowna noch einen Kessel mit Gemüsesuppe in die Schreinerei gestellt. Löffel und Eßschüsseln ausgegeben und vier Brote geopfert. Gribow schlich herum wie ein riesiger fetter Kater und bebte vor Bewunderung beim Anblick der Hure Usmanowa. Den Rock lüftete sie sogar vor ihm, zeigte ihm einen knackigen weißen Hintern und stieß ein hohes Lachen aus, das Gribow gewaltig in die Hose fuhr. Sofort lief er zu Abukow, der als letzter noch auf der Bühne stand.

»Victor, mein Herzchen!« rief Gribow und breitete die Arme aus. »Hast du ernst genommen, was ich gesagt habe? Nimm's nicht so wörtlich, Brüderchen; natürlich bleibe ich in der Theatergewerkschaft! Wollte nie raus! Sogar aktiv will ich werden. Was ist für mich zu tun?«

»Sehr viel und Wichtiges«, sagte Abukow und sah Gribow ernst an. »Das Theater wird amtlich eingesetzt werden.«

»Amtlich . . .«, ächzte Gribow. »Welch ein Fortschritt.«

»Nur, wenn einem der Magen nicht knurrt, kann man singen, tanzen, musizieren und spielen.«

»Das übersteigt meine Möglichkeiten«, sagte Gribow ahnungsvoll. »Wie stellt man sich das vor?«

»Ein Gespräch mit Kommissar Wolozkow wäre nützlich.« Abukow klopfte Gribow auf den riesigen Bauch. »Die Organisation wird er übernehmen. Eine gute Nacht, Kasimir Kornejewitsch.« Er verließ den Theatersaal, und Gribow setzte sich schwer auf eine Bank, stierte in die Dunkelheit und seufzte verzweifelt. Mit Wolozkow wurde alles anders. Manchmal wünschte er sich direkt Jachjajew zurück. Dann dachte er an Dschamila, seufzte noch einmal und freute sich, daß es niemand wußte: Er besaß einen zweiten Schlüssel zur Schreinerei. War es nicht ein vorzüglicher Gedanke, mit einem Paket kalten Fleisches, frischen Brotes, einem Topf voll Butter und einer dicken Dauerwurst hintenherum in die Schreinerei zu schleichen?

Abukow stand allein in der Dunkelheit an einem Fenster und sah draußen die Scheinwerfer, mit denen das Lager kontrolliert wurde. Langsam faltete er die Hände. Der Nachthimmel lag schwer über dem Land. Morgen würde es wieder schneien.

»Ich danke dir, Herr«, sagte er leise. »Welch einen Tag hast Du uns geschenkt. Welche Zukunft, welche Hoffnung, welche Gnade. Dein Kreuz wird sich ausbreiten und die Ärmsten der Armen trösten. Und Du hast mich zu Deinem Diener bestimmt, Herr, ich danke Dir.«

Er schlug das Kreuz und war so glücklich, in Sibirien zu sein . . .

Die zweite Aufführung der ›Lustigen Witwe‹ durch das Häftlingstheater ›Die Morgenröte‹ übertraf an Glanz noch die Premiere. Das Bühnenbild und die Kostüme waren schöner. Auch das erweiterte Orchester klang besser, und als bei einem Tanz das Tamburin rasselte, klatschten dreihundert hungernde Vergessene begeistert mit. Trotzdem war es eine erschütternde Vorstellung, denn die Kraft der Beteiligten reichte nach zehnstündiger Schufterei im klirrenden Frost nicht mehr aus, um das ganze Stück durchzustehen. Als erster mußte sich General Tkatschew setzen, ihm folgten andere, im letzten Akt hockte fast der gesamte Chor auf Schemeln oder auf den niedrigen Versatzstücken herum und brüllte mit heiseren Stimmen seinen Part. Taschbai, der strahlende Danilo, schwankte vor der Susatkaja herum, so daß sie ihn ein paarmal stützen mußte, oder er lehnte sich gegen Bataschews Küchenschrank. Aber tapfer sang er seine Rolle zu Ende, und den Schlußwalzer tanzte er wie ein Betrunkener, kaum noch fähig, einen Schritt vor den anderen zu setzen. Chirurg Dr. Owanessjan hatte Tränen in den Augen und klatschte heftig, als der Vorhang über die Schlußapotheose fiel. Rassim, der vor ihm saß, fuhr wütend herum. »Sie Idiot!« zischte er. »Sind Sie Lagerarzt oder Lagerinsasse?!«

Oberst Kabulbekow pendelte zwischen Begeisterung und Entsetzen. Seine »Weiber« waren fabelhaft gewesen, vor allem im Orchester gaben sie den Ton an – aber auch ihm wurde es nach dieser Aufführung klar, daß es einen nächsten Theaterabend nicht mehr geben würde, wenn nicht sofort etwas geschah. Mit Gespenstern konnte man nicht singen, und Halbtote können keinen Walzer tanzen.

Noch während der Vorhang ein paarmal aufging und sich die Darsteller verbeugten, am Ende aller Kraft, mit zitternden Knien, nur noch aufrecht gehalten von dem inneren Befehl: Bleib stehen, fall nicht um, gib Rassim nicht den Triumph und rolle von der Bühne – beugte sich Kabulbekow zu Rassim hinüber und fragte: »Genügt Ihnen die Demonstration?«

»Vollkommen!« Rassim bleckte die kräftigen Zähne. »Wer jetzt noch tanzen kann, hat seine Kräfte draußen bei der Arbeit gespart.«

»Wir denken in verschiedenen Richtungen, Rassul Sulejmanowitsch!«

»Mein Auftrag lautet: Einsatz aller Arbeitskräfte zum Wohle des sowjetischen Aufbaues! Verblüfft sehe ich, daß es da noch Reserven gibt.« Er blickte Wolozkow feindselig an, der gleich nach dem Ende des Stückes hinter die Bühne gegangen war und nun zurückkam. »Sieh da, der Theaterchef vom KGB! Schluchzen Sie auch wie Dshuban Kasbekowitsch?«

Hinter ihnen marschierten die dreihundert Strafgefangenen hinaus, wie immer von Soldaten mit Hunden flankiert. Abukow, im schwarzen Anzug und weißem Hemd, ging zu Larissa Dawidowna, die an der Bühnentreppe wartete; sie drückte ihm die Hand und flüsterte: »Nur wer es wußte, konnte das Kreuz sehen. Wunderbar hast du gepredigt. Angst hatte ich nur vor Wolozkow ... er saß da, ließ die Mundwinkel hängen und schien zu lächeln. Victor, ein kluger Mensch ist er. Übersieh ihn nicht ...«

»Wenn das Wetter es zuläßt, fliege ich nach Perm zur GULAG«, sagte Wolozkow unterdessen zu Rassim, ohne auf dessen Gemeinheit einzugehen. »Mag es Ihnen passen oder nicht, Genosse Oberstleutnant – dieses Theater wird ein wichtiger Bestandteil des Aufbaues werden.«

»Auf wessen Seite stehen Sie eigentlich?« rief Rassim grob. »Schlimm genug, daß man einen KGB-Offizier fragen muß, ob er die Ordnung repräsentiert oder mit den Systemfeinden sympathisiert.«

»Und welche Sinnlosigkeit, darauf eine Antwort zu geben«, sagte Wolozkow kalt. »Meine Aufgabe ist mir bekannt.«

»Mir die meine auch!« bellte Rassim.

»Dann sind wir uns einig.« Wolozkow drehte sich brüsk um und ging hinter die Bühne zurück. Schwer atmend vor Erregung wandte sich Rassim an den bisher schweigsam zuhörenden Kabulbekow.

»Nicht zu vermeiden ist es, darüber eine Meldung zu machen«, keuchte er. »Ihre Meinung, Belgemir Valentinowitsch?«

»Ist Ihnen Don Quichote bekannt, Rassul Sulejmanowitsch?«

»Nein!«

»Don Quichote ist eine klassische Romanfigur des spanischen Dichters Cervantes.«

»Im sibirischen Winter und bei einem Arbeitssoll für die Rohrleitung interessieren mich keine spanischen Schreiberlinge!«

»In einer Szene des Romans reitet Don Quichote gegen Windmühlenflügel an und kämpft mit ihnen, als seien sie ein fremdes Heer . . .«

»Ein Vollidiot!«

»Eben!« Kabulbekow nickte und lächelte mild. »Sie haben es erkannt, Rassul Sulejmanowitsch . . .«

Rassim zögerte einen Augenblick, überlegte noch schnell genug, daß Kabulbekow einen Dienstgrad über ihm stand und es deshalb unvorteilhaft wäre, ihm eine Ohrfeige zu geben, preßte dann die Lippen zusammen und stapfte davon. An der Bühnentreppe traf er auf Abukow und Larissa Dawidowna.

»Kennen Sie Don Quichote?« fragte er, ruckartig vor ihnen stehenbleibend.

»Ja«, antwortete Abukow verblüfft.

»*Das* sind Sie!« schrie Rassim. »Aber Ihre Windmühlen blase ich weg!«

Verständnislos starrten Abukow und die Tschakowskaja dem davoneilenden Rassim nach. Erst als Wolozkow und Kabulbekow zu ihnen traten, schüttelten sie ihre Verblüffung ab.

»Wieder muß ich Ihnen gratulieren, Victor Juwanowitsch«, sagte Kabulbekow und klopfte ihm mit beiden Händen auf die Schultern. »Zum erstenmal habe ich singende und tanzende Leichen gesehen. Wer's nicht erlebt hat, glaubt es nicht.«

»Sie liegen jetzt auf der Bühne und rühren sich nicht. Und morgen früh hacken sie wieder in die gefrorene Erde, zehn Stunden lang, sechs Tage lang, in zerrissenen Mänteln und Hosen, hungernd und frierend.«

»Wer kann das ändern, Abukow? Wir nicht!« Kabulbekow hob die Schultern. »Wie weit, wie endlos ist dieses Land Sibirien – was gelten da ein paar Stimmen, die gegen den Wind rufen! Ihr Ton verweht, nicht mal die Wipfel der Bäume erreichen sie – wie sollen sie da in Perm oder gar in Moskau gehört werden? Wer soll sie hören? Die Verwaltung? Stellen Sie sich eine Turbine vor, die sich rechts herum dreht, und schreien Sie sie an: Dreh dich links herum! – Was wird sie tun? Sie dreht sich weiter nach rechts.«

»Aber die Turbine hat einen Schalter, den man drücken kann ...«

»An den Schaltern sitzen andere Genossen als wir, Victor Juwanowitsch!« sagte Kabulbekow ernst. »Damit muß man leben können. Aber wir wären keine Russen, wenn wir aus diesem Leben nicht ein Eckchen abzwackten, wohin man sich verkriechen kann. Und das werden wir tun.«

Die Atmosphäre bei dem Abendessen, das Rassim nach dem Theater im Offizierskasino gab, war wortkarg und feindselig. Dr. Owanessjan war eingeladen, Larissa Dawidowna, Wolozkow. Auch Abukow gehörte zu den Gästen. Rassim hatte zu ihm gesagt: »Sie kommen auch! Ihren Kalbsrollbraten wird es geben. Mich fangen Sie nicht ein!« – Von den zwei Pfund Pralinen dagegen sprach er nicht.

Den Ehrenplatz an der weißgedeckten Tafel hatte natürlich Oberst Kabulbekow. Drei Gefreite in weißen Jacken bedienten, als sei man in einem Grandhotel. Vier Soldaten saßen in einer Ecke und spielten auf Balalaikas die Tischmusik. In tönernen Leuchtern, von den Häftlingen getöpfert und bemalt, brannten lange, rote Kerzen. Sehr feierlich sah das alles aus, und Nina Pawlowna hatte ein Mahl zusammengestellt, das im Moskauer Rossija-Hotel erstaunte Begeisterung erzeugt hätte. Aber über dem Ganzen lag spürbar drohend eine explosive Spannung.

Sie löste sich auch nicht, als nach dem Essen duftender Tee und Wodka gereicht wurde, die Offiziere sich mit zackigem Gruß verabschiedeten und Rassim, Kabulbekow, Wolozkow und Abukow allein blieben. Die Tschakowskaja und Dr. Owanessjan entschuldigten sich; die Schwerkranken im Hospital mußten noch besucht werden. Rassim nickte ihnen böse zu, zumal Larissa vorher gesagt hatte: »Mehr Betten brauchen wir. Wenn noch weitere Erfrierungen kommen ...« Und Rassim hatte geantwortet: »Legen Sie sie auf den Boden! Ihr Hospital hat eine Menge freien Platz. Sind nicht die Gänge leer, Ihre Wohnung und Dshubans Wohnung? Im Krieg haben die Verwundeten auf der Erde, in Kellern und in Granattrichtern gelegen. Und wir haben Krieg! Krieg gegen den Winter!«

Rassim bot Zigarren an, ging dann unruhig hin und her und wartete darauf, daß irgend jemand ihm Anlaß gab, seinen Ärger auszuspucken.

Ausgerechnet Wolozkow war es, der nach einem Schluck Wodka sagte: »Stellen wir fest: das ›Theater Die Morgenröte‹ wird als selbständige Institution aus dem Lagerdienst ausgegliedert.«

Rassim, gerade am Ofen stehend, fuhr wie ein gereizter Stier herum. » *Wer* stellt das fest?«

»Ich«, sagte Wolozkow mit erstaunlicher Ruhe und Festigkeit.

»In die Lagerordnung haben Sie nicht einzugreifen! Zur Schulung sind Sie hier, zu sonst nichts! Politische Umerziehung ist Ihre Aufgabe . . .«

»Meine Aufgaben kenne ich genau, Genosse Kommandant. Aber – erstaunen Sie nicht – Ihre Aufgaben auch! Kein Lager ist so weit entfernt in der Einsamkeit, als daß Moskau es nicht im Blick hätte.«

»Wie eine Drohung klingt das«, sagte Rassim und drückte das Kinn an. »Meine Pflicht habe ich immer getan.«

»Wir alle tun sie, Rassul Sulejmanowitsch«, ließ sich Kabulbekow vernehmen. »Unter uns sind wir jetzt, ganz allein, nur Vertraute: Warum hassen Sie die Menschen so abgrundtief?«

»Warum legen sich die einen in eine blühende Wiese und riechen an den Blüten, und ein anderer mäht die Blüten ab?«

»Sie mähen nur«, sagte Wolozkow hart.

»Vom Riechen ist noch keine Kuh satt geworden, wohl aber vom Heu.«

»Und welche Kuh füttern Sie?« fragte Kabulbekow.

»Die heilige Kuh der ›Zentralverwaltung für den Bau von Betrieben der Erdöl- und Erdgasindustrie der UdSSR‹, wie es amtlich heißt. Von 4465 Kilometern Rohrleitung habe ich meine Portion zu verantworten: Einschlag der Trasse, Trockenlegung der Sümpfe, Ziehen der Verlegegräben, Bau der Arbeitersiedlungen, Lieferung des Holzes . . . Wen zwingt man zur dreckigsten Arbeit? Mich! Mein Lager 451/1! Wem hält man das Soll vor die Nase? Mir! Und wen tritt man in den Hintern, wenn es nicht klappt? Auch mir! – Und da stehen Sie herum, Ilja Stepanowitsch, führen idealistische Reden und müssen nun als Auge des KGB berichten: Mit Firlefanz? Mit Operettenmusik und Theatertanz? Glauben Sie wirklich, daß man in Moskau Verständnis dafür hat? Ich versuche, allen Widerständen zum Trotz das Soll zu erfüllen, und muß mir dafür sagen lassen, daß ich die Menschen hasse! – Kotzen möchte ich, wenn mir das Essen im Bauch nicht zu schade wäre!«

»Sie sind unfähig, die gesellschaftliche Aufgabe der Kultur zu begreifen«, entgegnete Wolozkow. »Das Theater ist wichtig!«

»Vierzig Mann nimmt es mir!« schrie Rassim. »Wenn jeder von denen nur einen Meter gräbt, sind das vierzig Meter! *So* rechne ich! Mit einem Wiener Walzer können wir keine Rohre verlegen!« Er starrte auf Kabulbekow, der an seiner Zigarre lutschte, als sei es eine Zuckerstange. »Warum schweigen Sie, Belgemir Valentinowitsch? Auch Sie haben Ihr Soll! Auch Ihre Weiber sehen nicht aus wie Nymphen. Knochig, verhungert und elend sind auch sie. Wieviel werden in diesem Winter eingehen? Na, darf man fragen? Bekommt man darauf eine Antwort?«

»Im vorigen Winter waren es dreiundvierzig von dreitausend. Dreiundvierzig zuviel. Neun Selbstmorde waren darunter.« Kabulbekow saugte an seiner Zigarre. »Damit müssen wir leben, Rassul Sulejmanowitsch. Aber gerade, weil dieses Leben so mistig ist, sollte man das bißchen Sonne, womit man es wärmen kann, nicht auch noch wegdrücken. Abukow, sagen Sie doch auch was! Stehen herum wie eine Dekoration! Ihre Idee war es . . .«

»Alles ist gesagt, was gesagt werden konnte«, antwortete Abukow. »Hat man die glücklichen Gesichter im Saal gesehen? Da war plötzlich Hoffnung, da war verschüttetes Leben wieder aufgebrochen, Freude in den verlassenen Herzen . . .«

»Jetzt predigt er wieder!« rief Rassim und verzog sein Gesicht, als habe er Essig getrunken. »Ein Jahrhundert zu spät sind Sie geboren, Victor Juwanowitsch. Unter den Zaren hätte Ihre Begabung ausgereicht, um Metropolit zu werden. Mindestens Bischof.«

»Eine Rolle spiele ich«, antwortete Abukow völlig ruhig, obwohl er einen forschenden Blick von Wolozkow auffing und Kabulbekow herzhaft lachte. »Mehr nicht. Man ist ein guter Schauspieler oder gar keiner. Mittelmaß ist immer schädlich.«

»Was will man also?« Rassim sah sich um, als ständen noch andere Zuhörer im Zimmer. »Hier auf der Stelle eine Entscheidung? Nicht von mir! Warten wir ab, was das GULAG zu dem Theater sagt. Der Genosse Wolozkow ist ja ein fleißiger Schreiber. Wer will hier verantworten, daß vierzig Arbeitskräfte – und später vielleicht noch mehr – aus dem Aufbauprozeß gezogen werden? Einen ruhigen Schlaf will ich behalten, Genossen.«

Während Kabulbekow in der Kommandantur blieb, da er dort sein Bett hatte, begleitete der Politkommissar Abukow ein Stück. Ein neuer Sturm war aufgekommen, und obgleich sie mit Mänteln und Mützen geduckt davonliefen, waren sie mit gefrorenem Schnee überzogen, als sie das Hospital erreichten und in die warme Vorhalle kamen. Gegenseitig klopften sie sich ab und stampften den Schnee von den Stiefeln.

»Ich besuche noch Larissa Dawidowna«, sagte Abukow und zog seinen Mantel aus. »Kommen Sie mit?«

»Nein. Auf Sie wartet sie, nicht auf mich.«

»Freunde sind immer willkommen, Ilja Stepanowitsch.«

»Bin ich ein Freund?« Wolozkow legte den Kopf schief. Sehr jung sah er aus mit seinem von der Kälte gerötetem Gesicht. »Wo gibt es das: ein KGB-Mann als Freund?«

»Hier! Gelernt habe ich, daß hier alles anders ist. Eine Welt für sich, nicht meßbar und nicht mit dem Verstand zu erfassen wie ein normales Leben. Kann man Sibirien begreifen? Die Straflager? Die Menschen, die es tatsächlich überleben? Die Kraft, die man hier braucht, und die unfaßbare Hoffnung? Wo sonst gibt es das noch?«

»Wer sind Sie, Victor Juwanowitsch Abukow?« fragte Wolozkow langsam.

»Ein Kraftfahrer aus Kirow. Gelernter Automechaniker. Bitte, man prüfe das nach . . .«

»Wozu?« Wolozkow lächelte fast verträumt. »Überwacht man einen Freund? Einem Freund vertraut man. Wir wären arm ohne Freundschaft, stimmt es?«

»Halten wir sie fest, unsere Hände«, sagte Abukow und streckte sie Wolozkow hin. Der ergriff sie, drückte sie und ließ sie nicht los: »Ein besonderer Mensch sind Sie, Ilja Stepanowitsch.«

»Wie Sie, Victor Juwanowitsch. Wie selten sind solche Begegnungen!«

Sie drückten sich noch einmal beide Hände, dann verließ Wolozkow das Hospital. Abukow blickte ihm nach, wie er sich gegen den Schneesturm geduckt zurück zur Kommandantur kämpfte.

Spät erst kam die Tschakowskaja von den Kranken zurück. Müde war sie, ließ sich auf das Sofa sinken und streckte beide Beine von sich. Abukow hockte sich vor sie, zog ihr die Schuhe aus und massierte ihre Füße. Während er damit beschäftigt war, knöpfte sie die Bluse auf, zog sie aus und warf sie in die Ecke. Eine Wolke von Karbolgeruch flog mit ihr.

»Zwei neue Amputationen«, sagte sie, beugte sich zu Abukow und küßte seine Stirn. »Beide Ohren und vier Finger an der rechten Hand. Abgestorben waren sie. Wie er gefleht hat: Laßt mir meine Hand, ich bitte euch, liebe Genossin! Gibt es keine andere Möglichkeit? Was soll ich mit einer verstümmelten Hand? Rettet sie mir . . . Ein Student der Feinmechanik war er, hat in Kalinin Flugblätter verteilt vom ›Bund russischer Solidaristen‹. Erneuerung Rußlands aus christlichem Geist stand darauf. Sieben Jahre Sibirien kostete ihn das. – Hat keinen Sinn, sagte Dshuban Kasbekowitsch. Es geht nicht anders, sonst ist die ganze Hand, ist vielleicht der ganze Arm verloren. – Selbst in der Narkose hat er noch geschluchzt, der Junge.«

»Ich setze mich nachher an sein Bett«, sagte Abukow und stand auf. »Was soll ich dir bringen, Larissaschka? Tee, Wodka, Wein?«

»Nichts. Nur Ruhe möchte ich.« Sie lehnte sich weit zurück. In der Grube zwischen ihren Brüsten sammelte sich Schweiß, heiß war es im Zimmer, und die Erschöpfung öffnete die Poren. Abukow ging ins Badezimmer, holte ein Frottiertuch, tupfte ihren blanken Oberkörper ab und legte ihr nachher das Tuch über die Schultern.
»Wie schön, daß du da bist, mein Liebling . . .«
»Wir haben einen neuen Freund«, sagte Abukow.
»Belgemir Valentinowitsch?«
»Verrückt ist es, aber Tatsache: einen Freund vom KGB.«
»Mein Gott! Wolozkow!« Sie richtete sich auf und starrte ihn erschrocken an. »Bist du leichtsinnig gewesen, Victor?!«
»Für ihn bin ich der Kraftfahrer Abukow aus Kirow.«
»Ein kluger, gefährlicher Bursche ist er. Vertrau ihm nicht! Ein Wolf bleibt ein Wolf, auch wenn er sich mit Gänsefedern beklebt. Sei vorsichtig.«
»Wenn Rassim könnte, würde er Wolozkow in Jachjajews ›Kasten‹ stecken. Sobald sie sich sehen, möchten sie sich anspringen.«
»Beobachten müssen wir ihn«, sagte sie und dehnte sich wieder. »Mein Liebling, was weißt du schon vom KGB? Jachjajew war einer, und Wolozkow ist einer, und so gibt es Tausende von ihnen, und jeder ist anders – aber sie alle haben etwas Gemeinsames: Gefährlich sind sie. Nie vergessen soll man das; auch dann nicht, wenn sie dich wie einen Bruder küssen.«
»Ausnahmen gibt es, Larissanka.«
»Wie Goldkörner in einem Sandhaufen.«
»Und wenn Wolozkow solch ein Goldkorn ist?«
»Dann muß es leuchten aus der Masse – warten wir darauf!« Sie streckte beide Arme nach Abukow aus und schloß die Augen. »Trag mich ins Bett, mein Liebling. Vor Müdigkeit werde ich nicht gehen können . . .«
Er schob die Arme unter ihren Körper und hob sie hoch. Während sie mit den Lippen über sein Gesicht tastete, trug er sie hinüber ins Schlafzimmer und legte sie behutsam auf das Bett. Als er sich aufrichtete, hielt sie ihn fest und schlang die Arme um seinen Nakken.
»Bleib bei mir, geh nicht fort . . .« Er ließ sich von ihren Armen herunterziehen und legte seinen Kopf zwischen ihre Brüste. Er spürte ihren Herzschlag und hörte das leise Rauschen ihres Atems. »Einen Gedanken habe ich: Niemals werden sie uns trennen können, niemals dich oder mich versetzen können und uns auseinanderreißen – wenn wir heiraten . . .«
Abukow wollte den Kopf heben, aber der Druck ihrer Arme hielt ihn zwischen ihren Brüsten fest.

»Du weißt, daß das völlig unmöglich ist«, sagte er, mit den Lippen auf ihrer warmen, glatten, duftenden Haut.

»In Sibirien ist nichts unmöglich, das hast du gelernt.«

»*Das* ist unmöglich. Ich bin Priester.«

»Wer weiß das, mein Engel?«

»Heute über dreihundertfünfzig Männer und Frauen meiner Gemeinde.«

»Keiner von ihnen wird einen Stein auf dich werfen oder weglaufen, wenn du mit ihnen betest.«

»Wir werden uns in diesem Punkt nie verständigen können«, sagte Abukow, gefangen von ihren Armen und an ihre Nacktheit gepreßt. »Ich könnte kein Priester mehr sein. Alles, was ich getan habe, wäre sinnlos. Alles, was ich noch tun könnte, müßte ich aufgeben.«

»Nur, weil ein Beamter uns in ein Register einträgt?«

»Die Ehe ist ein Sakrament.«

»Etwas Heiliges also, etwas Gesegnetes. Und gerade einem Priester enthält man diesen Segen vor? Welch ein Widersinn! Er soll von der Liebe, die Gott dem Menschen gegeben hat, predigen, aber selbst davon ausgeschlossen sein? Ein Unsinn ist das doch.«

»Du wirst es eben leider nie begreifen, Larissanka.«

»Wer kann Unsinn verstehen? Nur *eine* Liebe gibt es . . .«

»Ich liebe dich unendlich, Larissa. Aber ich habe meine Pflicht zu erfüllen, meinen Auftrag.«

»Das tust du an jedem Tag, zu jeder Stunde, mit jedem Atemzug. Was aber hat das mit uns zu tun?«

»Eine grundsätzliche Entscheidung ist es. Entweder helfe ich, das Kreuz über Sibirien zu tragen, so weit es möglich ist, und bin Seelsorger und ein Diener Gottes – oder ich lebe mit dir, wir sind Mann und Frau, haben Kinder und führen ein Leben in der kleinen, eigenen Welt, die wir abschreiten können . . . Beides gleichzeitig geht nicht, das würde uns zerstören.«

»Und so zerstörst du mich.« Sie griff nach seinem Kopf, riß ihn hoch und blickte ihn mit flackernden Augen an. »Für deine Gemeinde könntest du sterben!«

»Ja!«

»Und für mich?«

»Für dich auch!«

»Wo ist da ein Unterschied?«

»Er liegt in unserem Auftrag. Wir müssen frei sein für das Opfer.«

»Kein Opfer gibt es mehr ohne mich«, sagte sie und drückte seinen Kopf wieder auf ihre Brust. »Du bist nicht mehr allein, Victorenka. Ich bin *in* dir . . .«

Abukow wartete, bis Larissa Dawidowna eingeschlafen war. Erst da befreite er sich vorsichtig aus ihren Armen und ging leise hinaus. Er wußte, daß dies der Anfang vom Ende einer großen Liebe war.

Das Leben versank in Schnee, Eis, Frost und in heulenden Stürmen. Riß der Himmel einmal auf, leuchtete er in einem zauberhaften Blau über einer weiß glänzenden Sonne. Dann krachte das Holz der Bäume und hallte über die schweigende unendliche Taiga.

Abukow war mit den Transportkolonnen nach allen Seiten unterwegs, sobald die Straßen passierbar waren. Überall, wo er hinkam, traf er neue Christen an, oder vielmehr: Sie wagten sich endlich zu ihrem Glauben zu bekennen, wenn Abukow unter sie trat. Er betete dann mit ihnen. Neunmal taufte er junge Männer, die nur das Komsomolzenleben und die sowjetische Jugendweihe gekannt hatten. Vierzehnmal sprach er an einem Grab das letzte Gebet und erteilte das Sakrament. Und noch dreimal hielt er einen versteckten Gottesdienst als Priester in der extra dafür hineingeschriebenen Szene der ›Lustigen Witwe‹.

Wolozkow hatte sich im Lager JaZ 451/1 zumindest vorübergehend gegen Rassim durchgesetzt: Die Mitglieder des ›Theater Die Morgenröte‹ wurden aus den Brigaden an der Trasse und im Wald herausgezogen und arbeiteten nun im Lagerinnendienst. Aber Rassim wäre nicht Rassim gewesen, hätte er ihnen nicht auch dort einen Teufel in den Nacken gesetzt: Das Arbeitskommando im Lager befehligte nun Leutnant Sotow, der die Männer herumjagte und sie zu so sinnlosen schweren Arbeiten antrieb wie das Umschichten der Benzintonnen von einer Lagerseite zur anderen Lagerseite – oder sie mußten die aus dem Sägewerk angelieferten Balken stundenlang herumtragen und dabei Marschlieder singen. Als erster brach dabei Taschbai zusammen, dann der Dirigent Nagijew, später auch Arikin und der Chirurg Fomin, den Sotow Rundsäulen aus Viereckbalken hobeln ließ – mit einem kleinen Flachhobel, im Freien, bei 40 Grad Frost. Was mit den Säulen geschehen sollte, wußte niemand – auch Rassim nicht, obwohl er Sotows teuflische Idee lobte.

Unter Wolozkows Aufsicht probte das Theater jetzt auf Vorschlag Abukows die Oper ›Hänsel und Gretel‹. Die Noten hatte Abukow aus Tjumen über den Kulturbeauftragten bekommen, der am Telefon sagte: »Ihr Ruf ist schon über mich hinaus bis nach Perm geflogen. Meine Gratulation, Victor Juwanowitsch! Ihre Kulturarbeit wird aufmerksam verfolgt. Es liegt uns viel daran, daß in den Arbeitslagern ein gutes, menschliches Klima herrscht und Freude an der Arbeit. Sehr dankbar sind wir Ihnen. Das wird Schule machen, Abukow. So etwas wie ein geglücktes Experiment gesteht man Ihnen zu. Und ich freue mich, daß ich da mitgeholfen habe.«

Wenig Sinn hätte es gehabt, den vornehmen Genossen in Tjumen über die tatsächliche Situation und Stimmung in den Lagern aufzuklären – es genügte, wenn er auf seine Art half. Als dann das Paket mit den bestellten Noten eintraf, lag ein Schreiben bei, in dem stand, daß ›Hänsel und Gretel‹ sich vorzüglich für das Gebiet eigne; ein dichter, wilder Wald spiele ja die Hauptrolle. Es war das erste Mal, daß Abukow das Gefühl hatte, der Genosse in Tjumen müsse einen galligen Humor besitzen.

Mit Bataschew, dem Boxer, traf sich Abukow jedesmal, wenn er in Surgut einen freien Tag hatte. Auch die Witwe Grigorjewa lernte er kennen, eine dickbusige, fröhliche Person, die Abukow sofort, als Bataschew Bier aus dem Keller holte, zärtlich ins Ohr flüsterte: »Maxim Leontowitsch hat jeden Tag von acht Uhr morgens bis fünf abends Dienst. Allein bin ich dann! Wir könnten einen Kuchen zusammen essen . . .«

Und Bataschew sagte heimlich zu Abukow: »Wie geht es Axinja Iwanowna Wassiljuka, dem roten Teufelchen? Hast du sie im Lager noch einmal gesehen? Welch ein Weibchen! Hat mich gepflegt wie einen prämierten Stier, damit ich Rassim auf die Nase schlage – aber dann, Brüderchen, nach dem Sieg, hat sie mich rangenommen, daß alles in mir klingelte. Kann man sie wiedersehen? Ist's möglich, sie fürs Theater zu verpflichten? Was wollt ihr spielen? Eine Märchenoper? Sag, was ihr braucht. Mein Güterbahnhof ist unerschöpflich!«

Der glücklichste Mensch im weiten Umkreis war allerdings Mustai Jemilianowitsch. Seine Essenzen zur Glühweinherstellung waren eingetroffen. Zwei riesige Kisten voll Tüten und Plastikflaschen. Es roch nach Nelken, Zimt und Kardamom, und Mustai fiel Abukow um den Hals und stieß urige Jubellaute aus.

»Nun habe ich alles!« rief er. »Jetzt beginnt die Kunst!«

»Und wo ist der Rotwein?« fragte Abukow.

»In den Tüten.«

»Das ist doch nicht möglich!«

»Sagte ich nicht: Jetzt beginnt die Kunst. Man nehme Wasser aus meinem berühmten weichen Brunnen, schütte das Wunderpulver dazu, im richtigen Mischungsverhältnis, koche das Ganze auf und würze es mit den Segnungen des Orients. Ha! Die Augen werden dir aus dem Kopf fallen, wenn du meinen Glühwein trinkst, Victor Juwanowitsch. Einzigartig ist er auf der Welt.«

Davon war Abukow überzeugt und schwor sich, nicht einen einzigen winzigen Schluck von Mirmuchsins Zauberglühwein zu probieren.

Von Woche zu Woche wurden die Anlieferungen für Surgut spärlicher. Smerdow lief herum wie ein heimatloser Büffel, zählte die Vorräte in seinen Depots, telefonierte nach Swerdlowsk zur Zentralverteilungsstelle, klagte per Telefon in Perm sein Leid, ließ alle Fahrzeuge zum Güterbahnhof rattern, wenn Bataschew meldete: »Ein neuer Zug kommt aus Tjumen« – aber meistens waren es Ersatzteile für die Maschinen an der Erdgasleitung; neue Bagger mit Stahlzähnen, die den Dauerfrostboden aufreißen sollten; ganze zusammengelegte Dörfer aus Fertighäusern. Sie rollten nach Surgut, wurden zur Seite gefahren und abgestellt, denn niemand war da, der sie angefordert hatte, und keiner brauchte sie auch. Dafür blieben die Lebensmittel für die Lager aus, und Smerdow schrie: »Sollen etwa die Holzwände der Fertighäuser gefressen werden?«

Ende Dezember rief er seine Fahrer in der leeren Halle V zusammen, vollführte eine alles umfassende Armbewegung und sagte mit bewegter Stimme:

»Geht zu euren Weibern, macht ihnen ein Kind, denn hier ist nichts mehr zu tun. Leer sind die Lager. Heute morgen habe ich sechs Mäuse gesehen, die weinten bitterlich. Es reicht gerade noch für die Baulager I bis VI, die sind gesichert – aber für die Straflager gibt es keine Krume. Der Nachschub nach Tjumen ist unterbrochen. Irgendein Idiot hat die Waggons in die falsche Richtung geschickt. Bis das bemerkt wird, kann es Wochen dauern. Hofft nicht darauf, daß sie dann zurückkommen. Da, wo sie gelandet sind, wird man alles tun, um sie festzuhalten. Außerdem wird man Irrtümer bei Behörden niemals zugeben. Also darf die Brigade III in den Winterschlaf versinken.«

Abukow blieb zurück, als die anderen heftig diskutierend das Depot verließen, und kam auf den unglücklichen Smerdow zu. Transportbrigade III . . . das war die Kolonne für JaZ 451/1, das Frauenlager und drei Außenlager Nishni Wartowskoje.

»Was ist noch?« sagte Smerdow gequält. »Kannst deinen Kühlwagen einbalsamieren, Victor Juwanowitsch. Im Supermarkt gibt es Mottenkugeln.«

»Hinaus ins Lager möchte ich.« Abukow sog nervös an einer Papyrossi. »Wie lange werden die Schwierigkeiten dauern?«

»Bin ich ein Prophet?« rief Smerdow und wischte sich die Augen. »Wie's aussieht, wird es weit in den Januar hineingehen. Schon einmal habe ich das erlebt. Vor vier Jahren. Da haben sie in den Lagern Baumrinden gefressen. Und was sagten die Beamten? Die

Amerikaner sind schuld. Machen ein Embargo! – Soll ich etwa in New York anrufen?«

»Meinen Kühlwagen möchte ich mitnehmen?«

»Leer? Gribow wird dir mit dem Messer nachlaufen.« Smerdow seufzte und setzte sich auf einen Hocker vor die leeren Regale; es war ein Bild jammervollen Elends. »Nimm deinen Kühlwagen mit«, sagte er. »Es gibt ein Telefon, wenn ich dich brauche. Aber laß dich warnen –«

»Vor wem?«

»Auch die Versorgung des Wachbataillons wird stocken. Jeder wird's merken, wenn wieder die Amerikaner schuld sein sollen. Bei mir gibt's immer einen vollen Topf, auch für dich, mein Brüderchen. In Nowo Wostokiny hingegen wirst du vielleicht Brei aus gefrorenen Kartoffeln essen. Oder die Stacheldrahtsuppe.«

»Stacheldrahtsuppe? Was ist denn das?« fragte Abukow erstaunt.

»Suppe aus getrocknetem Kohl. Ein Festessen wird's noch sein, wenn bis Januar kein Nachschub kommt. Freundchen, was willst du im Lager?«

»Mein Theater . . .«

Smerdow starrte ihn an, als habe Abukow ihm gegen die Hose uriniert. »Da wird doch keiner mehr die Kraft haben, auch nur noch ›Piff!‹ zu sagen. Die Kulissen werden sie auffressen, die Leinwände, die Kostüme auskochen, die Farben ablecken . . . Bleib hier, Victor Juwanowitsch!«

Je dramatischer Smerdow die mögliche Entwicklung schilderte, desto unverrückbarer wurde Abukows Entschluß, ins Lager zu fahren und dort zu bleiben. In Surgut zu sitzen an den dampfenden, fetten Töpfen von Smerdow oder Bataschew, das empfand er als widerlichen Verrat gegenüber seiner verhungernden Gemeinde. Er bedankte sich bei Smerdow, tankte seinen Kühlwagen Nr. 11 voll, nahm sechs Reservekanister Benzin mit und fuhr davon. Smerdow rief ihm zum Abschied noch nach: »Wenn's dir den Magen zerreißt, behalt so viel Benzin zurück, daß du zurückkommen kannst!«

Auch Abukow winkte noch einmal: »Warst ein guter Kamerad, Lew Konstantinowitsch, ein wahrer Freund. Denk mal an mich, wenn du Langeweile hast!« Das alles klang so, als nehme Abukow Abschied für immer. Als sei ihm bewußt, daß er Surgut nicht wiedersehen werde.

Bataschew, der Boxer, bei Einbruch des Winters von seinem verdammten Sommerschnupfen befreit, dafür nun geplagt von einem Rheuma, das wie der Schnupfen mit schöner Regelmäßigkeit einsetzte, wenn es draußen feucht wurde – er saß in seiner buntbemalten, überheizten Rangierbaracke, als Abukow eintrat.

»Habe ich nicht ein beklagenswertes Schicksal?« rief Bataschew. »Im Sommer trieft mir die Nase, im Winter biegt mich das Rheuma krumm. Das war das Ende meiner Boxerkarriere. Im Sommer ein Schlag auf die Nase, und ich war blind – im Winter ein Schlag in die Rippen, und ich wankte herum wie ein gebogener Nagel. Ha, meine Muskeln kennst du – und so etwas liegt brach durch eine Nase und einen schiefen Rücken! Ist das nicht ein schlimmes Schicksal?«

»Wir laden meine Sachen vom Versteck um in den Kühlwagen«, sagte Abukow und ließ die Tür offen, weil die Hitze wie eine dicke Wand war. »Es ist doch noch alles da?«

»Diese Frage beleidigt mich, mein Lieber!« antwortete Bataschew. »Habe ich es nötig, an deine geklauten Lebensmittel zu gehen? Natürlich liegen sie im Versteck. Wohin willst du damit?«

»Ich bringe alles ins Lager 451/1, Maxim Leontowitsch. In zwei Wochen wird es grausam werden. Nichts kommt mehr in das Depot. Es reicht nur noch für die Baudörfer . . .«

»Ich kenne das.« Bataschew zog seine Felljacke an und stülpte die Pelzmütze über seinen wuchtigen Schädel. »Hab's zweimal in meiner Lagerzeit erlebt. Für eine Scheibe Brot, dünn wie ein Fensterglas, könnte man morden . . . Komm, laden wir ein!«

In zwei Stunden hatten sie alles in den Kühlwagen verfrachtet, was Abukow im Laufe der Wochen aus Smerdows vollen Depots in kleinen oder auch größeren Mengen entführt und dann zu Bataschew gebracht hatte. Der hatte alles in einem kleinen, unter der Erde liegenden Betonbunker versteckt, zu dem nur er den Schlüssel besaß, weil niemand mehr wußte, wozu er jemals gebaut worden war. Er wurde dann auch vergessen. Nur Bataschew kannte ihn noch. Es war sein geheimes Lager, in dem unter anderem auch der schöne Küchenschrank aus polierter Birke gestanden hatte und das grüne Plüschsofa, das Glanzstück der ›Lustigen Witwe‹. Jetzt lagerten dort Abukows Vorräte: Rind- und Schweinefleisch, Fett in Tönnchen, Hühner, Grieß-, Mehl- und Grützesäcke, Zucker und Milchpulver, Marmelade und Reis.

»Wie willst du das ungesehen ins Lager bringen?« fragte Bataschew, als alle Vorräte umgeladen waren. »An Gribow kommst du nicht vorbei, der stürmt sofort den Wagen wie ein Pirat. Und was Kasimir Kornejewitsch einmal hat, das verschwindet in seinen Riesenbauch. Unheimlich, wie er fressen kann! – Wie willst du das machen, Abukow?«

»Ich denke mir etwas aus«, sagte Abukow, schloß die Tür, verriegelte sie und ging nach vorn zum Fahrerhaus. Bataschew folgte ihm, etwas nach vorn gekrümmt – das verfluchte Rheuma stach im Rücken.

»Leb wohl, mein Freund«, rief Abukow.

»Wann kommst du wieder, Victor Juwanowitsch?«

»Wer weiß das? Smerdow will mich rufen . . .«

»Soll ich nachkommen?« fragte Bataschew plötzlich. Sein Blick erinnerte an einen traurigen Hund. »Du brauchst mich doch . . . schüttle nicht den Kopf, ich weiß es.«

»Du frißt wie Gribow, das können wir uns nicht leisten . . .«

»Ruf mich, wenn du mich brauchst.« Bataschew drückte Abukow so fest an sich, daß ihm fast die Luft wegblieb. »Immer bin ich für dich da, denk daran – immer! Wenn du mich rufst, aus der Hölle haue ich dich heraus.«

Noch einmal umarmten sie sich, küßten sich auf die Wangen, und wieder hatte Abukow das Gefühl, als ob auch dieser Abschied endgültig sei. Schnell fuhr er davon, blickte sich nicht um, sah auch nicht mehr in den Rückspiegel, obwohl Bataschew winkte. Im April wird am Ob die Schneeschmelze sein, dachte er. Das Eis auf den Flüssen und Seen wird donnernd krachen. Die Wasser werden ablaufen. Die Schlammzeit wird kommen. Für ein paar Wochen würde dann alle Arbeit ruhen – bis schließlich die Sonne wieder brannte, die Erde fest wurde, die neuen Mückenschwärme wie flimmernde Wolken über dem Land lagen und die Bagger sich in die Erde fraßen. Aber wie viele frische Gräber würde es zu dieser Zeit am Waldrand hinter dem Lager geben? Sah General Tkatschew noch einmal die Sommersonne? Und der elende, immer dürrer werdende Physiker Lubnowitz? Überlebte der Chirurg Fomin den Winter? In den letzten Wochen war er immer schweigsamer geworden, hatte in sich hineingehört und zu Abukow gesagt: »Man ist verblüfft – leer ist der Magen, aber innen, da wächst etwas!« Larissa hatte dazu gemeint: »Er ist ein guter Arzt; es wird schon stimmen, daß er Krebs hat.« Gab es im April den Bäcker Tschalup noch? Den Schriftsteller Arikin? Den Bildhauer und den Architekten, die beide gemeinsam die Bühnenbilder entworfen hatten? Den Elektriker mit seiner selbst konstruierten Vorhangmaschine, die er aus Bataschews geklautem Transportband gebastelt hatte? Den Vorarbeiter der Schreinerei, der mit seiner Mannschaft die Bühne, die Kulissen und die Sitzbänke gezimmert hatte? Den kleinen Teemischer aus Ulan-Ude, der glänzende Augen bekommen hatte, als er hörte, er solle den Hänsel in ›Hänsel und Gretel‹ singen? Den Metzger, der die Kulissen schleppte und ein steifes Bein hatte, weil er sich vor drei Jahren mit einem Beil selbst verstümmelt hatte in der vergeblichen Hoffnung, er komme auf diese Weise weg aus der Lagerhölle? Gab der Winter sie alle wieder her?

Abukow fuhr inmitten einer Materialkolonne über die vereiste

Straße zum Baudorf an der Trasse und stellte seinen Wagen neben der Baracke ab, in der Jassenski, der neue Chefingenieur des Abschnitts, seine Wohnung hatte. Morosows Zimmer war noch immer unbewohnt; niemand wollte in einem Raum leben, in dem er sich erschossen hatte.

Jassenski blickte Abukow ratlos an. »Hat man Sie fehlgeleitet, Victor Juwanowitsch?« fragte er. »Vor drei Tagen erst war Smerdows Brigade hier. Aber bitte – wir nehmen jedes Bröckchen an. Waren Sie schon bei Rassim? Der füttert seine 1200 Mann mit geschnitzelten Rüben. In einem Liter heißem Wasser schwimmt einsam ein Runkelchen.«

»Ein guter Freund waren sie immer, Jassenski«, sagte Abukow und schälte sich aus seinem dicken Pelz. »Ein Freund auch von Wladimir Alexejewitsch. Mit Ihnen kann man sprechen . . .«

Jassenski sah Abukow nachdenklich an. »Ihre Einleitung, Victor Juwanowitsch, klingt verschwörerisch. Aber es ist, wie Sie sagen: Sie können Vertrauen haben.«

»Helfen Sie mir, bitte. Im Wagen habe ich für das Lager einen Notvorrat.«

»Was haben Sie da?«

»Lebensmittel aller Art. In vielen Wochen brav zusammengeklaut.«

»Abukow! Darauf steht die Todesstrafe, wissen Sie das? Diebstahl von Volkseigentum!«

»Sie sprechen es aus, Jassenski.« Abukow setzte sich auf einen Stuhl. In Jassenskis Hand war er jetzt, ein Zurück gab es nicht mehr. »Bei Ihnen muß ich die Ware verstecken. Im Lager geht es nicht.«

»Zum Mitschuldigen machen Sie mich . . .«

»Zum Retter.« Abukow hob beide Hände: »Greifen Sie zum Telefon, verraten Sie mich. Ich bleibe hier sitzen und laufe Ihnen nicht weg. Wohin könnte ich auch laufen? Wie Morosow gehandelt hätte, das weiß ich . . .«

Jassenski schwieg, trat ans Fenster und blickte hinaus. Seine Schultern zog er nach vorn, und es war ein schrecklicher Kampf, den er in seinem Inneren ausfocht.

»Wie stellen Sie sich das alles vor?« fragte er endlich.

»In mehreren Stücken hole ich die Lebensmittel bei Ihnen ab, so wie ich sie brauche. Alles auf einmal zu verteilen wäre sinnlos. Haushalten müssen wir mit dem, was ich habe, bis aus Surgut die Versorgung wieder läuft . . . Bald kann das sein, oder erst in Wochen.«

»Einen unbrauchbaren, alten Wohnwagen aus der Zeit der ersten Vorarbeiten kann ich Ihnen geben«, sagte Jassenski zögernd. »Abseits steht er, bei der Müllhalde, und verrottet dort. Das wäre hier das einzige sichere Versteck.«

»Sie *sind* ein Freund, ich wußte es, Jassenski«, sagte Abukow bewegt. »Nichts Besseres gibt's als diesen Wohnwagen.«

»Sie werden ihn heimlich benutzen, Victor Juwanowitsch. Keine Ahnung habe ich davon.« Jassenski drehte sich herum. Sein Gesicht war sehr kantig geworden bei dieser Entscheidung. »Mir ist völlig unbekannt, was Sie tun.«

»So ist es.« Abukow erhob sich und knöpfte seinen Pelz wieder zu. »Wenn das Eis bricht, werde ich Ihnen sagen, wie viele Menschen Sie damit gerettet haben.«

»Sie haben sie gerettet, Abukow.«

»So ist es nicht.« Abukow schüttelte den Kopf. »Ein Mann allein ist in Sibirien wie ein einsamer Wolf.«

Jassenski stand noch am Fenster, als Abukow mit seinem Kühlwagen abfuhr zur weitab liegenden Müllhalde.

Im Lager geschah genau das, was Smerdow vorausgesagt hatte: Als Abukow mit seinem Kühlwagen auf den großen Platz fuhr, stieß Gribow ein urweltliches Geheul aus, stürzte aus dem Magazin und lief dem Ankömmling mit ausgebreiteten Armen entgegen. Von der anderen Seite rannte Mirmuchsin heran. Und am Eingang der Küche erschien Nina Pawlowna, schlug die Schürze, der Kälte wegen, um ihren Kopf, und setzte sich ebenfalls in Bewegung. Als erster erreichte Gribow den Wagen, riß die Tür der Fahrerkabine auf und brüllte: »Laß dich ans Herz drücken, Victor Juwanowitsch! Wie ein Engel schwebst du herab. Was hast du mitgebracht?«

»Nichts!« antwortete Abukow und kletterte aus der Kabine. »Nur mich allein.«

»Welch ein Witzchen!« lachte Gribow. Nun waren auch Mustai und Nina Pawlowna am Wagen und griffen nach Abukow, um ihn an sich zu ziehen. »Kommt her, um sich fressen zu lassen. Ninoschka, gib unserem Victor eine gute, fette Suppe!« Ausschütten vor Lachen wollte er sich, sein riesiger Bauch wackelte gefährlich über der Hose, aber schlagartig wurde er ernst und geradezu fahl im Gesicht, als Abukow zu Mustai sagte:

»Es ist wirklich so: Mit leerem Wagen komme ich. Geräumt sind die Depots in Surgut, und nichts kommt mehr herein. Da will ich bei euch sein, habe ich gedacht, und euren Hunger teilen. Echte Freunde gehören auch in der Not zusammen.«

Dabei sah er Mustai mit einem langen Blick an, und Mirmuchsin verstand ihn und senkte den Kopf. Bei Gribow dauerte es etwas länger. Erst als Abukow die Ladetüren öffnete und ihn in das leere Innere blicken ließ, fiel er in sich zusammen und suchte eine Stütze an der Wagenwand, als schwanke der Boden unter ihm. »Wirklich nichts«, stammelte er. »Kommt daher mit einem leeren Wagen . . . Wie soll ich diesen Anblick überleben?«

Später berichtete Mustai über die Situation im Lager. »Das Hospital ist voll«, erzählte er Abukow. »Auf allen Fluren liegen sie herum. In den Baracken dämmern die Kranken dahin. Die Brigaden sind um ein Drittel ihrer Sollstärke geschrumpft. An der Trasse fallen die Menschen um wie welke Gräser. Nicht allein an Gribow liegt es; für zehn Tage Vorrat hat er immer im Magazin – nun aber fängt er an zu strecken, weil keiner weiß, wann es Nachschub gibt. Zwei Wochen reichen noch die Kartoffeln, wenn man sie abzählt. Der gesäuerte Kohl wird in Schaufeln eingeteilt. Die Grütze schwimmt jetzt im Wasser, und man kann die Körner zählen wie früher die Fleischbröckchen. Das einzige, was wir reichlich haben, ist mein Glühwein, doch er macht leider keinen satt. Auch die Wachmannschaften spüren es, ihre Suppen werden dünner. Die Frikadellen haben mehr Mehl als Fleisch. Nur bei den Offizieren klappt's noch, da duftet es nach Braten.«

Vor dem Eingang zum Hospital blieb Mustai stehen und faßte Abukow am Ärmel des Pelzes: »Warum bist du gekommen?«

»Bei Jassenski ist ein ganzer Wagen voll eingelagert . . . für die größte Not . . .«

»Oh, Allah! Nur flüstern darfst du das.«

»Smerdow ruft mich sofort zurück, wenn ein neuer Transport kommt. Jetzt reicht die offizielle Zuteilung nur für die Baudörfer. Von der städtischen Versorgung ist nichts abzuzweigen, keine Krume. Jede Verwaltung arbeitet nur für sich.« Abukow blickte hinüber zum Lager. Über den Baracken hing weiß der Rauch aus den Kaminen in der eisigen Luft. Wenigstens Wärme haben sie, dachte Abukow erschüttert. Die Bäume sind die einzigen gnädigen Helfer in der Not. »Wie viele Tote . . .?«

»In der letzten Woche sieben . . . aber der Winter ist noch lang . . .«

Vor dem Hospital wartete Professor Polewoi. Sein Kopf war nun völlig eingeschrumpft und wirkte kleiner als der weiße Busch seiner Haare. Stumm umarmte er Abukow: »Wir wußten, daß du kommst. Er läßt uns nicht allein, sagten wir alle. Auch seine Hände sind leer – aber wo nichts mehr ist, wird Gottes Wort der letzte Trost. Ist das nicht merkwürdig, Victor Juwanowitsch: Zugrunde geht man und wird dennoch ruhig durch ein Gebet. Man kann sein Elend wegglauben. – Wir haben auf dich gewartet.«

Im Hospital sah es grauenvoll aus. Auf den Gängen lagen die

Jammergestalten, apathisch oder wimmernd, Gerippe mit gegerbter Haut, Erfrorene mit verbundenen Gliedmaßen, Amputierte und krampfartig Hustende.

Abukow stieg über die Liegenden hinweg, ging zu Larissas Wohnung und trat ein. Sie war nicht da, aber auch sie hatte ihn erwartet: Auf der Kommode stand ein Foto von ihm, umkränzt mit Tannengrün, geschmückt mit kleinen Tannenzapfen. Ein Zettel lag davor, schon vor Tagen geschrieben: »Bin mit Dshuban im Lager und versorge die Kranken.«

Es klopfte an der Tür.

Abukow riß sie auf und blickte in Polewois zerfurchtes Gesicht. »Lubnowitz stirbt!« Der alte ehemalige Professor schluckte mehrmals. »Als ob er damit gewartet hätte, bis du kommst. Wie tapfer war Aaron Petrowitsch . . .«

»Bring mich zu ihm!« sagte Abukow, und als Polewoi zu weinen begann, legte er den Arm um ihn und zog ihn an sich: »Erlöst wird er werden . . . kann das nicht ein Trost sein . . .?«

Nach der ersten Woche im Januar ging Abukow zu Wolozkow. Von Smerdow aus Surgut war keine Nachricht gekommen. Der Nachschub versagte, die Verwaltung in Tjumen schwieg, aus Swerdlowsk war nur zu hören, daß man auf Lieferungen warte. Was in den Schüsseln der Häftlinge schwabbte, war fast nur noch heißes Wasser. Das faulig riechende Brot wurde grammweise eingeteilt.

Wolozkow zeigte auf einen Stuhl, als Abukow eintrat, aber Abukow blieb stehen und sah ihn lange wortlos an. Schließlich senkte Wolozkow den Kopf und wischte sich über die Augen.

»Die Verantwortung tragen andere«, sagte er heiser. »Ihre Blicke töten einen Falschen, Victor Juwanowitsch.«

»Ich weiß es.« Abukow holte tief Atem. »Nur eine Frage, Ilja Stepanowitsch: Sind Sie ein Freund?«

»Wie soll ich es beweisen, wenn mein Wort nicht gilt?«

»Ich kann jedem der 1200 Hungernden 20 Gramm Fleisch geben«, sagte Abukow stockend, »zehn Gramm Butter und 50 Gramm Grieß . . . Wenn man daraus eine Suppe macht, sind es drei Tage Überleben . . .«

Wolozkow stand auf und kam um den Tisch herum. An der Wand hing noch immer das Foto von Lenin, das Jachjajew einst mitgebracht hatte.

»Warum kommen Sie damit zu mir?«

»Ohne Rassim und ohne Sie ist es nicht möglich, etwas zu verteilen, Ilja Stepanowitsch. Es ist illegal . . .«

Wolozkow hob die Schultern und nickte dann. »Kommen Sie mit«, sagte er fest. »Wir gehen gemeinsam zu Rassim. Mag er die ganze Menschheit hassen – dieser Winter weicht auch ihn auf.«

Ein Zimmer weiter saß Rassim mit offener Uniformjacke und las in der sowjetischen Militärzeitung. Er blickte kurz auf, warf die Zeitung auf die Dielen und streckte wie immer, wenn er in Kampfbereitschaft ging, die Beine weit von sich.

»Die Theater-Idioten!« sagte er grob. »Wird ›Hänsel und Gretel‹ umbesetzt und spielt man jetzt ›Aus einem Totenhaus‹? Informiert habe ich mich: Das sozialistische Theater hat immer aktuell zu sein! Wirklichkeitsnah!«

»Gribows Vorräte reichen knapp sechs Tage«, sagte Abukow.

Rassim zog das eckige Kinn an und scharrte mit den Stiefeln. »Spucken Sie mich deswegen nicht an, Victor Juwanowitsch. Von der Zentrale habe ich einen Kommentar bekommen: Schuld sind wieder die Amerikaner. Haben die Getreidelieferung gestoppt! Wieso die Amerikaner, frage ich. Nach dem Fünfjahresplan ersticken wir an eigenem Getreide. Ja, aber da ist die böse Natur. Die dritte Mißernte hintereinander, kein Plan stimmt mehr, die Rechnungen gehen nicht auf. Und da macht der Amerikaner den Hahn zu. Und nun die Logik: Wo kein Futtergetreide ist, wird's weniger Vieh geben. Weniger Vieh bedeutet: Engpässe auf der ganzen Linie. Auch die Saat reichte nicht. Also gibt es weniger von allem, wovon man satt wird. Aber 255 Millionen Sowjetmenschen sind zu ernähren, die großen Städte müssen versorgt werden, die Arbeiterschaft darf nicht hungern – was bedeuten da 1200 Aussätzige im tiefen Sibirien?« Rassim sprang auf und schlug die Fäuste aneinander. »Wer etwas dagegen zu sagen hat, dem schlage ich die Hirnschale ein!«

»Der Genosse Abukow hat begrenzte Vorräte«, erklärte Wolozkow kurz.

Rassim zuckte zusammen und starrte Abukow an. »*Was* hat er? Vorräte?«

»Sie hören es«, sagte Abukow steif. Auf seiner Stirn glitzerte plötzlich Schweiß. Kalter Schweiß.

»Woher?« bellte Rassim.

»Gestohlen.«

»Wie lange reicht es?«

»Wenn wir ganz sparsam sind . . . in Gruppen . . . neun Tage . . . zusammen mit den Kartoffeln und dem Kohl, den Gribow noch hat . . .«

»Von meinem ersten Blick auf Sie wußte ich es!« sagte Rassim, und plötzlich lächelte er Abukow an. »Ein Halunke sind Sie, Victor Juwanowitsch. Wert, daß man Sie aufhängt. Und nun stehen

Sie da und kommen sich wie ein Heiliger vor. Auf Ihre schönen blauen Augen möchte ich Sie schlagen! Zum Teufel, bringen Sie das Fressen her – aber . . .« Er hob die rechte Hand. ». . . in ein Isolierlager schicke ich Sie, wenn Sie später jemals diese Minute hier erwähnen!«

Ende Januar brachte ein Lastwagen aus Tjumen die angekündigten alten Musikinstrumente ins Lager. Trompeten, Posaunen, Flöten, Klarinetten, Schalmeien, Trommeln, eine Pauke, eine Baßtuba, Waldhörner, ein Tenorhorn, ein Fagott, sogar eine Zither und ein Saxophon. Die meisten verbeult und verbogen, ausgemusterte Militärinstrumente – aber wie ein Wunder mutete es an, als sie in Wolozkows Büro auf dem Boden lagen und im Licht der Lampen schimmerten.

Rassim bog sich vor Lachen, nahm ein Waldhorn hoch, blies hinein, ließ einen schauerlichen Ton erschallen und sagte dann: »Das hätten wir nun! Jetzt, meine lieben Idioten, versucht mal, daraus einen Brei zu kochen – oder könnt ihr damit den Hunger aus den Mägen blasen?«

Zur gleichen Zeit saß Abukow an den Betten der Kranken und Sterbenden und betete mit ihnen.

Nichts als Worte hatte Abukow noch zu bieten. Mehr gab es nicht. »Kein Körnchen Grütze kann ich dir mehr geben, nackt bin ich wie du, aber ich kann dir versprechen, daß Gott uns nicht vergessen hat«, tröstete er. »Auch wenn es so aussieht, daß wir allein sind in allem Elend. ER ist bei uns und sagt zu uns: Holt eure letzte Stärke aus der Seele, glaubt an mich. Es gibt ein Morgen – wenn nicht auf Erden, dann bei mir im Himmel . . .«

Am dritten Februar rief Smerdow im Lager an. »Los geht's, Victor Juwanowitsch! Morgen kommt ein Güterzug aus Swerdlowsk mit Lebensmitteln für die Lager. Bataschew springt schon herum wie ein junges Böcklein. Fahr sofort los . . . ein ganzer Waggon mit Hühnern soll darunter sein!«

Abukow legte auf, ließ den Kopf auf Wolozkows Schulter sinken, der neben ihm stand, und weinte. Wolozkow legte den Arm um ihn und drückte ihn stumm an sich.

Aber Abukow konnte nicht fahren. Von Surgut kam auch keine Kolonne zum Lager durch, denn ein Schneesturm tobte fünf Tage und Nächte. Abukow stand am Fenster, starrte auf das weiße, wirbelnde Chaos und hatte die Hände gefaltet.

»Warum, o Herr?« fragte er leise. »Warum? Was haben wir Dir getan? Wo bist Du, Herr im Himmel?«

Wie schwer ist es, ein Priester in Sibirien zu sein . . .

Am sonnigen, warmen Ostersonntag trafen sich auf dem Petersplatz in Rom nach dem päpstlichen Segen »Urbi et orbi« Monsignore Battista und Monsignore Selogia, der Leiter der »Ostabteilung«. Sie begrüßten sich, wie alte Freunde sich begrüßen. Ein seidiger Himmel lag über der Heiligen Stadt, die Kuppeln und Türme der Kirchen schienen im Frühlingsschimmer zu schweben. Sie gingen am Rande der Kolonnaden entlang, die Hände vor der Brust und über dem vergoldeten Kreuz gefaltet, und genossen die sanfte Wärme des schönen Tages. Christus ist auferstanden . . . man spürte es.

»Was ich noch fragen wollte, mein lieber Bruder«, sagte Monsignore Selogia und rückte sein Brustkreuz gerade. »Haben Sie irgend etwas von unserem Pater Stephanus gehört?«

»Nichts.« Monsignore Battista nickte, weil zwei kleine Mädchen vor ihm knicksten. »Jegliche Verbindung nach Sibirien ist abgeschnitten. Wir haben keine Kontakte mehr.«

»Ob Stephanus sein Ziel erreicht hat?«

»Das weiß nur Gott allein«, sagte Monsignore Battista. »Wir werden wohl nie mehr etwas von ihm hören.«

Eine Meldung aus Moskau vom 19. März 1983

Der Mathematiker Valerij Senderow ist von einem Moskauer Gericht wegen seines Einsatzes für eine freie Gewerkschaftsbewegung in der Sowjetunion (SMOT) zu sieben Jahren Lagerhaft und fünf Jahren Verbannung verurteilt worden.

Die Verhandlung gegen den 37jährigen Senderow hatte nur einen Tag gedauert. Der Verfasser von mehr als zehn Arbeiten zur Funktionalanalyse war vor dem Prozeß einer psychiatrischen Untersuchung im Serbskij-Institut unterzogen worden, nachdem er bereits in früheren Jahren zweimal in psychiatrische Anstalten eingewiesen worden war. Strafverschärfend wurde vom Gericht angesehen, daß bei Senderow anläßlich einer Haussuchung Schriften des »Bundes russischer Solidaristen« (NTS) gefunden wurden, einer Bewegung, die sich für eine Erneuerung Rußlands aus christlichem Geist einsetzt.

Denn Senderow ist orthodoxer Christ.

GOLDMANN VERLAG

Heinz G. Konsalik